Ciemniejsza strona
Greya

Trylogia „Pięćdziesiąt odcieni":

Pięćdziesiąt twarzy Greya
Ciemniejsza strona Greya
Nowe oblicze Greya

E L James

Ciemniejsza strona
Greya

Z angielskiego przełożyła
Monika Wiśniewska

WYDAWNICTWO
SONIA DRAGA

Tytuł oryginału:
Fifty shades darker

Projekt graficzny okładki: Jennifer McGuire
Ilustracja na okładce: E. Spek/Dreamstime.com
Zdjęcie autorki: © Michael Lionstar

Redakcja: Ewa Penksyk-Kluczkowska
Korekta: Magdalena Bargłowska, Aneta Iwan

ISBN: 978-83-7508-595-2

Sprzedaż wysyłkowa:
www.merlin.com.pl
www.empik.com
www.soniadraga.pl

WYDAWNICTWO SONIA DRAGA Sp. z o. o.
Pl. Grunwaldzki 8-10, 40-127 Katowice
tel. 32 782 64 77, fax 32 253 77 28
e-mail: info@soniadraga.pl
www.soniadraga.pl
www.facebook.com/WydawnictwoSoniaDraga
www.facebook.com/50TwarzyGreya
www.piecdziesiattwarzygreya.pl

Skład i łamanie: Wydawnictwo Sonia Draga

Katowice 2015

Druk: Abedik S.A., Poznań

Książkę wydrukowano na papierze Ecco Book 60g,
dostarczonym przez firmę Antalis.

Dla Z i J
Macie moją miłość bezwarunkową, na zawsze

PODZIĘKOWANIA

Mam ogromny dług wdzięczności wobec Sarah, Kay i Jady. Dziękuję Wam za wszystko, co dla mnie zrobiłyście.

Poza tym BARDZO dziękuję Kathleen i Kristi, które przejęły pałeczkę i wszystko pozałatwiały.

Dziękuję także Niallowi, mojemu mężowi, kochankowi i najlepszemu przyjacielowi (na ogół).

Serdecznie pozdrawiam wszystkie cudowne, cudowne kobiety z całego świata, które miałam przyjemność poznać, odkąd się to wszystko zaczęło, i które teraz uważam za przyjaciółki, a są to między innymi: Ale, Alex, Amy, Andrea, Angela, Azucena, Babs, Bee, Belinda, Betsy, Brandy, Britt, Caroline, Catherine, Dawn, Gwen, Hannah, Janet, Jen, Jenn, Jill, Kathy, Katie, Kellie, Kelly, Liz, Mandy, Margaret, Natalia, Nicole, Nora, Olga, Pam, Pauline, Raina, Raizie, Rajka, Rhian, Ruth, Steph, Susi, Tasha, Taylor i Una. Pozdrawiam także wiele utalentowanych, zabawnych, ciepłych kobiet (i mężczyzn), które poznałam on-line. Wiecie, że to o Was mi chodzi.

Dziękuję Morgan i Jenn za wszystko, co się wiąże z Heathmanem.

I na koniec dziękuję Janine, mojemu wydawcy. Jesteś wielka. I tyle.

PROLOG

On tu wrócił. Mamusia śpi albo jest znowu chora.

Chowam się pod stołem w kuchni i zakrywam twarz. Przez palce widzę mamusię. Śpi na kanapie. Jej dłoń leży na lepkim zielonym dywaniku, a on ma na nogach te swoje wielkie buciory z błyszczącą sprzączką. Stoi nad mamusią i krzyczy.

Uderza mamusię pasem. „Wstawaj! Wstawaj! Ty popierdolona dziwko. Ty popierdolona dziwko. Ty popierdolona dziwko. Ty popierdolona dziwko. Ty popierdolona dziwko. Ty popierdolona dziwko".

Mamusia chyba płacze. „Przestań. Proszę, przestań". Mamusia nie krzyczy. Mamusia zwija się w kłębek.

Zasłaniam uszy i zaciskam powieki. Już nic nie słyszę.

On się odwraca i widzę jego buty, gdy wchodzi do kuchni. W ręce trzyma pasek. Szuka mnie.

Przykuca i uśmiecha się szeroko. Paskudnie śmierdzi. Papierosami i wódką. „Tu jesteś, gówniarzu".

Budzi go mrożące krew w żyłach zawodzenie. Chryste! Jest cały spocony i serce wali mu jak młotem. „Co się, kurwa, dzieje?" Siada wyprostowany i chowa twarz w dłoniach. „Kurwa. Wróciły. To ja wydawałem ten dźwięk". Bierze głęboki, uspokajający oddech, próbując wyrzucić z pamięci smród taniego bourbona i cameli.

ROZDZIAŁ PIERWSZY

Przeżyłam Dzień Trzeci po Christianie i pierwszy dzień w pracy. Przynajmniej miałam się czym zająć. Nowe twarze, nowe obowiązki i pan Jack Hyde. Pan Jack Hyde... opiera się właśnie o moje biurko. Uśmiecha się, a w niebieskich oczach pojawia się błysk.

– Doskonała robota, Ano. Coś mi się zdaje, że świetny z nas będzie team.

Jakimś cudem udaje mi się wygiąć usta w coś na kształt uśmiechu.

– Będę się zbierać, jeśli nie masz nic przeciwko – bąkam.

– Jasne, jest piąta trzydzieści. Do zobaczenia jutro.

– Do zobaczenia.

Zakładam żakiet, biorę torebkę i opuszczam redakcję. Gdy już otula mnie wieczorne powietrze Seattle, biorę głęboki oddech. Niestety, nie wypełniam w ten sposób próżni w klatce piersiowej, próżni, którą noszę w sobie od sobotniego ranka, boleśnie przypominającej o tym, co utraciłam. Z opuszczoną głową idę w stronę przystanku autobusowego, patrząc pod nogi i dumając nad życiem bez ukochanej Wandy, mojego starego garbusa... czy audi.

Tę myśl natychmiast od siebie odsuwam. Nie. Nie myśl o nim. Oczywiście, że stać mnie na samochód – fajny i nowy. Podejrzewam, że podczas wypisywania czeku Christian wykazał się przesadną hojnością. Myśl ta pozostawia w mych ustach gorzki smak, ale ją także odsuwam i z całych sił próbuję się cofnąć do stanu otępienia. Nie mogę o nim myśleć. Nie chcę znowu się rozpłakać, zwłaszcza na ulicy.

Mieszkanie jest puste. Tęsknię za Kate. Oczami wyobraźni widzę, jak wyleguje się na plaży na Barbados, sącząc zimny koktajl. Włączam telewizor, żeby jakieś dźwięki wypełniły próżnię i zapewniły mi coś na kształt towarzystwa, ale nie słucham ani nie oglądam. Siedzę i niewidzącym wzrokiem wpatruję się w ścianę. Jestem odrętwiała. Nie czuję nic prócz bólu. Jak długo będę musiała przez to przechodzić?

Z tych pełnych udręki myśli wyrywa mnie dzwonek domofonu. Serce na chwilę mi zamiera. Kto to może być? Wciskam guzik.

– Przesyłka dla panny Steele – rozbrzmiewa znudzony głos, a mnie zalewa fala rozczarowania. Apatycznie schodzę na dół. O drzwi wejściowe opiera się młody chłopak głośno żujący gumę. W objęciach piastuje duży karton. Kwituję odbiór przesyłki i zabieram ją na górę. Karton jest spory i zaskakująco lekki. W środku znajduję dwa tuziny długich białych róż i kartkę.

Gratulacje z okazji pierwszego dnia w pracy.
Mam nadzieję, że się udał.
I dziękuję Ci za szybowiec.
Zajął honorowe miejsce na moim biurku.
Christian

Wpatruję się w tych kilka wydrukowanych linijek, a otchłań w mojej piersi staje się jeszcze większa. Jak nic wysłała to jego asystentka. Christian najpewniej mało miał z tym wspólnego. To zbyt bolesne, żeby o tym myśleć. Przyglądam się uważnie różom – są piękne i jakoś nie mogę się przemóc, aby wyrzucić je do kosza. Kierowana poczuciem obowiązku udaję się do kuchni, aby poszukać jakiegoś wazonu.

WYPRACOWUJĘ PEWIEN RYTM: pobudka, praca, płacz, sen. A przynajmniej próby zaśnięcia. Nawet w snach nie jestem w stanie przed nim uciec. Szare płonące oczy, widoczne w nich zagubienie, lśniące gęste włosy – wszystko to bez końca mnie prześladuje. No i muzyka… tyle muzyki – nie mogę jej znieść. Za wszelką cenę staram się jej unikać. Nawet dżingle reklamowe sprawiają, że przechodzi mnie dreszcz.

Z nikim nie rozmawiałam, nawet z mamą czy Rayem. Czcza gadanina mnie teraz przerasta. Nie, nie mam na to ochoty. Stałam się samotną wyspą. Spustoszoną wojną ziemią, na której nic nie rośnie i gdzie horyzont jest nagi. Tak, to ja. W pracy jakoś daję sobie radę, ale nic poza tym. Jeśli porozmawiam z mamą, wiem, że spadnę jeszcze niżej – a przecież znajduję się już na samym dnie.

MAM PROBLEM Z JEDZENIEM. W środę w porze lunchu cudem wmuszam w siebie jogurt. To moja pierwsza strawa od piątku. Jakoś funkcjonuję dzięki nowo odkrytej tolerancji wobec kawy latte i dietetycznej coli. Kofeina dodaje mi sił, ale też czyni niespokojną.

Jack nabrał zwyczaju pochylać się nade mną, irytując mnie tym, zadając pytania natury osobistej. Czego on chce? Zachowuję się grzecznie, ale muszę trzymać go na dystans.

Siadam i zabieram się za stos zaadresowanej do niego korespondencji. Cieszę się z tej niewdzięcznej pracy, gdyż dzięki niej mam zajęte myśli. Słyszę sygnał nadejścia mejla i szybko zerkam na nadawcę.

A niech mnie. Mejl od Christiana. O nie, nie tutaj… nie w pracy.

Nadawca: Christian Grey
Temat: Jutro
Data: 8 czerwca 2011, 14:05
Adresat: Anastasia Steele

Droga Anastasio,

Wybacz to nagabywanie w pracy. Mam nadzieję, że dobrze Ci idzie. Dotarły do Ciebie kwiaty?

Pamiętam, że jutro ma miejsce otwarcie wystawy Twojego przyjaciela. Jestem pewny, że nie miałaś czasu kupić samochodu, a to daleka droga. Z największą chęcią Cię tam zawiozę – jeśli tylko będziesz chciała.

Czekam na wiadomość.

Christian Grey
Prezes, Grey Enterprises Holdings, Inc.

W moich oczach wzbierają łzy. Zrywam się z krzesła i pędzę do toalety, aby ukryć się w jednej z kabin. Wystawa José. Zupełnie o niej zapomniałam, a przecież mu obiecałam, że przyjadę. Cholera, Christian ma rację: jak ja tam dotrę?

Czemu José nie zadzwonił? A skoro już o tym mowa, to czemu nikt nie dzwoni? Byłam tak rozkojarzona, że nawet nie zwróciłam uwagi na fakt, że mój telefon milczy.

Jasny gwint! Ależ ze mnie idiotka! Nie zmieniłam przekierowania i wszystkie połączenia docierają do

BlackBerry. Cholera. To Christian odbiera moje telefony
– chyba że wyrzucił BlackBerry do kosza. A skąd ma mój
adres mejlowy?

Zna mój numer buta. Poznanie adresu mejlowego
raczej nie nastręcza mu wielu problemów.

Czy mogę się znowu z nim spotkać? Zniosłabym to?
Chcę go zobaczyć? Zamykam oczy i odchylam głowę,
a moje ciało przeszywa pożądanie. Oczywiście, że chcę.

Być może… być może jestem gotowa mu powiedzieć, że zmieniłam zdanie… Nie, nie i jeszcze raz nie.
Nie mogę być z kimś, kto czerpie przyjemność z zadawa-
nia mi bólu, z kimś, kto nie potrafi mnie kochać.

Przez moją głowę przemykają dręczące wspomnienia: lot szybowcem, trzymanie się za ręce, pocałunki,
wanna, jego delikatność, poczucie humoru i mroczne,
seksowne spojrzenie. Tęsknię za nim. Minęło pięć dni,
pięć dni męczarni, które wydają się całą wiecznością.
Nocą zasypiam z płaczem, żałując, że odeszłam, żałując,
że on nie może być inny, żałując, że nie jesteśmy razem.
Jak długo będzie trwać ta udręka? Jestem w piekle.

Oplatam się ciasno ramionami, aby nie rozpaść się
na kawałki. Tęsknię za nim. Naprawdę tęsknię… Kocham
go. To proste.

Anastasio Steele, jesteś w pracy! Muszę być silna, ale
chcę jechać na wystawę José. Kryjąca się głęboko we mnie
masochistka pragnie zobaczyć się z Christianem. Biorę
głęboki oddech i wracam do biurka.

Nadawca: Anastasia Steele
Temat: Jutro
Data: 8 czerwca 2011, 14:25
Adresat: Christian Grey

Cześć, Christianie,

Dziękuję za kwiaty, są śliczne.

Tak, byłabym wdzięczna za podwiezienie.

Dziękuję.

Anastasia Steele
Asystentka Jacka Hyde'a, redaktora naczelnego SIP

Sprawdziwszy telefon, stwierdzam, że połączenia rzeczywiście nadal są przekazywane do BlackBerry. Jack jest na spotkaniu, więc szybko wystukuję numer José.

– Cześć, José. Z tej strony Ana.

– Witaj, nieznajoma. – Głos ma taki ciepły i życzliwy, że samo to niemal wystarcza, bym pod powiekami znowu poczuła łzy.

– Nie mogę długo rozmawiać. O której mam jutro być?

– Jednak przyjedziesz? – Słychać, że jest podekscytowany.

– Naturalnie. – Uśmiecham się szczerze po raz pierwszy od pięciu dni.

– O wpół do ósmej.

– No to do jutra. Pa, José.

– Pa, Ano.

Nadawca: Christian Grey
Temat: Jutro
Data: 8 czerwca 2011, 14:27
Adresat: Anastasia Steele

Droga Anastasio,

O której mam po Ciebie przyjechać?

Christian Grey
Prezes, Grey Enterprises Holdings, Inc.

Nadawca: Anastasia Steele
Temat: Jutro
Data: 8 czerwca 2011, 14:32
Adresat: Christian Grey

Wernisaż José zaczyna się o 19:30. Którą godzinę proponujesz?

Anastasia Steele
Asystentka Jacka Hyde'a, redaktora naczelnego SIP

Nadawca: Christian Grey
Temat: Jutro
Data: 8 czerwca 2011, 14:34
Adresat: Anastasia Steele

Droga Anastasio,

Do Portland jest kawałek drogi. Będę po Ciebie o 17:45.

Czekam z niecierpliwością na nasze spotkanie.

Christian Grey
Prezes, Grey Enterprises Holdings, Inc.

Nadawca: Anastasia Steele
Temat: Jutro
Data: 8 czerwca 2011, 14:38
Adresat: Christian Grey

W takim razie do zobaczenia.

Anastasia Steele
Asystentka Jacka Hyde'a, redaktora naczelnego SIP

O rety. Spotkam się z Christianem. Po raz pierwszy od pięciu dni notuję minimalną poprawę nastroju. I zastanawiam się, co u niego.

Tęskni za mną? Prawdopodobnie nie tak, jak ja za nim. Znalazł sobie nową uległą? Ta myśl jest tak bolesna, że natychmiast ją od siebie odsuwam. Spoglądam na stos korespondencji Jacka i biorę się za jej sortowanie, próbując jednocześnie po raz kolejny wyrzucić Christiana z myśli.

Tego wieczoru przed zaśnięciem przekręcam się bez końca z boku na bok, ale po raz pierwszy od kilku dni nie płaczę do poduszki.

Oczami wyobraźni widzę twarz Christiana w chwili mojego odejścia. Prześladuje mnie widoczna na niej udręka. Pamiętam, że nie chciał, abym odeszła, co było dziwne. Czemu miałabym zostać, skoro nastąpił impas? Oboje mieliśmy problemy: ja ze strachem przed karą, on ze strachem przed... przed czym? Przed miłością?

Po raz kolejny przekręcam się na drugi bok i pełna bezbrzeżnego smutku tulę twarz do poduszki. On uważa, że nie zasługuje na bycie kochanym. Dlaczego tak myśli? Czy to ma związek z jego dzieciństwem? Biologiczną matką, narkomanką i dziwką? Takie myśli dręczą mnie niemal do świtu, kiedy w końcu zapadam w płytki, niedający ukojenia sen.

DZIEŃ CIĄGNIE SIĘ bez końca, a Jack poświęca mi wyjątkowo dużo uwagi. Podejrzewam, że ma to związek ze śliwkową sukienką Kate i czarnymi kozaczkami na wysokim obcasie, które zwędziłam z jej szafy, ale nie zastanawiam się nad tym zbyt intensywnie. Postanawiam, że po pierwszej wypłacie udam się na zakupy. Sukienka jest luźniejsza niż ostatnio, ale udaję, że tego nie dostrzegam.

W końcu wybija piąta trzydzieści. Cała w nerwach chwytam żakiet i torebkę. Zaraz się z nim spotkam!

– Masz dzisiaj randkę? – pyta Jack, mijając moje biurko w drodze do wyjścia.

– Tak. Nie. Niezupełnie.

Unosi brew, wyraźnie zainteresowany.

– Chłopak?

Rumienię się.

– Nie, przyjaciel. Były chłopak.

– Może jutro chciałabyś wyskoczyć po pracy na drinka? Rewelacyjny pierwszy tydzień w pracy, Ana. Powinniśmy to uczcić. – Uśmiecha się, a w jego spojrzeniu pojawia się lekko niepokojący błysk.

Z rękami w kieszeniach wychodzi przez dwuskrzydłowe drzwi. Marszczę brwi. Drink z szefem – czy to dobry pomysł?

Potrząsam głową. Najpierw czeka mnie wieczór z Christianem Greyem. Jak ja sobie z tym poradzę? Pospiesznie udaję się do toalety na ostatnie poprawki.

Staję przed dużym lustrem i przyglądam się uważnie swojej twarzy. Blada jak zawsze, a jeszcze mam ciemne sińce pod zbyt dużymi oczami. Wyglądam mizernie. Żałuję, że nie jestem dobra w robieniu makijażu. Tuszuję rzęsy, maluję eyelinerem cienką kreskę na górnej powiece i szczypię policzki w nadziei na uzyskanie odrobiny koloru. Układam włosy tak, że opadają mi na plecy i biorę głęboki oddech. To musi wystarczyć.

Nerwowo przechodzę przez hol i macham na pożegnanie siedzącej w recepcji Claire. Chyba mogłabym się z nią zaprzyjaźnić. Gdy idę w stronę drzwi, Jack akurat rozmawia z Elizabeth. Uśmiechając się szeroko, podbiega, aby otworzyć mi drzwi.

– Pani przodem – mruczy.

– Dziękuję – uśmiecham się z zakłopotaniem.

Przed budynkiem czeka Taylor. Otwiera tylne drzwi samochodu. Oglądam się niepewnie na Jacka, który wyszedł za mną. Z konsternacją patrzy na audi.

Odwracam się i wsiadam do auta, i oto on, Christian Grey, w szarym garniturze, bez krawatu, z odpiętym kołnierzykiem białej koszuli. Jego szare oczy lśnią.

Zasycha mi w ustach. Wygląda fantastycznie, ale patrzy na mnie, marszcząc brwi. Dlaczego?

– Kiedy ostatni raz coś jadłaś? – pyta ostro, gdy Taylor zamyka za mną drzwi.

Cholera.

– Witaj, Christianie. Tak, ja również się cieszę, że cię widzę.

– Daruj sobie teraz swój cięty język. Odpowiedz mi na pytanie. – Oczy mu płoną.

O kurde.

– Eee… na lunch zjadłam dziś jogurt. A, i banana.

Taylor siada za kierownicą, uruchamia silnik i włącza się do ruchu.

Jack mi macha, choć nie mam pojęcia, jakim cudem mnie widzi przez przyciemnianą szybę. Odmachuję mu.

– Kto to? – warczy Christian.

– Mój szef. – Podnoszę wzrok na pięknego mężczyznę siedzącego obok. Usta ma zaciśnięte w cienką linię.

– No więc? Ostatni posiłek?

– Christian, to naprawdę nie powinno cię interesować – rzucam, czując się wyjątkowo odważna.

– Interesuje mnie wszystko, co dotyczy ciebie. Odpowiedz.

Wydaję pełen frustracji jęk i wznoszę oczy ku górze, on zaś mruży oczy. I po raz pierwszy od dawna chce mi się śmiać. Mocno się staram zdusić chichot, grożący wydostaniem się na powierzchnię. Twarz Christiana łagodnieje, gdy tak walczę o zachowanie powagi, a po przepięknie wyrzeźbionych ustach przemyka cień uśmiechu.

– No więc? – pyta, tym razem łagodniej.

– Makaron *alla vongole*, zeszły piątek – odpowiadam szeptem.

Zamyka oczy, a jego twarz przecina wściekłość i chyba żal.

– Rozumiem – mówi głosem pozbawionym wyrazu. – Wyglądasz, jakbyś schudła co najmniej trzy kilo, a może i więcej. Masz jeść, Anastasio.

Wbijam wzrok w leżące na kolanach splecione dłonie. Dlaczego przy nim zawsze się czuję jak niesforne dziecko?

Poprawia się na kanapie i odwraca w moją stronę.

– Jak się czujesz? – pyta. Głos nadal ma łagodny.

Cóż, tak naprawdę fatalnie… Przełykam ślinę.

– Skłamałabym, gdybym ci powiedziała, że dobrze.

Wciąga głośno powietrze.

– Ja też – mówi cicho i kładzie mi rękę na dłoni. – Brakuje mi ciebie – dodaje.

O nie. Jego dotyk.

– Christianie…

– Ana, proszę. Musimy porozmawiać.

Zaraz się rozpłaczę. Nie.

– Christianie… proszę… tyle się już napłakałam – szepczę, próbując zachować kontrolę nad emocjami.

– Och, skarbie, nie. – Pociąga mnie za dłoń i chwilę później siedzę na jego kolanach. Obejmuje mnie mocno, chowając nos w moich włosach. – Tak bardzo za tobą tęskniłem, Ano – mówi bez tchu.

Chcę się wyplątać z jego objęć, zachować pewien dystans, ale on nie daje za wygraną. Przyciska mnie mocno do piersi. Mięknę. Och, to właśnie tutaj pragnę się znajdować.

Opieram o niego głowę, a on obsypuje pocałunkami moje włosy. To właśnie jest dom. Pachnie świeżym praniem, płynem zmiękczającym, żelem pod prysznic i tym, co lubię najbardziej – Christianem. Przez chwilę pozwalam sobie na ułudę, że wszystko będzie dobrze. Koi to moją zbolałą duszę.

Kilka minut później Taylor zatrzymuje auto, chociaż nie zdążyliśmy nawet wyjechać z miasta.

– Chodź. – Christian zsuwa mnie z kolan. – Jesteśmy na miejscu.

Co takiego?

– Lądowisko, na dachu. – Tytułem wyjaśnienia pokazuje wzrokiem wysoki budynek.

No tak. Charlie Tango. Taylor otwiera drzwi i wysiadam z auta. Obdarza mnie ciepłym, ojcowskim uśmiechem, dzięki któremu czuję się bezpiecznie. Także się uśmiecham.

– Powinnam ci oddać chusteczkę.

– Proszę ją zatrzymać, panno Steele, z najlepszymi życzeniami.

Rumienię się, gdy Christian obchodzi samochód i bierze mnie za rękę. Patrzy pytająco na Taylora, który odpowiada spokojnym spojrzeniem, niczego nie wyjaśniając.

– Dziewiąta? – pyta go Christian.

– Tak, proszę pana.

Christian kiwa głową, odwraca się i przez podwójne drzwi wprowadza mnie do imponującego foyer. Upajam się dotykiem jego dłoni i długich palców splecionych z moimi. I czuję znajome przyciąganie, jak wzywany przez słońce Ikar. Zdążyłam się już sparzyć, a jednak znowu frunę.

Gdy docieramy do wind, wciska guzik przywołujący. Podnoszę na niego wzrok. Na jego twarzy widnieje ten charakterystyczny zagadkowy półuśmiech. Drzwi się rozsuwają, on puszcza moją dłoń i wchodzimy do środka.

Drzwi zamykają się i jeszcze raz ośmielam się na niego zerknąć. On też patrzy na mnie i oto znowu przeskakuje między nami ta elektryczność. Jest wręcz namacalna. Niemal ją czuję, jak pulsuje między nami, przyciągając nas do siebie.

– O rety – mówię bez tchu, przez chwilę rozkoszując się intensywnością tego pierwotnego przyciągania.

– Też to czuję. – Jego wzrok płonie.

W moich lędźwiach gromadzi się coraz więcej mrocznego pożądania. Christian bierze mnie za rękę i przesuwa kciukiem po knykciach, a wszystkie moje mięśnie zaciskają się mocno, rozkosznie, głęboko.

Jak to możliwe, że on nadal tak na mnie działa?

– Proszę, nie przygryzaj wargi, Anastasio – szepcze.

Podnoszę wzrok i puszczam wargę. Pragnę go. Tutaj, teraz, w windzie. Jak mogłoby być inaczej?

– Wiesz, jak to na mnie działa – mruczy.

Och, a więc on też to czuje. Moja wewnętrzna bogini zastanawia się nad porzuceniem pięciodniowych dąsów.

Drzwi nagle się rozsuwają, czar pryska, a my wychodzimy na dach. Wieje silny wiatr i choć mam żakiet, jest
mi zimno. Christian obejmuje mnie ramieniem, przyciąga
do siebie i szybko idziemy w stronę Charliego Tango, stojącego pośrodku lądowiska. Śmigła obracają się powoli.

Z kabiny wychodzi wysoki blondyn o kwadratowej
szczęce i pochylając się, biegnie ku nam. Wymienia uścisk
dłoni z Christianem i woła, przekrzykując łoskot śmigła:

– Gotowy do lotu, proszę pana. Jest do pańskiej dys-
pozycji!

– Wszystko sprawdzone?

– Tak jest.

– Odbierzesz go około ósmej trzydzieści?

– Tak jest.

– Taylor czeka na ciebie na dole.

– Dziękuję, panie Grey. Bezpiecznego lotu do Portland. Do widzenia pani. – Żegna się ze mną ruchem głowy.

Christian, nie puszczając mojej dłoni, pochyla się
i prowadzi mnie do maszyny.

Gdy jesteśmy już w kabinie, zapina mi pasy, mocno
je zaciskając. Posyła mi znaczące spojrzenie i ten swój tajemniczy uśmiech.

– Dzięki temu będziesz unieruchomiona – mruczy.
– Muszę przyznać, że podobają mi się te pasy. Niczego
nie dotykaj.

Oblewam się szkarłatnym rumieńcem, a on przesuwa palcem wskazującym po moim policzku, po czym
wręcza mi słuchawki. „Ja też chciałabym cię dotknąć, ale
mi nie pozwolisz". Robię nachmurzoną minę. Poza tym
tak ciasno mnie zapiął, że ledwie mogę się ruszyć.

Zajmuje swoje miejsce i także zapina pasy, po czym
rozpoczyna kontrolę przedstartową. Jest taki kompetent-
ny. Zakłada słuchawki, pstryka jakiś guzik i śmigła przyspieszają, ogłuszając mnie.

Christian odwraca się do mnie.

– Jesteś gotowa, mała? – Jego głos odbija się echem w słuchawkach.

– Tak.

Obdarza mnie chłopięcym uśmiechem. *Wow*, tak dawno go nie widziałam.

– Wieża Sea-Tac, tu Charlie Tango Golf – Golf Echo Hotel, gotowy do lotu do Portland przez PDX. Proszę o potwierdzenie, odbiór.

Odzywa się głos kontrolera ruchu, wydający instrukcje:

– Roger, wieża, Charlie Tango może startować, bez odbioru.

Christian wciska dwa przyciski, chwyta za drążek sterowniczy i śmigłowiec powoli się wznosi ku wieczornemu niebu.

Seattle i mój żołądek pozostają w dole. Tyle jest do zobaczenia.

– Goniliśmy już za świtem, Anastasio, teraz pora na zmierzch – słyszę w słuchawkach jego głos.

Odwracam się i patrzę na niego zaskoczona.

Co to ma znaczyć? Jak to jest, że Christian potrafi mówić tak romantycznie? Uśmiecha się, na co odpowiadam nieśmiałym uśmiechem.

– Tym razem oprócz zachodzącego słońca jest znacznie więcej do zobaczenia – mówi.

Podczas naszego ostatniego lotu do Seattle panowały ciemności, ale dzisiejszego wieczoru widok jest spektakularny, dosłownie nieziemski. Prześlizgujemy się między najwyższymi budynkami, ciągle się wznosząc.

– Tam jest Escala – pokazuje mi. – Tam Boeing, no i widać Space Needle.

Wyciągam szyję.

– Nigdy tam nie byłam.

– Zabiorę cię, możemy tam coś zjeść.

– Christian, myśmy się rozstali.

– Wiem. Ale przecież wolno mi cię tam zabrać i na-karmić. – Piorunuje mnie wzrokiem.

Kręcę głową i postanawiam nie protestować.

– Bardzo tu pięknie, dziękuję ci.

– Robi wrażenie, co?

– Robi wrażenie fakt, że umiesz robić coś takiego.

– Pochlebstwo z pani ust, panno Steele? Ależ ja jestem człowiekiem o wielu talentach.

– Mam tego pełną świadomość, panie Grey.

Odwraca się, uśmiecha znacząco i po raz pierwszy od pięciu dni udaje mi się choć trochę zrelaksować. Może nie będzie aż tak źle.

– Jak nowa praca?

– Dobrze, dziękuję. Interesująca.

– Jaki jest twój przełożony?

– Och, w porządku. – Jak mogę powiedzieć Christianowi, że Jack mnie deprymuje?

– Co ci się w nim nie podoba? – pyta, zerkając na mnie.

– Nie licząc tego, co oczywiste, to nic.

– Tego, co oczywiste?

– Och, Christianie, czasem straszny z ciebie tępak.

– Tępak? Ja? Nie jestem pewny, czy podoba mi się pani ton, panno Steele.

– No to niech ci się nie podoba.

Jego usta wyginają się w uśmiechu.

– Brakowało mi twego ciętego języka, Anastasio.

Wciągam głośno powietrze i mam ochotę zawołać: „A mnie brakowało całego ciebie, nie tylko języka!" Trzymam jednak buzię na kłódkę i wyglądam przez szybę Charliego Tango, która ma kształt kulistego akwarium. Lecimy na południe. Po prawej stronie słońce wisi nisko nad horyzontem – wielkie, płomiennie pomarańczowe

– a ja znowu jestem Ikarem, podfruwającym stanowczo zbyt blisko.

ZMIERZCH PODĄŻA ZA nami z Seattle, na niebie przeplatają się krem, róż i akwamaryna, tak perfekcyjnie, jak tylko Matka Natura potrafi. Niebo jest bezchmurne, a światła Portland migoczą wesoło, witając nas, gdy Christian sadza śmigłowiec na lądowisku. Znajdujemy się na dachu tego dziwnego budynku z brązowej cegły, z którego odlecieliśmy niecałe trzy tygodnie temu.

To tak niedawno, a mam wrażenie, jakbym znała Christiana od zawsze. On właśnie pstryka różnymi guzikami, tak że śmigła przestają się obracać i w końcu słyszę w słuchawkach tylko własny oddech. Hmm. Przypomina mi się muzyka Thomasa Tallisa. Wzdrygam się. Nie chcę się teraz zapuszczać w te rejony.

Christian odpina swoje pasy i nachyla się, by to samo zrobić z moimi.

– Przyjemny lot, panno Steele? – pyta grzecznie. Oczy mu błyszczą.

– Tak, dziękuję, panie Grey – odpowiadam równie grzecznie.

– W takim razie chodźmy pooglądać zdjęcia tego chłopca.

Wyciąga rękę i pomaga mi wysiąść.

Na spotkanie wychodzi nam siwowłosy, brodaty mężczyzna. Uśmiecha się szeroko. To ten sam człowiek, którego poznałam ostatnim razem.

– Joe. – Christian uśmiecha się i puszcza moją rękę, aby wymienić z nim uścisk dłoni. – Zajmij się nim. Stephan zjawi się koło ósmej czy dziewiątej.

– Zrobi się, panie Grey. Witam panią – kiwa mi głową. – Pański samochód czeka na dole. Och, winda się zepsuła, muszą państwo zejść schodami.

– Dziękuję, Joe.

Christian bierze mnie za rękę i ruszamy w stronę schodów.

– Z tymi obcasami masz szczęście, że to tylko trzy piętra – burczy z dezaprobatą.

No coś takiego.

– Nie podobają ci się te kozaczki?

– Bardzo mi się podobają, Anastasio. – Jego spojrzenie ciemnieje i wydaje mi się, że chce powiedzieć coś jeszcze, ale się powstrzymuje. – Chodź. Zejdziemy powoli. Nie chcę, żebyś spadła z tych schodów i skręciła kark.

Siedzimy w milczeniu, gdy kierowca wiezie nas do galerii. Niepokój wrócił, przybierając jeszcze na sile. Christian milczy zadumany, wręcz niespokojny. Po rozluźnionej atmosferze nie został nawet ślad. Tyle pragnę powiedzieć, ale ta podróż jest zbyt krótka. Christian w zamyśleniu wygląda przez szybę.

– José to tylko przyjaciel – bąkam.

Odwraca się i mierzy mnie wzrokiem. Oczy ma pociemniałe i nieufne, nie zdradzają niczego. Jego usta – och, jego usta mocno mnie rozpraszają. Pamiętam je na swoim ciele – wszędzie. Pali mnie skóra. Christian poprawia się na kanapie i marszczy brwi.

– Te śliczne oczy wydają się zbyt duże w stosunku do twarzy, Anastasio. Proszę, powiedz mi, że będziesz jeść.

– Tak, Christianie, będę jeść – odpowiadam automatycznie.

– Nie żartuję.

– Doprawdy? – W moim głosie pobrzmiewa pogarda. Ależ ten człowiek ma tupet; człowiek, przez którego pięć ostatnich dni było dla mnie piekłem. Nie, to nie tak. To ja zgotowałam sobie piekło. Nie. On. Potrząsam z konsternacją głową.

– Nie chcę się z tobą kłócić, Anastasio. Chcę, abyś do mnie wróciła i żebyś była zdrowa – mówi.

– Ale nic się nie zmieniło. – Nadal masz pięćdziesiąt twarzy.

– Porozmawiamy w drodze powrotnej, dobrze? Jesteśmy już na miejscu.

Samochód zatrzymuje się przed wejściem do galerii i Christian wysiada. A ja nie jestem w stanie wydobyć z siebie głosu. Otwiera dla mnie drzwi i ja także wysiadam.

– Dlaczego to robisz? – pytam głośniej, niż zamierzałam.

– Ale co? – Christian jest wyraźnie zaskoczony.

– Mówisz coś takiego, a potem po prostu milkniesz.

– Anastasio, przyjechaliśmy na miejsce. Tu, gdzie chciałaś. Załatwmy to, a potem porozmawiamy. Nieszczególnie mam ochotę na scenę na ulicy.

Rozglądam się. Ma rację. To miejsce publiczne. Zaciskam usta, a on piorunuje mnie wzrokiem.

– Okej – burczę.

Bierze mnie za rękę i prowadzi w stronę wejścia.

Znajdujemy się w zaadaptowanym magazynie – cegły, podłogi z ciemnego drewna, białe sufity i biały system rur i przewodów. Przestronnie i nowocześnie. W galerii zdążyło się zebrać sporo osób sączących wino i podziwiających prace José. Na chwilę zapominam o swoich kłopotach, zachwycona tym, że mojemu przyjacielowi udało się zrealizować marzenie. Świetna robota, José!

– Dobry wieczór, witamy państwa na wernisażu José Rodrigueza. – Wita nas młoda, krótkowłosa szatynka w czerni, z dużymi kolczykami w kształcie kół i pomalowanymi na czerwono ustami. Prześlizguje się po mnie wzrokiem, następnie zdecydowanie zbyt długo patrzy na Christiana, następnie znowu na mnie, mrugając i rumieniąc się.

Marszczę czoło. On jest mój. A przynajmniej był. Po chwili kobieta mruga ponownie.

– Och, to ty, Ano. Zapraszamy na poczęstunek. – Uśmiechając się szeroko, wręcza mi broszurę i wskazuje stół z napojami i przekąskami.

– Znasz ją? – pyta Christian, marszcząc brwi.

Kręcę głową, równie skonsternowana.

Wzrusza ramionami.

– Czego się napijesz?

– Białego wina.

Brwi schodzą mu się w jedną linię, ale nic nie mówi, tylko odchodzi, aby zrealizować moje zamówienie.

– Ana!

Przez tłum przeciska się José.

A niech mnie! Ma na sobie garnitur. Świetnie wygląda. Uśmiecha się promiennie, a chwilę później bierze mnie w ramiona i mocno przytula. I naprawdę mocno się muszę starać, aby nie wybuchnąć płaczem. Mój przyjaciel, mój jedyny przyjaciel na czas nieobecności Kate. W oczach wzbierają mi łzy.

– Ana, tak się cieszę, że dałaś radę przyjść – szepcze mi do ucha. Nagle odsuwa mnie na odległość ramienia i mierzy bacznym spojrzeniem.

– No co?

– Hej, wszystko w porządku? Wyglądasz, no cóż, dziwnie. *Dios mío*, schudłaś?

Mrugam powiekami, blokując łzy.

– José, nic mi nie jest. Tak bardzo się cieszę w twoim imieniu. Gratuluję wystawy. – Głos mi drży, gdy na tej tak bardzo znajomej twarzy widzę troskę, ale muszę panować nad sobą.

– Jak się tu dostałaś? – pyta.

– Dzięki Christianowi. – Nagle ogarnia mnie niepokój.

– Och. – José rzednie mina. Puszcza mnie. – Gdzie on jest?

– Tam, poszedł po coś do picia.

Kiwam głową w kierunku Christiana i dostrzegam, że właśnie wymienia uprzejmości z kimś stojącym w kolejce. Christian podnosi wzrok i nasze spojrzenia się krzyżują. Przez krótką chwilę jestem jak sparaliżowana, gdy tak patrzę na tego niezwykle przystojnego mężczyznę, z którego twarzy nic się nie da wyczytać. Przewierca mnie gorącym spojrzeniem.

O rany... Ten piękny mężczyzna chce, żebym do niego wróciła. Gdzieś w głębi mego jestestwa rodzi się powoli słodka radość.

– Ana! – José sprawia, że wracam do rzeczywistości.

– Tak się cieszę, że przyjechałaś. Słuchaj, powinienem cię ostrzec...

Nagle w słowo wchodzi mu Panna Krótkowłosa i Czerwonousta:

– José, chce się z tobą widzieć dziennikarka z „Portland Printz". Chodź. – Obdarza mnie uprzejmym uśmiechem.

– Super, no nie? Sława. – Uśmiecha się szeroko, a ja cieszę się razem z nim. – Później cię znajdę, Ano. – Całuje mnie w policzek i patrzę, jak podchodzi do młodej kobiety stojącej obok tyczkowatego fotografa.

Wszędzie wiszą zdjęcia José; niektóre wydrukowano nawet na olbrzymich płótnach. Część jest czarno-biała, część kolorowa. Wiele pejzaży cechuje eteryczne piękno. Na jednej z prac, zrobionej nad jeziorem w Vancouver, jest wczesny wieczór i różowe chmury odbijają się w nieruchomej wodzie. Porywa mnie niezmącony spokój tego miejsca. To niesamowite zdjęcie.

Podchodzi Christian i wręcza mi kieliszek białego wina.

– Odpowiedni poziom? – Mój głos brzmi względnie normalnie.

Patrzy na mnie pytająco.

– Wino – wyjaśniam.

– Nie. Ale na tego rodzaju imprezach rzadko zdarza się dobre. Chłopak ma talent, nie? – mówi Christian, podziwiając zdjęcie z jeziorem.

– A myślisz, że czemu to jego poprosiłam, aby zrobił ci zdjęcia? – Duma w moim głosie jest oczywista.

– Christian Grey? – Podchodzi do nas fotograf z „Portland Printz". – Mogę zrobić panu zdjęcie?

– Jasne.

Cofam się o krok, ale Christian chwyta mnie za rękę i przyciąga do siebie. Fotograf patrzy to na mnie, to na niego i nie potrafi ukryć zdziwienia.

– Dziękuję, panie Grey. – Pstryka kilka fotek. – Pani…? – pyta.

– Ana Steele – odpowiadam.

– Dziękuję, pani Steele. – Po tych słowach odchodzi.

– Szukałam w Internecie zdjęć, na których miałbyś damskie towarzystwo. I nic nie znalazłam. Dlatego właśnie Kate myślała, że jesteś gejem.

Usta Christiana wyginają się w uśmiech.

– To tłumaczy twoje naganne pytanie. Nie, nie spotykam się z nikim, Anastasio, tylko z tobą. Ale to akurat wiesz. – Głos ma cichy i nabrzmiały szczerością.

– Więc nigdzie nie zabierałeś swoich… – rozglądam się, czy nikt nie usłyszy – uległych?

– Czasami. Ale nie na oficjalne spotkania. Na zakupy, no wiesz. – Wzrusza ramionami, nie odrywając wzroku od mojej twarzy.

Och, a więc tylko pokój zabaw – Czerwony Pokój Bólu – i apartament. Sama nie wiem, co o tym myśleć.

– Tylko z tobą, Anastasio – szepcze.

Oblewam się rumieńcem i wbijam wzrok w dłonie. Na swój sposób jemu rzeczywiście na mnie zależy.

– Twój przyjaciel wygląda mi bardziej na miłośnika krajobrazów niż na portrecistę. Rozejrzyjmy się. – Ujmuję jego wyciągniętą dłoń.

Mijamy kilka kolejnych zdjęć i dostrzegam parę, która na mój widok uśmiecha się szeroko, jakby mnie znała. Pewnie dlatego, że jestem z Christianem. Ale jeden młody mężczyzna otwarcie się na mnie gapi. Dziwna sprawa.

Skręcamy za róg i już rozumiem, skąd te dziwne spojrzenia. Na przeciwległej ścianie wisi siedem olbrzymich portretów – przedstawiających mnie.

Patrzę na nie bez słowa, a z twarzy odpływa mi krew. Ja: nadąsana, roześmiana, ze zmarszczonymi brwiami, poważna, rozbawiona. Same czarno-białe zbliżenia.

A niech mnie! Pamiętam, jak José bawił się parę razy aparatem, kiedy nas odwiedzał i kiedy ja mu służyłam za kierowcę i asystenta. Sądziłam, że tak sobie pstryka. A nie że robi takie niepozowane zbliżenia.

Christian jak zahipnotyzowany przygląda się każdemu zdjęciu po kolei.

– Wygląda na to, że nie jestem jedyny – mruczy zagadkowo pod nosem, a usta zaciska w cienką linię.

Chyba jest zły.

– Przepraszam – rzuca, przeszywając mnie ostrym spojrzeniem. A potem udaje się w stronę recepcji.

A tym razem o co mu chodzi? Patrzę, jak rozmawia z ożywieniem z Panną Krótkowłosą i Czerwonoustą. Wyjmuje portfel i podaje jej kartę kredytową.

Cholera. Na pewno kupił którąś z prac.

– Hej. To ty jesteś muzą. Te zdjęcia są fantastyczne – odzywa się młody mężczyzna z szopą jasnych włosów, a ja aż podskakuję.

Czuję na łokciu dłoń. Wrócił Christian.

– Szczęściarz z pana – mówi Blond Szopa do Christiana, który w odpowiedzi mrozi go spojrzeniem.

– A owszem – rzuca zwięźle i odciąga mnie na bok.

– Kupiłeś któreś?

– Któreś? – prycha, nie odrywając oczu od zdjęć.

– Kupiłeś więcej niż jedno?

Przewraca oczami.

– Kupiłem wszystkie, Anastasio. Nie chcę, aby jakiś nieznajomy pożerał cię wzrokiem w swoim domu.

Moją pierwszą reakcją jest śmiech.

– Sam wolisz to robić? – pytam drwiąco.

Gromi mnie wzrokiem, zbity z tropu moją zuchwałością. Tak mi się przynajmniej wydaje. I próbuje ukryć rozbawienie.

– Szczerze mówiąc, tak.

– Zboczeniec – mówię bezgłośnie i przygryzam dolną wargę, aby powstrzymać uśmiech.

Teraz jego rozbawienie jest oczywiste. Gładzi się z namysłem po brodzie.

– Nie sposób zaprzeczyć, Anastasio. – Kręci głową, a jego spojrzenie łagodnieje.

– Pociągnęłabym ten temat, ale podpisałam NDA.

Wzdycha, patrząc na mnie, i oczy mu ciemnieją.

– Ależ bym miał ochotę rozprawić się z tym twoim ciętym języczkiem – mruczy pod nosem.

Doskonale wiem, co ma na myśli.

– Jesteś bardzo niegrzeczny – rugam go. Czy on nie zna żadnych granic?

Uśmiecha się, by po chwili zmarszczyć brwi.

– Na tych zdjęciach wyglądasz na bardzo rozluźnioną, Anastasio. Nieczęsto cię taką widuję.

Słucham? Ha! Zmiana tematu, od żartów do tematów poważnych.

Rumienię się i opuszczam wzrok. Christian podnosi mi głowę, a ja robię gwałtowny wdech, czując na brodzie jego palce.

– Chcę, żebyś przy mnie była taka rozluźniona – szepcze. W jego spojrzeniu nie ma ani cienia uśmiechu.

We mnie ponownie wzbiera radość. No ale jak miałoby do tego dojść? Mamy tyle problemów.

– W takim razie musisz mnie przestać onieśmielać – warczę.

– A ty musisz się nauczyć komunikacji i mówić mi, co czujesz – ripostuje.

Biorę głęboki oddech.

– Christian, chciałeś, abym była twoją uległą. W tym właśnie tkwi problem. W definicji słowa „uległy", którą mi nawet wysłałeś mejlem. – Próbuję sobie przypomnieć dokładne słowa. – Synonimami były, cytuję: „posłuszny, poddany". Miałam na ciebie nie patrzeć. Nie odzywać się do ciebie, chyba że mi pozwolisz. Czego się spodziewasz? – syczę.

Marszczy brwi, a ja kontynuuję:

– Bycie z tobą jest mocno dezorientujące. Nie chcesz, abym ci się sprzeciwiała, ale z drugiej strony podoba ci się mój „cięty języczek". Chcesz posłuszeństwa, tyle że nie zawsze, aby móc mnie wtedy ukarać. Kiedy jestem z tobą, nigdy nie wiem, co akurat obowiązuje.

Mruży oczy.

– Celna uwaga, jak zawsze, panno Steele. – Głos ma lodowaty. – Chodźmy coś zjeść.

– Jesteśmy tutaj dopiero pół godziny.

– Zobaczyłaś zdjęcia, porozmawiałaś z chłopakiem.

– Ma na imię José.

– Porozmawiałaś z José, chłopakiem, którego ostatnio widziałem, gdy próbował wepchnąć ci język do ust. A ty byłaś pijana – warczy.

– On nigdy mnie nie uderzył – wyrzucam z siebie. Widać, że jest wściekły.

– To cios poniżej pasa, Anastasio – syczy groźnie.

Blednę, a Christian przeczesuje dłonią włosy, ledwie tłumiąc gniew.

– Zabieram cię na kolację, żebyś w końcu coś zjadła. Gaśniesz na moich oczach. Poszukaj chłopaka i się pożegnaj.

– Nie możemy zostać dłużej? Proszę?

– Nie. Idź. Teraz. Pożegnaj się.

Aż się we mnie gotuje. Pan Przeklęty Kontroler. Dobrze czuć gniew. Lepiej niż być na skraju łez.

Przeczesuję pomieszczenie wzrokiem, szukając José. Rozmawia właśnie z kilkoma młodymi kobietami. Ruszam w jego stronę, oddalając się tym samym od Christiana. Przywiózł mnie tutaj, więc muszę robić to, co mi każe? Za kogo on się, do cholery, uważa?

Dziewczęta spijają każde słowo, które wypływa z ust José. Gdy podchodzę, jedna z nich głośno wciąga powietrze, niewątpliwie rozpoznając mnie ze zdjęć.

– José.

– Ana. Przepraszam was, dziewczęta. – José obdarza je szerokim uśmiechem i otacza mnie ramieniem. W sumie nawet mnie to bawi: mój przyjaciel robiący takie wrażenie na damach.

– Wyglądasz na wściekłą – mówi.

– Muszę już iść.

– Ale przecież dopiero co przyjechałaś.

– Wiem, ale Christian musi wracać. Zdjęcia są fantastyczne, José, masz wielki talent.

Promienieje.

– Super, że się zjawiłaś.

Chowa mnie w niedźwiedzim uścisku i obraca mną, tak że widzę w oddali Christiana. Marszczy gniewnie

brwi. Na pewno dlatego, że jestem w objęciach José. Tak
więc z pełną premedytacją oplatam ramionami szyję
przyjaciela. Christian chyba zaraz eksploduje. Spojrzenie
ma tak mroczne, że niemal czarne. Rusza powoli w naszą
stronę.

– Dzięki, że mnie ostrzegłeś co do tych portretów –
mamroczę.

– Cholera. Sorki, Ana. Powinienem był ci powiedzieć. Podobają ci się?

– Eee… nie wiem – odpowiadam szczerze, zbita
z tropu tym pytaniem.

– Cóż, wszystkie się sprzedały, więc komuś się
spodobały. Super, no nie? Jesteś dziewczyną z plakatów.
– Przytula mnie jeszcze mocniej i w tej właśnie chwili
podchodzi do nas Christian. Piorunuje mnie wzrokiem,
ale José na szczęście tego nie widzi. Puszcza mnie. – Nie
bądź taka sztywna, Ano. Och, pan Grey, dobry wieczór.

– Panie Rodriguez, imponująca wystawa. – Christian
jest lodowato uprzejmy. – Przykro mi, że nie zostaniemy
dłużej, ale czas nas nagli, musimy wracać do Seattle. Anastasio? – Subtelnie podkreśla „nas" i bierze mnie za rękę.

– Pa, José. Jeszcze raz moje gratulacje. – Cmokam
go szybko w policzek, a chwilę później Christian ciągnie
mnie w stronę wyjścia. Wiem, że aż kipi z gniewu. Ja też.

Na ulicy rozgląda się szybko, po czym nagle skręca
w lewo w boczną uliczkę i popycha mnie na ścianę jakiegoś budynku. Chwyta obiema dłońmi moją twarz, tak
bym musiała spojrzeć w te płomienne, pełne determinacji
oczy.

Robię gwałtowny wdech i jego usta spadają na moje.
Całuje mnie żarliwie. Nasze zęby się zderzają, a po chwili
jego język wdziera się do mych ust.

Pożądanie eksploduje we mnie niczym fajerwerki
z okazji Dnia Niepodległości, i też go całuję, z równym

zapałem, wplatam palce w jego włosy i mocno przyciągam go do siebie. Z gardła Christiana wydobywa się jęk, niski dźwięk odbijający się echem w moim ciele, a jego dłoń przesuwa się w dół aż do mego uda. Natarczywe palce przez materiał sukienki wbijają się w skórę.

W ten pocałunek wlewam całe cierpienie i ból z ostatnich kilku dni, wiążąc Christiana ze sobą, a on, ku memu oszołomieniu – w tej chwili szaleńczej namiętności – robi to samo, czuje to samo.

Przerywa pocałunek, ciężko dysząc. Oczy mu płoną pożądaniem, jeszcze bardziej rozpalając krążącą w mych żyłach krew. Próbuję wciągnąć do płuc odrobinę cennego powietrza.

– Jesteś. Moja – warczy, podkreślając każde słowo. Odsuwa się i pochyla, opierając dłonie na kolanach, jakby właśnie przebiegł maraton. – Na miłość boską, Ana.

Opieram się o ścianę, oddychając głośno, próbując zachować kontrolę nad rozpustną reakcją mego ciała, próbując odzyskać równowagę.

– Przepraszam – szepczę, gdy wraca mi oddech.

– No i słusznie. Wiem, co robisz. Pragniesz fotografa, Anastasio? On z całą pewnością czuje miętę do ciebie.

Kręcę zawstydzona głową.

– Nie. To tylko przyjaciel.

– Całe dorosłe życie próbowałem unikać wszelkich ekstremalnych uczuć. A jednak ty... ty wywołujesz we mnie uczucia, które są mi zupełnie obce. To bardzo... – Marszczy brwi, szukając odpowiedniego słowa. – Destabilizujące. Lubię kontrolę, Ana, a przy tobie to – prostuje się i wbija we mnie rozgorączkowane spojrzenie – znika. – Macha ręką, po czym przeczesuje palcami włosy i bierze głęboki oddech. Chwyta moją dłoń. – Chodź, musimy porozmawiać, a ty coś zjesz.

ROZDZIAŁ DRUGI

Zabiera mnie do niewielkiej, przytulnej restauracji.
– Musi nam wystarczyć – mruczy. – Nie mamy dużo czasu.

Mnie restauracja się podoba. Drewniane krzesła, lniane obrusy, ściany tego samego koloru, co pokój zabaw Christiana – krwista czerwień, kilka niewielkich luster w pozłacanych ramach, białe świece i wazoniki z białymi różami. W tle Ella Fitzgerald nuci tęsknie o tym czymś, co nazywają miłością. Jest bardzo romantycznie.

Kelner prowadzi nas do stolika dla dwóch osób, usytuowanego w niewielkiej wnęce. Siadam, zastanawiając się, co takiego usłyszę.

– Nie mamy dużo czasu – mówi Christian do kelnera. – Poprosimy więc o dwa steki z polędwicy, średnio wysmażone, sos bearnaise, jeśli jest, frytki i świeże warzywa, takie jakie szef kuchni akurat ma pod ręką, i proszę o kartę win.

– Oczywiście, proszę pana. – Kelner, zaskoczony chłodnym zdecydowaniem Christiana, odchodzi.

Christian kładzie na stoliku BlackBerry. Jezu, a sama nie mogę nic wybrać?

– A jeśli nie lubię steków?

Wzdycha.

– Nie zaczynaj, Anastasio.

– Nie jestem dzieckiem.

– No to przestań się zachowywać, jakbyś nim była.

Zupełnie jakby dał mi klapsa. A więc tak to będzie wyglądać: pełna napięcia rozmowa, co prawda w romantycznej scenerii, ale mogę zapomnieć o serduszkach i kwiatkach.

– Jestem dzieckiem, ponieważ nie lubię steków? – mruczę, próbując ukryć, jak bardzo mnie zabolały jego słowa.

– Ponieważ z premedytacją wyzwalasz we mnie zazdrość. To dziecinne zachowanie. W ogóle nie masz względu na uczucia swojego przyjaciela, wodząc go tak na pokuszenie? – Christian zaciska usta i robi nachmurzoną minę.

Kelner wraca z kartą win.

A ja się rumienię – w ogóle o tym nie pomyślałam. Biedny José, ja przecież absolutnie nie chcę go prowokować. Nagle zalewa mnie fala wstydu. Christian ma rację; zachowałam się bezmyślnie.

– Masz ochotę wybrać wino? – pyta, unosząc wyczekująco brew. Uosobienie arogancji. Doskonale wie, że kompletnie nie znam się na winie.

– Ty wybierz – bąkam.

– Prosimy dwa kieliszki Shiraz Barossa Valley.

– Eee… wino sprzedajemy tylko na butelki, proszę pana.

– W takim razie niech będzie butelka – warczy Christian.

Kelner odchodzi przygaszony i wcale mu się nie dziwię. Marszczę brwi, patrząc na Szarego. Co go gryzie? Och, pewnie ja – gdzieś w głębi mojej psychiki wewnętrzna bogini budzi się, przeciąga sennie i uśmiecha. Dość długo musiała spać.

– Jesteś mocno zrzędliwy.

Przygląda mi się beznamiętnie.

– Ciekawe dlaczego.

– Cóż, dobrze ustalić odpowiedni ton dla tej szczerej rozmowy o przyszłości, nie sądzisz? – Uśmiecham się do niego słodko.

Zaciska usta, ale chwilę później niemal niechętnie ich kąciki się unoszą i już wiem, że próbuje zdusić uśmiech.

– Przepraszam – mówi.

– Przeprosiny przyjęte, i miło mi cię poinformować, że po naszym ostatnim posiłku nie przeszłam na wegetarianizm.

– Ponieważ ten posiłek był twoim ostatnim, uważam, że to kwestia dyskusyjna.

– No i znowu to słowo, „dyskusyjna".

W jego oczach pojawia się przebłysk wesołości, ale zaraz potem znika.

– Ana, kiedy ostatni raz rozmawialiśmy, ty mnie zostawiłaś. Trochę się denerwuję. Powiedziałem ci, że chcę cię odzyskać, a ty na to nie zareagowałaś.

Wzrok ma wyczekujący, a jego szczerość jest rozbrajająca. I co ja mam teraz powiedzieć?

– Tęskniłam za tobą… naprawdę tęskniłam, Christianie. Te ostatnie dni były… trudne. – Przełykam ślinę, a gula w moim gardle staje się większa, gdy przypominam sobie te chwile udręki.

Ostatni tydzień był najgorszy w moim życiu, ból niemal nie do opisania. Ale studzi mnie rzeczywistość.

– Nic się nie zmieniło. Nie mogę być taka, jaką mnie chcesz. – Przeciskam te słowa obok twardej guli w gardle.

– Jesteś taka, jaką chcę – mówi z emfazą.

– Nie, Christianie, nie jestem.

– Wytrąciło cię z równowagi to, co się wydarzyło ostatnim razem. Ja zachowałem się głupio, a ty… Ty także. Dlaczego nie użyłaś hasła bezpieczeństwa, Anastasio? – Zmienia ton na oskarżycielski.

Oho, zmiana kierunku.

– Odpowiedz mi.

– Nie wiem. To mnie przytłoczyło. Próbowałam być taka, jak chciałeś, próbowałam znieść ból, no i zupełnie wyleciało mi to z głowy. No wiesz... zapomniałam – kończę szeptem. Zawstydzona wzruszam ramionami.

Może dałoby się uniknąć tego całego cierpienia.

– Zapomniałaś! – Chwyta się brzegu stołu i piorunuje mnie wzrokiem.

Kulę się pod jego spojrzeniem. Cholera! Znowu jest wściekły. Moja wewnętrzna bogini także mnie gromi spojrzeniem. „Widzisz, sama jesteś sobie winna!"

– Jak mogę ci zaufać? – pyta cicho. – W ogóle?

Zjawia się kelner z winem, a my siedzimy, wpatrując się w siebie, niebieskie oczy naprzeciwko szarych. Przepełniają nas wzajemne oskarżenia. Kelner zbytecznie teatralnym gestem odkorkowuje wino i nalewa odrobinę do kieliszka Christiana. On automatycznie upija łyk.

– W porządku. – Ton głosu ma szorstki.

Kelner ostrożnie napełnia nam kieliszki, stawia butelkę na stole, po czym szybko znika. Christian przez cały ten czas nie odrywa ode mnie wzroku. To ja łamię się pierwsza: przerywając kontakt wzrokowy, sięgam po kieliszek i pociągam łyk. Prawie nie czuję smaku wina.

– Przepraszam – szepczę. Nagle robi mi się głupio. Odeszłam, ponieważ uznałam, że do siebie nie pasujemy, natomiast on twierdzi, że mogłam go powstrzymać?

– Przepraszasz za co? – pyta zaalarmowany.

– Za to, że nie użyłam hasła bezpieczeństwa.

Zamyka oczy, jakby mu ulżyło.

– Mogliśmy uniknąć tego całego cierpienia – mówi cicho.

– Ty dobrze wyglądasz. – Lepiej niż dobrze. Wyglądasz po prostu jak ty.

– Pozory mylą. Nie czuję się dobrze. Mam wrażenie, jakby słońce zaszło i od pięciu dni w ogóle nie wzeszło, Ano. Dla mnie przez cały czas trwa noc.

Jego wyznanie zapiera mi dech w piersi. O rety, to zupełnie jak u mnie.

– Powiedziałaś, że nigdy mnie nie zostawisz, a wystarczyło, że coś poszło nie tak, i już byłaś za drzwiami.

– Kiedy powiedziałam, że nigdy cię nie zostawię?

– Przez sen. Już dawno nie usłyszałem czegoś równie pokrzepiającego, Anastasio.

Wokół mojego serca zaciska się silna pięść. Sięgam po wino.

– Powiedziałaś, że mnie kochasz – szepcze Christian. – Teraz to czas przeszły? – Głos ma nabrzmiały niepokojem.

– Nie, Christianie.

Wygląda tak bezbronnie, gdy wypuszcza powietrze z płuc.

– To dobrze – mruczy.

Zaszokowało mnie jego wyznanie. To dopiero zmiana nastawienia. Kiedy wcześniej wyznałam mu miłość, był przerażony. Wraca kelner. Stawia przed nami półmiski i chyłkiem się oddala.

Jasny gwint. Jedzenie.

– Jedz – nakazuje mi Christian.

W sumie wiem, że jestem głodna, ale w tej chwili mój żołądek to jeden wielki supeł. Siedzenie naprzeciwko jedynego mężczyzny, którego kochałam, i rozmawianie o naszej niepewnej przyszłości nie wpływa korzystnie na apetyt. Patrzę podejrzliwie na talerz.

– Na litość boską, Anastasio, jeśli nie zaczniesz jeść, przełożę cię zaraz przez kolano i nie będzie to miało nic wspólnego z moją satysfakcją seksualną. Jedz!

„Nie żołądkuj się tak, Grey". Moja podświadomość mierzy mnie spojrzeniem znad okularów. Całym sercem przyznaje rację Szaremu.

– Okej, zjem to. Schowaj tę swoją świerzbiącą rękę.

Nie uśmiecha się, tylko dalej patrzy na mnie gniewnie. Niechętnie biorę sztućce i odkrawam kawałek ste-
ku. Och, jest naprawdę smaczny. Jestem głodna, wściekle
głodna. Przeżuwam, a Christian wyraźnie się odpręża.

Jemy w milczeniu. Muzyka się zmieniła. Teraz w tle
słychać kobietę o delikatnym głosie, a słowa piosenki
odbijają się echem w mej głowie. Odkąd pojawiłeś się
w moim życiu, już nigdy nie będę taka jak dawniej.

Rzucam spojrzenie Szaremu. Je i jednocześnie mnie
obserwuje. Głód, pragnienie, niepokój – to wszystko
w jednym gorącym spojrzeniu.

– Wiesz, kto to śpiewa? – pytam, siląc się na normalną rozmowę.

Christian nieruchomieje i słucha przez chwilę.

– Nie… ale dobra jest.

– Mnie też się podoba.

W końcu na jego ustach pojawia się ten jego enigmatyczny uśmiech. Co on knuje?

– No co? – pytam.

Kręci głową.

– Jedz – mówi spokojnie.

Zjadłam połowę tego, co miałam na talerzu. Więcej
nie dam rady. Jak mam to negocjować?

– Nie zmieszczę już więcej. Zjadłam wystarczająco
dużo dla Pana?

W milczeniu patrzy na mnie beznamiętnie, po czym
zerka na zegarek.

– Naprawdę jestem pełna – dodaję, pociągając łyk
pysznego wina.

– Niedługo musimy się zbierać. Jest tu Taylor, a ty
musisz jutro wstać do pracy.

– Ty też.

– Ja potrzebuję znacznie mniej snu niż ty, Anastasio.
Ale przynajmniej coś zjadłaś.

– Nie wracamy Charliem Tango?

– Nie, pomyślałem, że pewnie się czegoś napiję. Taylor nas odbierze. No a dzięki temu będę cię miał w samochodzie tylko dla siebie, choćby przez kilka godzin. Dużo czasu na rozmowę.

Ach, a więc taki jest plan.

Christian przywołuje kelnera i prosi go o rachunek, następnie bierze ze stołu BlackBerry i dzwoni.

– Jesteśmy w Le Picotin, Southwest Third Avenue. – Rozłącza się. A więc nadal zachowuje się szorstko podczas rozmów telefonicznych.

– Jesteś bardzo oschły wobec Taylora. Właściwie wobec większości ludzi.

– Po prostu szybko przechodzę do sedna sprawy.

– Tego wieczoru nie przeszedłeś. Nic się nie zmieniło, Christianie.

– Mam dla ciebie propozycję.

– To wszystko zaczęło się od propozycji.

– Inną propozycję.

Kelner wraca i Christian wręcza mu kartę kredytową, nie patrząc nawet na rachunek. Po chwili jego telefon brzęczy.

Ma propozycję? Jaką tym razem? Przez moją głowę przemyka kilka scenariuszy: porwanie, praca dla niego. Nie, to nie ma sensu. Christian finalizuje płatność.

– Chodź. Taylor już czeka.

Wstajemy i bierze mnie za rękę.

– Nie chcę cię stracić, Anastasio. – Całuje czule moją dłoń, a dotyk jego ust na mojej skórze sprawia, że przeszywa mnie dreszcz.

Przed restauracją czeka audi. Christian otwiera przede mną drzwi. Wsiadam i opadam na miękką, skórzaną kanapę. Podchodzi do drzwi od strony kierowcy; wysiada Taylor i przez chwilę rozmawiają. To nowość. Zżera mnie ciekawość. O czym mówią? Chwilę później obaj siedzą już w aucie. Zerkam na Christiana; patrzy przed siebie z nieodgadnionym wyrazem twarzy.

Przez krótką chwilę pozwalam sobie kontemplować jego profil: prosty nos, pełne usta, włosy opadające na czoło. Ten boski mężczyzna z całą pewnością nie jest mi pisany.

Samochód wypełnia cicha muzyka, jakiś utwór orkiestrowy, którego nie znam. Taylor włącza się do ruchu, kierując się w stronę autostrady I-5 i do Seattle.

Christian odwraca się twarzą do mnie.

– Jak już mówiłem, Anastasio, mam dla ciebie propozycję.

Zerkam nerwowo na Taylora.

– Taylor cię nie słyszy – uspokaja mnie Christian.

– Jak to?

– Taylor! – woła. Mężczyzna nie odpowiada. Woła ponownie, dalej zero reakcji. Christian wychyla się i klepie go w ramię. Taylor wyjmuje z uszu słuchawkę, której wcześniej nie dostrzegłam.

– Tak, proszę pana?

– Dziękuję. Wszystko w porządku, możesz wrócić do słuchania.

– Tak jest.

– Zadowolona? Słucha iPoda. Puccini. Zapomnij, że tu jest. Tak jak ja.

– Poprosiłeś go, żeby to zrobił?

– Tak.

Och.

– No dobrze, twoja propozycja?

Christian sprawia nagle wrażenie rzeczowego i pełnego determinacji. A niech to. Negocjujemy interes. Cała zamieniam się w słuch.

– Pozwól, że najpierw spytam cię o coś. Pragniesz stałego związku waniliowego bez żadnego perwersyjnego bzykanka?

Szczęka mi opada.

– Perwersyjnego bzykanka? – pytam ochrypłym głosem.

– Perwersyjnego bzykanka.

– Nie wierzę, że to powiedziałeś.

– No cóż, powiedziałem. Odpowiedz mi – mówi spokojnie.

Policzki mi płoną. Moja wewnętrzna bogini klęczy, ręce ma złożone i patrzy na mnie błagalnie.

– Lubię to twoje perwersyjne bzykanko – szepczę.

– Tak mi się właśnie wydawało. Czego więc nie lubisz?

Tego, że nie mogę cię dotykać. Tego, że podoba ci się mój ból, uderzeń pasa…

– Groźby okrutnej i wyjątkowej kary.

– To znaczy?

– Masz w swoim pokoju te wszystkie laski, pejcze i inne rzeczy i boję się tego jak cholera. Nie chcę, żebyś używał ich ze mną.

– Okej, więc żadnych pejczy ani lasek. No i pasów – dodaje sardonicznie.

Patrzę na niego z konsternacją.

– Próbujesz na nowo określić granice bezwzględne?

– Niekoniecznie, próbuję jedynie zrozumieć ciebie, mieć jaśniejszy obraz tego, co lubisz, a czego nie.

– Zasadniczo, Christianie, to najtrudniej jest mi znieść fakt, że cieszy cię sprawianie mi bólu. I pomysł, że zrobisz to, ponieważ przekroczyłam jakąś arbitralną granicę.

– Ale ona nie jest arbitralna, zasady są spisane.

– Nie chcę zasad.

– Żadnych?

– Żadnych. – Kręcę głową, ale serce mam w gardle. Do czego on zmierza?

– Ale nie masz nic przeciwko, abym dawał ci klapsy?

– Czym?

– Tym. – Podnosi rękę.

Poprawiam się na kanapie.

– Nie, raczej nie. Zwłaszcza z tymi srebrnymi kulkami... – Dzięki Bogu jest ciemno, bo twarz mi płonie na wspomnienie tamtego wieczoru. Taa... to akurat bym powtórzyła.

Christian uśmiecha się z wyższością.

– Tak, to było fajne.

– Lepsze niż fajne – bąkam.

– Więc jesteś w stanie znieść nieco bólu.

Wzruszam ramionami.

– Chyba tak. – Och, dokąd on zmierza? Mój niepokój podskoczył o kilka stopni w skali Richtera.

Gładzi się z zadumą po brodzie.

– Anastasio, chcę zacząć od nowa. Najpierw związek waniliowy, a potem może, kiedy już mi bardziej zaufasz, a ja uwierzę, że jesteś ze mną szczera i potrafisz się komunikować, wtedy może poszlibyśmy dalej i porobili trochę tego, co ja lubię.

Wpatruję się w niego oszołomiona, a w mojej głowie nie ma ani jednej myśli – jakby w komputerze zepsuł się dysk. Christian chyba się denerwuje, ale nie widzę go dobrze, gdyż spowija nas oregońska ciemność. A więc w końcu dotarliśmy do sedna sprawy.

On chce wersji jasnej, ale czy mogę go o to prosić? A czy ja nie lubię mrocznej? Część lubię. W mojej głowie pojawiają się nieproszone wspomnienia tamtego wieczoru z Thomasem Tallisem.

– A co z karami?

– Zero kar. – Kręci głową. – Zero.

– A zasady?

– Żadnych zasad.

– Absolutnie żadnych? Ale ty masz swoje potrzeby.

– Ciebie potrzebuję bardziej, Anastasio. Przez tych kilka ostatnich dni czułem się jak w piekle. Instynkt mówi mi, żebym pozwolił ci odejść, mówi mi, że nie zasługuję na ciebie. – Milknie na chwilę. – Te zdjęcia, które zrobił chłopak... Widzę, jak on ciebie postrzega. Wyglądasz beztrosko i ślicznie. Nie znaczy to, że teraz nie jesteś śliczna, ale widzę twój ból. Okropna jest świadomość, że to przeze mnie tak się czujesz. Ale jestem egoistą. Pragnąłem cię od chwili, gdy wpadłaś do mojego gabinetu. Jesteś wyjątkowa, uczciwa, ciepła, silna, dowcipna, zniewalająco niewinna... lista nie ma końca. Podziwiam cię. Pragnę cię, a myśl, że mógłby mieć cię ktoś inny, jest niczym nóż, obracający się w ranie mojej mrocznej duszy.

W ustach mi zasycha. Jeśli to nie jest deklaracja miłości, to nie wiem, jak miałaby takowa wyglądać. Pęka tama i z moich ust wypływa potok słów:

– Christianie, dlaczego uważasz, że masz mroczną duszę? Ja bym tego nie powiedziała. Może smutną, ale jesteś dobrym człowiekiem. Ja to widzę... jesteś hojny, życzliwy i nigdy mnie nie okłamałeś. Wiesz, w sobotę doznałam szoku. To mnie obudziło. Dotarło do mnie, że nie potrafię być kobietą, jakiej pragniesz. Potem, kiedy już wyszłam, uświadomiłam sobie, że ból fizyczny, który mi sprawiałeś, nie był taki zły jak ból towarzyszący świadomości, że cię straciłam. Naprawdę chcę sprawiać ci przyjemność, ale to trudne.

– Zawsze sprawiasz mi przyjemność – szepcze. – Ile razy mam ci to powtarzać?

– Nigdy nie wiem, co myślisz. Czasami wydajesz się taki zamknięty... jak samotna wyspa. Onieśmielasz mnie. Dlatego właśnie trzymam buzię na kłódkę. Nie wiem, w którym kierunku zmierza twój nastrój. W ułamku sekundy potrafi diametralnie się zmienić. To działa dezorientująco. No i na dodatek nie pozwalasz się dotykać, a ja tak bardzo ci pragnę pokazać, jak mocno cię kocham.

Mruga w ciemności, chyba nieufnie, a ja już nie mogę mu się oprzeć. Odpinam pasy i wdrapuję mu się na kolana, biorąc go tym z zaskoczenia. Ujmuję jego twarz w dłonie.

– Kocham cię, Christianie Greyu. A ty jesteś gotowy zrobić to wszystko dla mnie. To ja nie zasługuję na ciebie i tak mi przykro, że nie jestem w stanie robić dla ciebie tych wszystkich rzeczy. Może z czasem… nie wiem… ale tak, zgadzam się na twoją propozycję. Gdzie mam podpisać?

Obejmuje mnie mocno i tuli do siebie.

– Och, Ana. – Chowa twarz w moich włosach.

Siedzimy objęci, słuchając muzyki – spokojnego utworu na fortepian – odzwierciedlającej emocje obecne w samochodzie, słodki spokój po burzy. Wtulam się w niego jeszcze bardziej, opierając głowę o ramię. Delikatnie gładzi mnie po plecach.

– Dotykanie to dla mnie granica bezwzględna, Anastasio – szepcze.

– Wiem. Chciałabym zrozumieć dlaczego.

Po dłuższej chwili wzdycha i mówi:

– Miałem paskudne dzieciństwo. Jeden z alfonsów dziwki… – Urywa i cały się spina, wspominając jakieś niewyobrażalne okropieństwo. – Ja to pamiętam – dodaje szeptem.

Serce mi się ściska, gdy przypominają mi się blizny po przypaleniach na jego skórze. Och, Christianie. Zarzucam mu ramiona na szyję.

– Stosowała przemoc? Twoja matka? – Głos mam cichy i nabrzmiały od niewypłakanych łez.

– Nie mam takich wspomnień. Ale nie dbała o mnie. Nie ochroniła mnie przed swoim alfonsem. – Prycha. –

To chyba ja opiekowałem się nią. Kiedy w końcu się zabiła, dopiero po czterech dniach ktoś podniósł alarm i nas znalazł… To pamiętam.

Z przerażeniem zakrywam dłonią usta. Kurwa mać. Do gardła podchodzi mi żółć.

– To mocno popieprzone – szepczę.

– Na pięćdziesiąt sposobów.

Przyciskam usta do jego szyi, szukając pociechy i ją oferując, gdy wyobrażam sobie małego, brudnego, szarookiego chłopczyka, zagubionego i osamotnionego przy zwłokach matki.

Och, Christianie. Wdycham jego woń. Pachnie bosko, mój ulubiony zapach na świecie. Mocniej mnie obejmuje i całuje moje włosy, i tak siedzę w jego ramionach, gdy tymczasem Taylor pędzi przez noc.

KIEDY SIĘ BUDZĘ, jedziemy już przez Seattle.

– Hej – mówi miękko Christian.

– Przepraszam – mruczę i prostuję się. Mrugam powiekami i przeciągam się. Nadal siedzę na jego kolanach.

– Bez końca mógłbym patrzeć, jak śpisz, Ana.

– Mówiłam coś?

– Nie. Jesteśmy już prawie pod twoim domem.

Och?

– Nie jedziemy do ciebie?

– Nie.

– Dlaczego?

– Dlatego, że jutro musisz iść do pracy.

– Och. – Wydymam usta.

– A czemu pytasz, czyżby coś ci chodziło po głowie?

– Może.

Chichocze.

– Anastasio, nie zamierzam cię dotknąć, dopóki nie będziesz o to błagać.

– Że co?

– Chodzi mi o to, żebyś w końcu zaczęła się ze mną komunikować. Gdy następnym razem będziemy się kochać, będziesz mi musiała powiedzieć ze szczegółami, czego pragniesz.

Zsuwa mnie z kolan, gdy Taylor zajeżdża pod moje mieszkanie. Christian wysiada i otwiera przede mną drzwi.

– Mam coś dla ciebie. – Przechodzi na tył samochodu, otwiera bagażnik i wyjmuje spore, ozdobnie zapakowane pudełko. Co to takiego?

– Otwórz, jak wejdziesz do mieszkania.

– Ty mi nie potowarzyszysz?

– Nie, Anastasio.

– Kiedy się więc zobaczymy?

– Jutro.

– Mój szef chce, żebym jutro poszła z nim na drinka.

Na twarzy Christiana pojawia się zacięcie.

– Czyżby? – W jego głosie pobrzmiewa nutka groźby.

– Aby uczcić mój pierwszy tydzień pracy – dodaję szybko.

– Gdzie?

– Nie wiem.

– Mógłbym cię stamtąd zabrać.

– Okej… Wyślę ci mejl albo esemesa.

– Dobrze.

Odprowadza mnie do drzwi i czeka, aż znajdę w torebce klucze. Otwieram drzwi, a on nachyla się, ujmuje moją brodę i unosi. Jego usta wiszą nad moimi, a potem Christian zamyka oczy i delikatnymi pocałunkami zaznacza szlak od kącika oka do kącika ust.

Z moich ust wydobywa się cichy jęk.

– Do jutra – mówi bez tchu.

– Dobranoc, Christianie. – Słyszę w swoim głosie pragnienie.

Uśmiecha się.

– No, wchodź już.

Przekraczam próg, piastując w objęciach tajemniczą paczkę.

– Na razie, mała! – woła za mną, po czym odwraca się i z tą swoją swobodną gracją wraca do auta.

Od razu po przekroczeniu progu mieszkania otwieram karton i znajduję mojego MacBooka Pro, BlackBerry i jeszcze jedno prostokątne pudełko. A to co? Zrywam srebrny papier. W środku kryje się cienkie etui z czarnej skóry.

Otwieram je, a tam iPad. O niech mnie… iPad. Na ekranie leży biała karteczka z napisaną odręcznie wiadomością od Christiana:

Anastasio, to dla Ciebie.
Wiem, co chcesz usłyszeć.
Muzyka tu umieszczona mówi to za mnie.
Christian

Mam w iPadzie miks utworów Christiana Greya. Kręcę głową z dezaprobatą z powodu tego wydatku, ale w głębi duszy jestem uradowana. Jack ma jeden w redakcji, więc wiem, jak się go używa.

Włączam urządzenie i wciągam głośno powietrze, gdy na ekranie pojawia się tapeta: mały model szybowca. O rany. To Blanik L-23, który mu dałam, stojący na szklanej podstawie chyba na biurku Christiana. Wpatruję się w niego długą chwilę.

Skleił go! Naprawdę to zrobił. Przypomina mi się, że wspomniał o tym w liściku dołączonym do kwiatów. I już wiem, że temu prezentowi poświęcił dużo uwagi.

Przesuwam palcem po strzałce na dole ekranu, aby go odblokować i ponownie łapię oddech. W tle pojawia się zdjęcie, przedstawiające mnie i Christiana w dniu rozdania dyplomów. To, które pojawiło się w „Seattle Times". Christian jest na nim taki przystojny. Na mojej twarzy wykwita szeroki uśmiech – owszem, i jest mój! Przesuwam palcem po ekranie i pojawiają się nowe ikonki. Aplikacja Kindle, iBooks, Words – czymkolwiek to jest.

Biblioteka Brytyjska? Dotykam ikonki i pojawia się menu: ZBIÓR HISTORYCZNY. Przewijam w dół i wybieram POWIEŚCI Z XVIII I XIX WIEKU. Kolejne menu. Klikam w tytuł: *Amerykanin* Henry'ego Jamesa. Otwiera się nowe okno, oferujące mi skan egzemplarza książki. O rany – to jedno z pierwszych wydań, z 1879 roku, i mam je w swoim iPadzie! Kupił mi Bibliotekę Brytyjską, do której wchodzi się jednym kliknięciem.

Szybko wychodzę z aplikacji, wiedząc, że inaczej utknę tu na całą wieczność. Dostrzegam inną – Dobre jedzenie, na której widok jednocześnie wywracam oczami i się uśmiecham, aplikację z wiadomościami, aplikację pogodową, ale przecież miała tu być muzyka. Wracam do głównego ekranu, klikam w ikonkę iPoda i pojawia się playlista. Przewijam przez piosenki. Uśmiecham się. Thomas Tallis – nieprędko to zapomnę. W końcu słuchałam tego dwa razy, podczas gdy Christian chłostał mnie i posuwał.

Witchcraft. Mój uśmiech staje się szerszy – nasz taniec w salonie. Marcello i Bach – o nie, to stanowczo zbyt smutne na mój obecny nastrój. Hmm. Jeff Buckley – tak, słyszałam o nim. Snow Patrol – mój ulubiony zespół – i utwór zatytułowany *Principles of Love* Enigmy. Jakież to w stylu Christiana. I następny tytuł, *Possession*... o tak, bardzo w stylu Szarego. I jeszcze kilka, które nic mi nie mówią.

Wybieram piosenkę, która zwraca moją uwagę, i stukam w play. To *Try* Nelly Furtado. Zaczyna śpiewać i jej głos otula mnie niczym jedwabny szalik. Kładę się na łóżku.

Czy to znaczy, że Christian zamierza spróbować? Wypróbować ten nowy związek? Wsłuchuję się w tekst, patrząc w sufit, próbując zrozumieć jego zmianę stanowiska. Tęsknił za mną. Ja tęskniłam za nim. Musi coś do mnie czuć. Musi. Ten iPad, te piosenki, te aplikacje – zależy mu na mnie. Naprawdę zależy. W moje serce wlewa się nadzieja.

Piosenka dobiega końca i do oczu napływają mi łzy. Szybko włączam inną – *The Scientist* Coldplay, jednego z ulubionych zespołów Kate. Znam ten utwór, ale nigdy dotąd nie wsłuchiwałam się w słowa. Zamykam oczy i pozwalam, by przelewały się przeze mnie.

Zaczynają mi płynąć łzy. Nie potrafię ich powstrzymać. Jeśli to nie przeprosiny, to co? Och, Christianie.

A może zaproszenie? Odpowie na moje pytania? Czy przypadkiem nie przypisuję temu zbyt wielkiego znaczenia? Pewnie tak.

Ocieram łzy. Muszę napisać do niego mejl z podziękowaniami. Zeskakuję z łóżka, aby wziąć ze stołu to podłe urządzenie.

Coldplay dalej gra, gdy siedzę po turecku na łóżku. Mac się uruchamia i loguję się.

Nadawca: Anastasia Steele
Temat: IPAD
Data: 9 czerwca 2011, 23:56
Adresat: Christian Grey

Znowu doprowadziłeś mnie do łez.

Kocham iPada.

Kocham te piosenki.

Kocham aplikację Biblioteka Brytyjska.

Kocham Ciebie.

Dziękuję.

Dobrej nocy.

Ana xx

Nadawca: Christian Grey
Temat: iPad
Data: 10 czerwca 2011, 00:03
Adresat: Anastasia Steele

Cieszę się, że Ci się podoba. Sobie też kupiłem.

Gdybym był teraz przy Tobie, scałowałbym Twoje łzy.

Ale nie jestem – więc kładź się spać.

Christian Grey
Prezes, Grey Enterprises Holdings, Inc.

Jego odpowiedź sprawia, że się uśmiecham – nadal taki apodyktyczny, nadal taki Christianowy. Czy to także ulegnie zmianie? I w tej chwili dociera do mnie, że wcale tego nie chcę. Lubię go takiego władczego, o ile tylko nie muszę obawiać się kary.

Nadawca: Anastasia Steele
Temat: Pan Gderliwy
Data: 10 czerwca 2011, 00:07
Adresat: Christian Grey

A więc znów jest Pan władczy, spięty i gderliwy, panie Grey.

Wiem, jak temu zaradzić. No ale skoro nie ma Cię tu teraz – nie pozwoliłeś mi spędzić z Tobą nocy i oczekujesz, że będę błagać…

Fajnie sobie pomarzyć, proszę Pana.

Ana xx

PS. Zwróciłam uwagę na fakt, iż do playlisty dorzuciłeś Hymn Prześladowców, *Every Breath You Take*. Naprawdę lubię Twoje poczucie humoru, ale czy dr Flynn o tym wie?

Nadawca: Christian Grey
Temat: Spokój w stylu zen
Data: 10 czerwca 2011, 00:10
Adresat: Anastasia Steele

Moja najdroższa Panno Steele,

Klapsy występują i w związkach waniliowych, wiesz?
Zazwyczaj za obopólną zgodą i w kontekście seksualnym… ale ochoczo zrobię wyjątek.

Pewnie z ulgą przyjmiesz informację, że dr Flynn także lubi moje poczucie humoru.

A teraz kładź się spać, jako że jutro nie zaznasz zbyt wiele snu.

Nawiasem mówiąc – będziesz błagać, uwierz mi. A ja nie mogę się tego doczekać.

Christian Grey
Spięty prezes, Grey Enterprises Holdings, Inc.

Nadawca: Anastasia Steele
Temat: Dobranoc, słodkich snów
Data: 10 czerwca 2011, 00:12
Adresat: Christian Grey

Cóż, skoro tak ładnie prosisz i fundujesz mi taką rozkoszną groźbę, położę się do łóżka z iPadem, który mi podarowałeś, i zasnę, przeglądając Bibliotekę Brytyjską, słuchając muzyki, która mówi za Ciebie.

A xxx

Nadawca: Christian Grey
Temat: Jeszcze jedna prośba
Data: 10 czerwca 2011, 00:15
Adresat: Anastasia Steele

Śnij o mnie.

x

Christian Grey
Prezes, Grey Enterprises Holdings, Inc.

Śnić o tobie, Christianie Greyu? Zawsze.

Szybko przebieram się w piżamę, myję zęby i daję nura pod kołdrę. Wkładam do uszu słuchawki, spod poduszki wyciągam sflaczałego Charliego Tango i mocno go tulę.

Przepełnia mnie radość, a na twarzy mam niemądry, szeroki uśmiech. Jeden dzień, a jaka różnica. I jak ja mam teraz zasnąć?

José Gonzalez zaczyna nucić kojącą melodię z hipnotyzującymi gitarowymi riffami, a ja odpływam powoli do krainy snów, zdumiewając i zachwycając się tym, jak świat naprawił się w ciągu jednego wieczora. I zastanawiam się leniwie, czy nie powinnam skompilować playlisty dla Christiana.

ROZDZIAŁ TRZECI

Plusem nieposiadania samochodu jest to, że w autobusie w drodze do pracy mogę podłączyć słuchawki do spoczywającego bezpiecznie w mojej torbie iPada i słuchać tych wszystkich cudownych utworów, które nagrał mi Christian. Kiedy wchodzę do redakcji, na mojej twarzy widnieje absurdalnie szeroki uśmiech.

Jack podnosi głowę i lustruje mnie wzrokiem.

– Dzień dobry, Ano. Wyglądasz… promiennie. – Jego uwaga mnie krępuje. Jakie to niestosowne!

– Dobrze dziś spałam, Jack, dziękuję. Dzień dobry.

Marszczy brwi.

– Możesz to dla mnie przeczytać i do lunchu przygotować raport? – Wręcza mi cztery rękopisy. Na widok mojej przerażonej miny dodaje: – Tylko pierwsze rozdziały.

– Jasne. – Uśmiecham się z ulgą.

Włączam komputer, dopijam latte i zjadam banana. Czeka na mnie mejl od Christiana.

Nadawca: Christian Grey
Temat: Obyś…
Data: 10 czerwca 2011, 08:05
Adresat: Anastasia Steele

Mam szczerą nadzieję, że zjadłaś śniadanie.

Brakowało mi Ciebie w nocy.

Christian Grey
Prezes, Grey Enterprises Holdings, Inc.

Nadawca: Anastasia Steele
Temat: Stare książki...
Data: 10 czerwca 2011, 08:33
Adresat: Christian Grey

Stukam w klawiaturę i jednocześnie jem banana. Przez kilka ostatnich dni nie jadłam śniadań, więc to krok naprzód. Uwielbiam tę aplikację Biblioteka Brytyjska – zaczęłam czytać Robinsona Crusoe... i oczywiście kocham Cię.

A teraz zostaw mnie w spokoju – próbuję pracować.

Anastasia Steele
Asystentka Jacka Hyde'a, redaktora naczelnego SIP

Nadawca: Christian Grey
Temat: Tylko to zjadłaś?
Data: 10 czerwca 2011, 08:36
Adresat: Anastasia Steele

Mogłabyś się bardziej postarać. Będzie Ci potrzebna energia do błagania.

Christian Grey
Prezes, Grey Enterprises Holdings, Inc.

Nadawca: Anastasia Steele
Temat: Utrapieniec
Data: 10 czerwca 2011, 08:39
Adresat: Christian Grey

Panie Grey, próbuję pracować, aby zarobić na
życie. Poza tym to Ty będziesz błagać.

Anastasia Steele
Asystentka Jacka Hyde'a, redaktora naczelnego SIP

Nadawca: Christian Grey
Temat: Pełna mobilizacja!
Data: 10 czerwca 2011, 08:46
Adresat: Anastasia Steele

Ależ Panno Steele, uwielbiam wyzwania...

Christian Grey
Prezes, Grey Enterprises Holdings, Inc.

Siedzę i szczerzę się do monitora jak jakaś idiotka.
Ale muszę przeczytać dla Jacka te rozdziały i przygotować raporty. Otwieram pierwszy rękopis i biorę się do
roboty.

Podczas przerwy na lunch wychodzę do delikatesów
po kanapkę z pastrami i słucham playlisty na iPadzie.

Najpierw Nitin Sawhney i muzyka świata zatytułowa-
na *Homelands* – nieźle. Gust muzyczny pana Greya jest
naprawdę eklektyczny. Wracam do redakcji, słuchając
muzyki klasycznej – *Fantasia on a Theme by Thomas Tallis* Ralpha Vaughana Williamsa. Och, Szary ma poczucie
humoru i uwielbiam go za to. Czy ten idiotyczny uśmiech
w końcu zniknie z mojej twarzy?

Popołudnie mocno mi się dłuży. Postanawiam napisać mejl do Christiana.

Nadawca: Anastasia Steele
Temat: Nudzi mi się...
Data: 10 czerwca 2011, 16:05
Adresat: Christian Grey

Kręcę młynka palcami.

A co u Ciebie?

Co porabiasz?

Anastasia Steele
Asystentka Jacka Hyde'a, redaktora naczelnego SIP

Nadawca: Christian Grey
Temat: Twoje palce
Data: 10 czerwca 2011, 16:15
Adresat: Anastasia Steele

Powinnaś była zgodzić się na pracę dla mnie.

Nie kręciłabyś młynka palcami.

Jestem przekonany, że znalazłbym dla nich lepszy użytek.

Prawdę mówiąc, przychodzi mi teraz do głowy sporo możliwości...

A u mnie monotonia – jak zawsze fuzje i przejęcia.

Nuda.

Twoje mejle w SIP są monitorowane.

Christian Grey
Nieobecny duchem prezes, Grey Enterprises Holdings, Inc.

O cholera. Nie miałam pojęcia. Skąd on to, u licha, wie? Marszczę brwi i szybko sprawdzam mejle, którymi się wymieniliśmy, po czym je kasuję.

Punkt siedemnasta trzydzieści przy moim biurku staje Jack. Jest piątek, więc ma na sobie dżinsy i czarną koszulę.

– To co, Ano? Najczęściej chodzimy na szybkiego drinka do baru po drugiej stronie ulicy.

– My? – pytam z nadzieją.

– Tak, większość pracowników. Idziesz?

Z jakiegoś niewiadomego powodu, którego nie chcę zbyt dokładnie analizować, zalewa mnie fala ulgi.

– Chętnie. Jak się nazywa ten bar?

– Pięćdziesiątka.

– Żartujesz.

Patrzy na mnie dziwnie.

– Nie. Znasz to miejsce?

– Nie, przepraszam. Zaraz do was dołączę.

– Co ci zamówić?

– Piwo.

– Okej.

Udaję się do toalety i z BlackBerry wysyłam mejl do Christiana.

Nadawca: Anastasia Steele
Temat: Doskonale się wpasujesz
Data: 10 czerwca 2011, 17:36
Adresat: Christian Grey

Wybieramy się do baru o nazwie Pięćdziesiątka.

Gruba nić humoru, której mogłabym teraz użyć, nie ma końca.

Czekam na Pana z niecierpliwością, Panie Grey.

A. x

Nadawca: Christian Grey
Temat: Ryzyko
Data: 10 czerwca 2011, 17:38
Adresat: Anastasia Steele

Szycie to bardzo niebezpieczne zajęcie.

Christian Grey
Prezes, Grey Enterprises Holdings, Inc.

Nadawca: Anastasia Steele
Temat: Ryzyko?
Data: 10 czerwca 2011, 17:40
Adresat: Christian Grey

To znaczy?

Nadawca: Christian Grey
Temat: Ja jedynie...
Data: 10 czerwca 2011, 17:42
Adresat: Anastasia Steele

Ja jedynie stwierdzam fakt, Panno Steele.

Do zobaczenia.

Raczej prędzej niż później, mała.

Christian Grey
Prezes, Grey Enterprises Holdings, Inc.

Przeglądam się w lustrze. Cóż za różnica w porównaniu z wczorajszym dniem. Nie jestem już taka blada, a moje oczy błyszczą. To ten efekt Christiana Greya. Krótka wymiana mejli i proszę bardzo. Uśmiecham się do swego odbicia i wygładzam jasnoniebieską koszulę – tę, którą kupił mi Taylor. Oprócz niej mam na sobie ulubione dżinsy. Większość kobiet w redakcji chodzi albo

w dżinsach, albo w powłóczystych spódnicach. Będę
musiała zainwestować w jedną czy dwie takie spódnice.
Niewykluczone, że w najbliższy weekend spienieżę czek,
który dostałam od Christiana za Wandę, mojego garbusa.

Gdy opuszczam budynek, ktoś mnie woła.

– Panna Steele?

Odwracam się z ciekawością i widzę, że w moją stronę ostrożnie idzie młoda kobieta. Wygląda jak duch – jest
przeraźliwie blada i ma dziwnie pusty wzrok.

– Panna Anastasia Steele? – powtarza, a jej twarz
wydaje się zupełnie nieruchoma.

– Tak?

Zatrzymuje się w odległości niespełna metra i wpatruje we mnie. Znieruchomiała, także się jej przyglądam.
Kim jest ta kobieta? Czego ode mnie chce?

– Mogę w czymś pani pomóc? – pytam. Skąd wie,
jak się nazywam?

– Nie… Chciałam jedynie panią zobaczyć. – Głos
ma niesamowicie delikatny. Tak jak i ja ma ciemne włosy,
kontrastujące z jasną cerą. Jej oczy są brązowe, jak bour-
bon, ale zupełnie pozbawione wyrazu. W ogóle nie ma
w nich życia. Śliczną twarz ma trupio bladą i przeraźliwie
smutną.

– Przepraszam, ale skąd mnie pani zna? – pytam,
próbując ignorować ostrzegawcze łaskotanie wzdłuż kręgosłupa. Z bliska kobieta wygląda na zaniedbaną. Ubrania ma o dwa rozmiary za duże, łącznie z markowym
trenczem.

Śmieje się. To dziwny, fałszywie brzmiący dźwięk,
który jeszcze wzmaga mój niepokój.

– Co pani ma, czego nie mam ja? – pyta ze smutkiem.

Mój niepokój zamienia się w strach.

– Przepraszam, ale kim pani jest?

– Ja? Ja jestem nikim. – Unosi rękę, aby przeczesać palcami długie do ramion włosy i kiedy to robi, rękaw płaszcza podchodzi do góry, odsłaniając brudny bandaż na nadgarstku.

O kurwa.

– Miłego dnia, panno Steele.

Odwraca się i odchodzi, gdy tymczasem ja stoję wrośnięta w ziemię. Patrzę, jak jej szczupła postać znika pośród rzeszy ludzi wracających po pracy do domu.

O co w tym wszystkim chodzi?

Mam mętlik w głowie. Przechodzę na drugą stronę ulicy, próbując przyswoić to, co właśnie się wydarzyło, a moja podświadomość syczy: „Ona ma coś wspólnego z Christianem".

Pięćdziesiątka to wielki, bezosobowy bar, na którego ścianach wiszą proporce bejsbolowe i plakaty. Jack siedzi przy barze w towarzystwie Elizabeth, Courtney – drugiej redaktorki – dwóch facetów z finansów i Claire z recepcji, która jak zwykle ma w uszach srebrne koła.

– Cześć, Ana! – Jack wręcza mi butelkę piwa.

– Zdrówko… dzięki – bąkam, nie otrząsnąwszy się jeszcze po spotkaniu z Widmową Dziewczyną.

– Zdrówko. – Stukamy się butelkami, a potem on wraca do rozmowy z Elizabeth.

Claire uśmiecha się do mnie miło.

– No więc jak ci minął pierwszy tydzień? – pyta.

– Dobrze, dziękuję. Wszyscy wydają się bardzo sympatyczni.

– A ty dzisiaj wydajesz się znacznie szczęśliwsza.

– W końcu nadszedł piątek – odpowiadam szybko. – Masz jakieś plany na weekend?

Moja opatentowana technika odwracania uwagi przynosi efekty. Dowiaduję się, że Claire ma sześcioro rodzeństwa i wybiera się na wielkie rodzinne spotkanie w Tacoma. Opowiada o tym z dużym ożywieniem i uświadamiam sobie, że od wyjazdu Kate na Barbados nie rozmawiałam z żadną dziewczyną w moim wieku.

Ciekawe, co słychać u Kate… i Elliota. Muszę zapytać Christiana, czy miał od niego jakieś wieści. Och, no a we wtorek wraca Ethan, brat Kate, i zatrzyma się w naszym mieszkaniu. Christian na pewno nie będzie tym faktem zachwycony. Moje spotkanie z Widmową Dziewczyną schodzi na dalszy plan.

Gdy rozmawiam z Claire, Elizabeth częstuje mnie kolejnym piwem.

– Dzięki – uśmiecham się.

Z Claire rozmawia mi się bardzo swobodnie i nie mija dużo czasu, a w dłoni trzymam trzecie piwo, tym razem postawione przez jednego z chłopaków z Finansów.

Po wyjściu Elizabeth i Courtney do mnie i Claire dołącza Jack. Gdzie się podziewa Christian? Jeden z finansistów zagaduje Claire.

– Ana, myślisz, że podjęłaś właściwą decyzję? – pyta miękko Jack, stojąc nieco zbyt blisko mnie. Ale zauważyłam, że ma w zwyczaju robić to z każdym, nawet w redakcji.

– Dobrze mi się pracowało przez ten tydzień, Jack. Tak, uważam, że podjęłam właściwą decyzję.

– Bardzo bystra z ciebie dziewczyna. Daleko zajdziesz.

Oblewam się rumieńcem.

– Dziękuję – bąkam, ponieważ nie wiem, co innego miałabym powiedzieć.

– Daleko mieszkasz?

– W Pike Market.

– To blisko mnie. – Z uśmiechem przysuwa się jeszcze bliżej i opiera się o bar, skutecznie mnie blokując. – Masz jakieś plany na weekend?

– Cóż… eee…

Najpierw go czuję, dopiero później widzę. Zupełnie jakby całe moje ciało było wyczulone na jego obecność. W tej samej chwili odpręża się i spina – dziwaczna wewnętrzna dwoistość – i wyczuwam tę dziwną, pulsującą elektryczność.

Christian obejmuje mnie za ramiona w pozornym geście okazania uczucia – ale ja wiem swoje. On zaznacza swoje terytorium i w tym akurat przypadku jest to bardzo pożądane. Delikatnie całuje moje włosy.

– Hej, mała – mruczy.

Czuję się jednocześnie bezpieczna i podekscytowana. Christian przyciąga mnie do siebie, a ja podnoszę na niego wzrok, gdy tymczasem on z obojętnym wyrazem twarzy patrzy na Jacka. Przenosząc uwagę na mnie, uśmiecha się lekko i daje buziaka. Ma na sobie granatową marynarkę w prążki, białą, rozpiętą pod szyję koszulę oraz dżinsy. Wygląda jak spod igły.

Jack robi krok w tył.

– Jack, to Christian – mówię przepraszająco. Za co ja przepraszam? – Christian, Jack.

– Jestem jej chłopakiem – mówi Christian z chłodnym uśmiechem, który nie sięga jego oczu, i ściska dłoń mojego kolegi.

Przenoszę spojrzenie na Jacka, który w myślach dokonuje oceny tego stojącego przed nim przedstawiciela męskiej rasy.

– Jestem jej przełożonym – oświadcza arogancko. – Ana wspominała o byłym chłopaku.

O cholera. Nie chcesz tak sobie pogrywać z Szarym.

– Cóż, już nie jest były – odpowiada Christian spokojnie. – Chodź, mała, pora się zbierać.

– A może napijesz się z nami? – proponuje Jack bez zająknienia.

To chyba nie jest dobry pomysł. Dlaczego ta sytuacja jest taka krępująca? Zerkam na Claire, która naturalnie gapi się na Christiana z otwartą buzią. W jej oczach widać uznanie. Kiedy przestanie mnie obchodzić wpływ, jaki on ma na inne kobiety?

– Mamy już plany – odpowiada Christian z enigmatycznym uśmiechem.

Mamy? I przez moje ciało przebiega dreszczyk wyczekiwania.

– Może innym razem – dodaje. – Chodź – mówi, biorąc mnie za rękę.

– Do zobaczenia w poniedziałek. – Uśmiecham się do Jacka, Claire i chłopaków z finansów, starając się ignorować grymas niezadowolenia widoczny na twarzy mojego szefa. Idę za Christianem w stronę drzwi.

Za kierownicą czekającego na krawężniku audi siedzi Taylor.

– Czemu odniosłam wrażenie, że to konkurs wnerwiania? – pytam Christiana, gdy otwiera przede mną drzwi.

– Bo rzeczywiście tak było – burczy i posyła mi ten swój enigmatyczny uśmiech, po czym zamyka drzwi.

– Witaj, Taylor – mówię i nasze spojrzenia krzyżują się w lusterku wstecznym.

– Panno Steele – odpowiada z miłym uśmiechem.

Christian siada obok mnie, ujmuje moją dłoń i delikatnie całuje knykcie.

– Cześć – mówi cicho.

Policzki robią mi się różowe, gdyż mam świadomość, że Taylor może nas słyszeć. Cieszę się, że nie widzi tego płonącego spojrzenia, którym obdarza mnie Christian. Potrzebuję całej swojej samokontroli, aby nie dosiąść go tu i teraz, na tylnym siedzeniu samochodu.

Tylne siedzenie samochodu… hmm.

– Cześć – mówię bez tchu. W ustach mi zaschło.

– Jak masz ochotę spędzić ten wieczór?

– Wydawało mi się, że mówiłeś, iż mamy plany.

– Och, ja wiem, na co miałbym ochotę, Anastasio. Pytam, co ty chcesz robić.

Uśmiecham się promiennie.

– Rozumiem – mówi z lubieżnym uśmiechem. – No więc… błaganie. Chcesz błagać u mnie czy u siebie? – Przechyla głowę i obdarza mnie tym swoim przyprawiającym o zawrót głowy seksownym uśmiechem.

– Uważam, że zachowuje się pan bezczelnie, panie Grey. Ale dla odmiany moglibyśmy jechać do mnie. – Z premedytacją przygryzam wargę, a jego spojrzenie nabiera mrocznej głębi.

– Taylor, do mieszkania panny Steele, proszę.

– Tak jest – odpowiada tamten i chwilę później włącza się do ruchu.

– No więc jak ci minął dzień? – pyta Christian.

– Dobrze, a tobie?

– Dobrze, dziękuję.

Oboje uśmiechamy się szeroko. Ponownie całuje moją dłoń.

– Ślicznie wyglądasz – stwierdza.

– Ty także.

– Twój szef, Jack Hyde, jest dobry w tym, co robi?

To dopiero nagła zmiana tematu. Marszczę brwi.

– Czemu pytasz? Nie chodzi o wasz konkurs wnerwiania?

Christian uśmiecha się z wyższością.

– Ten człowiek chce ci się dobrać do majtek, Anastasio – mówi cierpko.

Purpurowieję na twarzy i rzucam nerwowe spojrzenie Taylorowi.

– Cóż, może chcieć, co mu się żywnie podoba… Czemu w ogóle drążymy ten temat? Wiesz, że w ogóle nie jestem nim zainteresowana. To jedynie mój przełożony.

– I o to właśnie chodzi. On chce tego, co należy do mnie. Muszę wiedzieć, czy dobry jest w tym, co robi.

Wzruszam ramionami.

– Chyba tak. – Do czego zmierza ta rozmowa?

– Lepiej, żeby dał ci spokój, inaczej trafi na bruk.

– Christian, o czym ty mówisz? On nie zrobił nic złego. – ... Na razie. Jedynie zbyt blisko staje.

– Jeden jego ruch, a ty mi zaraz o tym powiesz. To się nazywa nikczemność postępowania. Albo molestowanie seksualne.

– To było jedynie piwo po pracy.

– Mówię poważnie. Jeden ruch i wylatuje.

– Nie masz takiej władzy. – No wiecie co! Ale nim zdążę wywrócić oczami, z siłą rozpędzonej ciężarówki uderza mnie pewna myśl. – Prawda, Christianie?

Uśmiecha się tylko enigmatycznie.

– Kupujesz tę firmę – szepczę z przerażeniem.

W odpowiedzi na panikę w moim głosie jego uśmiech blednie.

– Niezupełnie.

– Kupiłeś ją. SIP. Już to zrobiłeś.

Nieufnie mruga powiekami.

– Możliwe.

– Kupiłeś czy nie?

– Kupiłem.

– Dlaczego? – Och, tego już naprawdę zbyt wiele.

– Bo mogę, Anastasio. Chcę, żebyś była bezpieczna.

– Ale mówiłeś, że nie będziesz się wtrącać w moje życie zawodowe!

– I nie będę.

Zabieram mu dłoń.

– Christian... – Brak mi słów.

– Jesteś na mnie zła?

– Tak. Oczywiście, że jestem zła – syczę. – No bo
który odpowiedzialny biznesmen podejmuje decyzje na
podstawie tego, z kim się aktualnie pieprzy? – Wzdrygam
się i po raz kolejny zerkam nerwowo na Taylora, który
ignoruje nas ze stoickim spokojem.

Cholera. Że też akurat teraz najpierw mówię, a dopiero potem myślę.

Christian otwiera usta, po czym je zamyka i mierzy
mnie gniewnym spojrzeniem. W odpowiedzi piorunuję
go wzrokiem. Panująca jeszcze przed chwilą w samochodzie atmosfera słodkiego pojednania robi się napięta od
niewypowiedzianych słów i potencjalnych wzajemnych
oskarżeń.

Na szczęście ta niefortunna podróż nie trwa długo
i Taylor zatrzymuje się przed moim mieszkaniem.

Szybko wysiadam, nie czekając, aż ktoś mi otworzy
drzwi.

Słyszę, jak Christian mówi cicho do Taylora:

– Chyba lepiej będzie, jak tu zaczekasz.

Wyczuwam, że stoi blisko mnie, gdy wściekła szukam w torbie klucza.

– Anastasio – mówi spokojnie, jakbym była zapę-
dzonym w róg dzikim zwierzęciem.

Wzdycham i odwracam się w jego stronę. Jestem na
niego taka wściekła. Mam wrażenie, że zaraz zadławię się
gniewem.

– Po pierwsze, od jakiegoś czasu się z tobą nie pieprzę, po drugie, i tak chciałem poszerzyć działalność
o branżę wydawniczą. Z czterech wydawnictw z siedzibą
w Seattle to właśnie SIP generuje największy przychód,
ale grozi mu stagnacja. Potrzebuje nowych filii.

Patrzę na niego zimno. Jego spojrzenie jest palące,
wręcz groźne, ale seksowne jak diabli. Mogłabym się zatracić w stalowej głębi tych oczu.

– Więc teraz jesteś moim szefem – warczę.

– Formalnie rzecz ujmując, jestem szefem szefa twojego szefa.

– I formalnie rzecz ujmując, to nikczemność postępowania: fakt, że pieprzę się z szefem szefa mojego szefa.

– W tej akurat chwili się z nim kłócisz. – Christian rzuca mi gniewne spojrzenie.

– Dlatego, że straszny z niego osioł – syczę.

Zaskoczony Christian robi krok w tył. O cholera. Przegięłam?

– Osioł? – mruczy, a w jego oczach pojawia się coś na kształt rozbawienia.

Do diaska! Jestem na ciebie wściekła, nie rozśmieszaj mnie!

– Tak. – Bardzo się staram wyglądać na przepełnioną moralnym oburzeniem.

– Osioł? – powtarza Christian. Tym razem kąciki jego ust drżą od powstrzymywanego uśmiechu.

– Nie rozśmieszaj mnie, kiedy jestem na ciebie zła! – krzyczę.

I wtedy pojawia się on: olśniewający, szeroki, amerykański uśmiech. A ja jestem zgubiona. Też się śmieję jak wariatka. Jak mogłabym nie zareagować na obecną w jego uśmiechu radość?

– To, że na mojej twarzy widnieje głupi uśmiech, nie znaczy wcale, że nie jestem na ciebie cholernie wkurzona – wyrzucam z siebie, próbując zdusić chichot charakterystyczny dla cheerleaderki. Choć w liceum wcale nią nie byłam. Ta myśl pełna goryczy przebiega mi przez głowę.

Christian nachyla się i mam wrażenie, że zaraz mnie pocałuje. On jednak tylko muska nosem moje włosy i oddycha głęboko.

– Jak zawsze nieprzewidywalna, panno Steele. – Odsuwa się i mierzy mnie wzrokiem. W jego oczach tańczą wesoło iskierki. – Zaprosisz mnie więc do siebie czy mam sobie pójść za skorzystanie z demokratycznego prawa przysługującego obywatelowi amerykańskiemu, przedsiębiorcy i konsumentowi, czyli kupowania tego, na co mi przyjdzie ochota?

– Rozmawiałeś na ten temat z doktorem Flynnem?

Śmieje się.

– Wpuścisz mnie czy nie, Anastasio?

Staram się, aby moją postawę cechowała niechęć – zagryzanie wargi pomaga – ale uśmiecham się, gdy otwieram drzwi. Christian odwraca się i macha Taylorowi, który sekundę później odjeżdża.

Dziwnie jest gościć Christiana. Mieszkanie wydaje się dla niego za małe.

Nadal jestem na niego zła – jego mania prześladowcza nie zna granic. Dociera do mnie, że to dlatego wiedział o monitorowaniu poczty elektronicznej w SIP. Pewnie wie o tym wydawnictwie więcej niż ja. Ta myśl nie jest przyjemna.

Co mogę zrobić? Skąd w nim ta potrzeba zapewniania mi bezpieczeństwa? Na litość boską, jestem przecież dorosła. Tak jakby. Co mam zrobić, żeby go uspokoić?

Przyglądam się jego twarzy, gdy tak przemierza pomieszczenie niczym zamknięty w klatce drapieżnik, i gniew mi mija. Cieszę się, widząc go tutaj, u siebie, kiedy jeszcze niedawno sądziłam, że to koniec. Cieszę to mało powiedziane. Kocham go i serce mam pełne nerwowego, podniecającego uniesienia. Christian rozgląda się badawczo.

– Ładnie tu – stwierdza.

– Rodzice Kate kupili jej to mieszkanie.

Kiwa z roztargnieniem głową i spojrzenie swych szarych oczu kieruje na mnie.

– Eee… napijesz się czegoś? – bąkam nerwowo.

– Nie, dziękuję, Anastasio. – Wzrok mu ciemnieje.

Czemu tak się denerwuję?

– Na co miałabyś ochotę, Anastasio? – pyta miękko, zmierzając ku mnie. – Wiem, czego pragnę ja – dodaje niskim głosem.

Cofam się, aż wpadam na betonową wyspę w aneksie kuchennym.

– Nadal jestem na ciebie zła.

– Wiem. – Posyła mi przepraszający uśmiech, a ja od razu się rozpływam… Cóż, może nie aż tak bardzo zła.

– Chciałbyś coś zjeść? – pytam.

Kiwa powoli głową.

– Tak. Ciebie – mruczy.

Czuję ściskanie wszędzie poniżej talii. Potrafi mnie uwieść samym głosem, ale to spojrzenie, ten głodny, spragniony wzrok – o rety.

Stoi przede mną. Nie dotyka mnie, a jedynie patrzy mi prosto w oczy, otulając gorącem, które emanuje z jego ciała. Strasznie mi duszno, nogi mam jak z waty i zżera mnie mroczne pożądanie. Pragnę tego mężczyzny.

– Jadłaś coś dzisiaj? – pyta cicho.

– Kanapkę w przerwie na lunch – odpowiadam szeptem. Nie mam ochoty rozmawiać o jedzeniu.

Mruży oczy.

– Musisz jeść.

– Naprawdę nie mam teraz apetytu… na jedzenie.

– A na co go pani ma, panno Steele?

– Myślę, że pan wie, panie Grey.

Pochyla się i znowu wydaje mi się, że zaraz mnie pocałuje. Nie robi tego jednak.

– Chcesz, abym cię pocałował, Anastasio? – szepcze mi cicho do ucha.

– Tak – odpowiadam bez tchu.

– Gdzie?

– Wszędzie.

– Będziesz musiała wyrażać się nieco jaśniej. Uprze-
dzałem, że nie zamierzam cię dotknąć, dopóki nie będziesz mnie błagać i mówić, co mam robić.

No to przepadłam, on nie gra fair.

– Proszę – mówię szeptem.

– Prosisz o co?

– Dotknij mnie.

– Gdzie, maleńka?

Znajduje się tak irytująco blisko, jego zapach jest odurzający. Unoszę rękę, a on natychmiast stawia krok w tył.

– Nie, nie – beszta mnie. Spojrzenie ma czujne.

– Słucham? – Nie… wracaj.

– Nie. – Kręci głową.

– W ogóle? – Co ja poradzę na to, że w moim głosie
słychać pragnienie?

Patrzy na mnie niepewnie i jego wahanie dodaje mi
odwagi. Robię krok w jego stronę, a on znowu się cofa.
Obronnym gestem unosi ręce, ale się uśmiecha.

– Słuchaj, Ana. – To ostrzeżenie. Z irytacją przeczesuje palcami włosy.

– Czasami nie masz nic przeciwko – mówię żałośnie.
– Może powinnam poszukać markera, żebyśmy mogli za-
znaczyć miejsca, gdzie nic z tego.

Unosi brew.

– To całkiem dobry pomysł. Gdzie jest twój pokój?

Kiwam głową. Czy on celowo zmienia temat?

– Bierzesz pigułki?

O cholera. Pigułki.

Mina mu rzednie.

– Nie – mówię piskliwie.

– Rozumiem. – Usta zaciska w cienką linię. – Chodź,
zjemy coś.

– Myślałam, że pójdziemy do łóżka! Chcę iść z tobą
do łóżka.

– Wiem, skarbie. – Uśmiecha się i nagle daje nura w moją stronę, chwyta mnie za nadgarstki i przyciąga do siebie, tak że nasze ciała się stykają. – Musisz jeść i ja też – mruczy, przewiercając mnie gorącym wzrokiem. – Poza tym… wyczekiwanie to podstawa uwodzenia, a na chwilę obecną naprawdę podoba mi się opóźnianie satysfakcji.

Niby od kiedy?

– Zostałam uwiedziona i już teraz pragnę satysfakcji. Będę błagać, proszę – marudzę.

Uśmiecha się do mnie czule.

– Jedzenie. Jesteś za szczupła. – Całuje mnie w czoło i puszcza.

To gra, część jakiegoś niecnego planu. Rzucam mu spojrzenie spode łba.

– Nadal jestem na ciebie zła za to, że kupiłeś SIP, a teraz dodatkowo za to, że każesz mi czekać – oświadczam, wydymając usta.

– Ależ gniewna z ciebie damulka. Po dobrym posiłku poczujesz się lepiej.

– Już ja wiem, po czym poczuję się lepiej.

– Anastasio Steele, jestem zaszokowany. – W jego głosie pobrzmiewa kpina.

– Przestań się ze mną drażnić. Nie grasz fair.

Przygryza dolną wargę, żeby się szeroko nie uśmiechnąć. Wygląda po prostu uroczo… żartobliwy Christian bawiący się z moim libido. Szkoda tylko, że nie jestem lepsza w uwodzeniu. Wiedziałabym wtedy, co robić. Nie ułatwia mi sprawy fakt, że nie wolno mi go dotykać.

Moja wewnętrzna bogini mruży oczy i wygląda na zadumaną. Musimy nad tym popracować.

Gdy Christian i ja wpatrujemy się w siebie – ja rozpalona i przepełniona pragnieniem, on zrelaksowany i bawiący się moim kosztem – uświadamiam sobie, że nie mam w domu nic do jedzenia.

– Mogłabym coś ugotować, tyle że najpierw musimy iść na zakupy.

– Zakupy?

– Spożywcze.

– Nie masz nic do jedzenia? – Jego spojrzenie twardnieje.

Kręcę głową. Kurczę, chyba jest zły.

– No to chodźmy na te zakupy – mówi surowo, po czym odwraca się na pięcie, podchodzi do drzwi i otwiera je przede mną.

– Kiedy ostatni raz byłeś w supermarkecie?

Christian nie pasuje do otoczenia, ale posłusznie chodzi za mną z koszykiem.

– Nie pamiętam.

– Zakupami zajmuje się pani Jones?

– Taylor chyba jej pomaga. Nie jestem pewny.

– Chińszczyzna może być? Szybko się ją robi.

– Może być. – Christian uśmiecha się szeroko, bez wątpienia wiedząc, dlaczego nie chcę spędzać dużo czasu w kuchni.

– Długo dla ciebie pracują?

– Taylor chyba ze cztery lata. Pani Jones podobnie. Czemu nie miałaś w mieszkaniu nic do jedzenia?

– Wiesz czemu – burczę, rumieniąc się.

– To ty mnie zostawiłaś – mówi z dezaprobatą.

– Wiem – odpowiadam cicho. Nie chcę, aby mi o tym przypominał.

Docieramy do kasy i milcząc, stajemy w kolejce.

Zastanawiam się, czy gdybym nie odeszła, Christian zaproponowałby mi waniliową alternatywę.

– Masz coś do picia? – Przywołuje mnie do rzeczywistości.

– Piwo… chyba.

– Pójdę po jakieś wino.

O rany. Nie bardzo wiem, jaki rodzaj win dostępny jest w supermarkecie Ernie's. Christian wraca z pustymi rękami. Krzywi się.

– Zaraz obok jest dobry sklep monopolowy – mówię szybko.

– Zobaczę, co tam mają.

Może powinniśmy po prostu jechać do niego; wtedy nie byłoby tego całego zamieszania. Patrzę, jak z niewymuszoną gracją zdecydowanym krokiem opuszcza sklep. Dwie wchodzące akurat kobiety zatrzymują się i gapią na niego. Och, patrzcie sobie, patrzcie, myślę zniechęcona.

Pragnę mieć go z powrotem w swoim łóżku, ale on gra trudnego do zdobycia. Może ja też powinnam. Moja wewnętrzna bogini przytakuje mi energicznie. I gdy stoję w kolejce do kasy, razem układamy plan. Hmm…

CHRISTIAN WNOSI DO mieszkania torby z zakupami. Niósł je przez całą drogę ze sklepu. Dziwnie wygląda. Jakoś tak nie prezesowsko.

– Wyglądasz bardzo… domowo.

– Dotąd nikt mi tego nie zarzucił – stwierdza cierpko.

Stawia torby na blacie wyspy. Gdy zabieram się za rozpakowywanie, on wyjmuje butelkę białego wina i rozgląda się za korkociągiem.

– Wszystko jest dla mnie jeszcze nowe. Możliwe, że znajdziesz go w tamtej szufladzie. – Pokazuję brodą.

To się wydaje takie… normalne. Dwoje ludzi poznających się, przygotowujących wspólnie posiłek. A jednocześnie jest tak dziwnie. Zniknął gdzieś strach, który zawsze czułam w jego obecności. Tyle już rzeczy robiliśmy razem, takich, że na samą myśl o nich oblewam się rumieńcem, a mimo to ledwo go znam.

– O czym myślisz? – wyrywa mnie z zadumy. Zdejmuje marynarkę i kładzie ją na kanapie.

– O tym, jak mało cię znam.

Jego spojrzenie łagodnieje.

– Nikt nie zna mnie tak dobrze jak ty.

– Nie uważam, aby to była prawda. – W moich myślach pojawia się nieproszona pani Robinson.

– To jest prawda, Anastasio. Jestem bardzo, ale to bardzo skryty.

Podaje mi kieliszek białego wina.

– Na zdrowie – mówi.

– Na zdrowie. – Upijam łyk, a Christian wkłada butelkę do lodówki.

– Mogę ci jakoś pomóc? – pyta.

– Nie, dam sobie radę. Siądź sobie.

– Chciałbym pomóc. – Mówi to szczerze.

– Możesz pokroić warzywa.

– Nie umiem gotować. – Podejrzliwie patrzy na nóż, który mu podaję.

– No bo nie musisz. – Kładę przed nim deskę do krojenia i kilka czerwonych papryczek. Przygląda się im z konsternacją.

– Nigdy nie kroiłeś warzyw?

– Nie.

Uśmiecham się drwiąco.

– Kpisz sobie ze mnie?

– Wygląda na to, że potrafię robić coś, czego ty nie. Spójrzmy prawdzie w oczy, Christianie, to chyba pierwsza taka sytuacja. No dobrze, pokażę ci.

Ocieram się o niego, a on robi krok w tył. Moja wewnętrzna bogini prostuje się i zaczyna się nam bacznie przyglądać.

– Tak to się robi. – Siekam papryczkę, oddzielając pestki.

– Wydaje się proste.

– Nie powinieneś mieć z tym żadnych problemów – rzucam ironicznie.

Przez chwilę przygląda mi się spokojnie, po czym zabiera się za swoje zadanie, gdy tymczasem ja kroję w kostkę pierś kurczaka. Zaczyna kroić, ostrożnie, powoli. O rany, spędzimy tu całą noc.

Myję ręce i z szafek wyciągam wok, oliwę oraz inne potrzebne składniki, co rusz ocierając się o niego – biodrem, ramieniem, plecami, dłońmi. Krótkie, pozornie niewinne dotknięcia. Nieruchomieje za każdym razem, gdy to robię.

– Wiem, co robisz, Anastasio – burczy, nadal krojąc tę pierwszą paprykę.

– To się chyba nazywa gotowanie – trzepoczę rzęsami.

Biorę do ręki drugi nóż i staję obok Christiana. Obieram i siekam czosnek, szalotki i fasolę, niezmiennie na niego wpadając.

– Dobra w tym jesteś – stwierdza i zabiera się za drugą paprykę.

– W krojeniu? – Trzepot rzęs. – Lata praktyki. – Znowu się o niego ocieram, tym razem pupą. Po raz kolejny nieruchomieje.

– Jeśli zrobisz to jeszcze raz, Anastasio, posiądę cię na kuchennej podłodze.

Wow. To działa.

– Najpierw będziesz mnie musiał błagać.

– To wyzwanie?

– Możliwe.

Odkłada nóż i podchodzi do mnie powoli. Oczy mu płoną. Wyłącza gaz. Oliwa w woku niemal natychmiast się uspokaja.

– Myślę, że zjemy później – mówi. – Włóż mięso do lodówki.

Nie jest to zdanie, które się spodziewałam usłyszeć z ust Christiana Greya, i tylko on potrafi sprawić, aby te słowa brzmiały podniecająco. Biorę z blatu miskę z pokrojonym kurczakiem, przykrywam ją talerzem i wstawiam do lodówki. Kiedy się odwracam, on stoi tuż za mną.

– Więc będziesz błagał? – pytam szeptem, odważnie patrząc mu w oczy.

– Nie, Anastasio. – Kręci głową. – Żadnego błagania. – Głos ma miękki, uwodzicielski.

I stoimy tak, patrząc na siebie, chłonąc siebie nawzajem – atmosfera naładowana jest elektrycznością. Żadne z nas nic nie mówi, jedynie patrzymy. Przygryzam wargę, gdy znów zalewa mnie fala pożądania, rozgrzewając krew, spłycając oddech, zbierając się poniżej talii. Widzę moje reakcje odbijające się w jego spojrzeniu.

Nagle chwyta moje biodra i przyciąga do siebie. Zatapiam palce w jego włosach. Usta Christiana obejmują w posiadanie moje. Popycha mnie na lodówkę, słyszę ciche, pełne protestu pobrzękiwanie butelek i słoików. Nasze języki się odnajdują. Jęczę mu prosto do ust, gdy jedną dłonią pociąga mnie za włosy w trakcie namiętnego pocałunku.

– Czego pragniesz, Anastasio? – pyta bez tchu.

– Ciebie.

– Gdzie?

– W łóżku.

Bierze mnie na ręce, po czym szybko i bez wysiłku niesie do mojej sypialni. Stawia mnie przy łóżku, po czym schyla się i włącza lampkę. Rozgląda się szybko po pokoju i zasuwa kremowe zasłony.

– Teraz co? – pyta miękko.

– Kochaj się ze mną.

– Jak?

Jezu.

– Musisz mi powiedzieć, maleńka.

Jasny gwint.

– Rozbierz mnie. – Jeszcze nic, a ja już mam przyspieszony oddech.

Uśmiecha się i wsuwa palec wskazujący za materiał mojej rozpiętej przy szyi koszuli, po czym przyciąga mnie do siebie.

– Grzeczna dziewczynka – mruczy i nie odrywając płonącego spojrzenia od moich oczu, powoli zaczyna rozpinać mi koszulę.

Aby zachować równowagę, niepewnie opieram się dłońmi o jego ramiona. Nic nie mówi. A więc ramiona to bezpieczna strefa. Kiedy wszystkie guziki są już rozpięte, zsuwa mi koszulę z ramion, a ja puszczam go i pozwalam, by opadła na podłogę. Sięga do zapięcia moich dżinsów, odpina je i rozsuwa zamek.

– Powiedz mi czego pragniesz, Anastasio. – Jego oczy płoną, oddech ma płytki, a usta rozchylone.

– Pocałuj mnie odtąd dotąd – szepczę, przesuwając palcem od dolnej części ucha wzdłuż szyi. Christian odgarnia moje włosy z linii ognia i nachyla się, pozostawiając słodkie, delikatne pocałunki na ścieżce wyznaczonej przez mój palec, po czym wraca tą samą drogą.

– Dżinsy i figi – mruczę, a on uśmiecha się i klęka przede mną. Och, poczucie władzy jest upajające. Wsunąwszy kciuki za pasek dżinsów, razem z figami lekko ściąga je w dół. Po chwili mam na sobie już tylko stanik. Christian przerywa i patrzy na mnie wyczekująco, ale nie wstaje.

– Co teraz, Anastasio?

– Pocałuj mnie – mówię szeptem.

– Gdzie?

– Wiesz gdzie.

– Gdzie?

Och, a więc nie idzie na żadne ustępstwa. Z zażeno-
waniem pokazuję na złączenie ud, a on uśmiecha się szelmowsko. Zamykam oczy, zakłopotana, ale jednocześnie
podniecona do granic możliwości.

– Och, z przyjemnością – chichocze Christian. Całuje mnie i wysuwa język, ten swój niosący radość, wprawny
język. Jęczę i wplatam palce w jego włosy. On nie przerywa, zataczając językiem kółka wokół łechtaczki, do-
prowadzając mnie do szaleństwa, raz za razem, dookoła.
Ach… to tylko… jak długo…? Och…

– Christian, proszę – jęczę błagalnie. Nie chcę szczy-
tować na stojąco. Nie mam tyle siły.

– Proszę co, Anastasio?

– Kochaj się ze mną.

– Kocham – mruczy, delikatnie dmuchając.

– Nie. Chcę poczuć cię w sobie.

– Jesteś pewna?

– Proszę.

Nie przerywa słodkich, wymyślnych tortur. Jęczę
głośno.

– Christian… proszę.

Wstaje i patrzy na mnie, a usta mu lśnią od dowodu
mego pożądania.

To takie podniecające…

– No i? – pyta.

– No i co? – pytam bez tchu, ogarnięta gorączkową
potrzebą.

– Ja jestem nadal w ubraniu.

Patrzę na niego z konsternacją.

Rozebrać go? Tak, mogę to zrobić. Sięgam do jego
koszuli i Christian robi krok w tył.

– O nie – upomina mnie.

Cholera, jemu chodzi o dżinsy.

Och, mam pewien pomysł. Moja wewnętrzna bogini wydaje głośne okrzyki, a ja klękam przed nim. Dość niezdarnie rozpinam drżącymi palcami rozporek, po czym energicznym ruchem opuszczam mu dżinsy i bokserki, uwalniając jego męskość. *Wow.*

Podnoszę wzrok i widzę, że Christian przygląda mi się z... czym? Niepokojem? Podziwem? Zaskoczeniem?

Wychodzi z dżinsów i ściąga skarpetki, a ja biorę go w dłoń i ściskam mocno, przesuwając dłoń tak, jak mi pokazywał. Wydaje jęk i cały się napina, wypuszczając świszczący oddech przez zaciśnięte zęby. Bardzo ostrożnie wsuwam go do ust i ssę – mocno. Mhm, pyszny.

– Ach. Ana... delikatnie.

Delikatnie chwyta moją głowę, a ja wsuwam go głębiej do ust, wargami zasłaniając zęby, i mocno ssę.

– Kurwa – rzuca.

Och, to dobry, inspirujący, seksowny odgłos, więc robię to jeszcze raz, wciągając go głębiej, tańcząc językiem po koniuszku. Hmm... czuję się jak Afrodyta.

– Ana, wystarczy. Dość tego.

Robię to znowu – błagaj, Grey, błagaj – i znowu.

– Ana, wystarczy tej manifestacji – warczy przez zaciśnięte zęby. – Nie chcę dojść w twoich ustach.

Robię to jeszcze raz, a on pochyla się, chwyta mnie za ramiona, podciąga do góry i rzuca na łóżko. Ściąga przez głowę koszulę, po czym sięga do leżących na ziemi dżinsów i niczym porządny harcerz wyjmuje z nich foliową paczuszkę. Dyszy ciężko, tak jak i ja.

– Zdejmij stanik – nakazuje.

Siadam i robię, co mi każe.

– Połóż się. Chcę na ciebie popatrzeć.

Kładę się i obserwuję, jak powoli zakłada prezerwatywę. Tak bardzo go pragnę. Patrzy na mnie i oblizuje usta.

– Stanowisz przyjemny widok dla oka, Anastasio Steele. – Pochyla się i powoli przesuwa się w górę, całując mnie przy tym. Całuje po kolei piersi, drażniąc podniecająco brodawki, a ja jęczę i wiję się pod nim.

Nie… Przestań. Pragnę cię.

– Christian, proszę.

– Proszę co? – mruczy pomiędzy piersiami.

– Chcę poczuć cię w sobie.

– Naprawdę?

– Proszę.

Patrząc mi w oczy, nogą rozchyla uda i przechyla się tak, że wisi nade mną. Nie odrywając ode mnie wzroku, rozkosznie powoli wsuwa się we mnie.

Zamykam oczy, delektując się jego twardością, tym wyjątkowym uczuciem, że należę do niego. Odruchowo unoszę biodra, aby wyjść mu na spotkanie, aby w pełni się z nim połączyć. Jęczę głośno. Christian wycofuje się i bardzo powoli znowu się we mnie zanurza. Moje palce odnajdują drogę do jedwabistych, niesfornych włosów, a on, och… tak powoli raz po raz się ze mnie wysuwa.

– Szybciej, Christianie, szybciej… proszę.

Spogląda na mnie triumfująco i mocno całuje, a potem rzeczywiście zaczyna się poruszać – nieustępliwie, karząco… och – i już wiem, że nie potrwa to długo. Ustala pulsujący rytm. Zaczynam przyspieszać, moje nogi się naprężają.

– No już, mała – dyszy. – Dojdź dla mnie.

Jego słowa mnie gubią. Eksploduję, spektakularnie, oszałamiająco, i rozpadam się na milion kawałków, a on sekundę później podąża za mną, wołając moje imię.

– Ana! O kurwa, Ana! – Opada na mnie i chowa twarz na mojej szyi.

ROZDZIAŁ CZWARTY

Gdy wraca mi zdolność myślenia, otwieram oczy i przyglądam się twarzy mężczyzny, którego kocham. Twarzy pełnej czułości. Muska nosem mój nos, opierając ciężar ciała na łokciach. Jego dłonie spoczywają na moich, tuż przy mojej głowie. Niestety podejrzewam, że robi to po to, abym go nie dotknęła. Wysuwa się ze mnie, składając na mych ustach delikatny pocałunek.

– Brakowało mi tego – szepcze.

– Mnie też.

Ujmuje moją brodę i mocno całuje. To namiętny, błagalny pocałunek, proszący o co? Nie wiem. Kiedy Christian odrywa usta od moich, brak mi tchu.

– Więcej mnie nie zostawiaj – mówi błagalnie, patrząc mi prosto w oczy. Na jego twarzy maluje się powaga.

– Dobrze – szepczę i uśmiecham się do niego. Uśmiech, który widzę w odpowiedzi, jest wyjątkowo promienny; ulga, euforia i chłopięca radość tworzą kombinację potrafiącą zmiękczyć najtwardsze nawet serce. – Dziękuję za iPada.

– Ależ nie ma za co, Anastasio.

– Którą z piosenek lubisz najbardziej?

– O nie, za dużo byś o mnie wiedziała. – Uśmiecha się szeroko. – Ugotuj mi jakąś strawę, dziewko. Umieram z głodu – dodaje, siadając nagle i pociągając mnie za sobą.

– Dziewko? – Chichoczę.

– Dziewko. Jadło proszę.

– Skoro tak ładnie prosisz, panie, już się biorę do roboty.

Gdy gramolę się z łóżka, przesuwam poduszkę, ujawniając kryjący się pod nią sflaczały balon. Christian bierze go do ręki i patrzy na mnie z konsternacją.

– To mój balonik – mówię, sięgając po szlafrok. Kurde, czemu on musiał go znaleźć?

– W łóżku?

– Tak. – Rumienię się. – Dotrzymywał mi towarzystwa.

– Szczęściarz z Charliego Tango. – W jego głosie słychać zdziwienie.

Owszem, jestem sentymentalna, Grey, ponieważ cię kocham.

– Mój balonik – powtarzam, po czym odwracam się na pięcie i wychodzę do kuchni, zostawiając Christiana uśmiechniętego od ucha do ucha.

Siedzimy na perskim dywanie Kate, pałeczkami wyjadamy chińszczyznę z porcelanowych miseczek, popijając schłodzonym białym pinot grigio. Christian opiera się o kanapę, wyciągnąwszy przed siebie nogi. Włosy ma potargane, jak to po seksie. Ma na sobie dżinsy, koszulę i nic więcej. W tle nucą cicho panowie z Buena Vista Social Club.

– Smaczne – mówi z uznaniem, nabierając pałeczkami kolejną porcję.

Siedzę obok po turecku, jedząc łapczywie i podziwiając jego bose stopy.

– Najczęściej to ja się zajmuję gotowaniem. Kate średnio radzi sobie w kuchni.

– Mama cię nauczyła?

– Mama? – prycham. – Kiedy zaczęło mnie to interesować, mama mieszkała już w Mansfield w Teksasie z Mężem Numer Trzy. A Ray, cóż, gdyby nie ja, żywiłby się tostami i jedzeniem na wynos.

Christian przygląda mi się uważnie.

– Czemu nie zamieszkałaś w Teksasie z mamą?

– Jej mąż, Steve, i ja… nie dogadywaliśmy się. I tęskniłam za Rayem. Jej związek ze Steve'em nie trwał długo. Myślę, że się opamiętała. Nigdy o nim nie mówi – dodaję cicho. To taka mroczna część jej życia, o której nigdy nie rozmawiamy.

– Zostałaś więc w Waszyngtonie z ojczymem?

– Bardzo krótko mieszkałam w Teksasie. Potem wróciłam do Raya.

– Wygląda na to, że to ty się nim opiekowałaś – mówi miękko.

– Chyba tak. – Wzruszam ramionami.

– Przyzwyczajona jesteś do opiekowania się ludźmi.

Coś w jego głosie przykuwa moją uwagę i podnoszę wzrok.

– O co chodzi? – pytam.

– Ja chcę się tobą zaopiekować. – W jego oczach płoną jakieś nienazwane emocje.

Serce mi przyspiesza.

– Zauważyłam – mówię cicho. – Tylko jakoś w dziwny sposób się za to zabierasz.

Marszczy brwi.

– Inaczej nie potrafię.

– Nadal jestem na ciebie zła za kupienie SIP.

Uśmiecha się.

– Wiem, ale twoja złość i tak by mnie nie powstrzymała.

– I co ja mam teraz powiedzieć kolegom z pracy, Jackowi?

Christian mruży oczy.

– Ten złamas lepiej niech się ma na baczności.

– Christian! To mój szef.

Zaciska usta w cienką linię. Wygląda jak krnąbrny uczeń.

– Nie mów im.

– Czego mam nie mówić?

– Że wydawnictwo należy do mnie. Wczoraj podpisano zarys warunków umowy. Przewiduje on czterotygodniowy zakaz ujawniania informacji dotyczących zmiany właściciela, a w tym czasie zarząd SIP dokona pewnych zmian.

– Och… zostanę bez pracy? – pytam niespokojnie.

– Szczerze w to wątpię – odpowiada cierpko Christian, starając się stłumić uśmiech.

Robię gniewną minę.

– Jeśli odejdę i poszukam sobie pracy w innej firmie, ją także kupisz?

– Chyba nie myślisz o odejściu? – Wraca czujność.

– Może i myślę. W sumie nie dałeś mi wielkiego wyboru.

– Tak, tamtą firmę też kupię – oświadcza stanowczo.

Jestem w sytuacji bez wyjścia.

– Nie sądzisz, że zachowujesz się ciut nadopiekuńczo?

– Tak. Mam pełną świadomość, że tak to wygląda.

– Dzwoń do doktora Flynna – burczę.

Odstawia pustą miskę i patrzy na mnie spokojnie. Wzdycham. Nie chcę się kłócić. Wstaję i sięgam po jego naczynie.

– Masz ochotę na deser?

– W końcu gadasz do rzeczy! – Posyła mi lubieżny uśmiech.

– Nie na mnie. – A czemu nie? Moja wewnętrzna bogini budzi się z drzemki i siada wyprostowana, zamieniając się w słuch. – Mamy lody. Waniliowe – prycham.

– Naprawdę? – Uśmiech Christiana staje się jeszcze szerszy. – Myślę, że mogłyby się okazać użyteczne.

Słucham? Patrzę osłupiała, jak wstaje zgrabnie.

– Mogę zostać? – pyta.

– To znaczy?

– Na noc.

– Sądziłam, że tak właśnie zrobisz.

– To dobrze. Gdzie te lody?

– W piekarniku. – Uśmiecham się słodko.

Przechyla głowę, wzdycha i kręci głową.

– Sarkazm to kiepska forma ciętego dowcipu, panno Steele. – Oczy mu błyszczą.

O cholera. Co on knuje?

– Mógłbym cię jednak przełożyć przez kolano.

Wstawiam miski do zlewu.

– Masz przy sobie te srebrne kulki?

Klepie się po klatce piersiowej, brzuchu i kieszeniach dżinsów.

– To zabawne, ale nie noszę przy sobie zapasowego kompletu. W pracy niewielkie jest na nie zapotrzebowanie.

– Bardzo się cieszę, że to słyszę, panie Grey. A wydawało mi się, że mówiłeś, iż sarkazm to kiepska forma ciętego dowcipu.

– Cóż, Anastasio, moje nowe motto brzmi tak: „Jeśli z czymś nie możesz walczyć, musisz to polubić".

Gapię się na niego – nie mogę uwierzyć, że to powiedział – a on wygląda na niesłychanie z siebie zadowolonego. Odwraca się, otwiera zamrażalnik i wyjmuje pudełko lodów waniliowych Ben & Jerry's.

– Nadadzą się idealnie. – Podnosi na mnie wzrok. – Ben & Jerry's & Ana. – Wypowiada to powoli, podkreślając każdą sylabę.

A niech mnie. Szczęka opada mi chyba aż na podłogę. Christian otwiera szufladę i wyjmuje z niej łyżkę. Kiedy unosi głowę, spojrzenie ma mroczne, a język przesuwa się po górnych zębach. Och, ten język.

Zaintrygował mnie. W moich żyłach zaczyna krążyć rozpustne pożądanie. Będzie zabawa z jedzeniem.

– Mam nadzieję, że jest ci ciepło – mówi cicho. – Zamierzam cię tym schłodzić. Chodź. – Wyciąga rękę i podaję mu dłoń.

W sypialni stawia lody na stoliku nocnym, ściąga z łóżka kołdrę i obie poduszki, po czym kładzie je na podłodze.

– Masz pościel na zmianę, prawda?

Kiwam głową, obserwując go zafascynowana. Bierze do ręki Charliego Tango.

– Nie rób nic mojemu balonikowi – rzucam ostrzegawczo.

Usta wyginają mu się w półuśmiechu.

– Gdzieżbym śmiał, maleńka, ale mam ochotę zrobić coś tobie i tej pościeli.

Niemalże drżę.

– Chcę cię związać.

Och.

– Dobrze – szepczę.

– Tylko ręce. Do łóżka. Muszę cię unieruchomić.

– Dobrze – szepczę ponownie, niezdolna do niczego więcej.

Podchodzi, nie odrywając ode mnie wzroku.

– Wykorzystamy to. – Ujmuje koniec paska przy moim szlafroku i powoli, rozkosznie i drażniąco, pociąga, rozwiązując kokardę, a potem go zabiera.

Poły szlafroka rozchylają się, gdy tymczasem ja stoję sparaliżowana pod gorącym wzrokiem. Po chwili zsuwa szlafrok z moich ramion. Ten opada u mych stóp, a ja stoję naga. Gładzi moją twarz wierzchem dłoni i ten dotyk odbija się echem w moim kroczu. Pochyla się i obdarza krótkim pocałunkiem.

– Połóż się na łóżku. Na plecach – mruczy, a oczy mu ciemnieją, wwiercając się w moje.

Robię, co mi każe. Pokój oświetla jedynie blade światło nocnej lampki.

Generalnie nie znoszę żarówek energooszczędnych – są takie ciemne – ale teraz, gdy jestem naga, cieszę się z przytłumionego światła, jakie dają. Christian stoi przy łóżku, wpatrując się we mnie.

– Cały dzień mógłbym na ciebie patrzeć, Anastasio – mówi. Po tych słowach wchodzi na łóżko i siada na mnie okrakiem. – Ręce nad głowę – nakazuje.

Tak robię, a on zawiązuje mi koniec paska na lewym nadgarstku, a drugi koniec przeciąga przez metalowe szczeble w wezgłowiu łóżka. Mocno pociąga, tak że lewą rękę mam wyprostowaną nad głową. Następnie unieruchamia mi prawą rękę, mocno zawiązując pasek.

Kiedy jestem już skrępowana, Christian wyraźnie się odpręża. Lubi mnie taką. Tym sposobem nie mogę go dotknąć. W mojej głowie pojawia się myśl, że żadna z jego uległych także nie mogła go dotykać – a co więcej, nigdy nie miały takiej sposobności. To on zawsze sprawował kontrolę i trzymał je na dystans. Dlatego właśnie lubi te swoje zasady.

Schodzi ze mnie i pochyla się, aby przelotnie cmoknąć w usta. Następnie wstaje, ściąga koszulę przez głowę, rozpina dżinsy i szybko się ich pozbywa.

Jest cudownie nagi. Moja wewnętrzna bogini wykonuje potrójnego aksla, a mnie nagle zasycha w ustach. Ma szerokie, umięśnione ramiona i wąskie biodra, przez co jego sylwetka przypomina odwrócony trójkąt. Widać, że chodzi na siłownię. Cały dzień mogłabym na niego patrzeć. Przechodzi na koniec łóżka, chwyta mnie za kostki i szybko pociąga w dół, tak że ramiona mam wyciągnięte i zupełnie unieruchomione.

– Tak lepiej – stwierdza.

Bierze ze stolika pudełko z lodami i znowu siada na mnie okrakiem. Bardzo powoli zdejmuje pokrywkę i zanurza łyżeczkę.

– Hmm… jeszcze są twarde – mówi, unosząc brew. Nabiera porcję lodów waniliowych i wkłada do ust. – Pyszne – mruczy, oblizując wargi. – To niesamowite, jak smaczna może być zwykła wanilia. – Spogląda na mnie. – Masz ochotę? – pyta wesoło.

Wygląda tak cholernie podniecająco, młodo i beztrosko – siedząc na mnie i jedząc lody. Och, co on, u licha, zamierza mi zrobić? Nieśmiało kiwam głową.

Nabiera kolejną porcję i przybliża łyżeczkę do mojej twarzy. Otwieram usta, a wtedy on szybko wkłada ją do swoich.

– Są za dobre, żeby się dzielić – oświadcza, uśmiechając się szelmowsko.

– Ej – protestuję.

– Ależ, panno Steele, lubi pani wanilię?

– Tak. – Mówię to głośniej, niż zamierzałam i bezskutecznie próbuję go z siebie zrzucić.

Śmieje się.

– Stajemy się zadziorni, tak? Na twoim miejscu bym tego nie robił.

– Lody – mówię proszącą.

– Cóż, jako że tak wiele mi dzisiaj dałaś rozkoszy, panno Steele… – Ustępuje i podaje mi łyżeczkę pełną lodów. Tym razem pozwala mi je zjeść.

Chce mi się śmiać. On naprawdę świetnie się bawi, a jego dobry humor jest zaraźliwy. Nabiera kolejną łyżeczkę i znów mnie częstuje; a potem jeszcze raz. Okej, wystarczy.

– Hmm, cóż, to całkiem dobry sposób na zmuszenie cię do jedzenia. Mógłbym się do tego przyzwyczaić.

Nabiera lody na łyżeczkę i zbliża ją do mych ust. Tym razem trzymam je zaciśnięte i kręcę głową. Christian pozwala, aby powoli się roztopiły, po czym kapie mi nimi na szyję i piersi. Nachyla się i bardzo powoli je zlizuje. Moje ciało natychmiast rozpala pożądanie.

– Mhm. Z pani ciała, panno Steele, są jeszcze smaczniejsze.

Pociągam za pasek szlafroka i łóżko skrzypi złowieszczo, ale mam to gdzieś – całą trawi mnie ogień. Christian nabiera kolejną łyżeczkę i upuszcza lody na moje piersi. Następnie rozsmarowuje je łyżeczką po obu piersiach i brodawkach.

Och... zimne. Brodawki natychmiast twardnieją pod chłodną warstwą.

To prawdziwe męczarnie. Gdy lody zaczynają się rozpuszczać, spływają z mego ciała na łóżko. Usta Christiana kontynuują swoje słodkie tortury, mocno ssąc, delikatnie muskając. Och, błagam! Głośno dyszę.

– Chcesz trochę? – I nim zdążę cokolwiek odpowiedzieć, jego język wsuwa się do mych ust. Jest zimny, zręczny, smakuje wanilią i Christianem. Pyszny.

Gdy zaczynam się przyzwyczajać do tego doznania, on znowu siada i przesuwa łyżeczkę z lodami środkiem mego ciała, przez brzuch aż do pępka, gdzie pozostawia porcyjkę lodów. Och, są bardzo zimne, ale w dziwny sposób palą mi skórę.

– Już to kiedyś robiłaś. – Oczy Christiana lśnią. – Będziesz musiała leżeć nieruchomo, w przeciwnym razie lody wylądują na łóżku. – Całuje po kolei obie piersi i mocno ssie brodawki, po czym jego usta podążają śladem lodów w dół mego ciała, ssąc i liżąc.

A ja się staram. Naprawdę się staram leżeć nieruchomo, pomimo tego przyprawiającego o zawrót głowy połączenia zimna i jego rozpalającego dotyku. Ale moje biodra mimowolnie zaczynają się poruszać, wirując w swoim własnym rytmie, ulegając czarowi tej chłodnej wanilii. Christian przesuwa się niżej i zaczyna zlizywać lody z mego brzucha, wsuwając język do pępka.

Jęczę. O mamusiu. Jest zimno, jest gorąco, jest podniecająco. Ale on nie przestaje. Łyżeczkę z lodami przesuwa jeszcze niżej, na włosy łonowe, na łechtaczkę. Krzyczę głośno.

– Ćśś – mówi łagodnie Christian, a jego magiczny
język zabiera się za zlizywanie lodów.

Jęczę cichutko.

– Och... proszę... Christianie.

– Wiem, skarbie, wiem.

Nie przerywa ani na chwilę, a moje ciało się unosi –
coraz wyżej i wyżej. Wkłada we mnie jeden palec, po chwili
drugi i w przejmująco wolnym tempie wsuwa je i wysuwa.

– Właśnie tak – mruczy, rytmicznie pocierając
przednią ścianę pochwy, jednocześnie liżąc i ssąc.

Nieoczekiwanie przeżywam orgazm tak intensywny,
że oszałamia wszystkie moje zmysły, zamazując to, co się
dzieje wokół mego ciała. Wiję się i jęczę. O rany, szybko
poszło.

Mgliście uświadamiam sobie, że Christian przerwał swoje rozkoszne działania. Zakłada prezerwatywę,
a chwilę później wchodzi we mnie. Szybko i głęboko.

– O tak! – jęczy, wbijając się we mnie. Cały się klei;
resztki roztopionych lodów przechodzą z mojej skóry na
jego. To dziwnie, rozpraszające uczucie, ale doznawać go
mogę tylko przez kilka sekund, gdyż Christian nagle wychodzi ze mnie i przekręca mnie na brzuch.

– Teraz tak – mruczy i znowu jest we mnie, ale nie od
razu wznawia ten swój nieustępliwy rytm. Wychyla się,
uwalnia mi dłonie i pociąga do góry, tak że praktycznie
siedzę na nim. Jego dłonie zamykają się na moich piersiach. Pociąga lekko za brodawki. Jęczę, odrzucając do
tyłu głowę. Christian muska nosem moją szyję, a potem
kąsa ją, zaczynając poruszać biodrami, rozkosznie powoli,
raz po raz wypełniając mnie sobą.

– Masz pojęcie, ile dla mnie znaczysz? – dyszy mi do ucha.

– Nie. – Brak mi tchu.

– A właśnie że wiesz. Nie pozwolę ci odejść.

Z mojego gardła wydobywa się głośny jęk, gdy jego ruchy stają się coraz szybsze.

– Jesteś moja, Anastasio.

– Tak, twoja – dyszę.

– Troszczę się o to, co jest moje – syczy i przygryza mi ucho.

Krzyczę.

– Tak, mała, chcę cię słyszeć.

Jedną ręką oplata mnie w talii, drugą chwyta za biodro i wchodzi we mnie jeszcze mocniej, jeszcze głębiej, a ja znowu krzyczę. I zaczyna się morderczy rytm. Jego oddech staje się coraz głośniejszy, coraz bardziej urywany, taki jak mój. Czuję w dole brzucha znajome przyspieszenie. Znowu!

Jestem jednym wielkim doznaniem. Właśnie to robi ze mną Christian – bierze moje ciało i obejmuje je w posiadanie, tak że nie jestem w stanie myśleć o niczym poza nim. Jego czary są przemożne, upajające. Jestem motylem schwytanym w jego sieć, nie potrafię i nie mam ochoty uciec. Jestem jego... cała jego.

– No dalej, mała – syczy przez zaciśnięte zęby. Jak na zawołanie, niczym uczeń czarnoksiężnika pozbywam się wszystkich hamulców i jednocześnie doznajemy spełnienia.

LEŻYMY NA ŁYŻECZKI na lepkim prześcieradle. Christian wtula nos w moje włosy.

– Przeraża mnie to, co do ciebie czuję – szepczę.

Nieruchomieje.

– Mnie też, maleńka – mówi cicho.

– A jeśli mnie zostawisz? – Ta myśl jest straszna.

– Nigdzie się nie wybieram. Nie sądzę, abym się kiedykolwiek tobą nasycił, Anastasio.

Odwracam się i patrzę na niego. Twarz ma poważną, szczerą. Przechylam się i delikatnie go całuję. Uśmiecha się i wkłada mi kosmyk włosów za ucho.

– Jeszcze nigdy nie czułem tego, co po twoim odejściu, Anastasio. Poruszyłbym niebo i ziemię, aby uniknąć powtórki. – W jego głosie pobrzmiewa smutek.

Jeszcze raz go całuję. Chciałabym jakoś poprawić nam nastrój, ale robi to za mnie Christian.

– Pójdziesz ze mną jutro na letnie przyjęcie mego ojca? To coroczna impreza dobroczynna. Obiecałem, że się zjawię.

Uśmiecham się, czując nagłą nieśmiałość.

– Oczywiście, że pójdę. – Cholera. Nie mam w co się ubrać.

– Co się stało?

– Nic.

– Powiedz mi – nalega.

– Nie mam w co się ubrać.

Christian przez chwilę wygląda na skrępowanego.

– Nie złość się, ale w moim mieszkaniu nadal znajdują się te wszystkie ubrania dla ciebie. Jestem pewny, że znajdziesz tam kilka sukienek.

Sznuruję wargi.

– Naprawdę? – mruczę. Nie chcę się z nim dzisiaj kłócić. Muszę wziąć prysznic.

Dziewczyna, która wygląda jak ja, stoi przed SIP. Chwileczkę – ona to ja. Jestem blada i nieumyta, w zbyt dużym ubraniu. Wpatruję się w nią, a ona ma na sobie moje rzeczy; jest wesoła, zdrowa.

– Co masz, czego nie mam ja? – pytam ją.

– Kim jesteś?

– Jestem nikim… A kim ty jesteś? Ty też jesteś nikim…?

– No to jesteśmy dwie. Nic nie mów, wyrzucą nas, wiesz… – Na jej twarzy pojawia się uśmiech, paskudny grymas, który jest tak przerażający, że zaczynam krzyczeć.

– Jezu, Ana! – Christian mną potrząsa.

Czuję kompletną dezorientację. Jestem w domu… jest ciemno… w łóżku z Christianem. Kręcę głową, próbując się dobudzić.

– Skarbie, wszystko w porządku? Przyśniło ci się coś niedobrego.

– Och.

Włącza lampkę i spowija nas przytłumione światło. Christian przygląda mi się z niepokojem.

– Ta dziewczyna – szepczę.

– O co chodzi? Jaka dziewczyna? – pyta uspokajającym tonem.

– Kiedy wychodziłam dziś z pracy, przed SIP czekała dziewczyna. Wyglądała jak ja… ale nie do końca.

Christian nieruchomieje, a kiedy światło lampki zaczyna się ocieplać, dostrzegam, że twarz ma pobladłą.

– Kiedy to było? – pyta cicho. Siada wyprostowany i wpatruje się we mnie.

– Kiedy wychodziłam z pracy – powtarzam. – Znasz ją?

– Tak. – Przeczesuje palcami włosy.

– Kto to?

Zaciska usta i nic nie odpowiada.

– Kto? – naciskam.

– Leila.

Przełykam ślinę. Dawna uległa! Pamiętam, jak Christian opowiadał o niej przed lotem szybowcem. Spiął się. Coś się dzieje.

– Ta dziewczyna, która wgrała ci do iPoda *Toxic*?

Patrzy na mnie niespokojnie.

– Tak. Coś mówiła?

– Zapytała, co ja mam, czego nie ma ona, a kiedy spytałam, kim jest, odparła, że nikim.

Christian zamyka oczy, jakby czuł ból. Co się dzieje? Kim ona jest dla niego?

Skóra zaczyna mnie swędzieć, gdy adrenalina przypuszcza szturm na moje ciało. A jeśli dużo dla niego znaczy? Jeśli tęskni za nią? Tak mało wiem na temat jego dawnych… eee… związków. Na pewno podpisała umowę i dawała mu to, czego pragnie, ochoczo dawała mu to, czego potrzebuje.

O nie – a tymczasem ja nie potrafię. Na tę myśl robi mi się niedobrze.

Christian wstaje, wkłada dżinsy i udaje się do salonu. Zerkam na budzik: piąta rano. Także wstaję, narzucam na siebie jego białą koszulę i idę za nim.

O cholera, rozmawia przez telefon.

– Tak, przed redakcją SIP, wczoraj… wczesnym wieczorem – mówi cicho. Odwraca się w moją stronę i pyta:

– O której dokładnie?

– Za dziesięć szósta – mamroczę. Z kim, u licha, rozmawia o takiej porze? Co zrobiła Leila? Przekazuje tę informację temu komuś na drugim końcu linii, nie odrywając wzroku ode mnie. Minę ma poważną.

– Dowiedz się jak… Tak… Tego bym nie powiedział, no ale przecież do głowy by mi nie przyszło, że może to zrobić. – Zamyka oczy, jakby czuł ból. – Nie wiem, jak to się skończy… Tak, porozmawiam z nią… Tak… wiem… Zbadaj to i daj mi znać. Po prostu ją znajdź, Welch, ona ma kłopoty. Znajdź ją. – I rozłącza się.

– Napijesz się herbaty? – pytam. Herbata, lekarstwo Raya na każdą sytuację kryzysową i jedyne, co potrafi zrobić w kuchni. Wlewam wodę do czajnika.

– Prawdę mówiąc to chciałbym wrócić do łóżka. –
Jego spojrzenie mówi mi, że nie po to, aby spać.

– A ja się chętnie napiję. Masz ochotę mi potowarzyszyć? – Chcę wiedzieć, co się dzieje. Nie dam sobie
zamydlić oczu seksem.

Z irytacją przeczesuje palcami włosy.

– Dobrze, mi też zrób herbatę.

Stawiam czajnik na kuchence i wyjmuję z szafki filiżanki i dzbanek. Mój niepokój sięga zenitu. Czy on mi
powie, o co chodzi? Czy będę musiała to z niego wyciągać?

Wyczuwam na sobie jego wzrok – wyczuwam niepewność i gniew. Podnoszę głowę. W jego oczach błyszczy niepokój.

– Co się stało? – pytam cicho.

Kręci głową.

– Nie zamierzasz mi powiedzieć?

Wzdycha i zamyka oczy.

– Nie.

– Dlaczego?

– Bo to nie powinno ciebie dotyczyć. Nie chcę cię
w to wszystko wplątywać.

– Nie powinno, ale dotyczy. Ona mnie znalazła i zagadnęła pod pracą. Skąd o mnie wie? Skąd wie, gdzie
pracuję? Uważam, że mam prawo wiedzieć, co się dzieje.

Christian ponownie przeczesuje palcami włosy.
Emanuje z niego frustracja, jakby toczył ze sobą jakąś
wewnętrzną walkę.

– Proszę? – mówię łagodnie.

Zaciska usta w cienką linię i wywraca oczami.

– Okej – poddaje się. – Nie mam pojęcia, jak cię
znalazła. Może przez to zdjęcie z Portland, nie wiem. –
Wzdycha i wyczuwam, że ta frustracja jest nakierowana
na niego samego.

Czekam cierpliwie. Wlewam wodę do dzbanka, gdy tymczasem Christian przemierza salon tam i z powrotem. Po chwili kontynuuje:

– Kiedy byłem z tobą w Georgii, Leila zjawiła się bez zapowiedzi w moim mieszkaniu i zrobiła scenę na oczach Gail.

– Gail?

– Pani Jones.

– Co to znaczy „zrobiła scenę"?

Widzę, że się waha.

– Powiedz. Coś przede mną ukrywasz.

Mruga, zaskoczony.

– Ana, ja… – urywa.

– Proszę?

Wzdycha, poddając się.

– Nieudolnie próbowała podciąć sobie żyły.

– O nie! – To tłumaczy bandaż na nadgarstku.

– Gail zawiozła ją do szpitala. Ale Leila wypisała się z niego, zanim zdążyłem tam dotrzeć.

Cholera. Co to wszystko znaczy? Próba samobójcza? Dlaczego?

– Psychiatra, który z nią rozmawiał, orzekł, że to typowe wołanie o pomoc. Nie uważa, aby rzeczywiście groziło jej niebezpieczeństwo. Ale ja nie jestem co do tego przekonany. Od tamtej pory próbuję ją znaleźć, aby jakoś jej pomóc.

– Powiedziała coś pani Jones?

Patrzy na mnie. Wydaje się mocno skrępowany.

– Niewiele – rzuca w końcu, ale wiem, że coś przede mną ukrywa.

Nalewam do filiżanek herbatę. A więc Leila chce wrócić do życia Christiana i decyduje się na próbę samobójczą, aby zwrócić na siebie jego uwagę? Trochę to drastyczne. Ale skuteczne. Christian wyjeżdża z Georgii, aby się z nią zobaczyć, ale ona jest szybsza i znika? Dziwna sprawa.

– Nie możesz jej znaleźć? A jej rodzina?

– Nie wiedzą, gdzie jest. Mąż także nie wie.

– Mąż?

– Tak – odpowiada. – Od dwóch lat jest mężatką.

Co takiego?

– Więc była z tobą, kiedy już miała męża? – O kurwa. Dla niego naprawdę nie istnieją żadne granice.

– Nie! Dobry Boże, nie. Była ze mną prawie trzy lata temu. Odeszła i krótko potem wyszła za mąż.

Och.

– Dlaczego więc teraz próbuje zwrócić na siebie twoją uwagę?

Kręci ze smutkiem głową.

– Nie mam pojęcia. Udało nam się jedynie dowiedzieć, że jakieś cztery miesiące temu odeszła od męża.

– Wyjaśnijmy coś sobie. Od trzech lat nie jest twoją uległą?

– Dokładnie dwóch i pół.

– I chciała więcej.

– Tak.

– Ale ty nie?

– Wiesz przecież.

– Więc odeszła.

– Tak.

– Czemu więc teraz cię nachodzi?

– Nie wiem. – Ale z tonu jego głosu wiem, że ma jakąś teorię.

– Ale ty podejrzewasz…

Mruży gniewnie oczy.

– Podejrzewam, że ma to związek z tobą.

Ze mną? Czego by miała chcieć ode mnie? „Co masz ty, czego ja nie mam?"

Patrzę na Szarego, nagiego od pasa w górę. Mam
go, jest mój. Ale ona wyglądała jak ja: takie same ciemne
włosy i jasna cera. Marszczę brwi na tę myśl. Tak... co
mam ja, czego nie ma ona?

– Czemu mi wczoraj nie powiedziałaś? – pyta cicho.

– Zapomniałam o niej. – Wzruszam przepraszająco
ramionami. – No wiesz, piwo po pracy, koniec pierwszego
tygodnia. Potem w barze pojawiłeś się ty i twój testosteron... no i Jack, a potem znaleźliśmy się tutaj. Wyleciało
mi z głowy. To przez ciebie zapominam o różnych rzeczach.

– Testosteron? – Kąciki ust mu drgają.

– Tak. Zawody we wkurzaniu.

– Już ja ci pokażę testosteron.

– Nie wolałbyś się napić herbaty?

– Nie, Anastasio, zdecydowanie nie.

Jego oczy wwiercają się we mnie, paląc mnie spojrzeniem mówiącym: „Pragnę cię i wiem, że ty to wiesz". To
takie podniecające.

– Zapomnij o niej. Chodź. – Wyciąga rękę.

Moja wewnętrzna bogini robi potrójnego fikołka,
gdy podaję mu dłoń.

Za ciepło mi. Budzę się przytulona do nagiego Christiana Greya. Choć twardo śpi, mocno mnie obejmuje. Przez
zasłony sączy się łagodne poranne światło. Moja głowa
leży na jego piersi, a rękę mam przerzuconą przez brzuch.

Unoszę głowę, przestraszona tym, że mogę go obu-
dzić. We śnie wygląda tak młodo i beztrosko. I jest mój.

Hmm... Unoszę rękę i niepewnie przesuwam opuszkami palców po włoskach na jego klatce piersiowej. Christian się nie rusza. Nie mogę w to uwierzyć. Naprawdę
jest mój – jeszcze przez kilka cennych chwil. Nachylam
się i czule całuję jedną z blizn. Jęczy cicho, ale się nie bu-

dzi, a ja się uśmiecham. Całuję drugą i wtedy jego oczy się otwierają.

– Cześć. – Uśmiecham się zawstydzona.

– Cześć – odpowiada ostrożnie. – Co robisz?

– Patrzę na ciebie.

Przesuwam palcami w dół jego brzucha. Chwyta moją dłoń, mruży oczy, po czym uśmiecha się szeroko. Uff. Moje sekretne dotykanie pozostaje tajemnicą.

Och… dlaczego nie wolno mi cię dotykać?

Christian nieoczekiwanie zmienia pozycję i wbija mnie w materac. Ostrzegawczo przytrzymuje mi dłonie. Muska nosem mój nos.

– Niegrzeczna pani jest, panno Steele – rzuca, ale nie przestaje się uśmiechać.

– Lubię być przy tobie niegrzeczna.

– Czyżby? – pyta i całuje mnie lekko w usta. – Seks czy śniadanie? – W jego oczach lśnią wesołe iskierki. Jego męskość wbija się we mnie, a ja unoszę biodra. – Dobry wybór – mruczy i przesuwa ustami po szyi, kierując się ku piersiom.

Stoję obok komody przed lustrem, próbując coś zrobić z włosami – naprawdę są już za długie. Mam na sobie dżinsy i T-shirt, a Christian, świeżo wykąpany, ubiera się za mną. Pożeram wzrokiem jego ciało.

– Często ćwiczysz? – pytam.

– Codziennie oprócz weekendów – odpowiada, zapinając rozporek.

– Co robisz?

– Bieganie, podnoszenie ciężarów, kickboxing. – Wzrusza ramionami.

– Kickboxing.

– Tak, mam osobistego trenera, byłego olimpijczyka. Ma na imię Claude. Jest bardzo dobry. Polubisz go.

Odwracam się i patrzę, jak zabiera się za zapinanie
białej koszuli.

– Jak to polubię?

– Spodoba ci się jako trener.

– A po co mi trener? Ty utrzymujesz mnie w dobrej
formie.

Podchodzi do mnie niespiesznie i obejmuje. Nasze
spojrzenia krzyżują się w lustrze.

– Ale chcę, żebyś była sprawna, skarbie. Do tego, co
mam na myśli, musisz być w świetnej formie.

Oblewam się rumieńcem, gdy powracają wspomnienia z pokoju zabaw. Tak... Czerwony Pokój Bólu bywa
wyczerpujący. Czy on zamierza z powrotem mnie tam
wpuścić? A czy ja tego chcę?

„Oczywiście, że tak" – krzyczy moja wewnętrzna bogini.

Wpatruję się w jego niezgłębione, urzekające szare
oczy.

– Wiesz, że tego pragniesz – mówi bezgłośnie.

Ponownie się rumienię, a w mojej głowie pojawia się
nieproszona myśl, że Leila pewnie dotrzymałaby mu kroku. Zaciskam usta, a Christian marszczy brwi.

– Co się stało? – pyta zaniepokojony.

– Nic. – Kręcę głową. – Okej, spotkam się z Claude'em.

– Spotkasz? – pyta z radosnym niedowierzaniem. Na
widok jego miny uśmiecham się. Wygląda tak, jakby wygrał w totka, choć najpewniej nigdy nie wytypował żadnego numeru. Nie musi.

– Tak, skoro to ma cię uszczęśliwić – burczę.

Obejmuje mnie jeszcze mocniej i całuje w policzek.

– Nie masz pojęcia jak bardzo – szepcze. – No więc
na co masz dzisiaj ochotę? – Trąca nosem moją szyję,
a moje ciało przebiega przyjemny dreszcz.

– Chciałabym podciąć włosy i… eee… muszę iść do banku, aby spieniężyć czek i kupić samochód.

– Ach – mówi znacząco i przygryza wargę. Sięga do kieszeni dżinsów i wyjmuje kluczyki do mojego małego audi.

– Jest tutaj – mówi cicho, niepewnie.

– Jak to jest tutaj? – O rany, w moim głosie słychać gniew. Cholera. Bo go czuję. Jak on śmie!

– Taylor przyprowadził go wczoraj.

Otwieram usta, po czym je zamykam. Powtarzam ten proces dwukrotnie, ale nadal nie mogę wydobyć z siebie głosu. Christian oddaje mi samochód. Cholera jasna. Jak mogłam tego nie przewidzieć? Cóż, każdy kij ma dwa końce. Sięgam do tylnej kieszeni dżinsów i wyjmuję kopertę z jego czekiem.

– Proszę, to twoje.

Christian posyła mi pytające spojrzenie, a kiedy rozpoznaje kopertę unosi obie ręce i cofa się.

– O nie. To twoje pieniądze.

– Wcale nie. Chciałabym kupić od ciebie samochód.

Wyraz jego twarzy ulega zmianie. Pojawia się na niej wściekłość, tak – wściekłość.

– Nie, Anastasio. Twoje pieniądze, twój samochód – warczy.

– Nie, Christianie. Moje pieniądze, twój samochód. Kupię go od ciebie.

– Podarowałem ci go z okazji ukończenia studiów.

– Gdybyś z takiej okazji dał mi pióro, to byłby odpowiedni prezent. Ty mi podarowałeś audi.

– Naprawdę chcesz się o to kłócić?

– Nie.

– Świetnie. Tu masz kluczyki. – Kładzie je na komodzie.

– Nie to miałam na myśli!

– Koniec dyskusji, Anastasio. Nie przeginaj.

Rzucam mu chmurne spojrzenie i wtedy przychodzi mi do głowy pewien pomysł. Drę kopertę na dwie części, następnie na jeszcze dwie i wyrzucam do kosza. Och, dobrze mi to robi.

Christian przygląda mi się spokojnie, ale wiem, że właśnie podpaliłam lont i powinnam się odsunąć na bezpieczną odległość. Pociera brodę.

– Prowokacyjna jak zawsze – stwierdza cierpko. Odwraca się na pięcie i wychodzi do drugiego pokoju. Nie takiej reakcji się spodziewałam. Oczekiwałam prawdziwego Armagedonu. Przyglądam się sobie w lustrze i wzruszam ramionami, decydując się na koński ogon.

Zżera mnie ciekawość. Co robi Szary? Wychodzę za nim i słyszę, że rozmawia przez telefon.

– Tak, dwadzieścia cztery tysiące dolarów. Bezpośrednio.

Podnosi na mnie wzrok, nadal nie okazując żadnych emocji.

– Świetnie... poniedziałek? Doskonale... Nie, to wszystko, Andrea.

Rozłącza się.

– W poniedziałek te pieniądze znajdą się na twoim koncie. Nie pogrywaj ze mną. – Jest wściekły, ale mam to gdzieś.

– Dwadzieścia cztery tysiące! – Prawie krzyczę. – I skąd znasz numer mojego konta?

Mój gniew go zaskakuje.

– Wiem o tobie wszystko, Anastasio – mówi cicho.

– To niemożliwe, aby mój samochód był wart dwadzieścia cztery tysiące.

– Skłonny byłbym przyznać ci rację, ale rynkiem rządzą zasady podaży i popytu. Jakiś szaleniec zapragnął tej śmiertelnej pułapki i chętnie zapłacił za nią aż tyle. Podobno to klasyk. Zapytaj Taylora, jeśli mi nie wierzysz.

Piorunuję go wzrokiem, a on mi odpowiada tym samym, dwoje zagniewanych uparciuchów.

I czuję to, to przyciąganie – to napięcie między nami – namacalne, ciągnące nas ku sobie. Nagle Christian chwyta mnie i opiera o drzwi, wygłodniałymi ustami przywierając do moich. Jedną rękę trzyma na moim tyłku i przyciska mnie do krocza, a drugą odchyla mi głowę. Wplatam palce w jego włosy, przyciągam go do siebie. Wwierca swoje ciało w moje, unieruchamiając mnie. Oddech ma urywany. Czuję go. Pragnie mnie, a mnie się kręci w głowie z podniecenia.

– Dlaczego mi się stawiasz? – mruczy pomiędzy gorączkowymi pocałunkami.

Krążąca w mych żyłach krew śpiewa. Czy zawsze będzie tak na mnie działał? I ja na niego?

– Ponieważ mogę. – Brak mi tchu. Bardziej wyczuwam niż widzę jego uśmiech przy mojej szyi. Opiera czoło o moje.

– Boże, mam ochotę cię teraz posiąść, ale skończyły mi się gumki. Nie potrafię się tobą nasycić. Jesteś nieznośną, nieznośną kobietą.

– A ty doprowadzasz mnie do szaleństwa – szepczę. – Na różne sposoby.

Kręci głową.

– Chodźmy na śniadanie. I znam miejsce, gdzie możesz podciąć włosy.

– Dobrze – zgadzam się i nagle jest już po kłótni.

– JA PŁACĘ. – PIERWSZA biorę ze stolika rachunek za śniadanie.

Christian rzuca mi gniewne spojrzenie.

– Trzeba być szybkim, Grey.

– Masz rację, trzeba – mówi kwaśno, ale mam wrażenie, że tylko się ze mną drażni.

– Nie bądź taki zły. Jestem o dwadzieścia cztery tysiące dolarów bogatsza niż rano. Stać mnie, żeby zapłacić za śniadanie – zerkam na rachunek – dwadzieścia dwa dolary i sześćdziesiąt siedem centów.

– Dziękuję – mówi niechętnie. Och, wrócił nadąsany uczeń.

– Gdzie teraz?

– Naprawdę chcesz podciąć włosy?

– Tak, spójrz tylko na nie.

– Dla mnie wyglądasz ślicznie. Jak zawsze.

Rumienię się i wbijam wzrok w splecione na kolanach dłonie.

– A wieczorem jest to przyjęcie twojego ojca.

– Pamiętaj, obowiązują stroje wieczorowe.

– Gdzie to będzie?

– W domu rodziców. Mają namiot.

– I jaki to szczytny cel?

Christian pociera dłońmi o uda, wyraźnie skrępowany.

– Program odwykowy dla rodziców z małymi dziećmi, który nazywa się Damy Radę.

– Rzeczywiście jest szczytny – mówię miękko.

– Chodźmy. – Wstaje, ucinając naszą rozmowę i wyciąga rękę. Gdy ją ujmuję, splata palce z moimi.

Dziwne. Potrafi być wylewny, a chwilę później zamykać się w sobie. Wychodzimy z restauracji na ulicę. Jest śliczny, ciepły ranek. Słońce świeci, a w powietrzu rozchodzi się zapach kawy i świeżo upieczonego chleba.

– Dokąd idziemy?

– Niespodzianka.

Och, dobrze. W sumie nie bardzo lubię niespodzianki.

Idziemy spacerkiem przez dwa kwartały i sklepy robią się zdecydowanie bardziej ekskluzywne. Nie miałam jeszcze okazji zwiedzić okolicy, ale to naprawdę niedaleko od naszego mieszkania. Kate się ucieszy. Jest tu mnó-

stwo butików, które zaspokoją jej apetyt na modę. Prawdę
mówiąc, to i ja muszę coś kupić: kilka rozkloszowanych
spódnic do pracy.

Christian zatrzymuje się przed dużym, elegancko się
prezentującym salonem piękności i otwiera przede mną
drzwi. Nazywa się Esclava. Wnętrze tworzą biel i skóra. Za prostym, białym biurkiem siedzi w recepcji młoda
blondynka w nienagannym białym uniformie. Podnosi
wzrok, gdy wchodzimy.

– Dzień dobry, panie Grey – mówi radośnie. Policzki
jej różowieją i trzepocze rzęsami. To efekt Greya, ale ona
zna Christiana! Skąd?

– Witaj, Greto.

A on zna ją. O co chodzi?

– To, co zwykle, proszę pana? – pyta grzecznie. Usta
ma pomalowane różową szminką.

– Nie – mówi szybko, zerkając na mnie nerwowo.

To, co zwykle? Co to ma znaczyć?

O kurwa! To Zasada Numer Sześć, cholerny salon
piękności. Te bzdury z woskowaniem… cholera!

To tu przyprowadzał wszystkie swoje uległe? Może
także Leilę? I co ja mam o tym, kurde, myśleć?

– Panna Steele powie, czego chce.

Piorunuję go wzrokiem. Ukradkiem wprowadza
w życie Zasady. Zgodziłam się na trenera, a teraz to?

– Dlaczego tutaj? – syczę.

– Jestem właścicielem tego salonu, a oprócz niego
jeszcze trzech.

– Właścicielem? – A to niespodzianka.

– Tak. Taka działalność dodatkowa. Tak czy inaczej,
co tylko chcesz, masz tutaj na koszt firmy. Wszystkie
rodzaje masażu: szwedzki, shiatsu, gorącymi kamienia-
mi, refleksologia, kąpiele z algami, zabiegi na twarz, to
wszystko, co lubią kobiety. – Macha lekceważąco ręką.

– Woskowanie?

Śmieje się.

– Tak, woskowanie też. Wszędzie – szepcze mi konspiracyjnie do ucha, ubawiony moim skrępowaniem.

Oblewam się rumieńcem i zerkam na Gretę, która patrzy na mnie wyczekująco.

– Chciałabym podciąć włosy.

– Oczywiście, panno Steele.

Różowousta Greta jest uosobieniem niemieckiej efektywności, gdy sprawdza coś w komputerze.

– Franco jest wolny za pięć minut.

– Franco może być – mówi do mnie uspokajająco Christian.

Próbuję to wszystko ogarnąć. Christian Grey, prezes Grey Enterprises Holdings, Inc., jest właścicielem sieci salonów piękności.

Zerkam na niego, a on nagle blednie – coś, lub ktoś, zwróciło na siebie jego uwagę. Odwracam się, aby zobaczyć, na co patrzy, i widzę, że na końcu salonu pojawiła się elegancka platynowa blondynka. Zamyka właśnie za sobą drzwi i mówi coś do jednego z fryzjerów.

Platynowa Blondynka jest wysoka, opalona, śliczna i zbliża się do czterdziestki albo niedawno ją przekroczyła – trudno powiedzieć. Ma na sobie taki sam uniform jak Greta, tyle że czarny. Wygląda fantastycznie. Obcięte na pazia włosy lśnią niczym aureola. Gdy się odwraca, dostrzega Christiana i uśmiecha się do niego ciepło.

– Przepraszam na chwilę – bąka Christian.

Przechodzi szybko przez salon, mijając odzianych na biało stylistów fryzur, praktykantów przy stanowiskach do mycia włosów, i podchodzi do niej. Stoją za daleko, abym mogła słyszeć ich rozmowę. Platynowa Blondynka wita go z wyraźną radością, całując w oba policzki. Dłonie kładzie mu na ramionach i rozmawiają z ożywieniem.

– Panno Steele?

Recepcjonistka Greta próbuje zwrócić na siebie moją uwagę.

– Chwileczkę, dobrze? – Zafascynowana obserwuję Christiana.

Platynowa Blondynka odwraca się i patrzy na mnie, po czym obdarza promiennym uśmiechem, jakby mnie znała. Uśmiecham się grzecznie w odpowiedzi.

A potem odwraca się do Christiana, który próbuje ją do czegoś przekonać, a ona zgadza się, unosząc ręce i uśmiechając się. On także się do niej uśmiecha – najwyraźniej dobrze się znają. Być może od dawna razem pracują? Może zarządza tym salonem; w sumie jest w niej coś władczego.

Wtedy doznaję olśnienia i już wiem, w głębi duszy wiem, kto to taki. To ona. Oszałamiająca. Starsza. Piękna.

To pani Robinson.

ROZDZIAŁ PIĄTY

– Greto, z kim rozmawia pan Grey? – Ze zdenerwowania swędzi mnie skóra na głowie, a moja podświadomość krzyczy, abym brała nogi za pas. Ja się jednak silę na nonszalancję.
– Och, to pani Lincoln. Razem z panem Greyem są właścicielami tego salonu. – Greta chętnie udziela informacji.
– Pani Lincoln? – Sądziłam, że pani Robinson jest rozwiedziona. Być może wyszła za mąż po raz drugi, za jakiegoś biednego durnia.
– Tak. Rzadko tu bywa, ale jedna z naszych kosmetyczek zachorowała, więc dziś ją zastępuje.
– Wiesz, jak pani Lincoln ma na imię?
Greta patrzy na mnie, marszcząc brwi, i sznuruje intensywnie różowe usta, kwestionując moją ciekawość. Kurde, posunęłam się chyba o krok za daleko.
– Elena – mówi w końcu, niemal niechętnie.
Ogarnia mnie dziwne uczucie ulgi, że intuicja mnie nie zawiodła.
Nadal rozmawiają o czymś z ożywieniem. Christian mówi coś do Eleny, a ona wygląda na zmartwioną. Kiwa głową, krzywi się, a potem kręci głową. Wyciąga rękę i uspokajającym gestem dotyka jego ramienia, zagryzając wargę. Jeszcze jedno kiwnięcie głową, a potem zerka na mnie i posyła mi blady uśmiech.
Mogę tylko patrzeć na nią z kamienną twarzą. Chyba jestem w stanie szoku. Jak on mógł mnie tutaj przyprowadzić?

Mówi coś cicho do Christiana; on zerka w moją stronę, a potem odwraca się do niej i odpowiada. Ona kiwa głową i chyba życzy mu powodzenia, ale pewności nie mam, gdyż nie jestem dobra w czytaniu z ruchu warg.

Szary wraca do mnie. Na jego twarzy maluje się niepokój. No i dobrze. Pani Robinson wycofuje się na zaplecze, zamykając za sobą drzwi.

Christian marszczy brwi.

– Wszystko dobrze? – pyta, ale słowa te naznaczone są ostrożnością.

– Nie do końca. Nie chciałeś mnie przedstawić? – Ton głosu mam zimny, oschły.

Otwiera usta i wygląda, jakbym wyszarpnęła mu dywan spod nóg.

– Ale sądziłem…

– Niby jesteś inteligentny, ale czasami… – Brak mi słów. – Chcę stąd wyjść.

– Dlaczego?

– Wiesz dlaczego. – Przewracam oczami.

Przygląda mi się płonącym wzrokiem.

– Przepraszam, Ana. Nie wiedziałem, że ona tu będzie. Rzadko tu zagląda. Otworzyła nowy salon w Bravern Center i to tam najczęściej bywa. Ktoś dzisiaj zachorował.

Odwracam się na pięcie i kieruję ku drzwiom.

– Franco nie będzie nam potrzebny, Greto – warczy Christian, po czym opuszczamy salon. Muszę się powstrzymywać, aby nie puścić się biegiem. Chcę uciec stąd jak najdalej. I strasznie chce mi się płakać. Muszę odciąć się od tego całego popapraństwa.

Christian idzie obok bez słowa, a ja próbuję to wszystko przetrawić. Głowę mam opuszczoną i maszeruję, omijając rosnące wzdłuż Second Avenue drzewa. Na szczęście nie próbuje mnie dotykać. Głowa mi puchnie od pozostających bez odpowiedzi pytań.

– Przyprowadzałeś tu swoje uległe? – pytam ostro.

– Niektóre tak – odpowiada cicho.

– Leilę?

– Tak.

– To miejsce wygląda na nowe.

– Niedawno robiliśmy remont.

– Rozumiem. Więc pani Robinson poznała wszystkie twoje uległe.

– Tak.

– Wiedziały o niej?

– Nie. Żadna. Tylko ty.

– Ale ja nie jestem twoją uległą.

– Nie, z całą pewnością nie.

Zatrzymuję się i staję twarzą do niego. W jego oczach widać strach. Usta ma zaciśnięte.

– Nie widzisz, jak strasznie jest to popieprzone? – Patrzę na niego gniewnie.

– Widzę. Przepraszam. – I ma tyle przyzwoitości, aby wyglądać na skruszonego.

– Chcę podciąć włosy, najchętniej gdzieś, gdzie nie pieprzyłeś ani personelu, ani klientek.

Wzdryga się.

– A teraz przepraszam.

– Nie odchodzisz. Prawda? – pyta.

– Nie, chcę jedynie obciąć te cholerne włosy. Gdzieś, gdzie zamknę oczy, ktoś umyje mi włosy, a ja zapomnę o tym całym towarzyszącym ci bagażu.

– Mogę poprosić Franco, żeby przyszedł do mojego mieszkania albo twojego – mówi cicho po chwili zastanowienia.

– Jest bardzo atrakcyjna.

Mruga powiekami.

– Owszem.

– Nadal jest mężatką?

– Nie. Rozwiodła się jakieś pięć lat temu.

– Dlaczego nie jesteście razem?

– Bo między nami wszystko skończone. Już ci to mówiłem. – Nagle marszczy brwi. Unosi palec i z kieszeni marynarki wyjmuje BlackBerry. Pewnie ma włączone wibracje, ponieważ nie słyszałam, żeby dzwonił. – Welch – warczy i odbiera.

Stoimy na Second Avenue, mijają nas ludzie zaaferowani sobotnimi obowiązkami, bez wątpienia rozmyślający o własnych dramatach. Zastanawiam się, czy oprócz mnie ktoś ma do czynienia z byłymi uległymi, pięknymi dawnymi Dominami i mężczyzną, który nie zna czegoś takiego jak poszanowanie prywatności.

– Zginął w wypadku? Kiedy? – Christian przerywa moje rozmyślania.

O nie. Kto? Słucham uważnie.

– Już po raz drugi ten drań coś zataił. Musi to wiedzieć. Czy ona go w ogóle nie obchodzi? – Christian kręci z odrazą głową. – To zaczyna mieć sens… nie… tłumaczy dlaczego, ale nie gdzie. – Rozgląda się, jakby czegoś szukał, a ja robię to samo. Nic nie zwraca mojej uwagi. Widzę jedynie przechodniów, samochody i drzewa.

– Ona tu jest – kontynuuje Christian. – Obserwuje nas… Tak… Nie. Dwóch albo czterech, przez całą dobę… Nie poruszyłem jeszcze tego tematu. – Wbija wzrok we mnie.

Jakiego tematu? Marszczę brwi, a on przygląda mi się nieufnie.

– Co… – szepcze i blednie. – Rozumiem. Kiedy?… Dopiero co? Ale jak?… Żadnego wywiadu środowiskowego?… Rozumiem. Prześlij mejlem nazwisko, adres i zdjęcia, jeśli je masz… przez całą dobę, od dzisiejszego popołudnia. Skontaktuj się z Taylorem. – Christian rozłącza się.

– No i? – pytam poirytowana. Powie mi, co się stało?

– To był Welch.

– Kim jest Welch?

– Mój doradca do spraw bezpieczeństwa.

– Okej. No więc co się stało?

– Jakieś trzy miesiące temu Leila zostawiła męża i uciekła z facetem, który cztery tygodnie temu zginął w wypadku samochodowym.

– Och.

– Ten dupek psychiatra powinien był się tego dowiedzieć – oświadcza gniewnie. – Chodź. – Wyciąga rękę, a ja automatycznie podaję mu dłoń, po czym ją wyszarpuję.

– Chwileczkę. Byliśmy w trakcie rozmowy o nas. O niej, twojej pani Robinson.

Twarz Christiana tężeje.

– Ona nie jest moją panią Robinson. Możemy o tym porozmawiać u mnie.

– Nie chcę iść do ciebie, chcę obciąć włosy! – wołam. Jeśli skupię się na tej jednej rzeczy...

Ponownie wyciąga z kieszeni BlackBerry i wystukuje jakiś numer.

– Greta, z tej strony Christian Grey. Chcę, żeby Franco zjawił się za godzinę w moim mieszkaniu. Zapytaj panią Lincoln... Dobrze. – Chowa telefon. – Będzie o pierwszej.

– Christian...! – wołam z rozdrażnieniem.

– Anastasio, Leila przeżywa w tej chwili jakieś psychiczne załamanie. Nie wiem, czy chodzi jej o mnie, czy o ciebie, ani jak daleko jest gotowa się posunąć. Pójdziemy do ciebie, spakujesz się i zatrzymasz się u mnie do czasu, aż ją namierzymy.

– Dlaczego miałabym to zrobić?

– Żebym mógł ci zapewnić bezpieczeństwo.

– Ale…

Rzuca mi gniewne spojrzenie.

– Przyjdziesz do mojego mieszkania, nawet gdybym cię musiał zaciągnąć tam za włosy.

Wpatruję się w niego… to nie do wiary. Szary do potęgi entej.

– Uważam, że przesadzasz.

– Nie przesadzam. Możemy powrócić do naszej rozmowy u mnie. Chodź.

Krzyżuję ręce na piersiach i pioerunuję go wzrokiem. Tego już stanowczo za wiele.

– Nie – oświadczam. Muszę się mu postawić.

– Możesz iść albo cię zaniosę. Pozwalam ci wybrać, Anastasio.

– Nie ośmieliłbyś się. – Marszczę brwi. No bo chyba nie urządziłby sceny na środku Second Avenue?

Uśmiecha się lekko, ale uśmiech ten nie dociera do jego oczu.

– Och, mała, oboje wiemy, że kiedy tylko rzucasz mi rękawicę, ja ochoczo podejmuję wyzwanie.

Wpatrujemy się w siebie – i nagle on się schyla, łapie mnie za uda, podnosi, i przerzuca sobie przez ramię.

– Postaw mnie! – krzyczę. Och, ale fajnie jest krzyczeć.

Rusza, zupełnie mnie ignorując. Jedną ręką obejmuje mocno moje uda, a drugą daje klapsa w tyłek.

– Christian! – wołam. Ludzie się na nas gapią. Już bardziej upokorzyć mnie nie może. – Pójdę! Pójdę!

Stawia mnie na ziemi i zanim wraca do pionu, ja odmaszerowuję w stronę mojego mieszkania, kipiąc z gniewu i go ignorując. Nie mija chwila, a on oczywiście mnie dogania, ale ja dalej go ignoruję. I co mam zrobić? Jestem taka zła, ale nie mam nawet pewności, o co – tyle się tego uzbierało.

Gdy tak idę w stronę domu, układam w głowie listę:

1. Przerzucenie przez ramię – niedopuszczalne, gdy
   ma się więcej niż sześć lat.
2. Zabranie do salonu, którego właścicielem jest on
   do spółki z dawną kochanką – jakie to beznadziejnie głupie.
3. To samo miejsce, do którego zabierał swoje uległe
   – ta sama beznadziejna głupota.
4. Brak świadomości, że to kiepski pomysł – a podobno bystry z niego facet.
5. Posiadanie byłej dziewczyny-wariatki. Czy mogę
   go za to winić? Jestem taka wściekła, że owszem,
   mogę.
6. Znajomość numeru mojego konta – to prześlado-
   wanie do kwadratu.
7. Kupienie SIP – on ma więcej pieniędzy niż rozumu.
8. Naleganie, abym zamieszkała u niego – zagrożenie ze strony Leili musi być większe, niż się oba-
   wiał... wczoraj o tym nie wspominał.

Chwileczkę. Coś się zmieniło. Ale co? Zatrzymuję
się, a Christian razem ze mną.
– Co się stało? – pytam ostro.
Marszczy brwi.
– To znaczy?
– Z Leilą.
– Powiedziałem ci.
– Wcale nie. Chodzi o coś jeszcze. Wczoraj nie upie-
rałeś się, abym zatrzymała się u ciebie. No więc co się
stało?
Przestępuje z nogi na nogę.
– Christian! Powiedz mi!

– Wczoraj udało jej się uzyskać pozwolenie na broń.

O cholera. Patrzę na niego, mrugając, i czuję, jak z mojej twarzy odpływa krew. Chyba zemdleję. A jeśli ona chce go zabić? Nie!

– To znaczy, że mogła już kupić broń – mówię cicho.

– Ana. – W jego głosie słychać troskę. Kładzie mi dłonie na ramionach i przyciąga do siebie. – Nie sądzę, aby zrobiła coś głupiego, ale… nie chcę po prostu ryzykować twojego bezpieczeństwa.

– Mojego? A co z tobą? – szepczę.

Marszczy brwi, a ja mocno go obejmuję i tulę twarz do jego klatki piersiowej. Nie przeszkadza mu to.

– Wracajmy – mruczy, całuje moje włosy i to by było na tyle. Wściekłość minęła, ale o niej nie zapomniałam. Rozproszyła się w obliczu potencjalnej krzywdy wyrządzonej Christianowi. Ta myśl jest nie do zniesienia.

Pakuję niewielką walizkę, a do plecaka chowam Maca, BlackBerry, iPada i balonik.

– Charlie Tango też jedzie? – pyta Christian.

Kiwam głową, a on uśmiecha się blado.

– We wtorek wraca Ethan – mówię cicho.

– Ethan?

– Brat Kate. Zatrzyma się tu, dopóki nie znajdzie w Seattle jakiegoś lokum.

Christian patrzy na mnie spokojnie, ale widzę, że do jego oczu zakrada się chłód.

– No to dobrze, że ty będziesz akurat u mnie. Będzie miał więcej miejsca dla siebie – mówi cicho.

– Nie wiem, czy ma klucze. Będę musiała tu wtedy wrócić.

Nic nie mówi.

– To wszystko.

Bierze moją walizkę i wychodzimy. Gdy obchodzi-
my budynek, aby dotrzeć na parking, łapię się na tym,
że oglądam się przez ramię. Nie wiem, czy przemawia
przeze mnie paranoja, czy rzeczywiście ktoś mnie obserwuje. Christian otwiera w audi drzwi od strony pasażera
i patrzy na mnie wyczekująco.

– Wsiadasz? – pyta.

– Myślałam, że to ja prowadzę.

– Nie. Ja to zrobię.

– Uważasz mnie za kiepskiego kierowcę? Tylko mi
nie mów, że wiesz, jaki wynik uzyskałam podczas egza-
minu na prawko... Choć w sumie wcale by mnie to nie
zdziwiło. – Może wie, że teorię zdałam ledwo, ledwo.

– Wsiadaj do samochodu, Anastasio – warczy.

– Okej. – Szybko wsiadam. Wyluzuj, facet.

Może on też się czuje nieswojo. Obserwuje nas ta-
jemnicza postać – blada brunetka o brązowych oczach,
którą cechuje niepokojące podobieństwo do ciebie i która
może być uzbrojona.

Christian włącza się do ruchu.

– Wszystkie twoje uległe były brunetkami?

Marszczy brwi.

– Tak – burczy. W tym krótkim słowie słychać niepewność i wyobrażam sobie, o czym teraz myśli: „Do czego ona zmierza?".

– Tak się tylko zastanawiałam.

– Mówiłem ci. Wolę brunetki.

– Pani Robinson nie jest brunetką.

– To pewnie dlatego. Na zawsze zniechęciła mnie do
blondynek.

– Żartujesz – mówię bez tchu.

– Tak. Żartuję – odpowiada z rozdrażnieniem.

Patrzę przez szybę, wszędzie dostrzegając brunetki,
ale Leili nie ma wśród nich.

A więc lubi tylko kobiety o ciemnych włosach. Ciekawe dlaczego. Czy Pani Niezwykle Olśniewająca Mimo Swego Wieku Robinson rzeczywiście obrzydziła mu blondynki? Kręcę głową. Christian Popapraniec Grey.

– Opowiedz mi o niej.

– Co chcesz wiedzieć? – Christian marszczy brwi, a ton głosu rzuca mi ostrzeżenie.

– Opowiedz mi o waszym wspólnym biznesie.

Wyraźnie się odpręża, nie mając nic przeciwko rozmowie o pracy.

– Jestem cichym udziałowcem. Nieszczególnie interesuje mnie branża kosmetyczna, ale Elena przekształciła to w całkiem dochodowe przedsięwzięcie. Ja jedynie zainwestowałem i pomogłem jej na starcie.

– Dlaczego?

– Byłem jej dłużnikiem.

– Och?

– Kiedy rzuciłem studia na Harvardzie, pożyczyła mi sto tysięcy na rozkręcenie własnej firmy.

A niech to... ona jest także kasiasta.

– Rzuciłeś studia?

– Nie były dla mnie. Po dwóch latach dałem sobie spokój. Niestety, rodzice nie wykazali się zrozumieniem.

Marszczę brwi. Państwo Grey okazujący dezaprobatę – jakoś nie potrafię sobie tego wyobrazić.

– Wygląda na to, że nie tak źle wyszedłeś na porzuceniu uczelni. A co studiowałeś?

– Nauki polityczne i ekonomiczne.

Hmm... cyferki.

– No więc jest bogata?

– Była znudzoną młodą żoną, Anastasio. Jej mąż był zamożny, handlował drewnem. – Posyła mi drapieżny uśmiech. – Nie pozwolił jej pracować. No wiesz, sprawo-

wał nad nią kontrolę. Niektórzy mężczyźni tak już mają.
– Uśmiecha się krzywo.

– Naprawdę? Mężczyzna sprawujący kontrolę, a więc
to nie jest tylko postać mityczna? – Wlewam w te słowa
tyle sarkazmu, ile się tylko da.

Uśmiech Christiana staje się szerszy.

– Pożyczyła ci pieniądze męża?

Kiwa głową. Uśmiech ma szelmowski.

– To straszne.

– Odegrał się za to – mówi enigmatycznie, wjeżdża-
jąc na podziemny parking w Escali.

Och?

– Jak?

Christian kręci głową, jakby wspomnienie było wyjątkowo gorzkie, i parkuje obok audi quattro.

– Chodź, niedługo zjawi się Franco.

W windzie Christian przygląda mi się bacznie.

– Nadal jesteś na mnie zła? – pyta rzeczowo.

– Bardzo.

Kiwa głową.

– W porządku – mówi i wbija wzrok przed siebie.

Kiedy zjawiamy się w holu, czeka na nas Taylor. Skąd
on zawsze wie? Bierze moją walizkę.

– Welch się z tobą skontaktował? – pyta go Christian.

– Tak, proszę pana.

– I?

– Wszystko ustalone.

– Doskonale. Jak tam twoja córka?

– Dobrze, dziękuję panu.

– To świetnie. O pierwszej zjawi się fryzjer, Franco
De Luca.

– Panno Steele – Taylor kiwa mi głową.

– Witaj, Taylor. Masz córkę?

– Tak, proszę pani.

– Ile ma lat?

– Siedem.

Christian rzuca mi zniecierpliwione spojrzenie.

– Mieszka ze swoją matką – wyjaśnia Taylor.

– Och, rozumiem.

Taylor uśmiecha się. A to nowina. Taylor jest ojcem? Idę za Christianem do salonu, zaintrygowana tą wiadomością.

Rozglądam się. Nie było mnie tu cały tydzień.

– Jesteś głodna?

Kręcę głową. Christian przez chwilę mi się przygląda, ale uznaje, że nie będzie się o to spierał.

– Muszę wykonać parę telefonów. Czuj się jak u siebie w domu.

– Dobrze.

Znika za drzwiami gabinetu, pozostawiając mnie w tej olbrzymiej galerii sztuki, którą nazywa domem. Zastanawiam się, co ze sobą zrobić.

Ubrania! Podnoszę z podłogi plecak i udaję się na górę do swojej sypialni. Otwieram szafę. Jest pełna ubrań – wszystkie są nowe, mają jeszcze metki z ceną. Trzy długie suknie wieczorowe, trzy sukienki koktajlowe i trzy kolejne do noszenia na co dzień. To wszystko musiało kosztować majątek.

Zerkam na metkę jednej z sukien wieczorowych: dwa tysiące dziewięćset dziewięćdziesiąt osiem dolarów. O kurwa. Nogi się pode mną uginają i siadam na podłodze.

Chowam twarz w dłoniach i próbuję przetrawić ostatnie godziny. To takie wyczerpujące. Dlaczego, och, dlaczego musiałam zakochać się w kimś, kto jest po prostu szalony – piękny, cholernie seksowny, bogatszy od Krezusa i szalony przez wielkie S?

Wyjmuję z plecaka BlackBerry i dzwonię do mamy.

– Ana, skarbie! Tak dawno nie dzwoniłaś. Co słychać, kochanie?

– Och, no wiesz...

– Co się stało? Z Christianem sprawa nadal niewyjaśniona?

– Mamo, to skomplikowane. Uważam, że jest szalony. W tym tkwi problem.

– Nic mi nie mów. Mężczyzn czasami zupełnie nie da się zrozumieć. Bob się zastanawia, czy nasza przeprowadzka do Georgii była na pewno dobrym pomysłem.

– Co takiego?

– Tak, przebąkuje o powrocie do Vegas.

Och, ktoś jeszcze ma kłopoty. Nie jestem sama.

W drzwiach pojawia się Christian.

– Tu jesteś. Myślałem, że uciekłaś. – Widać, że mu ulżyło.

Unoszę rękę, aby dać mu znać, że rozmawiam przez telefon.

– Przepraszam, mamo, muszę kończyć. Niedługo znowu się odezwę.

– Dobrze, skarbie, dbaj o siebie. Kocham cię!

– Ja ciebie też, mamo.

Rozłączam się i podnoszę wzrok na Szarego. Marszczy brwi. Wydaje się dziwnie skrępowany.

– Czemu się tu chowasz? – pyta.

– Nie chowam się. Rozpaczam.

– Rozpaczasz?

– Nad tym wszystkim, Christianie. – Macham ręką w kierunku ubrań.

– Mogę wejść?

– To twój pokój.

Ponownie marszczy brwi i siada po turecku naprzeciwko mnie.

– To tylko ubrania. Jeśli ci się nie podobają, to je oddam.

– Nie jest z tobą łatwo, wiesz?

Drapie się po brodzie... brodzie z jednodniowym zarostem. Aż mnie świerzbi ręka, żeby go dotknąć.

– Wiem. Staram się – mruczy pod nosem.

– Bardzo jesteś irytujący.

– Tak jak i pani, panno Steele.

– Dlaczego to robisz?

Wraca nieufność.

– Wiesz dlaczego.

– Nie wiem.

Przeczesuje palcami włosy.

– Frustrująca z ciebie kobieta.

– Mógłbyś mieć fajną uległą brunetkę. Taką, która by powiedziała „Jak wysoko?" za każdym razem, gdy kazałbyś jej skoczyć, zakładając, rzecz jasna, że wolno by się jej było odezwać. Dlaczego więc ja, Christianie? Po prostu tego nie rozumiem.

Przygląda mi się przez chwilę, a ja nie mam pojęcia, co się wtedy dzieje w jego głowie.

– Dzięki tobie inaczej postrzegam świat, Anastasio. Nie pragniesz mnie z powodu moich pieniędzy. Dajesz mi... nadzieję – mówi cicho.

Co takiego? Powrócił Pan Tajemniczy.

– Nadzieję na co?

Wzrusza ramionami.

– Na więcej. – Głos ma cichy i niski. – I masz rację. Jestem przyzwyczajony do tego, że kobiety robią dokładnie to, co im każę, kiedy im każę, to, czego chcę. Coś takiego może się znudzić. W tobie jest coś, Anastasio, co dociera do części mego jestestwa, której sam nie rozumiem. To syreni śpiew. Nie potrafię ci się oprzeć i nie chcę cię stracić. – Przechyla się i bierze mnie za rękę. –

Nie uciekaj, proszę. Miej we mnie trochę wiary. I trochę cierpliwości. Proszę.

Wygląda tak bezbronnie… To niepokojące. Opierając się na kolanach, nachylam się w jego stronę i delikatnie całuję w usta.

– Dobrze. Wiara i nadzieja, jakoś sobie z tym poradzę.

– To super. Ponieważ przyjechał Franco.

FRANCO JEST NISKIM, ciemnowłosym gejem. Uwielbiam go.

– Takie piękne włosy! – zachwyca się z okropnym, najpewniej udawanym włoskim akcentem. Założę się, że pochodzi z Baltimore albo innego podobnego miejsca, ale jego entuzjazm jest zaraźliwy. Christian prowadzi nas do łazienki, szybko wychodzi i wraca z krzesłem.

– Pozwolicie, że was zostawię – burczy.

– *Grazie*, panie Grey. – Franco odwraca się do mnie. – *Bene*, Anastasio, co my z tobą zrobimy?

CHRISTIAN SIEDZI NA kanapie, pracując nad czymś, co wygląda jak arkusz kalkulacyjny. W salonie rozbrzmiewa cicha, łagodna muzyka klasyczna. Jakaś kobieta śpiewa z pasją, wkładając w dźwięki własną duszę. Przepięknie. Christian unosi głowę i uśmiecha się.

– Widzisz! Mówiłem, że mu się spodoba – cieszy się Franco.

– Ślicznie wyglądasz, Ano – mówi Christian z uznaniem.

– No to ja już skończyłem – wykrzykuje Franco.

Christian wstaje z kanapy i podchodzi do nas.

– Dziękuję, Franco.

Fryzjer odwraca się, obdarza mnie niedźwiedzim uściskiem i całuje w oba policzki.

– Nie pozwól, aby ktoś inny obcinał ci włosy, *bellissima* Ana!

Śmieję się, zakłopotana jego bezpośredniością. Christian odprowadza go do drzwi i chwilę później wraca.

– Cieszę się, że zostawiłaś długie – mówi, idąc ku mnie. Oczy mu błyszczą. Bierze pasmo włosów w palce.

– Jakie miękkie – mruczy, patrząc na mnie. – Nadal się na mnie gniewasz?

Kiwam głową, a on się uśmiecha.

– A konkretnie za co?

Przewracam oczami.

– Mam ci pokazać listę?

– To jest taka lista?

– I to długa.

– Możemy omówić ją w łóżku?

– Nie. – Dąsam się niczym mała dziewczynka.

– W takim razie podczas lunchu. Jestem głodny, i nie mam na myśli jedynie jedzenia. – Obdarza mnie lubieżnym uśmiechem.

– Nie dam ci się omotać tymi twoimi sztuczkami.

Tłumi uśmiech.

– Co konkretnie panią gryzie, panno Steele? Wyrzuć to z siebie.

No dobrze.

– Co mnie gryzie? Cóż, po pierwsze poważne naruszenie mojej prywatności, fakt, że zabrałeś mnie w miejsce, gdzie pracuje twoja dawna kochanka i gdzie miałeś w zwyczaju zabierać wszystkie swoje kochanki na woskowanie różnych części ciała, potraktowałeś mnie na ulicy, jakbym miała sześć lat, no a na dodatek pozwoliłeś się dotknąć tej swojej pani Robinson! – kończę piskliwie.

Unosi brwi. Po jego dobrym humorze nie został już nawet ślad.

– Dość długa ta lista. Ale pozwól, że podkreślę raz jeszcze: ona nie jest moją panią Robinson.

– Może cię dotykać.

Zasznurowuje usta.

– Wie gdzie.

– Co chcesz przez to powiedzieć?

Przeczesuje obiema dłońmi włosy i na chwilę zamyka oczy, jakby czekał na jakieś boskie wskazówki. Przełyka ślinę.

– Ty i ja nie mamy żadnych zasad. Nigdy nie byłem w związku pozbawionym zasad i nigdy nie wiem, gdzie zamierzasz mnie dotknąć. Denerwuję się tym. Twój dotyk... – urywa, szukając odpowiednich słów. – Po prostu znaczy więcej... dużo więcej.

Więcej? Jego odpowiedź niezwykle mnie zaskakuje. No i znowu wisi między nami to krótkie słowo, znaczące tak wiele.

Mój dotyk znaczy... więcej. I jak mam się oprzeć, kiedy mówi mi takie rzeczy? Szare oczy szukają moich, pełne niepokoju.

Niepewnie wyciągam rękę i niepokój przekształca się w strach. Christian cofa się, a ja opuszczam rękę.

– Granica bezwzględna – szepcze, a na jego twarzy malują się ból i panika.

Moje rozczarowanie bierze górę.

– Jak byś się czuł, gdybyś nie mógł mnie dotykać?

– Zdruzgotany i pozbawiony tego, co najważniejsze – odpowiada natychmiast.

Och, mój Szary. Kręcę głową i uśmiecham się blado. Christian wyraźnie się odpręża.

– Pewnego dnia będziesz mi musiał powiedzieć, dlaczego to akurat jest granicą bezwzględną.

– Pewnego dnia – mruczy i w ułamku sekundy pozbywa się swej bezbronności.

Jak to możliwe, że tak szybko przeskakuje z nastroju w nastrój? To najbardziej zmienna osoba, jaką znam.

– No więc wracając do twojej listy. Naruszenie prywatności. – Krzywi się. – Bo znam numer twojego konta?
– Tak, to oburzające.
– Robię wywiad w przypadku wszystkich moich uległych. Pokażę ci. – Odwraca się i rusza w stronę gabinetu.
Posłusznie idę za nim. Z zamkniętej na klucz szafki na dokumenty wyjmuje szarą teczkę. Widnieje na niej napis: ANASTASIA ROSE STEELE.

O kurwa. Piorunuję go wzrokiem.

Wzrusza przepraszająco ramionami.

– Możesz to wziąć – mówi cicho.

– Wielkie dzięki – warczę. Przeglądam zawartość. Ma kopię mojego aktu urodzenia, na litość boską, moje granice bezwzględne, NDA, umowę, o rany, numer ubezpieczenia zdrowotnego, życiorys, historię zatrudnienia. – Więc wiedziałeś, że pracuję u Claytona?

– Tak.

– To nie był zbieg okoliczności. Nie zjawiłeś się tam przypadkowo?

– Nie.

Nie wiem, czy mam się wściekać, czy cieszyć.

– Ale to popieprzone. Wiesz o tym?

– Ja tak tego nie postrzegam. Robiąc to, co robię, muszę zachować środki ostrożności.

– Ale to informacje prywatne.

– Nie robię niewłaściwego użytku z tych informacji, Anastasio. Zresztą każdy mógłby je zdobyć, gdyby tylko się trochę postarał. Potrzebuję ich, aby sprawować kontrolę. Zawsze tak robiłem. – Z jego twarzy nic się nie da wyczytać.

– Ależ robisz z nich niewłaściwy użytek. Przelałeś na moje konto dwadzieścia cztery tysiące dolarów, których nie chcę.

Zaciska usta.

– Już ci mówiłem. Tyle Taylorowi udało się dostać za twoje auto. Trudne do uwierzenia, wiem, ale tak właśnie było.

– Ale audi…

– Anastasio, masz pojęcie, jak duże są moje dochody? Rumienię się.

– A po co mi to? Nie muszę wiedzieć, jaka kwota znajduje się na twoim koncie, Christianie.

Spojrzenie staje się łagodniejsze.

– Wiem. To jedna z rzeczy, które w tobie kocham.

Wpatruję się w niego zszokowana. Które we mnie kocha?

– Anastasio, zarabiam mniej więcej sto tysięcy dolarów na godzinę.

Opada mi szczęka. To nieprzyzwoicie ogromna kwota.

– Dwadzieścia cztery tysiące to nic. Samochód, książki o Tess, ubrania, to wszystko nic. – Głos ma miękki.

Patrzę na niego. On naprawdę tego nie rozumie. Zadziwiające.

– Gdybyś był na moim miejscu, jak byś się czuł z tymi wszystkimi… hojnymi darami? – pytam.

Przygląda mi się wzrokiem pozbawionym wyrazu i już wiem, jaki jest z nim problem: empatia czy raczej brak empatii. Cisza się przeciąga.

W końcu Christian wzrusza ramionami.

– Nie wiem – mówi i wygląda na autentycznie speszonego.

Ściska mi się serce. Oto właśnie sedno jego pięćdziesięciu odcieni. Nie potrafi postawić się w mojej sytuacji.

– To nie jest przyjemne. Jesteś bardzo hojny, ale mnie to krępuje. Wiele razy ci to mówiłam.

Wzdycha.

– Chcę ci podarować cały świat, Anastasio.

– Pragnę jedynie ciebie, Christianie. Bez żadnych dodatków.

– Wchodzą w skład pakietu. To część mnie.

Och, ta dyskusja zmierza donikąd.

– Może zjemy coś? – pytam. Dobija mnie to panujące między nami napięcie.

Marszczy brwi.

– Jasne.

– Ugotuję coś.

– Dobrze. A jeśli nie, to w lodówce jest jedzenie.

– Pani Jones ma wolne weekendy? A ty jadasz wtedy coś na zimno?

– Nie.

– Och?

Wzdycha.

– Moje uległe gotują, Anastasio.

– Och, naturalnie. – Oblewam się rumieńcem. Jak mogłam być taka głupia. Uśmiecham się do niego słodko.

– Na co pan ma ochotę?

– Na to, co pani się uda znaleźć.

Przejrzawszy imponującą zawartość lodówki, postanawiam zrobić hiszpańską tortillę. Są nawet zimne ziemniaki – idealnie. To szybkie i proste. Christian zaszył się w gabinecie i bez wątpienia narusza prywatność jakiegoś biednego, niczego niepodejrzewającego głupca, gromadząc informacje na jego temat. Ta myśl nie jest przyjemna i pozostawia w mych ustach gorzki smak. W głowie mi się kręci. Dla tego człowieka naprawdę nie istnieją żadne granice.

Skoro mam gotować, potrzebna mi muzyka. I zamierzam gotować nieulegle! Podchodzę do stojącej obok kominka stacji dokującej i biorę do ręki iPoda Christiana. Założę się, że jest tu więcej kawałków wybranych przez Leilę – na tę myśl cierpnie mi skóra.

Gdzie ona jest? Czego chce?

Wzdrygam się. Cóż za spuścizna. Nie potrafię tego wszystkiego ogarnąć.

Przeglądam długą listę utworów. Mam ochotę na coś optymistycznego. Hmm, Beyoncé – jakoś mi nie pasuje do Christiana. *Crazy in Love*. O tak! Jaki trafny tytuł. Wciskam „repeat" i pogłaśniam.

Tanecznym krokiem wracam do kuchni, znajduję miskę, otwieram lodówkę i wyjmuję jajka. Rozbijam je i zaczynam ubijać, cały czas tańcząc.

Raz jeszcze zaglądam do lodówki i wyjmuję ziemniaki, szynkę i – tak! – groszek z zamrażalnika. Wszystko się przyda. Znalazłszy patelnię stawiam ją na kuchence, wlewam odrobinę oliwy z oliwek i wracam do ubijania jajek.

Brak empatii. Czy tylko Christian tak ma? A może tacy są wszyscy mężczyźni. Nie mam pojęcia. Niewykluczone, że to żadna rewelacja.

Szkoda, że Kate nie ma w domu; ona na pewno by wiedziała. Ten jej wyjazd trwa stanowczo za długo. Ma wrócić pod koniec tygodnia po dodatkowym urlopie z Elliotem. Ciekawe, czy nadal tak za sobą szaleją.

„Jedna z rzeczy, które w tobie kocham".

Nieruchomieję. Tak powiedział. Czy to znaczy, że są i inne rzeczy? Uśmiecham się po raz pierwszy, odkąd ujrzałam panią Robinson – to szczery, szeroki uśmiech.

Christian obejmuje mnie, a ja aż podskakuję.

– Ciekawy dobór muzyki – mruczy, całując moją szyję. – Ładnie ci pachną włosy. – Zatapia w nich nos i oddycha głęboko.

W moim podbrzuszu budzi się pożądanie. Nie. Wyplątuję się z jego objęć.

– Nadal jestem na ciebie zła.

Marszczy brwi.

– Jak długo będziesz to ciągnąć? – pyta, przeczesując palcami włosy.

Wzruszam ramionami.

– Na pewno dopóki nie zjem.

Kąciki jego ust unoszą się z rozbawieniem. Odwraca się, bierze z blatu pilota i wyłącza muzykę.

– Ty to wrzuciłeś na iPoda? – pytam.

Kręci głową i już wiem, że to ona – Widmowa Dziewczyna.

– Nie sądzisz, że próbowała ci coś wtedy powiedzieć?

– No, patrząc na to z perspektywy czasu, pewnie tak – mówi cicho.

Co było do udowodnienia. Zero empatii. Moja podświadomość krzyżuje ręce na piersi i cmoka z niesmakiem.

– Dlaczego nadal masz tę piosenkę?

– Nawet ją lubię. Ale jeśli ciebie to obraża, usunę ją.

– Nie, może być. Lubię gotować przy muzyce.

– Czego byś chciała posłuchać?

– Zaskocz mnie.

Udaje się do stacji dokującej, a ja wracam do ubijania.

Chwilę później pomieszczenie wypełnia niebiańsko słodki, smutny głos Niny Simone. To jedna z ulubionych piosenek Raya: *I Put a Spell on You.*

Rumieniąc się, zerkam na Christiana. Co on mi próbuje powiedzieć? Już dawno temu rzucił na mnie czar. O rety... Wyraz jego twarzy uległ zmianie, zniknęła wesołość, oczy ma teraz pociemniałe, skupione.

Zafascynowana patrzę, jak powoli, niczym drapieżnik, którym zresztą jest, zbliża się do mnie w powolny, zmysłowy rytm muzyki. Jest bosy, ma na sobie jedynie puszczoną luźno białą koszulę, dżinsy. Ma też uwodzicielską minę.

Nina śpiewa „jesteś mój", gdy Christian dochodzi do mnie. Jego zamiary są oczywiste.

– Christianie, proszę – szepczę, a trzepaczka w mej dłoni nieruchomieje.

– Proszę o co?

– Nie rób tego.

– Nie rób czego?

– Tego.

Stoi przede mną i przygląda mi się.

– Jesteś pewna? – pyta cicho, po czym wyjmuje mi z dłoni trzepaczkę i wkłada ją z powrotem do miski z jajkami. Serce mam w gardle. Bardzo tego nie chcę – chcę. On jest taki frustrujący, taki podniecający i atrakcyjny. Odrywam wzrok od jego urzekającego spojrzenia.

– Pragnę cię, Anastasio – mruczy. – Kocham i nienawidzę, i kocham się z tobą kłócić. To dla mnie nowość. Muszę wiedzieć, że między nami wszystko w porządku. Tylko w taki sposób mogę się tego dowiedzieć.

– Moje uczucia względem ciebie się nie zmieniły – mówię cicho.

Bliskość tego mężczyzny jest przytłaczająca i podniecająca. Pojawia się znajome przyciąganie, wszystkie moje synapsy popychają mnie w jego stronę, moja wewnętrzna bogini kręci zmysłowo biodrami. Przyglądając się widocznym nad rozpiętymi guzikami koszuli włoskom, przygryzam wargę, bezradna, kierowana pragnieniem – tak bardzo chcę poczuć, jak smakuje tam jego skóra.

Znajduje się tak blisko, ale mnie nie dotyka. Ogrzewa mnie ciepło jego ciała.

– Nie dotknę cię, dopóki nie wyrazisz zgody – mówi miękko. – Ale teraz właśnie, po naprawdę koszmarnym ranku, pragnę zatopić się w tobie i zapomnieć o wszystkim oprócz nas.

O rety… Nas. Magiczne połączenie, krótki, sugestywny zaimek przypieczętowujący umowę.

– Zamierzam dotknąć twojej twarzy – mówię bez tchu i w jego oczach na chwilę pojawia się zaskoczenie.

Unoszę rękę, po czym dotykam delikatnie jego policzka i przesuwam opuszkami palców po zaroście. Christian zamyka oczy i wypuszcza powstrzymywane powietrze, nachylając twarz ku mojej dłoni.

Powoli pochyla się, a moje usta automatycznie wychodzą na spotkanie jego warg.

– Tak czy nie, Anastasio? – szepcze.

– Tak.

Delikatnie opuszcza usta na moje i rozchyla je językiem, biorąc mnie jednocześnie w objęcia, przyciągając do swego ciała. Jego dłoń przesuwa się w górę mych pleców, palce wplątują się we włosy i pociągają lekko, gdy tymczasem druga ręka zatrzymuje się na moich pośladkach, dociskając mnie do niego. Jęczę cicho.

– Panie Grey – Taylor wspomaga się kaszlnięciem i Christian natychmiast mnie puszcza.

– Taylor. – Głos ma lodowaty.

Odwracam się na pięcie i widzę stojącego na progu zażenowanego Taylora. Panowie patrzą na siebie, komunikując się wyłącznie za pomocą spojrzeń.

– Do gabinetu – warczy Christian i Taylor przechodzi szybko przez salon.

– Odbiorę to sobie później – szepcze mi mój miły do ucha, po czym udaje się w tym samym kierunku.

Biorę głęboki, uspokajający oddech. Jak to jest, że nie potrafię się temu mężczyźnie oprzeć? Zdegustowana kręcę głową, wdzięczna Taylorowi za to, że nam przerwał. Choć okazało się to krępujące.

Ciekawe, co jeszcze musiał przerywać w przeszłości. Co widział? Nie chcę o tym myśleć. Lunch. Przygotuję lunch. Zabieram się za krojenie ziemniaków. Czego chce

Taylor? W mojej głowie kłębią się niespokojne myśli – chodzi o Leilę?

Dziesięć minut później wyłaniają się z gabinetu. Akurat skończyłam robić omlet. Christian wygląda na zatroskanego.

Na kuchennej wyspie stawiam dwa ogrzane talerze.

– Lunch?

– Poproszę – mówi Christian i sadowi się na jednym ze stołków barowych. I przygląda mi się uważnie.

– Jakiś problem?

– Nie.

Pochmurnieję. A więc nie chce mi powiedzieć. Nakładam na talerze jedzenie i siadam obok niego.

– Dobre – mruczy z uznaniem po pierwszym kęsie. – Masz ochotę na kieliszek wina?

– Nie, dziękuję. – Muszę przy tobie zachować trzeźwość umysłu, Grey.

Rzeczywiście omlet jest pyszny i jem, choć nie jestem zbyt głodna. Wiem, że w przeciwnym razie Christian by mnie o to męczył.

W końcu postanawia wypełnić czymś panującą między nami ciszę i włącza muzykę klasyczną, którą już słyszałam.

– Co to takiego? – pytam.

– Canteloube, *Chants d'Auvergne*. Ta akurat nosi tytuł *Bailero*.

– Śliczna. W jakim to jest języku?

– Starofrancuskim, a konkretnie oksytańskim.

– Znasz francuski, rozumiesz tekst? – Przypominam sobie, jak rozmawiał w tym języku podczas kolacji u jego rodziców.

– Niektóre słowa. – Christian uśmiecha się, wyraźnie rozluźniony. – Moja matka miała mantrę: „instrument muzyczny, język obcy, sztuka walki". Elliot zna hiszpański, Mia i ja francuski. Elliot gra na gitarze, ja na pianinie, a Mia na wiolonczeli.

– *Wow*. A sztuki walki?

– Elliot zna judo. Mia w wieku dwunastu lat zbuntowała się i odmówiła. – Uśmiecha się na to wspomnienie.

– Szkoda, że moja matka nie była taka zorganizowana.

– Doktor Grace potrafi być groźna, jeśli sprawa dotyczy osiągnięć jej dzieci.

– Musi być z ciebie bardzo dumna. Ja bym była.

Jakiś cień przemyka przez twarz Christiana, on sam przez chwilę sprawia wrażenie skrępowanego. Przygląda mi się nieufnie, jakby poruszał się po nieznanym terenie.

– Zdecydowałaś już, w co się ubierzesz dziś wieczorem? A może muszę pójść i coś ci wybrać? – pyta szorstko.

Hola! Co ja takiego powiedziałam?

– Eee… jeszcze nie. Sam wybrałeś te wszystkie ubrania?

– Nie, Anastasio. Podałem twój rozmiar i listę ubrań stylistce u Neimana Marcusa. Powinny pasować. I wiedz, że na dzisiejszy wieczór i kilka następnych dni zamówiłem dodatkową ochronę. Skoro gdzieś po ulicach Seattle krąży nieprzewidywalna Leila, takie środki ostrożności są uzasadnione. Nie chcę, żebyś wychodziła bez ochrony. W porządku?

Mrugam powiekami.

– W porządku. – Co się stało z Muszę-cię-mieć Greyem?

– To dobrze. Muszę im zrobić odprawę. To nie powinno trwać długo.

– Są tutaj?

– Tak.

Gdzie?

Christian wstawia swój talerz do zlewu i znika. Co to miało znaczyć? Można by odnieść wrażenie, że w jednym ciele mieszka kilka osób. To objaw schizofrenii? Muszę sprawdzić w Internecie.

Szybko zmywam naczynia i udaję się na górę do swojej sypialni, niosąc dossier ANASTASIA ROSE STEELE. Wyjmuję z szafy trzy długie suknie wieczorowe. No dobrze, którą wybrać?

LEŻĄC NA ŁÓŻKU, przyglądam się mojemu Macowi, iPadowi i BlackBerry. Czuję się przytłoczona tą całą technologią. Najpierw z iPada przegrywam na Maca playlistę Christiana, a potem uruchamiam przeglądarkę i ruszam na łowy.

LEŻĘ W POPRZEK ŁÓŻKA w towarzystwie Maca, gdy wchodzi Christian.

– Co robisz? – pyta miękko.

Wpadam w lekką panikę, zastanawiając się, czy powinnam mu pozwolić zobaczyć stronę, którą oglądam – Zaburzenie Dysocjacyjne Osobowości: Objawy.

Wyciągnąwszy się obok mnie, z rozbawieniem zerka na stronę.

– Czytasz to z jakiegoś konkretnego powodu? – pyta nonszalancko.

Szorstki Christian zniknął – wrócił Christian żartobliwy. Jak, u licha, mam mu dotrzymać kroku?

– Prowadzę badania. Dotyczące skomplikowanej osobowości. – Mówię to ze śmiertelną powagą.

Kąciki jego ust drżą.

– Skomplikowana osobowość?

– Taki mój mały projekt.

– A więc teraz jestem małym projektem? Działalnością dodatkową. Może eksperymentem naukowym? Sądziłem zaś, że jestem wszystkim. Panno Steele, rani mnie pani.

– Skąd wiesz, że chodzi o ciebie?

– Strzelam.

– To prawda, że jesteś jedynym popieprzonym, zmiennym, zbzikowanym na punkcie kontroli facetem, z którym łączą mnie relacje intymne.

– Sądziłem, że jestem jedyną osobą, z którą cię łączą takie relacje. – Unosi brew.

Policzki mi różowieją.

– Tak. To także.

– Doszłaś już do jakichś wniosków?

Odwracam się i patrzę na niego. Leży obok mnie, opierając się na łokciu, a na jego twarzy maluje się rozbawienie.

– Uważam, że potrzebna ci intensywna terapia.

Delikatnie zakłada mi pasmo włosów za ucho.

– A ja uważam, że potrzebna mi jesteś ty. Proszę. – Wręcza mi szminkę.

Marszczę zaskoczona brwi. To krwista czerwień, zupełnie nie w moim stylu.

– Chcesz, żebym pomalowała nią usta? – pytam piskliwie.

Śmieje się.

– Nie, Anastasio, chyba że masz na to ochotę. To chyba nie jest twój kolor – dodaje cierpko.

Siada po turecku i przez głowę ściąga koszulę.

– Podoba mi się twój pomysł sporządzenia mapy.

Patrzę na niego pytająco. Mapa?

– Miejsca zakazane – mówi tytułem wyjaśnienia.

– Och. Żartowałam sobie.

– A ja nie.

– Chcesz, żebym cię pomalowała szminką?

– Zmywa się. Po jakimś czasie.

To oznacza, że mogłabym go dotykać. Na mojej twarzy pojawia się uśmiech.

– A może coś bardziej trwałego, na przykład marker?

– Mógłbym dać sobie zrobić tatuaż. – W jego oczach tańczą wesołe chochliki.

Christian Grey z tatuażem? Znaczący swoje piękne ciało, choć i tak jest już naznaczone? Nie ma mowy!

– Nie zgadzam się na tatuaż! – Śmieję się, aby ukryć przestrach.

– W takim razie szminka.

Zamykam Maca i przesuwam go na bok. Może być całkiem fajnie.

– Chodź. – Wyciąga do mnie ręce. – Siądź na mnie.

Siadam na łóżku, a potem przysuwam się do niego. Christian leży na plecach, ale nogi ma zgięte w kolanach.

– Oprzyj mi się o uda.

Siadam na nim tak, jak mi polecił. W jego oczach czai się ostrożność. Ale także wesołość.

– Wydajesz się nastawiona do tego dość entuzjastycznie – stwierdza sucho.

– Zawsze chętnie się uczę czegoś nowego, panie Grey. I w końcu się zrelaksujesz, ponieważ ja będę wiedzieć, gdzie leżą granice.

Kręci głową, jakby nie do końca mógł uwierzyć w to, że zaraz zacznę malować po jego ciele.

– Otwórz szminkę – nakazuje.

Och, jest w nastroju überapodyktycznym, ale ja się tym nie przejmuję.

– Daj mi rękę.

Podaję mu drugą.

– Tę ze szminką. – Przewraca oczami.

– Czy ty właśnie przewróciłeś oczami?

– Aha.

– To bardzo niegrzeczne, panie Grey. Znam ludzi, którzy na widok czegoś takiego robią się agresywni.

– Czyżby? – Ton głosu ma ironiczny.

Podaję mu dłoń ze szminką, a on nagle się podnosi, tak że siedzimy twarzą w twarz.

– Gotowa? – mruczy cicho, a we mnie wszystko się słodko spina. Och, rety.

– Tak – odpowiadam szeptem. Jego bliskość jest kusząca, wyrzeźbione ciało niemal styka się z moim, aż Christianowy zapach miesza się z moim żelem pod prysznic. Kieruje moją dłoń do góry, do łuku, który tworzy bark na złączeniu z ramieniem.

– Dociśnij – mówi bez tchu, a mnie zasycha w ustach, gdy prowadzi moją dłoń w dół, od barku, wokół stawu, a potem po boku klatki piersiowej. Szminka zostawia szeroką, jaskrawoczerwoną linię. Christian zatrzymuje się przy dolnych żebrach, a potem prowadzi mi dłoń przez brzuch. Pozornie obojętnie patrzy mi w oczy, ale pod tą całą obojętnością dostrzegam jego napięcie.

W połowie brzucha mruczy:

– I tak samo po drugiej stronie.

Puszcza moją dłoń, a ja wypełniam jego polecenie. Zaufanie, którym mnie obdarzył, sprawia, że kręci mi się w głowie, ale na ziemię sprowadza mnie fakt, że mogę policzyć dokładnie jego ból. Na jego klatce piersiowej widnieje siedem małych, okrągłych białych blizn i patrzenie na te paskudne okaleczenia pięknego ciała to prawdziwa męczarnia. Kto mógł zrobić coś takiego małemu dziecku?

– Gotowe – szepczę, tłumiąc w sobie emocje.

– Jeszcze nie – odpowiada i długim palcem wskazującym rysuje linię pod szyją. Przejeżdżam po niej szminką. Skończywszy, zaglądam w szare głębie jego oczu.

– Teraz plecy. – Gestem mi pokazuje, abym z niego zeszła, następnie odwraca się na łóżku i siada po turecku plecami do mnie. – Narysuj linię od klatki piersiowej przez całe plecy aż na drugą stronę. – Głos ma niski i schrypnięty.

Tak robię i teraz szkarłatna linia biegnie przez środek jego pleców. Jednocześnie liczę kolejne blizny na jego ciele. Razem dziewięć.

O kurwa. Muszę walczyć ze sobą, aby nie pocałować każdej z nich. Powstrzymuję napływające do oczu łzy. Jakim bydlakiem trzeba być, aby to zrobić? Christian ma opuszczoną głowę i cały jest spięty, gdy kończę swoje dzieło.

– Wokół szyi także? – pytam cicho.

Kiwa głową, a ja rysuję jeszcze jedną linię, tuż poniżej linii włosów.

– Gotowe – mruczę. Wygląda to tak, jakby miał na sobie dziwaczną kamizelkę w cielistym kolorze ze szkarłatnym wykończeniem.

Ramiona mu opadają, gdy w końcu się odpręża. Powoli odwraca się twarzą do mnie.

– To są granice – mówi cicho. Oczy ma pociemniałe, a źrenice rozszerzone... strachem? Pożądaniem? Przepełnia mnie pragnienie przytulenia się do niego, ale jakoś udaje mi się powstrzymać.

– Dam sobie z nimi radę. A teraz mam ochotę rzucić się na ciebie – szepczę.

Obdarza mnie szelmowskim uśmiechem i podnosi ręce w geście pozwolenia.

– Cóż, panno Steele, cały jestem twój.

Wydaję radosny pisk i rzucam się w jego ramiona, przewracając go na plecy. Przekręca się, śmiejąc się wesoło. W tym śmiechu słychać także ulgę, że ta ciężka przeprawa dobiegła końca. Nie wiem, jakim cudem, ale ostatecznie stwierdzam, że to ja leżę pod nim.

– No dobrze, powróćmy do tego, co nam przerwał Taylor – mruczy Christian i jego usta opadają na moje.

ROZDZIAŁ SZÓSTY

Palce mam wplątane w jego włosy, a owładnięte gorączką usta delektują się wargami Christiana. Rozkoszuję się tańcem naszych języków. I wiem, że on czuje to samo. Jest bosko.

Nagle podciąga mnie do góry, chwyta za skraj T-shirta i ściąga mi go przez głowę, po czym rzuca na podłogę.

– Chcę cię czuć – szepcze mi pożądliwie do ust, a jego dłonie wędrują do tyłu, aby rozpiąć stanik. Sekunda wystarcza i już go nie ma.

Popycha mnie z powrotem na łóżko, wciskając w materac, a jego usta przesuwają się na pierś. Palcami mocniej chwytam jego włosy, gdy bierze do ust brodawkę i mocno pociąga.

Wydaję okrzyk, bo to doznanie rozlewa się po całym moim ciele, napinając mięśnie wokół krocza.

– Tak, mała, chcę cię słyszeć – mruczy z ustami przy mojej rozgrzanej skórze.

Ależ ja pragnę poczuć go w sobie. Natychmiast. Ustami i językiem bawi się brodawką, pociągając za nią, ssąc, sprawiając, że wiję się z podniecenia. Wyczuwam jego pożądanie w połączeniu z – czym? Z czcią. Tak, można by odnieść wrażenie, że on mnie czci.

Pieści mnie palcami, a brodawka pod umiejętnym dotykiem staje się jeszcze twardsza. Jego dłoń przesuwa się do mych dżinsów i sprawnie je rozpina. Następnie wślizguje się pod materiał majtek i ociera palcami o łono.

Z sykiem wypuszczam powietrze, gdy jego palec wsuwa się we mnie. Przyciskam krocze do jego dłoni, oszalała z pragnienia.

– Och, mała – dyszy, patrząc mi prosto w oczy. – Jesteś taka wilgotna – dodaje z zachwytem.

– Pragnę cię – mruczę.

Nasze usta ponownie się łączą i czuję jego głodną desperację.

To nowość – jeszcze nigdy tak nie było, z wyjątkiem może tego razu po powrocie z Georgii – i przypominają mi się jego słowa… „Muszę wiedzieć, że między nami wszystko w porządku. To jedyny sposób, jaki znam".

Ta myśl mnie rozbraja. Świadomość, że mam na niego taki wpływ, że potrafię dać mu ukojenie… Christian siada i zsuwa ze mnie dżinsy, a sekundę później bieliznę.

Nie odrywając wzroku od mojej twarzy, wstaje, wyjmuje z kieszeni foliową paczuszkę i rzuca mi ją, po czym jednym płynnym ruchem pozbywa się dżinsów i bokserek.

Niecierpliwie rozrywam folię i kiedy on kładzie się znowu przy mnie, powoli nakładam mu prezerwatywę. Chwyta mnie za dłonie i przekręca się na plecy.

– Ty na górze – nakazuje, pociągając mnie na siebie. – Chcę cię widzieć.

Och.

Nakierowuje mnie, a ja z wahaniem opuszczam się na niego. Christian zamyka oczy i unosi biodra, wypełniając mnie, rozciągając, a gdy wypuszcza powietrze, jego usta mają kształt litery O.

Przytrzymuje moje dłonie i nie wiem, czy po to, aby mi pomóc w utrzymaniu równowagi, czy po prostu nie chce dopuścić, abym go dotknęła, choć mam przecież mapę.

– Ale mi dobrze – mruczy.

Ponownie się unoszę, oszołomiona poczuciem władzy, patrząc, jak Christian Grey powoli mi się poddaje. Puszcza moje dłonie i chwyta biodra, a ja kładę ręce na jego ramionach. Wchodzi we mnie ostro, a ja wydaję okrzyk.

– Właśnie tak, maleńka, poczuj mnie.

Odchylam głowę i tak właśnie robię: czuję go całą sobą.

Poruszam się – idealnie dopasowując się do jego rytmu – zagłuszając wszystkie myśli i rozsądek. Jestem jedynie doznaniem, zagubionym w tej bezbrzeżnej rozkoszy. W górę i w dół... jeszcze raz i jeszcze... o tak... Otwieram oczy i wpatruję się w niego. Oddech mam urywany. On także patrzy na mnie płonącym wzrokiem.

– Moja Ana – mówi bezgłośnie.

– Tak – dyszę. – Na zawsze.

Wydaje głośny jęk i ponownie zamyka oczy. Ten widok wystarcza, aby przypieczętować moje przeznaczenie, i dochodzę głośno, wyczerpująco, wirując i wirując, aż w końcu opadam na niego.

– Och, mała – jęczy i doznaje spełnienia, mocno mnie do siebie przyciskając.

Głowę mam opartą na jego klatce piersiowej na obszarze, do którego mój dotyk nie ma wstępu, policzek dotyka kręconych włosków. Oddech mam jeszcze urywany i walczę z pokusą, by go pocałować.

Leżę po prostu na nim, odzyskując świadomość. Christian gładzi moje włosy i plecy, czeka, aż uspokoi mu się oddech.

– Jesteś taka piękna.

Unoszę głowę i patrzę na niego sceptycznie. W odpowiedzi marszczy brwi i nagle szybko siada. Obejmuje mnie mocno, przytrzymując na miejscu. Zaciskam dłonie na jego bicepsach.

– Jesteś. Taka. Piękna – powtarza z emfazą.

– A ty bywasz zaskakująco słodki. – Całuję go.

Unosi mnie i wysuwa się z mojego wnętrza. Krzywię się. Nachyla się i całuje mnie delikatnie.

– Nie zdajesz sobie sprawy z tego, jak bardzo jesteś atrakcyjna, prawda?

Oblewam się rumieńcem. Czemu tak się tego uczepił?

– Ci wszyscy chłopcy, którzy się za tobą uganiają, nic ci to nie mówi?

– Chłopcy? Jacy chłopcy?

– Mam ci podać listę? – Christian marszczy brwi. – Fotograf za tobą szaleje, ten chłopak w sklepie, w którym pracowałaś, starszy brat twojej współlokatorki. Twój szef – dodaje gorzko.

– Och, Christianie, to wcale nie jest prawda.

– Uwierz mi. Pragną cię. Pragną tego, co należy do mnie. – Przyciąga mnie do siebie, a ja opieram ręce na jego ramionach i przyglądam mu się z rozbawieniem. – Do mnie – powtarza, a oczy płoną mu zaborczo.

– Tak, do ciebie – odpowiadam uspokajająco, uśmiechając się. Wygląda na udobruchanego, a ja fantastycznie się czuję nago na jego kolanach w sobotnie popołudnie. Kto by pomyślał? Jego idealne ciało znaczą ślady szminki. Zauważam, że pościel nieco się ubrudziła. Ciekawe, co sobie pomyśli pani Jones.

– Granica pozostaje nienaruszona – mruczę i odważnie przesuwam palcem wskazującym po linii na ramieniu. Christian sztywnieje i mruga powiekami. – Mam ochotę trochę pozwiedzać.

Patrzy na mnie sceptycznie.

– Apartament?

– Nie. Chodziło mi raczej o mapę skarbów, którą narysowaliśmy na tobie. – Palce aż mnie świerzbią, aby go dotykać.

Unosi zdziwiony brwi i mruga niepewnie. Pocieram nosem o jego nos.

– A z czym konkretnie będzie się to wiązać, panno Steele?

Przesuwam opuszkami palców po jego twarzy.

– Chcę po prostu dotykać cię wszędzie tam, gdzie mi wolno.

Christian chwyta zębami mój palec wskazujący i lekko przygryza.

– Ała – protestuję, a on uśmiecha się szeroko.

– Dobrze – puszcza mój palec, ale w głosie pobrzmiewa odrobina niepokoju. – Poczekaj. – Ponownie mnie unosi i zdejmuje prezerwatywę, po czym rzuca ją bezceremonialnie na podłogę przy łóżku.

– Nie znoszę ich. Mam ochotę wezwać doktor Greene, żeby zaaplikowała ci zastrzyk.

– I myślisz, że najlepsza ginekolog w Seattle przybiegnie na twoje wezwanie?

– Potrafię być bardzo przekonujący – mruczy, zakładając mi włosy za ucho. – Franco wykonał kawał dobrej roboty. Podoba mi się to cieniowanie.

Słucham?

– Przestań zmieniać temat.

Przemieszcza się tak, że siedzę na nim okrakiem, opierając się o jego zgięte w kolanach nogi. Christian opiera się na łokciach.

– No to dotykaj – mówi bez wesołości. Wygląda na zdenerwowanego, choć próbuje to ukryć.

Nie przerywając kontaktu wzrokowego, wyciągam rękę i przesuwam palcem poniżej linii pozostawionej przez szminkę na wyrzeźbionym brzuchu. Wzdryga się i przerywam.

– Nie muszę tego robić – mówię cicho.

– Nie, w porządku. Muszę się tylko trochę… przestawić. Dawno nikt mnie nie dotykał.

– Pani Robinson? – Te słowa wydostają się nieproszone z moich ust. I zaskakujące jest to, że udaje mi się
nie wlać do nich rozgoryczenia i urazy.

Kiwa głową. Wyraźnie jest skrępowany.

– Nie chcę o niej rozmawiać. To ci popsuje nastrój.

– Jakoś dam sobie radę.

– Nie, Ana. Wściekasz się za każdym razem, gdy
o niej wspominam. Przeszłość to przeszłość. To fakt. Nie
jestem w stanie jej zmienić. Dobrze, że ty takiej nie masz,
inaczej doprowadzałoby mnie to do szaleństwa.

Nie chcę się kłócić.

– Do szaleństwa? Większego niż ogarnia cię teraz? –
uśmiecham się w nadziei na rozluźnienie napiętej atmosfery.

Drgają mu usta.

– Szaleję za tobą – szepcze.

Serce przepełnia mi radość.

– Mam zadzwonić do doktora Flynna?

– To chyba nie będzie konieczne – stwierdza sucho.

Popycham jego nogi tak, że je prostuje, po czym kładę palce z powrotem na brzuchu i pozwalam, aby wędro-
wały po jego skórze. Christian ponownie nieruchomieje.

– Lubię cię dotykać. – Moje palce muskają pępek,
a potem przesuwają się w dół. Oddech mu przyspiesza,
oczy ciemnieją, a członek twardnieje i drga pod moim
dotykiem. A niech to. Runda druga.

– Znowu? – mruczę.

Uśmiecha się.

– O tak, panno Steele, znowu.

Cóż za rozkoszny sposób spędzania sobotniego
popołudnia. Stoję pod prysznicem i myję się, uważając, aby
nie zamoczyć związanych włosów. Rozmyślam o ostatnich
godzinach. Christian i wanilia chyba do siebie pasują.

Tak wiele mi dzisiaj wyjawił. Niełatwa jest próba przyswojenia tych wszystkich informacji i zastanowienia się nad tym, czego się dowiedziałam: ile zarabia – jest obrzydliwie bogaty, co jest po prostu niesamowite jak na kogoś w jego wieku, i że posiada dossier na mój temat i wszystkich swoich ciemnowłosych uległych. Ciekawe, czy tamta szafka kryje wszystkie teczki?

Moja podświadomość sznuruje usta i kręci głową – „Nawet się tam nie zapuszczaj". Marszczę brwi. A może tylko zajrzę?

No i jeszcze Leila – gdzieś w okolicy, możliwe, że uzbrojona – i jej fatalny muzyczny gust wciąż obecny na jego iPodzie. Ale jeszcze gorsza jest pani *Pedo* Robinson. Nie pojmuję tej kobiety i nawet nie mam zamiaru podejmować prób pojęcia. Nie chcę, aby była jasnowłosym widmem w naszym związku. Christian ma rację, rzeczywiście mam mroczki przed oczami na samą myśl o niej, więc może lepiej, żebym nie zaprzątała sobie nią głowy.

Wychodzę spod prysznica i wycieram się. I nagle dopada mnie nieoczekiwany gniew.

Ale kto nie miałby mroczków? Która normalna, zdrowa psychicznie kobieta zrobiłaby coś takiego piętnastoletniemu chłopcu? W jakim stopniu przyczyniła się do jego odchyłów? Ja tej kobiety nie rozumiem. A co gorsza Christian twierdzi, że ona mu pomogła. Jak?

Przypominają mi się jego blizny, to skrajne fizyczne ucieleśnienie koszmarnego dzieciństwa i przyprawiające o mdłości przypomnienie o tym, jakie zostawiło to ślady na jego psychice. Mój słodki, smutny Szary. Powiedział mi dzisiaj tyle cudowności. Szaleje na moim punkcie.

Patrząc na swoje odbicie w lustrze, uśmiecham się na wspomnienie jego słów, a serce ponownie mało nie pęka mi z radości. Niewykluczone, że jednak nam się uda. Ale jak długo będzie chciał to robić, zanim zachce mu się sprać mnie na kwaśne jabłko za przekroczenie jakiejś arbitralnej granicy?

Uśmiech znika z mojej twarzy. Tego właśnie nie wiem. To jest ten cień, który wisi nad nami. Perwersyjne bzykanko, zgoda, to może być, ale coś więcej?

Moja podświadomość patrzy na mnie wzrokiem pozbawionym wyrazu, choć raz nie wyskakując ze swoimi mądrościami. Udaję się do sypialni, aby się ubrać.

Christian szykuje się na dole, więc cały pokój jest dla mnie. Oprócz sukienek w szafie mam także szuflady pełne nowej bielizny. Wybieram czarny gorset bez ramiączek: pięćset czterdzieści dolarów. Jest wykończony srebrną tasiemką, a do kompletu ma miniaturowe figi. Do tego pończochy samonośne w cielistym kolorze, tak delikatne, jakby utkano je z czystego jedwabiu. O rany, są… zmysłowe… i nawet podniecające…

Sięgam właśnie po sukienkę, kiedy bezceremonialnie wchodzi Christian. Hola, a zapukać to nie można? Staje jak skamieniały, wpatrując się we mnie wygłodniałym wzrokiem. Mam wrażenie, że nie tylko policzki oblewa mi szkarłatny rumieniec. Christian ma na sobie białą koszulę i czarne spodnie od garnituru. W wycięciu rozpiętego kołnierzyka dostrzegam ślad szminki.

– W czym mogę pomóc, panie Grey? Zakładam, że cel pańskiej wizyty jest inny niż bezmyślne wgapianie się we mnie?

– To bezmyślne wgapianie bardzo mi się podoba, dziękuję, panno Steele – mruczy, robiąc krok do przodu i pożerając mnie wzrokiem. – Przypomnij mi, abym wysłał podziękowania Caroline Acton.

Marszczę brwi. A co to za jedna?

– Osobista stylistka u Neimana – mówi, odpowiadając na moje niewypowiedziane na głos pytanie.

– Och.

– Rozproszył mnie ten widok.

– Właśnie widzę. Czego chcesz, Christianie? – Posyłam mu rzeczowe spojrzenie.

Uśmiechając się, wyjmuje z kieszeni srebrne kulki, a ja nieruchomieję. O cholera! Chce dać mi klapsy? Teraz? Dlaczego?

– To nie to, co myślisz – mówi szybko.

– No to mnie oświeć – szepczę.

– Pomyślałem sobie, że mogłabyś je dzisiaj włożyć.

Implikacje tego zdania w końcu do mnie docierają.

– Na przyjęcie? – Jestem zaszokowana.

Kiwa powoli głową, a oczy mu ciemnieją.

O rety.

– Później dasz mi klapsy?

– Nie.

Przez chwilę mam wrażenie, że to, co czuję, to ukłucie rozczarowania.

Chichocze.

– A chcesz?

Przełykam ślinę. Sama nie wiem.

– Cóż, bądź spokojna, nie zamierzam cię dotknąć w taki sposób, nawet gdybyś mnie o to błagała.

Och! To coś nowego.

– Chcesz się w to zabawić? – kontynuuje, unosząc kulki. – Zawsze możesz je wyjąć, jeśli nie będziesz mogła wytrzymać.

Wpatruję się w niego. Wygląda tak niesamowicie kusząco – potargane włosy, ciemne oczy, w których tańczą erotyczne ogniki, kąciki ust uniesione w seksownym, wesołym uśmiechu.

– Dobrze – zgadzam się cicho. O tak! Moja wewnętrzna bogini odzyskała głos.

– Grzeczna dziewczynka – uśmiecha się Christian. – Włóż najpierw buty, a potem chodź do mnie.

Buty? Odwracam się i zerkam na szpilki z szarego
zamszu, pasujące do sukni, na którą się zdecydowałam.

A co tam, może być tak, jak on chce.

Wyciąga rękę, aby mnie podtrzymać, gdy zakładam
szpilki od Christiana Louboutina, kupione za trzy tysiące
dwieście dziewięćdziesiąt pięć dolarów, czyli jak za dar-
mo. I od razu robię się wyższa o co najmniej dwanaście
centymetrów.

Prowadzi mnie do łóżka, ale nie siada, tylko podchodzi do jedynego krzesła w sypialni. Stawia je przede mną.

– Kiedy kiwnę głową, schylisz się i przytrzymasz
krzesła. Rozumiesz? – Głos ma schrypnięty.

– Tak.

– Dobrze. A teraz otwórz usta – nakazuje.

Robię, co mi każe, sądząc, że włoży mi do nich kulki,
aby je zwilżyć. Nie, on wkłada tam palec wskazujący.

Och…

– Ssij – mówi.

Unoszę rękę i przytrzymuję jego dłoń, po czym zaczynam ssać – widzicie, jak chcę, to potrafię być posłuszna.

Smakuje mydłem… hmm. Ssę mocno, a nagrodą
jest widok jego rozchylonych ust. Wygląda na to, że nie
będzie mi potrzebny żaden lubrykant. Christian wkłada
sobie kulki do ust, gdy tymczasem ja funduję fellatio jego
palcowi. Kiedy próbuje go wyjąć, przytrzymuję zębami.

Uśmiecha się szeroko i kręci głową, więc w końcu
puszczam.

Gdy widzę, że kiwa głową, pochylam się i chwytam
za brzegi krzesła. Przesuwa mi majteczki na bok i bardzo powoli wkłada we mnie palec, zataczając niespieszne
kółka, tak że czuję go na wszystkich ściankach. Z mojego
gardła wydobywa się bezradny jęk.

Wysuwa palec i ostrożnie wkłada na jego miejsce
kulki, jedną po drugiej. Kiedy już są na swoim miejscu,

przesuwa z powrotem materiał majtek i całuje mnie
w pupę. A potem jego dłonie biegną w górę mych nóg,
od kostek aż do ud i Christian lekko całuje miejsca, gdzie
kończą się pończochy.

– Ma pani naprawdę piękne nogi, panno Steele –
mruczy.

Wstaje i chwyta mnie za biodra, po czym przyciąga
moje pośladki do siebie, abym poczuła jego erekcję.

– Może tak właśnie cię przelecę, kiedy wrócimy do
domu, Anastasio. Teraz możesz już się wyprostować.

Kręci mi się w głowie i podnieca mnie dotyk obi-
jających się o siebie kulek. Christian nachyla się i całuje
mnie w ramię.

– Kupiłem dla ciebie, abyś je założyła na galę zeszłej
soboty. – Obejmuje mnie i wyciąga rękę. Na niej spoczywa niewielkie czerwone pudełeczko z napisem „Car-
tier". – Ale ty odeszłaś, więc nie miałem w ogóle okazji ci
ich dać.

Och!

– To moja druga szansa – mówi cicho głosem na-
brzmiałym emocjami. Denerwuje się.

Z wahaniem biorę od niego pudełeczko i je otwieram. Wewnątrz kryje się para kolczyków. Każdy składa
się z czterech diamencików, ułożone jeden pod drugim,
przy czym górny w lekkim oddaleniu od pozostałych. Są
piękne, proste i klasyczne. Sama bym takie wybrała, gdybym miała oczywiście okazję robić zakupy u Cartiera.

– Są śliczne – szepczę i ponieważ to kolczyki drugiej
szansy, kocham je. – Dziękuję.

Wyraźnie się odpręża i ponownie całuje mnie w ramię.

– Zakładasz tę suknię ze srebrnej satyny? – pyta.

– Tak. Może być?

– Naturalnie. Pozwolę ci się przygotować. – Po tych
słowach wychodzi, nie oglądając się za siebie.

***

Wkroczyłam do alternatywnego wszechświata. Młoda kobieta patrząca na mnie w lustrze wygląda na godną czerwonego dywanu. Jej długa, satynowa srebrna suknia bez ramiączek jest po prostu oszałamiająca. Może ja też napiszę do Caroline Acton. Jest dopasowana i pięknie podkreśla moje niezbyt imponujące krągłości.

Włosy otaczają moją twarz miękkimi falami, rozsypane na ramionach i piersiach. Z jednej strony zakładam je za ucho, odsłaniając moje kolczyki drugiej szansy. Makijaż ograniczyłam do minimum: eyeliner, tusz, odrobina różu i jasnoróżowa szminka.

Tak naprawdę róż mi niepotrzebny. Jestem nieco zarumieniona dzięki ciągłemu przemieszczaniu się srebrnych kulek. Tak, już one zagwarantują, że kolorków mi dzisiejszego wieczoru nie zabraknie. Kręcąc głową nad zuchwałością erotycznych pomysłów Christiana, schylam się po satynowy szal i srebrną kopertówkę, po czym ruszam na poszukiwanie mojego Szarego.

Tyłem do mnie rozmawia właśnie na korytarzu z Taylorem i trzema innymi mężczyznami. Ich zaskoczone miny pełne uznania oznajmiają mu moją obecność. Odwraca się, a ja stoję skrępowana.

W ustach czuję suchość. Wygląda niesamowicie… Czarny smoking, czarna mucha i pełen podziwu wzrok. Podchodzi do mnie i całuje moje włosy.

– Anastasio, wyglądasz przepięknie.

Rumienię się na ten komplement, wypowiedziany przy Taylorze i pozostałej trójce.

– Kieliszek szampana przed wyjściem?

– Chętnie – bąkam, zdecydowanie zbyt szybko.

Christian kiwa głową Taylorowi, który wyprowadza ekipę do holu.

Wyjmuje z lodówki szampana.

– Ochrona? – pytam.

– Najbliższa. Taylor sprawuje nad nimi kontrolę. Do tego też ma przygotowanie. – Podaje mi smukły kieliszek.

– Jest naprawdę wszechstronny.

– Owszem – uśmiecha się Christian. – Ślicznie wyglądasz, Anastasio. Na zdrowie. – Stukamy się kieliszkami. Szampan jest bladoróżowy i pyszny. – Jak się czujesz? – pyta, obrzucając mnie gorącym wzrokiem.

– Dobrze, dziękuję. – Uśmiecham się słodko, niczego nie zdradzając. Doskonale wiem, że to aluzja do srebrnych kulek.

– Proszę, to ci się przyda. – Wręcza mi duży aksamitny woreczek, który leżał na kuchennym blacie. – Otwórz – poleca między łykami szampana.

Zaintrygowana wkładam do środka rękę i wyjmuję misternie wykończoną srebrną maskę z kobaltowymi piórami i pióropuszem wieńczącym górę.

– To bal maskowy – wyjaśnia.

– Rozumiem. – Maska jest piękna. Krawędzie ma owinięte srebrną wstążką, a wokół oczu srebrne filigrany.

– Ona podkreśli twoje śliczne oczy, Anastasio.

Uśmiecham się do niego nieśmiało.

– Ty też założysz maskę?

– Oczywiście. Na swój sposób zapewniają dużo swobody – dodaje, unosząc brew.

Och. Ale będzie fajnie.

– Chodź. Chcę ci coś pokazać.

Bierze mnie za rękę i prowadzi przez korytarz do drzwi obok schodów. Otwiera je, prezentując duży pokój mniej więcej tej samej wielkości, co pokój zabaw, który musi znajdować się dokładnie nad nami. Ten akurat jest wypełniony książkami. O kurczę, biblioteka, w której każda ściana ma półki od podłogi aż do samego sufitu.

Na środku stoi duży stół bilardowy oświetlany podłużną lampą Tiffany.

– Masz bibliotekę! – piszczę radośnie, cała podekscytowana.

– Tak, bilardownię, jak ją nazywa Elliot. Ten apartament jest naprawdę spory. Dzisiaj do mnie dotarło, kiedy wspomniałaś o zwiedzaniu, że jeszcze cię po nim nie oprowadziłem. Teraz nie mamy na to czasu, ale pomyślałem, że pokażę ci ten pokój i może zaproszę na partyjkę bilardu w niedalekiej przyszłości.

Uśmiecham się szeroko.

– No pewnie. – W duchu sobie gratuluję. José i ja zaprzyjaźniliśmy się właśnie przy bilardzie. Od trzech lat gramy w niego regularnie. Jestem mistrzynią kija. José okazał się dobrym nauczycielem.

– No co? – pyta rozbawiony Christian.

Och! Naprawdę muszę przestać natychmiast okazywać wszystkie emocje, jakie się we mnie kłębią.

– Nic – odpowiadam szybko.

Mruży oczy.

– Cóż, może doktorowi Flynnowi uda się odkryć twoje tajemnice. Poznasz go dziś wieczorem.

– Tego kosztownego szarlatana? – O cholera.

– We własnej osobie. Wprost się nie może doczekać, aby cię poznać.

Gdy siedzimy na tylnej kanapie audi i jedziemy w kierunku północnym, Christian ujmuje moją dłoń i delikatnie przesuwa kciukiem po knykciach. Poprawiam się na siedzeniu i zwalczam w sobie pokusę jęknięcia, gdyż Taylor nie słucha dziś iPoda, a obok niego siedzi jeden z ochroniarzy. Chyba nazywa się Sawyer.

Zaczynam odczuwać lekki, całkiem przyjemny ból w dole brzucha, wywołany kulkami. Ciekawe, jak długo uda mi się wytrzymać bez, eee... ulżenia sobie? Zakładam nogę na nogę. Gdy to robię, na powierzchnię wydostaje się w końcu myśl, która od jakiegoś czasu nie daje mi spokoju.

– Skąd miałeś szminkę? – pytam cicho Christiana.

Uśmiecha się znacząco i pokazuje na Taylora.

Wybucham śmiechem.

– Och. – I szybko przestaję. Ach, te kulki.

Przygryzam wargę. Christian uśmiecha się do mnie, a oczy mu błyszczą szelmowsko. Doskonale wie, co się ze mną dzieje, ten seksowny małpiszon.

– Rozluźnij się – szepcze. – Jeśli to zbyt wiele... – urywa i delikatnie całuje moją dłoń, a potem ssie opuszek małego palca.

Teraz już wiem, że robi to celowo. Zamykam oczy, a tymczasem moje ciało bierze w posiadanie żądza. Poddaję się temu doznaniu, a mięśnie podbrzusza zaciskają się mocno.

Kiedy otwieram oczy, Christian przygląda mi się uważnie, mój mroczny książę. To chyba przez ten smoking i muchę, ale wygląda na starszego, bardziej wyrafinowanego, niesamowicie przystojnego rozpustnika z lubieżnymi zamiarami. Po prostu zapiera mi dech w piersiach. Jestem w seksualnej niewoli i jeśli wierzyć jego słowom, on także. Na tę myśl uśmiecham się szeroko.

– No więc czego możemy się dzisiaj spodziewać?

– Och, taka tam zwykła impreza – odpowiada lekko Christian.

– Dla mnie nie taka zwykła – przypominam mu.

Uśmiecha się czule i znowu całuje moją dłoń.

– Będzie tam wielu ludzi obnoszących się z zamożnością. Aukcja, loteria, kolacja, tańce, moja matka wie, jak się urządza przyjęcie. – Uśmiecha się i po raz pierwszy od rana nieco się rozluźniam na myśl o wieczorze.

Wzdłuż podjazdu prowadzącego do rezydencji Greyów ciągnie się sznur drogich samochodów. Drogę oświetlają im podłużne, jasnoróżowe papierowe lampiony. Gdy podjeżdżamy nieco bliżej, widzę, że są porozwieszane dosłownie wszędzie. W wieczornym świetle wyglądają magicznie, jakbyśmy wkraczali do jakiegoś zaczarowanego królestwa. Zerkam na Christiana. Jak to pasuje do mojego księcia – i budzi się we mnie dziecinne podekscytowanie.

– Maski na twarz – uśmiecha się Christian i kiedy wyjmuje swoją, czarną i prostą w kształcie, mój książę staje się kimś bardziej mrocznym, zmysłowym.

W jego twarzy widać teraz jedynie pięknie wykrojone usta i mocno zarysowaną żuchwę. Na jego widok czuję ukłucie w sercu. Zakładam swoją maskę i ignoruję pączkujące w mym ciele pożądanie.

Taylor zatrzymuje się na końcu podjazdu i chłopak w uniformie otwiera drzwi od strony Christiana. Sawyer wyskakuje z auta, aby otworzyć moje.

– Gotowa? – pyta Christian.

– Tak jest.

– Wyglądasz pięknie, Anastasio. – Całuje moją dłoń i wychodzi z samochodu.

Wzdłuż trawnika biegnie ciemnozielony dywan, prowadzący do rozległego ogrodu na tyłach domu. Christian obejmuje mnie w talii, gdy idziemy po dywanie w towarzystwie elity Seattle w strojach wieczorowych i najprzeróżniejszych maskach. Drogę oświetlają nam lampiony. Dwóch fotografów ustawia gości na tle porośniętej bluszczem altany.

– Panie Grey! – woła jeden z nich. Christian kiwa głową i przyciąga mnie bliżej siebie, gdy przez chwilę pozujemy do zdjęć. Skąd wiedzą, że to on? Pewnie przez tę charakterystyczną zmierzwioną czuprynę.

– Dwóch fotografów? – pytam Christiana.

– Jeden jest z „Seattle Times", drugi robi zdjęcia pamiątkowe, które potem będzie można kupić.

Och, moje zdjęcie znowu w prasie. Przez głowę przemyka mi myśl o Leili. W taki przecież sposób dowiedziała się o mnie. Ta myśl jest niepokojąca, ale pociesza mnie fakt, że w masce niełatwo mnie rozpoznać.

Na końcu dywanu odziani na biało kelnerzy trzymają tace pełne kieliszków z szampanem i cieszę się, kiedy Christian wręcza mi jeden – to powinno odpędzić ode mnie czarne myśli.

Podchodzimy do dużej białej pergoli obwieszonej mniejszymi wersjami papierowych lampionów. Pod nią błyszczy czarno-biały parkiet do tańca otoczony niskim płotkiem z wejściami z trzech stron. Przy każdym z nich ustawiono dwa rzeźbione w lodzie łabędzie. Czwarty bok zajmuje scena, na której kwartet smyczkowy gra jakiś nieznany mi, piękny, eteryczny utwór. Scena jest duża i podejrzewam, że później zajmie ją cały zespół. Christian bierze mnie za rękę i prowadzi między łabędziami na parkiet, gdzie zbierają się gawędzący z kieliszkami w dłoniach goście.

Kawałek dalej rozstawiono olbrzymi namiot, a w nim elegancko nakryte stoły oraz krzesła. Strasznie ich dużo!

– Ile tu będzie osób? – pytam Christiana, zaskoczona rozmiarem namiotu.

– Coś koło trzystu. Musiałabyś zapytać o to moją matkę. – Uśmiecha się do mnie.

– Christian!

Młoda kobieta zarzuca mu ręce na szyję i od razu wiem, że to Mia. Ma na sobie elegancką długą suknię z jasnoróżowego szyfonu, a jej twarz skrywa prześliczna, delikatnie zdobiona wenecka maska. Wygląda niesamowicie. I w tej chwili zalewa mnie fala wdzięczności za to, że Christian podarował mi tę srebrną suknię.

– Ana! Och, kochana, wyglądasz bosko! – Obdarza mnie mocnym uściskiem. – Musisz poznać moje przyjaciółki. Nie chcą uwierzyć, że mój brat ma w końcu dziewczynę.

Posyłam Christianowi spojrzenie pełne paniki, ale on wzrusza ramionami z rezygnacją, w geście mówiącym „wiem, że jest niemożliwa, znoszę to już od wielu lat", i pozwala Mii odciągnąć mnie do grupy czterech młodych kobiet. Wszystkie mają na sobie drogie suknie, a także nienaganne fryzury i makijaże.

Mia dokonuje wzajemnej prezentacji. Trzy z nich są sympatyczne, ale Lily, tak chyba ma na imię, patrzy na mnie niechętnie spod czerwonej maski.

– Wszyscy oczywiście sądziliśmy, że Christian jest gejem – oświadcza drwiąco, kamuflując niechęć szerokim, fałszywym uśmiechem.

– Lily, zachowuj się – beszta ją Mia. – To oczywiste, że mój brat ma doskonały gust, jeśli chodzi o kobiety. Czekał, aż pojawi się ta właściwa, i nie okazałaś się nią ty!

Rumieni się nie tylko Lily, ale i ja.

– Drogie panie, czy mogę odzyskać moją towarzyszkę?

Christian obejmuje mnie w talii i przyciąga do siebie. Cała czwórka płoni się, uśmiecha i przestępuje z nogi na nogę – jego olśniewający uśmiech zawsze tak działa. Mia zerka na mnie i wywraca oczami, a ja wybucham głośnym śmiechem.

– Miło było was poznać – mówię przez ramię, gdy zaczynamy się oddalać. – Dziękuję ci – szepczę do Christiana, kiedy dzieli nas już od nich stosowna odległość.

– Zobaczyłem, że jest tam Lily. A to prawdziwa zołza.

– Podobasz jej się – burczę.

Wzdryga się.

– Cóż, bez wzajemności. Chodź, przedstawię cię paru osobom.

Następne pół godziny to wir prezentacji i powitań. Poznaję dwóch hollywoodzkich aktorów, dwóch prezesów i kilku wybitnych lekarzy. I nie ma takiej możliwości, żebym zapamiętała, jak się wszyscy nazywają.

Christian nie odstępuje mnie ani na krok, co bardzo mnie cieszy. Szczerze mówiąc, to całe bogactwo, glamour i skala imprezy onieśmielają mnie. Nigdy dotąd nie brałam w czymś takim udziału.

Odziani na biało kelnerzy krążą między gośćmi z butelkami szampana, z niepokojącą regularnością napełniając mi kieliszek. Nie mogę zbyt dużo pić. Nie mogę zbyt dużo pić – powtarzam w myślach, ale zaczyna mi się lekko kręcić w głowie i nie wiem, czy to wina szampana, spowodowanej maskami atmosfery tajemnicy, czy srebrnych kulek. Coraz trudniej mi ignorować tępy ból w podbrzuszu.

– Więc pracuje pani w SIP? – pyta łysiejący dżentelmen w masce niedźwiedzia. A może psa? – Słyszałem plotki o nagłym przejęciu.

Rumienię się. Bo rzeczywiście do niego doszło, a dokonał go człowiek, który ma więcej pieniędzy niż rozumu i specjalizuje się w prześladowaniu.

– Jestem jedynie asystentką, panie Eccles. Nic mi o takich sprawach nie wiadomo.

Christian milczy, uśmiechając się blado do Ecclesa.

– Panie i panowie! – Przerywa nam mistrz ceremonii w czarno-białej masce arlekina. – Proszę o zajęcie miejsc. Podano kolację.

Christian bierze mnie za rękę i razem z tłumem ludzi udajemy się do dużego namiotu.

Jego wnętrze jest oszałamiające. Trzy olbrzymie żyrandole rzucają iskierki we wszystkich kolorach tęczy na obite kremowym jedwabiem ściany i sufit. Stolików musi być co najmniej trzydzieści. Przypomina mi się prywatna sala w hotelu Heathman – kryształowe kieliszki, obrusy i pokrowce na krzesła ze śnieżnobiałego lnu, a pośrodku srebrny kandelabr otoczony wymyślną kompozycją z jasnoróżowych peonii. Obok niego stoi owinięty siateczkowym jedwabiem kosz z prezentami.

Christian zerka na plan rozsadzenia gości, po czym prowadzi mnie do stołu na środku namiotu. Siedzą już przy nim Mia i Grace Trevelyan-Grey, pogrążone w rozmowie z młodym mężczyzną, którego nie znam. Grace ma na sobie połyskującą suknię w kolorze mięty, na twarzy zaś dopasowaną kolorystycznie wenecką maskę. W ogóle nie wygląda na zestresowaną i wita się ze mną ciepło.

– Ana, cudownie cię znowu widzieć! Ślicznie wyglądasz.

– Matko. – Christian wita się z nią sztywno i całuje w oba policzki.

– Och, Christianie, jakiś ty oficjalny – beszta go żartobliwie.

Dołączają do nas rodzice Grace, państwo Trevelyan. Są pełni młodzieńczego wigoru, ale pod tymi maskami trudno określić ich wiek. Widok Christiana mocno ich raduje.

– Babciu, dziadku, przedstawiam wam Anastasię Steele.

Pani Trevelyan cała się nade mną rozpływa.

– Och, w końcu kogoś sobie znalazł, to wspaniale, no i jaką piękność! No, mam szczerą nadzieję, że uczynisz z niego przyzwoitego mężczyznę – wyrzuca z siebie, ściskając mi dłoń.

O w mordę. Dzięki niebiosom za maskę.

– Mamo, nie zawstydzaj Any. – Na ratunek przychodzi mi Grace.

– Ignoruj tę niemądrą staruszkę, moja droga. – Pan Trevelyan ściska mi dłoń. – Wyobraża sobie, że skoro jest taka stara, to ma nadane przez Boga prawo mówienia wszystkiego, co jej ślina na język przyniesie.

– Ana, to mój kolega, Sean. – Mia nieśmiało przedstawia mi swego młodego towarzysza, który uśmiecha się do mnie łobuzersko. W jego brązowych oczach tańczy rozbawienie, gdy wymieniamy uścisk dłoni.

– Miło cię poznać, Sean.

Christian także ściska mu dłoń, bacznie się przyglądając. No nie, czyżby biedna Mia także musiała znosić jego nadopiekuńczość? Uśmiecham się do niej ze współczuciem.

Lance i Janine, przyjaciele Grace, to ostatnia para przy naszym stole, ale ciągle nie ma pana Greya.

Nagle słychać trzaski mikrofonu i w głośnikach rozlega się głos ojca Christiana. Wszystkie rozmowy natychmiast cichną. Carrick stoi na niewielkim podeście na końcu namiotu, a twarz ma przysłoniętą imponującą złotą maską Punchinello.

– Witamy, panie i panowie, na naszym dorocznym balu charytatywnym. Mam nadzieję, że spodoba się państwu to, co dla was na dzisiaj przygotowaliśmy, i że ochoczo sięgnięcie do portfeli, aby wspomóc tę fantastyczną pracę, jaką nasz zespół wykonuje w fundacji Damy Radę. Jak wiecie, jest to sprawa bardzo bliska sercu mojej żony i mojemu także.

Zerkam nerwowo na Christiana, który spokojnie patrzy w kierunku podestu. Odwraca głowę w moją stronę i uśmiecha się blado.

– Oddaję was teraz w ręce naszego mistrza ceremonii. Proszę o zajęcie miejsc. I bawcie się dobrze – kończy Carrick.

Rozlegają się oklaski, a chwilę potem w namiocie znowu rozbrzmiewa szum rozmów. Siedzę pomiędzy Christianem a jego dziadkiem. Gdy kelner długim knotem zapala świece, podziwiam małą białą wizytówkę ze srebrnymi literami, układającymi się w moje imię i nazwisko. Dołącza do nas Carrick. Zaskoczona jestem tym, że na powitanie całuje mnie w oba policzki.

– Miło cię znowu widzieć, Ana – mówi. Naprawdę niezwykle wygląda w tej złotej masce.

– Panie i panowie: proszę o wyznaczenie kapitana stolika! – woła mistrz ceremonii.

– Ooooch, ja, ja! – wyrywa się natychmiast Mia, podskakując z entuzjazmem na krześle.

– Pośrodku stołu znajdą państwo kopertę – kontynuuje mistrz. – Czy każdy mógłby teraz znaleźć, wyprosić, pożyczyć lub ukraść banknot o najwyższym możliwym nominale, podpisać się na nim i włożyć do koperty? Kapitanowie stolików, proszę strzec tych kopert jak oka w głowie. Później będą nam potrzebne.

Jasny gwint. Nie mam przy sobie żadnych pieniędzy. Bardzo mądrze – przecież to impreza dobroczynna!

Christian wyjmuje portfel, a z niego dwa banknoty studolarowe.

– Proszę – mówi.

– Oddam ci – szepczę.

Kąciki ust mu drżą i wiem, że nie jest zadowolony, ale pozostawia to bez komentarza. Do napisania swego nazwiska używam jego wiecznego pióra – czarnego, z białym motywem kwiatowym na obsadce – a potem Mia puszcza w obieg kopertę.

Przed sobą znajduję jeszcze jedną kartę ze srebrnymi, ozdobnymi literami – nasze menu.

BAL MASKOWY NA RZECZ FUNDACJI
„DAMY RADĘ”
MENU

TATAR Z ŁOSOSIA Z CRÈME FRAICHE I OGÓRKIEM
NA OPIEKANEJ BRIOCHE
ROUSSANNE 2006 Z WINNICY ALBAN

PIECZONA PIERŚ PIŻMÓWKI AMERYKAŃSKIEJ
KREMOWE PURÉE Z KARCZOCHÓW
CZEREŚNIE OPIEKANE W TYMIANKU, FOIE GRAS
CHÂTEAUNEUF-DU-PAPE VIEILLES VIGNES 2006
DOMAINE DE LA JANASSE

BEZA ORZECHOWA Z CUKROWĄ POSYPKĄ
KANDYZOWANE FIGI, ZABAJONE, LODY KLONOWE
VIN DE CONSTANCE 2004 KLEIN CONSTANTIA

WYBÓR LOKALNYCH SERÓW I PIECZYWA
GRENACHE 2006 Z WINNICY ALBAN

KAWA I PTIFURKI

∞∞∞

Cóż, to tłumaczy liczbę kryształowych kieliszków
wszelkiego rozmiaru, stłoczonych przy moim nakryciu.
Wraca nasz kelner, proponując wino i wodę. Znajdujące się za mną poły namiotu zostają zamknięte, natomiast dwóch kelnerów odsłania poły na drugim końcu, ukazując zachód słońca nad Seattle i Zatoką Meydenbauer.

To widok, który dosłownie zapiera dech w piersiach: migające w oddali światła miasta i pomarańczowy, przydymiony spokój zatoki, odbijający się na opalowym niebie.

Dziesięciu kelnerów, z których każdy trzyma w ręce talerz, staje między nami. W idealnej synchronii serwują nam przystawki, po czym znikają. Łosoś wygląda bardzo apetycznie i uświadamiam sobie, że umieram z głodu.

– Głodna? – pyta Christian tak cicho, że tylko ja
go słyszę. Wiem, że nie chodzi mu o jedzenie. Mięśnie
w moim podbrzuszu natychmiast reagują.

– Bardzo – odszeptuję, śmiało patrząc mu w oczy,
a jego usta się rozchylają.

Ha! Ten kij ma dwa końce.

Dziadek Christiana od razu nawiązuje ze mną rozmowę. To uroczy starszy pan, niezwykle dumny z córki
i wnuków.

Dziwnie mi myśleć o Christianie jako małym chłopcu. W mojej głowie pojawia się wspomnienie blizn po
oparzeniach, ale szybko je blokuję. Nie chcę myśleć o tym
teraz, choć na ironię zakrawa fakt, że taki właśnie problem jest przyczyną zorganizowania dzisiejszego balu.

Szkoda, że nie ma tu Kate i Elliota. Doskonale by się
tu odnalazła – nie speszyłaby jej ilość sztućców i kieliszków – i dowodziłaby całym stolikiem. Już sobie wyobrażam, jak kłóci się z Mią o to, kto powinien być kapitanem.
Uśmiecham się na tę myśl.

Rozmowa przy stole to cichnie, to przybiera na sile.
Mia jest jak zawsze wesoła i nieco przyćmiewa biednego Seana, który na ogół milczy, tak jak i ja. Najbardziej
rozgadana jest babcia Christiana. Ona także ma kąśliwe
poczucie humoru, a obiektem jej żartów najczęściej jest
jej mąż. Zaczyna mi być trochę żal pana Trevelyana.

Christian i Lance rozmawiają z ożywieniem o narzę-
dziu, nad którym pracuje firma Christiana, opierającym się
na zasadzie „małe jest piękne” E. F. Schumachera. Z trudem nadążam. Wygląda na to, że Christian postanowił
zapewnić ubogim społecznościom na całym świecie tech-
nologię napędzaną wiatrem – to urządzenia, które nie potrzebują prądu ani baterii i są bardzo proste w utrzymaniu.

Widok tak ożywionego Christiana jest fascynujący.
Niesamowicie się angażuje w poprawę warunków życia

tych, którzy nie mają tyle szczęścia co on. Jego firma telekomunikacyjna chciałaby stworzyć telefon komórkowy napędzany energią wytwarzaną przez wiatr.

O kurczę. Nie miałam pojęcia. To znaczy wiem o jego pragnieniu nakarmienia świata, ale to...

Lance nie potrafi zrozumieć, dlaczego Christian planuje ujawnić swój wynalazek zamiast go opatentować. Zastanawiam się, w jaki sposób dorobił się on takiego majątku, skoro tak chętnie dzieli się wszystkim ze światem.

Podczas kolacji co rusz do naszego stołu podchodzi jakiś elegancki mężczyzna w masce, aby uścisnąć Christianowi dłoń i wymienić nieco uprzejmości. Niektórym mnie przedstawia, ale nie wszystkim. Intryguje mnie ta wybiórczość.

Podczas jednej z takich rozmów Mia nachyla się w moją stronę i uśmiecha się.

– Ana, pomożesz podczas aukcji?

– Naturalnie – odpowiadam natychmiast.

Gdy na stole pojawiają się desery, na dworze panuje już mrok. Koszmarnie mi niewygodnie. Muszę się pozbyć tych kulek. Już-już mam się wymknąć do toalety, kiedy przy naszym stole zjawia się mistrz ceremonii, a razem z nim – o ile mnie pamięć nie myli – Panna Warkoczykowa.

Jak ona ma na imię? Hansel, Gretel... Gretchen.

Na twarzy ma oczywiście maskę, ale wiem, że to ona, bo wzroku nie spuszcza z Christiana. Oblewa się rumieńcem, a ja egoistycznie się cieszę, że Christian w ogóle nie zwraca na nią uwagi.

Mistrz prosi o naszą kopertę i z teatralnym gestem podaje ją Grace, każąc wylosować zwycięski banknot. Wygrywa Sean i w nagrodę otrzymuje ozdobnie zapakowany kosz z prezentami.

Klaszczę grzecznie, ale trudno mi się skupić na tym, co się dzieje.

– Przepraszam na chwilę – mówię cicho do Christiana.
Przygląda mi się uważnie.

– Musisz do toalety?

Kiwam głową.

– Zaprowadzę cię.

Kiedy wstaję, robią to także wszyscy siedzące przy stole panowie. Ach, te dobre maniery.

– Nie, Christian! Ja to zrobię.

Mia zrywa się z krzesła, nie dając bratu szansy zaprotestować. Zaciska usta; wiem, że nie jest zadowolony. Ja, prawdę powiedziawszy, też nie. Mam... potrzebę. Wzruszam przepraszająco ramionami, a on siada z rezygnacją.

Po naszym powrocie czuję się ciut lepiej, choć nie od razu po wyjęciu kulek poczułam ulgę. Teraz spoczywają bezpiecznie w mojej kopertówce.

Dlaczego sądziłam, że uda mi się wytrzymać cały wieczór? Nadal dokucza mi pragnienie – być może później uda mi się nakłonić Christiana, aby mnie zabrał do hangaru na łodzie. Rumienię się na tę myśl i zerkam na niego, gdy zajmuję swoje miejsce. Na jego ustach błądzi cień uśmiechu.

Uff, a więc nie jest już zły za tę straconą sposobność. Ale możliwe, że ja jestem. Czuję frustrację, irytację wręcz. Christian ściska mi dłoń i oboje słuchamy uważnie Carricka, który wrócił na podest i opowiada o Damy Radę. Christian wręcza mi kolejną kartkę – listę różności wystawionych na aukcję. Szybko przebiegam po nich wzrokiem.

HOJNI OFIARODAWCY
AUKCJA NA RZECZ FUNDACJI DAMY RADĘ

KIJ BASEBALLOWY Z AUTOGRAFAMI THE MARINERS –

DR EMILY MAINWARING

PORTFEL I BRELOCZEK DO KLUCZY GUCCI —
ANDREA WASHINGTON

CAŁODNIOWY VOUCHER DLA DWÓCH OSÓB W SALONIE
PIĘKNOŚCI ESCLAVA, BRAVERN CENTER — ELENA LINCOLN

PROJEKT OGRODU — GIA MATTEO

KOSMETYKI & PERFUMY COCO DE MER —
ELIZABETH AUSTIN

LUSTRO WENECKIE — PAŃSTWO BAILEY

DWIE SKRZYNKI DOWOLNIE WYBRANEGO WINA
Z WINNICY ALBAN — WINNICA ALBAN

DWA BILETY VIP NA KONCERT XTY — PANI L. YESYOV

DZIEŃ RAJDOWY W DAYTONA — EMC BRITT INC.

PIERWSZE WYDANIE DUMY I UPRZEDZENIA
JANE AUSTEN — DR A.F.M. LACE-FIELD

CAŁODZIENNE WYPOŻYCZENIE ASTONA MARTINA DB7 —
PAŃSTWO L.W. NORA

OBRAZ OLEJNY WIELKI BŁĘKIT J. TROUTONA —
KELLY TROUTON

LEKCJA LOTU SZYBOWCEM —
STOWARZYSZENIE SZYBOWCOWE Z SEATTLE

WEEKEND DLA DWÓCH OSÓB W HOTELU HEATHMAN
W PORTLAND — HOTEL HEATHMAN

WEEKEND W ASPEN, KOLORADO (DO SZEŚCIU OSÓB) –
PAN C. GREY

TYDZIEŃ NA JACHCIE SUSIECUE (SZEŚĆ KOI)
ZACUMOWANYM W ST. LUCIA – PAŃSTWO LARIN

TYDZIEŃ NAD JEZIOREM ADRIANA W MONTANIE
(DO OŚMIU OSÓB) – PAŃSTWO GREY

A niech mnie. Mrugam, patrząc na Christiana.

– Macie własny dom w Aspen? – syczę. Licytacja już trwa i muszę być cicho.

Kiwa głową, zaskoczony moim wybuchem i chyba także zirytowany. Przykłada palec do ust, aby mnie uciszyć.

– Macie domy gdzieś jeszcze? – pytam szeptem.

Ponownie kiwa głową i ostrzegawczo przechyla głowę.

Nagle rozlegają się gromkie brawa i okrzyki; jedna z nagród osiągnęła cenę dwunastu tysięcy dolarów.

– Później ci powiem – mówi cicho Christian. – Chciałem tam z tobą pójść – dodaje chmurnie.

Wcale nie. Wydymam usta, nadal poirytowana; to bez wątpienia frustrujący skutek działania kulek. I wcale nie poprawia mi się humor, kiedy na liście hojnych darczyńców dostrzegam panią Robinson.

Rozglądam się po namiocie w poszukiwaniu charakterystycznej fryzury, nigdzie jej jednak nie widzę. Ale przecież Christian na pewno by mnie ostrzegł, gdyby miała się tu dzisiaj zjawić. Siedzę i denerwuję się, klaszcząc w odpowiednich momentach, gdy każda kolejna darowizna jest sprzedawana za zdumiewająco wysoką kwotę.

Pod młotek idzie dom Christiana w Aspen. Cena dochodzi do dwudziestu tysięcy.

– Po raz pierwszy, po raz drugi – woła mistrz ceremonii.

I nie wiem, co mnie opanowuje, ale nagle słyszę swój głos, głośny i wyraźny:

– Dwadzieścia cztery tysiące!

Wszystkie maski przy stole odwracają się zdumione w moją stronę, a najżywsza reakcja pochodzi od tej najbliżej mnie. Słyszę, jak wciąga gwałtownie powietrze i obmywa mnie fala jego gniewu.

– Dwadzieścia cztery tysiące dolarów od uroczej pani w srebrnej sukni, po raz pierwszy, po raz drugi... Sprzedane!

ROZDZIAŁ SIÓDMY

Jasny gwint, czy ja to rzeczywiście zrobiłam? To przez ten alkohol. Wypiłam szampana, a do tego cztery kieliszki różnego wina. Spoglądam z ukosa na Christiana, zajętego klaskaniem.

Cholera, ale się na mnie wkurzy, a już tak dobrze nam się układało. Moja podświadomość w końcu postanowiła dać o sobie znać: ma minę jak z *Krzyku* Muncha.

Christian nachyla się ku mnie, a do twarzy ma przyklejony szeroki, sztuczny uśmiech. Całuje mnie w policzek, po czym szepcze zimno do ucha:

– Nie wiem, czy mam czcić ziemię, po której stąpasz, czy sprać cię na kwaśne jabłko.

Och, a ja wiem, czego pragnę w tej akurat chwili. Podnoszę na niego wzrok, mrugając pod maską. Szkoda, że nie potrafię odczytać wyrazu jego oczu.

– Poproszę opcję numer dwa – szepczę gorączkowo, gdy oklaski cichną. Rozchyla usta, wciągając gwałtownie powietrze. Och, te idealnie wykrojone usta, pragnę poczuć je na sobie, natychmiast. Obdarza mnie szczerym, promiennym uśmiechem, od którego dech mi zapiera.

– Cierpisz, co? Zobaczymy, co da się z tym zrobić – mruczy, muskając palcami moją brodę.

Jego dotyk odbija się echem w moim wnętrzu, w miejscu, gdzie pulsuje bolesne pragnienie. Mam ochotę dosiąść go teraz, tutaj, a tymczasem musimy obserwować licytację kolejnego daru.

Ledwie jestem w stanie wysiedzieć. Christian obejmuje mnie ramieniem. Kciukiem pociera rytmicznie plecy, a wzdłuż kręgosłupa przebiegają mi rozkoszne dreszcze. Drugą dłonią ujmuje moją, unosi ją do ust, po czym opuszcza na swoje kolana.

Powoli i ukradkiem, tak że nie nadążam z ogarnianiem, co się dzieje, przesuwa moją dłoń w górę uda, aż do twardego wybrzuszenia. Robię głośny wdech i rozglądam się spanikowana, ale oczy wszystkich siedzących przy naszym stoliku zwrócone są na scenę. Dzięki Bogu za maskę.

Wykorzystując sytuację, powoli go pieszczę, pozwalając palcom na zwiedzanie. Christian trzyma dłoń na mojej, zasłaniając śmiałe palce, gdy tymczasem kciukiem przesuwa po moim karku. Usta ma otwarte, dyszy cicho, i to jedyna reakcja na mój niedoświadczony dotyk. Ale dla mnie znaczy naprawdę wiele. On mnie pragnie. Ucisk w podbrzuszu staje się nie do zniesienia.

Ostatni idzie pod młotek tydzień nad jeziorem Adriana w Montanie. Państwo Grey mają tam oczywiście dom i mistrz ceremonii wykrzykuje coraz to wyższą kwotę, ale prawie to do mnie nie dociera. Czuję, jak męskość Christiana twardnieje pod moimi palcami, i to mi daje prawdziwe poczucie władzy.

– Sprzedano za sto dziesięć tysięcy dolarów! – ogłasza triumfalnie mistrz ceremonii. Zrywa się burza oklasków i oboje niechętnie dołączamy do nich, psując naszą zabawę.

Christian odwraca się do mnie.

– Gotowa? – pyta. Wyczytuję to z ruchu jego warg, gdyż w namiocie nadal rozbrzmiewają oklaski i wesołe okrzyki.

– Tak – odpowiadam.

– Ana! – woła Mia. – Już pora!

Co takiego? Nie. Tylko nie to!

– Pora na co?

– Licytacja Pierwszego Tańca. Chodź! – Wstaje
i wyciąga rękę.

Zerkam na Christiana, który patrzy gniewnie na Mię,
i nie wiem, czy mam się śmiać, czy płakać. Śmiech wygrywa. Zaczynam chichotać jak nastolatka, gdy raz jeszcze
przejeżdża po nas wielki, różowy czołg, czyli Mia Grey.
Po chwili na ustach Christiana pojawia się cień uśmiechu.

– Pierwszy taniec będzie ze mną, dobrze? I wcale nie
chodzi mi o parkiet – mruczy mi lubieżnie do ucha.

Już się nie śmieję, gdyż jego słowa rozpalają we mnie
płomień pożądania. O tak! Moja wewnętrzna bogini skacze potrójnego salchowa.

– Już się nie mogę doczekać. – Pochylam się i składam na jego ustach delikatny, niewinny pocałunek.
I widzę, że siedzący przy stole goście wyglądają na zdu-
mionych. No tak, jeszcze nigdy nie widzieli Christiana
w towarzystwie kobiety.

Uśmiecha się szeroko. I wygląda na… szczęśliwego.

– No chodź, Ana – ponagla Mia.

Ujmuję jej wyciągniętą dłoń i idę za nią na scenę,
gdzie zgromadziło się już dziesięć młodych kobiet. Jedną
z nich jest Lily.

– Panowie, główna atrakcja wieczoru! – oznajmia
mistrz ceremonii. – Chwila, na którą wszyscy czekaliście!
Tych dwanaście uroczych dam zgodziło się oddać swój
pierwszy taniec temu, kto zaoferuje najwięcej!

O nie. Cała pąsowieję. Nie miałam pojęcia, że chodzi
o coś takiego. Cóż za upokorzenie!

– To na zbożny cel – syczy Mia, wyczuwając moje
zażenowanie. – Poza tym Christian wygra. – Przewraca
oczami. – Nie wyobrażam sobie, by dał się komuś przeli-
cytować. Przez cały wieczór nie odrywa od ciebie wzroku.

Tak, muszę się skupić na zbożności celu i pewnej wygranej Christiana. Spójrzmy prawdzie w oczy: na biednego nie trafiło.

„To jednak oznacza wydanie na ciebie kolejnych pieniędzy" – warczy moja podświadomość. Ale ja nie chcę tańczyć z nikim innym – nie mogę tańczyć z nikim innym – no i nie wydaje pieniędzy na mnie, lecz przeznacza je na cel dobroczynny. „Tak jak te dwadzieścia cztery tysiące, które już zdążył wydać?" – moja podświadomość złośliwie mruży oczy.

Cholera. Zapomniałam o swojej impulsywnej ofercie. Czemu ja się ze sobą kłócę?

– A teraz, panowie, proszę podejść bliżej i przyjrzeć się temu, co może być wasze podczas pierwszego tańca. Dwanaście dorodnych i posłusznych dziewoi.

Jezu! Czuję się jak na targu bydlęcym. Przerażona patrzę, jak co najmniej dwudziestu mężczyzn zbliża się do sceny, łącznie z Christianem, który z gracją lawiruje między stolikami. Gdy uczestnicy aukcji są już w komplecie, mistrz ceremonii zaczyna.

– Panie i panowie, jako że to bal maskowy, tożsamość zachowamy pod maskami i będziemy się posługiwać wyłącznie imionami. Pierwsza w kolejności jest urocza Jada.

Jada chichocze jak uczennica. Ubrana jest od stóp do głów w granatową taftę, a jej twarz zakrywa maska w tym samym kolorze. Dwóch młodych mężczyzn wysuwa się przed szereg. Szczęściara z tej Jady.

– Jada zna biegle japoński, jest wykwalifikowanym pilotem myśliwca i gimnastyczką olimpijską... hmm. – Mistrz ceremonii puszcza oko. – Panowie, od jakiej kwoty zaczynamy?

Jada patrzy zdumiona na mistrza; najwyraźniej plecie trzy po trzy. Uśmiecha się nieśmiało do dwóch konkurentów.

– Tysiąc dolców! – woła jeden z nich.

Bardzo szybko kwota się zwiększa do pięciu tysięcy.

– Po raz pierwszy... po raz drugi... sprzedano! – oznajmia głośno mistrz ceremonii. – Panu w masce!

Wszyscy mężczyźni mają oczywiście maski, więc rozlega się śmiech, oklaski i głośne okrzyki. Jada uśmiecha się promiennie do swego nabywcy i szybko schodzi ze sceny.

– Widzisz? To fajna zabawa – szepcze Mia. – Mam jednak nadzieję, że wygra cię Christian... Nie chcemy tu żadnej burdy – dodaje.

– Burdy? – pytam przerażona.

– No tak. W młodości był bardzo porywczy.

Christian wszczynający burdy? Wytworny, wyrafinowany miłośnik muzyki chóralnej z czasów Tudorów? Nie wierzę. Mistrz ceremonii wyrywa mnie z tych rozmyślań kolejną prezentacją – młodej kobiety w czerwieni, z długimi, kruczoczarnymi włosami.

– Panowie, pozwólcie, że wam zaprezentuję cudowną Mariah. I co my zrobimy z Mariah? Jest doświadczonym matadorem, gra na wiolonczeli i jest utytułowaną tyczkarką... co wy na to, panowie? Od jakiej kwoty mam zacząć licytację tańca z zachwycającą Mariah?

Mariah piorunuje go wzrokiem, a ktoś bardzo głośno woła:

– Trzy tysiące dolarów!

To zamaskowany mężczyzna z jasnymi włosami i brodą.

Pojawia się jeszcze jedna oferta i Mariah zostaje sprzedana za cztery tysiące.

Christian przygląda mi się niczym jastrząb. Awanturnik Trevelyan-Grey – kto by pomyślał?

– Jak dawno temu? – pytam Mię.

Patrzy na mnie z konsternacją.

– Jak dawno temu Christian wszczynał burdy?

– Jako nastolatek. Doprowadzał rodziców do szaleństwa, wracając do domu z rozciętą wargą i podbitym okiem. Usunięto go z dwóch szkół. Nieźle poturbował swoich przeciwników.

Gapię się na nią.

– Nie powiedział ci? – Wzdycha. – Miał fatalną reputację wśród moich przyjaciół. Przez kilka lat był persona non grata. Ale to się zmieniło, kiedy skończył piętnaście, może szesnaście lat. – Wzrusza ramionami.

Kolejny fragment układanki wskakuje na swoje miejsce.

– No więc jaka jest oferta za olśniewającą Jill?

– Cztery tysiące dolarów! – woła niski głos z lewej strony. Jill piszczy z radości.

Przestaję zwracać uwagę na licytację. A więc Christian takie miał kłopoty w szkole. Bił się. Ciekawe dlaczego. Patrzę na niego. Lily uważnie nas obserwuje.

– A teraz pozwólcie, panowie, że przedstawię śliczną Anę.

O cholera, kolej na mnie. Zerkam nerwowo na Mię, a ona wypycha mnie na środek sceny. Na szczęście się nie potykam. Stoję zażenowana pod ostrzałem spojrzeń. Kiedy podnoszę wzrok na Christiana, on uśmiecha się ironicznie. Drań.

– Śliczna Ana gra na sześciu instrumentach, mówi biegle po mandaryńsku i uwielbia jogę… cóż, panowie…

Nie kończy nawet zdania, gdyż wcina się Christian:

– Dziesięć tysięcy dolarów.

Słyszę, jak Lily łapie z niedowierzaniem powietrze.

O kurwa.

– Piętnaście.

Że co? Jak jeden mąż odwracamy się w stronę wysokiego, nienagannie odzianego mężczyzny, stojącego

z lewej strony sceny. Mrugam oczami. Cholera, co powie
na to Szary? Ale on drapie się po brodzie i posyła nie-
znajomemu ironiczny uśmiech. To oczywiste, że go zna.
Mężczyzna kiwa mu grzecznie głową.

– No cóż, panowie! Mamy tu dzisiaj ostrych graczy. –
Podekscytowanie mistrza ceremonii jest widoczne nawet
przez maskę arlekina. Świetny show, ale moim kosztem.
Mam ochotę jęknąć.

– Dwadzieścia – przebija szybko Christian.

Rozmowy cichną. Wszyscy wpatrują się we mnie,
Christiana i Pana Tajemniczego.

– Dwadzieścia pięć – oznajmia nieznajomy.

Czy może to być jeszcze bardziej żenujące?

Christian patrzy na niego z obojętnym wyrazem
twarzy, ale widzę, że jest rozbawiony.

Spojrzenia wszystkich spoczywają na Christianie.
I co on teraz zrobi? Serce podchodzi mi do gardła. Jest
mi niedobrze.

– Sto tysięcy dolarów – mówi, a jego głos odbija się
od ścian namiotu.

– Co to ma, kurwa, być? – syczy za mną Lily, a wśród
tłumu rozlegają się okrzyki zaskoczenia i rozbawienia.
Nieznajomy śmieje się i unosi ręce w geście kapitulacji,
a Christian uśmiecha się do niego z wyższością. Kątem
oka widzę, jak Mia podskakuje zadowolona.

– Sto tysięcy dolarów za uroczą Anę! Po raz pierwszy... po raz drugi... – Mistrz Ceremonii spogląda na
nieznajomego, który kręci głową z udawanym żalem
i kłania się teatralnie. – Sprzedano! – woła triumfująco.

W burzy oklasków Christian wychodzi przed szereg,
podaje mi rękę i pomaga zejść ze sceny. Przygląda mi się
z rozbawieniem, całuje dłoń, po czym wkłada ją sobie pod
ramię i prowadzi mnie w stronę wyjścia z namiotu.

– Kto to był? – pytam.

– Ktoś, kogo później możesz poznać. Ale teraz chcę ci coś pokazać. Do końca Aukcji Pierwszego Tańca mamy jakieś pół godziny. Potem musimy się zjawić na parkiecie, abym mógł cieszyć się tańcem, za który zapłaciłem.

– Bardzo drogim tańcem – burczę z dezaprobatą.

– Jestem pewny, że okaże się wart każdego centa. – Uśmiecha się do mnie łobuzersko. Och, ma naprawdę piękny uśmiech i do mojego podbrzusza powraca tępy ból.

Wychodzimy na trawniki. Myślałam, że pójdziemy w stronę hangaru, więc z rozczarowaniem stwierdzam, że raczej się kierujemy na parkiet, gdzie rozstawia się właśnie zespół. Muzyków jest przynajmniej dwudziestu, a po trawniku przechadza się kilkoro palących ukradkiem gości, ale ponieważ główną atrakcję skrywa namiot, nie zwracamy na siebie zbyt dużej uwagi.

Christian prowadzi mnie na tył domu i otwiera drzwi tarasowe. Wchodzimy do dużego salonu, którego nie miałam jeszcze okazji widzieć. Pustym korytarzem podążamy do schodów z elegancką balustradą z wypolerowanego drewna. Christian prowadzi mnie na drugie piętro. Otwiera białe drzwi i gestem zaprasza do jednej z sypialni.

– To był mój pokój – mówi cicho, zamykając drzwi za sobą.

Jest duży, surowy i nie ma w nim zbyt wielu mebli. Ściany są białe, podobnie jak wyposażenie: duże łóżko, biurko i krzesło, półki pełne książek i sportowych trofeów. Na ścianach wiszą plakaty filmowe: *Matrix, Fight Club, Truman Show* i dwa oprawione w ramki zdjęcia kick bokserów. Jeden z nich nazywa się Giuseppe DeNatale – nic mi nie mówi to nazwisko.

Ale tym, co przyciąga moje spojrzenie, jest biała tablica nad biurkiem, do której przypięto mnóstwo zdjęć, proporczyków Marinersów i odcinków biletów. To część

młodego Christiana. Moje spojrzenie przesuwa się na
oszałamiającego mężczyznę stojącego pośrodku pokoju.

– Nigdy nie przyprowadziłem tu dziewczyny – mówi
cicho.

– Nigdy?

Kręci głową.

Przełykam ślinę, a ból, który dręczy mnie od kilku
godzin, przybiera na sile. Patrzenie na niego, stojącego
na szafirowym dywanie w tej masce... jest więcej niż erotyczne. Pragnę go. Teraz. Zwalczam w sobie pokusę rzucenia się na niego i pozbawienia ubrania. Podchodzi do
mnie niespiesznie.

– Nie mamy dużo czasu, Anastasio, i raczej nie będzie on nam potrzebny, zważywszy na to, jak się w tej
chwili czuję. Odwróć się. Pomogę ci zdjąć tę sukienkę.

Odwracam się i patrzę na drzwi, ciesząc się, że są
zamknięte.

– Maski nie zdejmuj – szepcze mi do ucha.

Z mojego gardła wydobywa się jęk. A jeszcze mnie
nawet nie dotknął.

Ujmuje górę mojej sukni, przesuwając palcami po
skórze, i dotyk odbija się echem w moim ciele. Jednym
ruchem rozpina zamek. Przytrzymując suknię, pomaga
mi z niej wyjść, po czym odwraca się i przewiesza ją przez
oparcie krzesła. Zdejmuje marynarkę i kładzie na sukni.
Przez chwilę przygląda mi się bacznie. Jestem w samej
bieliźnie i rozkoszuję się jego zmysłowym spojrzeniem.

– Wiesz, Anastasio... – mówi cicho, podchodząc do
mnie. Rozpina muchę i trzy górne guziki koszuli. – Byłem taki zły, kiedy kupiłaś to, co przeznaczyłem na licytację. Przychodziły mi do głowy różne pomysły. Musiałem
sobie przypominać, że kara nie wchodzi w grę. Ale potem
sama to zaproponowałaś. – Przygląda mi się uważnie. –
Czemu to zrobiłaś? – szepcze.

– Sama zaproponowałam? Nie wiem. Frustracja... za dużo alkoholu... zbożny cel – mówię potulnie i wzruszam ramionami. Może po to, aby zwrócić na siebie jego uwagę?

Potrzebowałam go wtedy. A teraz jeszcze bardziej. Ból przybrał na sile i wiem, że on potrafi mu zaradzić, okiełznać tę ryczącą, śliniącą się bestię we mnie.

Christian zaciska usta, po czym powoli oblizuje górną wargę. Pragnę poczuć ten język na swojej skórze.

– Przyrzekłem sobie, że już cię nigdy nie zbiję, nawet gdybyś mnie o to błagała.

– Proszę.

– Ale potem uświadomiłem sobie, że jest ci teraz pewnie bardzo nieprzyjemnie i że nie jesteś do tego przyzwyczajona. – Uśmiecha się do mnie znacząco, ten arogancki drań, ale się tym nie przejmuję, ponieważ ma rację.

– Tak – mówię bez tchu.

– Może więc dojść do pewnego... poluzowania. Jeśli to zrobię, musisz obiecać mi jedno.

– Co tylko chcesz.

– W razie potrzeby użyjesz hasła bezpieczeństwa, a wtedy po prostu się z tobą pokocham, dobrze?

– Tak. – Ciężko oddycham. Tak bardzo pragnę poczuć na sobie jego dłonie.

Przełyka ślinę, po czym bierze mnie za rękę i prowadzi do łóżka. Odsuwa kołdrę, siada, a obok siebie kładzie poduszkę. Przygląda mi się i nagle pociąga mnie mocno za rękę, tak że upadam mu na kolana. Przesuwa się nieco, tak że klatką piersiową opieram się na poduszce, a głowę mam przechyloną na bok. Pochylając się, odsuwa mi włosy z twarzy i przesuwa palcami po piórach na masce.

– Połóż ręce za plecami – mówi cicho.

Och! Zdejmuje muchę i szybko związuje mi nią nadgarstki.

– Naprawdę tego chcesz, Anastasio?

Zamykam oczy. Po raz pierwszy od naszego poznania naprawdę tego chcę. Potrzebuję.

– Tak – szepczę.

– Dlaczego? – pyta miękko, gładząc moje pośladki.

Z mojego gardła wydobywa się jęk w chwili, gdy jego
dłoń styka się z moim ciałem. Nie wiem dlaczego… Mówisz mi, żebym za dużo nie myślała. Po dniu takim jak
dzisiaj – kłótnie o pieniądze, Leila, pani Robinson, moje
dossier, mapa na ciele, wytworne przyjęcie, maski, alkohol, srebrne kulki, licytacja… pragnę tego.

– Muszę mieć jakiś powód?

– Nie, skarbie, nie musisz – odpowiada. – Próbuję cię
jedynie zrozumieć.

Lewą ręką przytrzymuje mnie w pasie, gdy tymczasem druga odrywa się od moich pośladków i spada ciężz-
ko tuż ponad miejscem, gdzie łączą się uda. Ból łączy się
bezpośrednio z pulsowaniem w podbrzuszu.

O rany… Jęczę głośno. Uderza mnie ponownie, dokładnie w to samo miejsce. I znowu jęczę.

– Dwa – mruczy. – Dojdziemy do dwunastu.

Och! Tym razem jest inaczej niż ostatnio – tak zmysłowo, tak… potrzebnie. Pieści moje pośladki smukłymi
dłońmi, a ja jestem bezbronna, przyciśnięta do matera-
ca, zdana na jego łaskę, pozbawiona własnej woli. Znów
mnie uderza, nieco z boku, i jeszcze raz, po drugiej stronie, następnie powoli zdejmuje mi majtki. Delikatnie
głaszcze mi pupę, a potem wraca do klapsów. Każde pie-
czące uderzenie koi nieco moje pragnienie… a może je
napędza… sama nie wiem. Poddaję się rytmowi uderzeń,
przyswajając każde po kolei, rozkoszując się nimi.

– Dwanaście – mówi ochryple. Ponownie pieści
moje pośladki i przesuwa palce w dół, ku mej kobiecości.
Powoli wsuwa we mnie dwa palce, wykonując powolne,
koliste ruchy, przedłużając moje męczarnie.

Jęczę głośno, gdy kontrolę nade mną przejmuje moje ciało, i dochodzę, zaciskając się wokół jego palców. To takie intensywne, nieoczekiwane i szybkie.

– Bardzo dobrze, maleńka – mruczy z uznaniem. Uwalnia mi nadgarstki, trzymając palce we mnie, gdy tak leżę na nim i ciężko dyszę. – Jeszcze z tobą nie skończyłem, Anastasio – mówi i zmienia pozycję, nie wyjmując palców. Opiera moje kolana o podłogę, tak że teraz pochylam się nad łóżkiem. Klęka za mną i rozpina rozporek. Wysuwa ze mnie palce i słyszę znajomy szelest rozdzieranej folii. – Rozsuń nogi – nakazuje, a gdy to robię, od razu we mnie wchodzi. – To nie potrwa długo, mała – mruczy i chwytając mnie za biodra, wysuwa się, po czym od razu wchodzi ponownie.

– Ach! – wołam, czując w sobie to niebiańskie wypełnienie. Z każdym ostrym, rozkosznym pchnięciem rozprawia się z tępym bólem w moim brzuchu. I tego mi właśnie trzeba. Wypycham pupę, pchnięcie za pchnięcie.

– Ana, nie – warczy, próbując mnie unieruchomić. Ale zbyt mocno go pragnę i ocieram się o niego, poruszając w tym samym rytmie. – Ana, cholera – syczy i dochodzi.

Ten syk sprawia, że znowu tracę grunt pod nogami i opadam, opadam ku kojącemu orgazmowi, który trwa i trwa, kompletnie mnie wyczerpując i pozbawiając tchu.

Christian nachyla się, składa pocałunek na moim ramieniu, po czym wysuwa się ze mnie. Zamknięta w jego objęciach, z jego głową spoczywającą na moich plecach, klęczę tak z nim przed łóżkiem... jak długo? Sekundy? Może nawet minuty, gdy tymczasem oddechy nam się uspokajają. Tępy ból w brzuchu zniknął i odczuwam teraz kojący, satysfakcjonujący spokój.

Christian porusza się i całuje moje plecy.

– Z tego, co mi wiadomo, jest mi pani winna taniec, panno Steele – mruczy.

– Hmm – odpowiadam, rozkoszując się nieobecnością bólu.

Przysiada na piętach i ściąga mnie z łóżka na swoje kolana.

– Nie mamy dużo czasu. No dalej. – Całuje moje włosy i zmusza do wstania.

Mrucząc pod nosem siadam na łóżku, podnoszę z podłogi majteczki i wkładam. Leniwie podchodzę do krzesła po suknię. Dopiero teraz zauważam, że podczas naszej tajemnej schadzki nie zdjęłam butów. Christian zapina muchę, doprowadziwszy do porządku siebie i łóżko.

Gdy zakładam sukienkę, zerkam na wiszące na tablicy zdjęcia. Christian był oszałamiający nawet jako nadąsany nastolatek: z Elliotem i Mią na nartach, sam w Paryżu (poznaję po Łuku Triumfalnym), w Londynie, Nowym Jorku, Wielkim Kanionie, Operze w Sydney, nawet przy Wielkim Murze Chińskim. Młody pan Grey zjechał sporą część świata.

Widać także odcinki biletów na różne koncerty: U2, Metallica, The Verve, Sheryl Crow, Filharmonia Nowojorska wystawiająca *Romeo i Julię* – cóż za eklektyczna mieszanka! A w rogu znajduje się małe paszportowe zdjęcie, przedstawiające młodą kobietę. Jest czarno-białe. Kobieta wygląda znajomo, ale nie jestem jej w stanie zidentyfikować. Na szczęście to nie pani Robinson.

– Kto to? – pytam.

– Nikt ważny – mruczy, zakładając marynarkę i poprawiając muchę. – Mam cię zapiąć?

– Poproszę. W takim razie dlaczego wisi na twojej tablicy?

– Przeoczenie z mojej strony. Jak moja mucha? – Unosi brodę jak mały chłopiec, a ja uśmiecham się szeroko i poprawiam ją.

– Teraz wyglądasz perfekcyjnie.

– Tak jak i ty. – Bierze mnie w ramiona i całuje namiętnie. – Lepiej się czujesz?

– Znacznie lepiej, dziękuję panu, panie Grey.

– Cała przyjemność po mojej stronie, panno Steele.

Goście zbierają się do tańca. Christian uśmiecha się
do mnie – zdążyliśmy w samą porę – i prowadzi mnie na
biało-czarny parkiet.

– A teraz, panie i panowie, pora na pierwszy taniec.
Państwo Grey, są państwo gotowi?

Carrick kiwa głową, obejmując ramieniem Grace.

– Panie i panowie z Aukcji Pierwszego Tańca, jesteście gotowi? – Kiwamy głowami. Mia jest w parze z kimś,
kogo nie znam. Ciekawe, co się stało z Seanem. – Wobec
tego zaczynamy. Do roboty, Sam!

Przy wtórze oklasków na scenie zjawia się młody
mężczyzna, odwraca w stronę zespołu i pstryka palcami.
I rozlegają się znajome dźwięki *I've Got You Under My
Skin*.

Christian uśmiecha się do mnie, bierze w ramiona
i zaczyna się poruszać. Och, tak świetnie tańczy i tak łatwo dotrzymywać mu kroku. Uśmiechamy się do siebie
jak idioci, gdy tak wirujemy po parkiecie.

– Uwielbiam tę piosenkę – mruczy mi do ucha. –
Wydaje się bardzo odpowiednia. – Już się nie uśmiecha,
minę ma wręcz poważną.

– Ja także za tobą szaleję – odpowiadam, nawiązując
do tytułu piosenki. – A przynajmniej tak było w twojej
dawnej sypialni.

Zasznurowuje usta, ale nie potrafi ukryć rozbawienia.

– Panno Steele – upomina mnie żartobliwie. – Nie
miałem pojęcia, że potrafi pani być taka bezwstydna.

– Panie Grey, ja też nie. Myślę, że to przez te ostatnie
doświadczenia. Sporo mnie nauczyły.

– Nie tylko ciebie. – Christian znowu poważnieje i robi się jakoś tak, jakbyśmy byli tylko my i zespół. Przebywamy w swoim prywatnym, odrębnym świecie.

Gdy utwór dobiega końca, oboje klaszczemy. Wokalista Sam kłania się i przedstawia swój zespół.

– Odbijany.

Rozpoznaję mężczyznę, który mnie licytował. Christian niechętnie mnie puszcza, ale widzę, że jest rozbawiony.

– Proszę bardzo. Anastasio, to John Flynn. John, Anastasia.

O cholera!

Christian uśmiecha się szeroko i usuwa się na bok.

– Jak się masz, Anastasio? – pyta swobodnie doktor Flynn. Akcent zdradza, że jest Brytyjczykiem.

– Dobrze – dukam.

Zespół zaczyna grać kolejny utwór i dr Flynn przyciąga mnie bliżej siebie. Jest znacznie młodszy, niż się spodziewałam, choć nie widzę jego twarzy. Zasłania ją maska podobna do tej, którą ma Christian. Jest wysoki, ale nie tak wysoki jak Christian i nie porusza się z taką swobodną gracją jak on.

O co mam go zapytać? Dlaczego Christian ma tyle odchyłów? Dlaczego mnie licytował? Tylko to chcę wiedzieć, ale właśnie to pytanie wydaje mi się nieco niegrzeczne.

– Cieszę się, że cię w końcu poznałem, Anastasio. Dobrze się bawisz? – pyta.

– Do tej pory tak – szepczę.

– Och. Mam nadzieję, że to nie ja jestem odpowiedzialny za nagłą zmianę. – Uśmiecha się do mnie ciepło, dzięki czemu nieco się rozluźniam.

– Doktorze Flynn, jest pan psychiatrą. Pan wie to najlepiej.

Uśmiecha się szeroko.

– W tym właśnie tkwi problem, prawda? Że jestem psychiatrą?

Chichoczę.

– Martwię się tym, co mogę wyjawić, więc jestem nieco skrępowana i onieśmielona. A tak naprawdę to pragnę pana zapytać jedynie o Christiana.

– Po pierwsze, nie jestem teraz w pracy – szepcze konspiracyjnie. – Po drugie, naprawdę nie mogę rozmawiać z tobą o Christianie. Poza tym – dodaje wesoło – taka rozmowa trwałaby i z pół roku.

Zaszokowana łapię głośno powietrze.

– To taki lekarski żarcik, Anastasio.

Rumienię się zakłopotana, a chwilę później dopada mnie rozdrażnienie. Stroi sobie żarty kosztem Christiana.

– Właśnie pan potwierdził to, co powtarzam Christianowi... że jest pan drogim szarlatanem – besztam go.

Dr Flynn wybucha śmiechem.

– Coś w tym jest.

– Jest pan Brytyjczykiem?

– Tak. Pochodzę z Londynu.

– Jak pan trafił tutaj?

– Szczęśliwy splot wydarzeń.

– Nie jest pan wylewny, prawda?

– Nie mam co wylewać. Naprawdę nudny ze mnie człowiek.

– Nazbyt pan skromny.

– Cecha narodowa Brytyjczyków. Część naszej tożsamości.

– Och.

– I tobie mógłbym zarzucić to samo, Anastasio.

– Że też jestem nudna, doktorze Flynn?

Prycha.

– Nie, Anastasio. Że niewiele zdradzasz na swój temat.

– Nie ma co zdradzać – uśmiecham się.

– Szczerze w to wątpię. – Nieoczekiwanie marszczy brwi.

Oblewam się rumieńcem i wtedy muzyka cichnie, a przy nas pojawia się Christian. Dr Flynn mnie puszcza.

– Miło było cię poznać, Anastasio. – Ponownie obdarza mnie ciepłym uśmiechem i mam wrażenie, że zdałam jakiś sekretny test.

– John – Christian kiwa głową.

– Christian – odpowiada dr Flynn, po czym odwraca się i znika w tłumie ludzi.

Mój mężczyzna bierze mnie w ramiona, gdy rozbrzmiewają pierwsze takty kolejnej piosenki.

– Jest znacznie młodszy, niż się spodziewałam. I potwornie niedyskretny.

Przechyla głowę.

– Niedyskretny?

– O tak, wszystko mi powiedział.

Christian cały się spina.

– Cóż, wobec tego pójdę po twoją torebkę. Jestem przekonany, że nie chcesz mieć ze mną nic wspólnego – mówi cicho.

Nieruchomieję.

– Niczego mi nie powiedział! – Głos mam przepełniony paniką.

Mruga kilka razy powiekami, a potem na jego twarzy pojawia się ulga. Ponownie bierze mnie w ramiona.

– W takim razie cieszmy się tym tańcem. – Uśmiecha się promiennie, po czym robi obrót.

Dlaczego uznał, że chcę go zostawić? To bez sensu.

Tańczymy jeszcze przez dwie piosenki, ale potem zachciewa mi się do toalety.

– Niedługo wrócę.

W drodze do łazienki przypominam sobie, że na stole zostawiłam torebkę, więc skręcam najpierw do namiotu. Zastaję w nim tylko jedną parę, która naprawdę powinna poszukać sobie jakiegoś ustronnego miejsca! Biorę ze stolika torbę.

– Anastasia?

Zaskakuje mnie cichy głos i odwracam się w stronę jego właścicielki. Jest ubrana w długą obcisłą suknię z czarnego aksamitu. Ma niezwykłą maskę. Zakrywa twarz aż do nosa, ale także i włosy. Jest ozdobiona delikatnymi złotymi filigranami.

– Tak się cieszę, że jesteś sama – mówi łagodnie. – Cały wieczór chciałam z tobą porozmawiać.

– Przepraszam, ale nie wiem, kim pani jest.

Zdejmuje maskę i uwalnia włosy.

Cholera! To pani Robinson.

– Przepraszam, jeśli cię przestraszyłam.

Gapię się na nią. O matko – czego ta kobieta ode mnie chce?

Nie mam pojęcia, jakie zasady savoir vivre'u obowiązują podczas spotkania z osobami molestującymi nieletnich. Uśmiecha się do mnie miło i gestem pokazuje, abym siadła przy stole. A ponieważ nigdy nie byłam w takiej sytuacji, ze zwykłej grzeczności robię, co mi każe, ciesząc się, że mam na twarzy maskę.

– Będę się streszczać, Anastasio. Wiem, co sobie o mnie myślisz… Christian mi powiedział.

Patrzę na nią beznamiętnie, nie zdradzając żadnych uczuć, ale cieszę się, że wie. Dzięki temu ja nie muszę nic mówić i przechodzi od razu do sedna sprawy. W głębi duszy jestem mocno zaintrygowana tym, co może mieć do powiedzenia.

Rzuca spojrzenie ponad moim ramieniem.

– Taylor nas obserwuje.

Odwracam się i widzę, że stoi w drzwiach w towarzystwie Sawyera. Omijają nas wzrokiem.

– Posłuchaj, nie mamy dużo czasu – mówi szybko. – Na pewno zdajesz sobie sprawę z tego, że Christian jest w tobie zakochany. Nigdy dotąd nie widziałam go w takim stanie, nigdy. – Podkreśla ostatnie słowo. Co takiego? Kocha mnie? Nie. Po co mi to mówi? Aby mnie uspokoić? Nie rozumiem.

– Nie wyzna ci tego, bo najpewniej sam sobie tego nie uświadamia, bez względu na to, co mu powiedziałam, ale taki już jest Christian. Nie potrafi się skupić na uczuciach i emocjach pozytywnych, za to bez końca rozpamiętuje te negatywne. No ale to akurat sama już na pewno zdążyłaś zaobserwować. Uważa, że nie zasługuje na to, co dobre.

W mojej głowie kłębią się tysiące myśli. Christian mnie kocha? Nie mówił mi tego, a ta kobieta mu powiedziała, że to właśnie czuje? Jakie to dziwaczne.

Przed oczami tańczą mi obrazy: iPad, szybowanie, jego przylot do Georgii, wszystkie działania, zaborczość, sto tysięcy dolarów za taniec. Czy to jest miłość?

A usłyszenie tego z ust tej kobiety jest, szczerze mówiąc, niezbyt fajne. Wolałabym usłyszeć to od niego.

Serce mi się ściska. Uważa, że nie zasługuje na to, co dobre? Dlaczego?

– Nigdy go nie widziałam takiego szczęśliwego i to oczywiste, że tobie też nie jest on obojętny. – Na jej twarzy pojawia się przelotny uśmiech. – To świetnie i obojgu wam życzę wszystkiego najlepszego. Ale chciałam ci powiedzieć, że jeśli jeszcze raz go zranisz, znajdę cię, moja damo, i wtedy nie będzie przyjemnie.

Wwierca we mnie spojrzenie lodowato zimnych, niebieskich oczu, próbując pokonać barierę mojej maski. Jej groźna postawa jest zdumiewająca, tak nieoczekiwana, że z moich ust wydobywa się mimowolny, pełen niedowierzania chichot. Czego jak czego, ale tego to się zupełnie nie spodziewałam.

– Uważasz, że to zabawne, Anastasio? – wyrzuca z siebie. – Nie widziałaś go w zeszłą sobotę.

Rzednie mi mina. Wtedy od niego odeszłam. Najwyraźniej spotkał się z nią. To niepokojąca myśl. Czemu w ogóle siedzę tutaj, wysłuchując tego wszystkiego z jej ust? Powoli wstaję, nie spuszczając z niej bacznego wzroku.

– Śmieję się z pani zuchwałości, pani Lincoln. To, co łączy mnie i Christiana, nie ma nic wspólnego z panią. Jeśli zaś rzeczywiście od niego odejdę, a pani zacznie mnie szukać, będę czekać, proszę w to nie wątpić. I może odpłacę się pięknym za nadobne w imieniu piętnastoletniego dziecka, które pani molestowała i spaczyła mu psychikę.

Opada jej szczęka.

– A teraz proszę mi wybaczyć, ale mam lepsze rzeczy do roboty niż tracić czas w pani towarzystwie. – Odwracam się na pięcie, napędzana adrenaliną i gniewem, i ruszam w stronę wejścia do namiotu, gdzie stoi Taylor. W tym samym momencie zjawia się Christian. Wygląda na zaniepokojonego.

– Tu jesteś – mówi cicho i marszczy brwi w chwili, gdy dostrzega Elenę.

Mijam go, w ogóle się nie odzywając, dając mu wybór – ona albo ja. Dokonuje właściwego wyboru.

– Ana! – woła. Zatrzymuję się i odwracam w jego stronę. – Co się stało? – Przygląda mi się niespokojnie.

– Dlaczego nie zapytasz swojej eks? – syczę jadowicie.

Krzywi się, a jego spojrzenie staje się lodowate.

– Pytam ciebie – mówi spokojnie, ale w jego głosie czai się cień groźby.

Patrzymy na siebie gniewnie.

W porządku, widzę, że jeśli mu nie powiem, skończy się to kłótnią.

– Grozi, że mnie dopadnie, jeśli znowu cię skrzywdzę. Pewnie z pejczem w ręce – warczę.

Wyraźnie mu ulżyło.

– Widzę, że ironiczne poczucie humoru cię nie opuszcza – próbuje nie okazywać rozbawienia.

– To nie jest śmieszne, Christian.

– Nie, masz rację. Porozmawiam z nią. – Robi poważną minę, ale widać, że chce mu się śmiać.

– Wcale tego nie zrobisz. – Krzyżuję ręce na piersiach. Mój gniew przybiera na sile.

Mruga powiekami, zaskoczony moim wybuchem.

– Wiem, że jesteś z nią związany finansowo, wybacz tę grę słów, ale... – urywam. O co ja go proszę? Żeby wyrzekł się jej? Przestał się z nią widywać? Mogę to zrobić? – Muszę do toalety. – Piorunuję go wzrokiem, a usta mam zaciśnięte w ponurą linię.

Wzdycha i przechyla głowę. Czy on musi wyglądać tak seksownie? To kwestia maski czy po prostu jego samego?

– Nie złość się, proszę. Nie wiedziałem, że tu będzie. Powiedziała, że nie przyjedzie. – Mówi to uspokajającym tonem, jakby rozmawiał z dzieckiem. Unosi rękę i przesuwa kciukiem po mojej dolnej wardze. – Proszę, Anastasio, nie pozwól, aby Elena zniszczyła ten wieczór. To naprawdę stare dzieje.

Przy czym „stare" to jest właściwe słowo, myślę uszczypliwie, kiedy unosi mi brodę i delikatnie muska ustami moje wargi. Wzdycham udobruchana. Christian prostuje się i ujmuje mnie za łokieć.

– Potowarzyszę ci w drodze do łazienki, żeby cię znowu ktoś nie zatrzymał.

Prowadzi mnie przez trawnik ku luksusowym przenośnym toaletom. Mia mówiła, że wynajęto je specjalnie na ten wieczór, ale nie miałam pojęcia, że będą w wersji deluxe.

– Zaczekam tu na ciebie, mała.

Kiedy wychodzę, nastrój mam zdecydowanie lepszy. Postanowiłam, że pani Robinson nie popsuje mi tego wieczoru, choć najprawdopodobniej tego właśnie chce. Christian stoi na uboczu i rozmawia przez telefon. Gdy zbliżam się do niego, słyszę jego słowa:

– Dlaczego zmieniłaś zdanie? Sądziłam, że doszliśmy do porozumienia. Daj jej spokój... To mój pierwszy prawdziwy związek i nie chcę, abyś go naraziła na szwank nieuzasadnioną troską o mnie. Daj. Jej. Spokój. Mówię poważnie, Eleno. – Słucha. – Nie, oczywiście, że nie. – Marszczy brwi. Podnosi wzrok i widzi, że mu się przyglądam. – Muszę kończyć. Dobranoc. – Rozłącza się.

Przechylam głowę i unoszę brew. Czemu do niej dzwoni?

– Jak tam stare dzieje?

– Sypiące się – odpowiada sardonicznie. – Masz ochotę jeszcze potańczyć? Czy wolisz jechać do domu? – Zerka na zegarek. – Za pięć minut odbędzie się pokaz fajerwerków.

– Uwielbiam fajerwerki.

– Wobec tego zostaniemy, aby je zobaczyć. – Obejmuje mnie ramieniem i przyciąga do siebie. – Proszę, nie pozwól jej wkroczyć między nas.

– Troszczy się o ciebie – burczę.

– Tak, a ja o nią... jako przyjaciółkę.

– Myślę, że z jej strony to coś więcej niż przyjaźń. Marszczy brwi.

– Anastasio, Elena i ja... to skomplikowane. Łączy nas przeszłość. Ale to naprawdę przeszłość. Jak już ci nieraz mówiłem, to dobra przyjaciółka. I tyle. Proszę, zapomnij o niej. – Całuje moje włosy, a ja odpuszczam, nie chcąc psuć tego wieczoru. Próbuję jedynie zrozumieć.

Trzymając się za ręce, wracamy powoli na parkiet. Zespół nie odpuszcza.

– Anastasio.

Odwracam się i staję twarzą w twarz z Carrickiem.

– Czy zaszczyciłabyś mnie kolejnym tańcem? – Wyciąga do mnie dłoń. Christian wzrusza ramionami i z uśmiechem puszcza moją rękę. Pozwalam Carrickowi zaprowadzić się na parkiet. Wokalista Sam zaczyna śpiewać *Come Fly with Me*, a Carrick obejmuje mnie w talii i tak rozpoczyna się nasz taniec. – Chciałem ci podziękować za szczodre wsparcie naszej fundacji, Anastasio.

Z tonu jego głosu wnioskuję, że w ten zawoalowany sposób chce się dowiedzieć, czy mnie na to stać.

– Panie Grey…

– Proszę, Ano, mów mi po imieniu.

– Z największą przyjemnością wesprę fundację. Niespodziewanie wpadło mi trochę pieniędzy. Nie są mi potrzebne. A to taki zbożny cel.

Uśmiecha się do mnie, a ja kuję żelazo, póki gorące. *Carpe diem* – syczy moja podświadomość.

– Christian opowiadał mi trochę o swojej przeszłości, uważam więc, że należy wspierać waszą pracę – dodaję w nadziei, że zachęcę tym Carricka do rzucenia więcej światła na tę tajemnicę, którą jest jego syn.

Widać, że jest zaskoczony.

– Naprawdę? To dość niezwykłe. Masz na niego niezwykle pozytywny wpływ, Anastasio. Chyba jeszcze nigdy nie widziałem go tak… pogodnego.

Rumienię się.

– Przepraszam, nie miałem zamiaru wprawiać cię w zakłopotanie.

– Cóż, moje ograniczone doświadczenie mówi mi, że to wyjątkowy mężczyzna – mówię cicho.

– To prawda.

– Z tego, co mi powiedział, wiem, że jego wczesne dzieciństwo było potwornie traumatyczne.

Ojciec Christiana marszczy brwi i martwię się, że się zagalopowałam.

– Moja żona miała właśnie dyżur, kiedy przywiozła go policja. Skóra i kości, do tego mocno odwodniony. W ogóle nie mówił. – Carrick ponownie marszczy brwi, zatopiony w niewesołych wspomnieniach. – W zasadzie nie odzywał się przez niemal dwa lata. To gra na pianinie w końcu go otworzyła. Och, no i pojawienie się Mii, rzecz jasna. – Uśmiecha się do mnie ciepło.

– Pięknie gra. Ma tyle talentów, że muszą być państwo bardzo z niego dumni – ciągnę lekko nieprzytomnie. O cholera. Nie mówił przez dwa lata.

– Niebywale. To bardzo zdeterminowany, uzdolniony, inteligentny młody człowiek. Ale tak między nami, Anastasio, to jego matkę i mnie najbardziej cieszy, gdy zachowuje się tak, jak dzisiejszego wieczoru: beztrosko, jak przystało na dwudziestosiedmiolatka. Już o tym dzisiaj rozmawialiśmy. Uważam, że to tobie musimy za to podziękować.

Purpurowieję na twarzy. I co ja mam teraz powiedzieć?

– Zawsze był typem samotnika. Myśleliśmy, że już nigdy nie zobaczymy przy jego boku dziewczyny. Nie przestawaj robić tego, co robisz. Bardzo chcemy widzieć go szczęśliwego. – Urywa nagle, jakby to on się nieco zapędził. – Przepraszam, nie chcę cię wprawiać w zakłopotanie.

Kręcę głową.

– Ja też chcę, aby był szczęśliwy – bąkam niepewnie.

– Cóż, bardzo się cieszę, że się tu dzisiaj zjawiliście. Widok was dwojga raduje nasze oczy.

Wraz z ostatnimi taktami *Come Fly with Me* Carrick puszcza mnie i kłania się, a ja dygam grzecznie.

– Wystarczy tych tańców ze staruszkami.

Przy moim boku ponownie zjawia się Christian, a mój partner się śmieje.

– Nie takimi staruszkami, synu. Jeszcze potrafię czerpać z życia. – Carrick mruga do mnie żartobliwie i odchodzi.

– Myślę, że mój tata cię lubi – mruczy Christian.

– A czemu miałby nie lubić? – Zerkam na niego kokieteryjnie spod półprzymkniętych powiek.

– Celna uwaga, panno Steele. – Bierze mnie w ramiona, gdy zespół zaczyna grać *It Had to Be You*. – Zatańcz ze mną – szepcze uwodzicielsko.

– Z przyjemnością, panie Grey. – Uśmiecham się w odpowiedzi, a on po raz kolejny zaczyna ze mną wirować po parkiecie.

O PÓŁNOCY IDZIEMY SPACERKIEM na brzeg pomiędzy namiotem a hangarem, gdzie gromadzą się goście, aby obejrzeć pokaz sztucznych ogni. Mistrz ceremonii zezwolił na zdjęcie masek, abyśmy lepiej widzieli. Christian obejmuje mnie ramieniem, ale świadoma jestem, że w pobliżu kręcą się Taylor i Sawyer, pewnie dlatego, że znajdujemy się teraz w tłumie ludzi. Na nabrzeżu dwóch ubranych na czarno techników zajmuje się ostatnimi przygotowaniami. Obecność Taylora przypomina mi o Leili. Być może jest tu gdzieś. Cholera. Na tę myśl robi mi się zimno i przytulam się do Christiana.

– Wszystko dobrze, skarbie? Zmarzłaś? – pyta, patrząc na mnie.

– Wszystko ok. – Oglądam się i widzę stojących w pobliżu dwóch innych ochroniarzy, których nazwisk nie pamiętam. Christian przesuwa się tak, że stoi za mną i mocno mnie obejmuje.

Nagle rozbrzmiewa głośna muzyka klasyczna i ku niemu mkną dwie race, po czym wybuchają nad zatoką z ogłuszającym *bang*, rozświetlając wszystko deszczem pomarańczowych i białych iskier odbijających się w spokojnych wodach zatoki. Szczęka mi opada, gdy w powietrze wzlatują kolejne race, wybuchające kalejdoskopem barw.

Jeszcze nigdy nie widziałam tak imponujących sztucznych ogni, chyba że w telewizji, a nawet tam nie wyglądało to tak niesamowicie. Seria za serią, huk za hukiem, światło za światłem – a widzowie wznoszą okrzyki pełne zachwytu. Ten pokaz jest po prostu nieziemski.

Z unoszącego się na wodzie pontonu srebrne fontanny światła wystrzeliwują na siedem metrów, zmieniając barwę: błękit, czerwień, pomarańcz i znowu srebro, do tego kolejne race, gdy tymczasem muzyka osiąga punkt kulminacyjny.

Twarz mnie zaczyna boleć od szerokiego uśmiechu. Zerkam na Szarego i z nim jest tak samo: zachwyca się jak dziecko tym niezwykłym pokazem. Na finał sześć rac wystrzeliwuje w ciemność i eksploduje w tym samym momencie, oświetlając nas złotymi iskierkami. Rozlegają się głośne, pełne entuzjazmu owacje.

– Panie i panowie – woła mistrz ceremonii, gdy cichną w końcu okrzyki i gwizdy. – Jeszcze jedna wiadomość, stanowiąca zwieńczenie tego niezapomnianego wieczoru. Państwa hojność pozwoliła zgromadzić milion osiemset pięćdziesiąt trzy tysiące dolarów!

I znowu rozbrzmiewają brawa i głośne okrzyki, a z pontonu wylatują w powietrze srebrne sznury iskier, tworząc odbijający się w wodzie napis: „Fundacja Damy Radę dziękuje".

– Och, Christianie… to było wspaniałe. – Uśmiecham się do niego szeroko, a on się pochyla, aby mnie pocałować.

– Pora się zbierać – mruczy, a słowa te oraz uśmiech na jego pięknej twarzy kryją w sobie słodką obietnicę.

Nagle odczuwam ogromne zmęczenie.

Christian podnosi wzrok i widzi stojącego w pobliżu Taylora. Nic nie mówią, ale wymieniają jakąś milczącą
wiadomość.

– Zostań tu ze mną przez chwilę. Taylor chce, abyśmy zaczekali, aż ludzie się rozejdą.

Och.

– Ten pokaz postarzał go chyba o sto lat – dodaje.

– Nie lubi sztucznych ogni?

Christian patrzy na mnie czule i kręci głową, ale nie
kontynuuje tematu.

– No więc Aspen – mówi i wiem, że próbuje odciągnąć od czegoś moją uwagę. I to mu się udaje.

– Och… nie zapłaciłam za swoją ofertę.

– Możesz przesłać czek. Znam adres.

– Byłeś na mnie naprawdę zły.

– To prawda.

Uśmiecham się.

– Winę ponosisz ty i twoje zabawki.

– Poniosło panią, panno Steele. Najbardziej satysfakcjonujący wynik, o ile dobrze pamiętam. – Uśmiecha
się zmysłowo. – A tak na marginesie, to gdzie one są?

– Srebrne kulki? W mojej torebce.

– Chciałbym je dostać z powrotem. To zbyt silnie
działające narzędzie, aby je pozostawić w twoich niewin-
nych rękach.

– Martwisz się, że znów mnie poniesie, być może
z kimś innym?

Oczy lśnią mu niebezpiecznie.

– Mam nadzieję, że do czegoś takiego nie dojdzie –
mówi chłodno. – Ale nie, Ano. Pragnę wyłącznie twojej
przyjemności.

Hola!

– Nie ufasz mi?

– Bezgranicznie. Mogę je prosić z powrotem?

– Zastanowię się jeszcze.

Mruży oczy.

Znowu rozbrzmiewa muzyka, ale tym razem to nie zespół, lecz DJ, puszczający jakiś taneczny utwór, z dudniącymi niestrudzenie basami.

– Chcesz jeszcze potańczyć?

– Jestem zmęczona, Christianie. Chciałabym już jechać, jeśli to możliwe.

Christian zerka na Taylora, który kiwa głową, i udajemy się w stronę domu w ślad za parą wstawionych gości. Cieszę się, kiedy bierze mnie za rękę – bolą mnie stopy od obcasów o zawrotnej wysokości.

Podbiega do nas Mia.

– Chyba jeszcze nie jedziecie, co? Dopiero teraz mamy prawdziwą muzykę. Chodź, Ana. – Chwyta mnie za rękę.

– Mia, Anastasia jest zmęczona – wtrąca Christian. – Jedziemy do domu. Poza tym jutro czeka nas dużo wrażeń.

Naprawdę?

Mia robi nadąsaną minę, ale nie nalega.

– Musisz wpaść do mnie w przyszłym tygodniu. Może wybrałybyśmy się na zakupy?

– Jasne, Mia – uśmiecham się, choć tak naprawdę zastanawiam się, jak to zrobić, skoro muszę przecież chodzić do pracy.

Cmoka mnie w policzek, po czym ściska mocno Christiana, oboje nas tym zaskakując. A potem kładzie dłonie na klapach jego marynarki, a on patrzy na nią pobłażliwie.

– Fajnie cię widzieć takiego szczęśliwego – mówi słodko i całuje go w policzek. – Pa. Bawcie się dobrze. – Po tych słowach wraca do czekających na nią przyjaciółek, w tym Lily, która bez maski wygląda na jeszcze bardziej skwaszoną.

Ciekawe, co się stało z Seanem.

– Pożegnamy się jeszcze z rodzicami. Chodź. – Christian prowadzi mnie przez tłum gości do Grace i Carricka, którzy żegnają się z nami wylewnie.

– Zapraszamy ponownie, Anastasio, cudownie było cię gościć – mówi ciepło Grace.

Czuję się nieco przytłoczona reakcją jej i Carricka. Na szczęście rodzice Grace opuścili bal wcześniej, więc chociaż ich entuzjazm został mi oszczędzony.

Wychodzimy przed dom, gdzie na gości czekają niezliczone samochody. Zerkam na Greya. Wygląda na szczęśliwego. To prawdziwa przyjemność widzieć go w takim stanie, choć podejrzewam, że to dość niezwykłe po takim wyjątkowym dniu.

– Ciepło ci? – pyta.

– Tak, dziękuję. – Mam satynowy szal.

– Naprawdę dobrze się dzisiaj bawiłem, Anastasio. Dziękuję ci.

– Ja też, choć chwilami bardziej, chwilami mniej – uśmiecham się.

On także się uśmiecha i kiwa głową, po czym marszczy brwi.

– Nie przygryzaj wargi – ostrzega mnie takim tonem, że krew od razu zaczyna mi szybciej krążyć w żyłach.

– Co miałeś na myśli, mówiąc, że jutro czeka nas mnóstwo wrażeń? – Muszę czymś innym zająć myśli.

– Przyjedzie dr Greene, aby się tobą zająć. Poza tym mam dla ciebie niespodziankę.

– Dr Greene! – Przystaję.

– Tak.

– Dlaczego?

– Bo nie znoszę gumek – odpowiada cicho. Oczy mu błyszczą w łagodnym świetle papierowych lampionów.

– To moje ciało – burczę, zirytowana tym, że nie spytał mnie o zgodę.

– Moje także – szepcze.

Wpatruję się w niego, gdy tymczasem mijają nas kolejni goście. Wydaje się taki poważny. Tak, moje ciało należy do niego... wie to lepiej niż ja sama.

Unoszę rękę, a on lekko się wzdryga. Chwytam za koniec jego muchy i pociągam, po czym delikatnie odpinam górny guzik koszuli.

– Tak wyglądasz seksownie – wyjaśniam szeptem. Prawdę mówiąc, zawsze wygląda seksownie, ale w takim wydaniu wyjątkowo.

Uśmiecha się.

– Jedziemy do domu. Natychmiast.

Przy samochodzie Sawyer wręcza Christianowi kopertę, a on marszczy brwi i zerka na mnie. Wsiadam właśnie do auta. Taylor wygląda tak, jakby z jakiegoś powodu mu ulżyło. Christian podąża za mną i podaje mi zaklejoną kopertę, gdy tymczasem Taylor i Sawyer zajmują swoje miejsca.

– Jest zaadresowana do ciebie. Ktoś z obsługi dał to Sawyerowi. Z pewnością od kolejnego zalotnika. – Krzywi się. To oczywiste, że nie podoba mu się ta myśl.

Wpatruję się w kopertę. Od kogo ona jest? Rozdzieram ją i szybko czytam liścik. Jasna cholera, to od niej! Czy ona nie może zostawić mnie w spokoju?

Możliwe, że błędnie Cię oceniłam. A z całą pewnością Ty błędnie oceniłaś mnie. Zadzwoń, gdybyś chciała poznać więcej szczegółów – mogłybyśmy zjeść razem lunch. Christian nie chce, abym z Tobą rozmawiała, ale ja naprawdę chciałabym pomóc. Nie zrozum mnie źle, aprobuję Wasz związek – ale jeśli tylko go zranisz... Dość już w życiu wycierpiał. Zadzwoń do mnie:
(206) 279-6261.
Pani Robinson

Kuźwa, podpisała się „Pani Robinson"! Powiedział jej. Drań.

– Powiedziałeś jej?

– Komu i co?

– Że mówię na nią pani Robinson – syczę.

– To list od Eleny? – Christian jest zaszokowany. – To niedorzeczne – warczy, przeczesując palcami włosy. Widać, że jest poirytowany. – Jutro się z nią rozmówię. Albo w poniedziałek.

Wstyd się przyznać, ale czuję nutę zadowolenia. Moja podświadomość kiwa mądrze głową. Elena go wkurza, a z tego akurat należy się cieszyć. Postanawiam na razie nic nie mówić i chowam list do torebki. I gestem gwarantującym poprawę nastroju Christiana wręczam mu kulki.

– Do następnego razu – mruczę.

Zerka na mnie. Jest ciemno, więc nie mam pewności, ale chyba uśmiecha się znacząco. Ujmuje moją dłoń i ściska ją mocno.

Wyglądam przez szybę, rozmyślając o tym długim dniu. Tak wiele się o nim dowiedziałam, poznałam tyle brakujących szczegółów – salony piękności, mapa na ciele, dzieciństwo – ale nadal jest wiele do odkrycia. No i co z panią R.? Tak, zależy jej na nim i wygląda na to, że bardzo. Widzę to, a także to, że jemu zależy też na niej – ale nie w taki sam sposób. Nie wiem już, co o tym myśleć. Przez te wszystkie informacje boli mnie głowa.

CHRISTIAN BUDZI MNIE, gdy zatrzymujemy się pod Escalą.

– Mam cię zanieść? – pyta łagodnie.

Kręcę sennie głową. Nie ma mowy.

Gdy stoimy w windzie, opieram się o niego, kładąc mu głowę na ramieniu. Sawyer stoi przed nami, przestępując ze skrępowaniem z nogi na nogę.

– To był długi dzień, co, Anastasio?

Kiwam głową.

– Zmęczona?

Kiwam głową.

– Niezbyt jesteś rozmowna.

Kiwam głową, a on obdarza mnie szerokim uśmiechem.

– Chodź. Położę cię do łóżka.

Wychodzimy z windy, ale zatrzymujemy się w holu, gdy Sawyer podnosi rękę. W ułamku sekundy opuszcza mnie senność. Sawyer mówi coś do rękawa. Nie miałam pojęcia, że ma przy sobie radio.

– Okej, T. – mówi i odwraca się w naszą stronę. – Panie Grey, przebito opony w audi pani Steele i pochlapano je farbą.

O cholera! Mój samochód! Kto to zrobił? Odpowiedź może być tylko jedna. Leila. Christian blednie.

– Taylor się martwi, że sprawca mógł dostać się do apartamentu i nadal tu być. Chce to sprawdzić.

– Rozumiem – mówi cicho Christian. – Jaki Taylor ma plan?

– Jedzie na górę windą techniczną z Ryanem i Reynoldsem. Obejdą całe mieszkanie, po czym dadzą sygnał, czy droga wolna. Ja mam zaczekać tu z państwem.

– Dziękuję, Sawyer. – Christian mocniej mnie obejmuje. – Ten dzień robi się coraz lepszy – wzdycha, muskając nosem moje włosy. – Nie mogę tak tu stać i czekać. Sawyer, zaopiekuj się panną Steele. Nie pozwól jej wejść, dopóki nie otrzymasz pozwolenia. Jestem przekonany, że Taylor przesadza. To niemożliwe, żeby była w apartamencie.

Słucham?

– Nie, Christianie, musisz zostać ze mną – mówię błagalnie.

Puszcza mnie.

– Rób, co ci każę, Anastasio. Zaczekaj tutaj.

Nie!

– Sawyer? – mówi Christian.

Mężczyzna otwiera drzwi i wpuszcza Christiana, po czym zamyka je za nim. Staje przed drzwiami, patrząc na mnie ze spokojem.

Jasny gwint. Christian! Przez głowę przemykają mi wszystkie możliwe koszmarne scenariusze, ale jedyne, co mogę zrobić, to stać i czekać.

ROZDZIAŁ ÓSMY

Sawyer znowu mówi do rękawa.

– Taylor, pan Grey wszedł do mieszkania. – Wzdryga się i wyciąga z ucha słuchawkę, zapewne po usłyszeniu kilku ostrych słów z ust Taylora.

O nie, skoro Taylor się martwi…

– Proszę mnie wpuścić – błagam.

– Przykro mi, panno Steele. To nie potrwa długo. – Sawyer unosi obie ręce w geście obronnym. – Taylor i chłopaki w tej chwili wchodzą do apartamentu.

Och. Czuję się taka bezsilna. Stojąc bez ruchu, nasłuchuję, ale słyszę tylko własny przyspieszony oddech. Jest głośny i płytki, czuję mrowienie na skórze głowy, w ustach suchość i jest mi słabo. Modlę się w duchu, żeby tylko Christianowi nic się nie stało.

Nie mam pojęcia, ile mija czasu, a my nadal nic nie słyszymy. No ale to chyba dobrze – przynajmniej nikt nie strzelał. Aby się czymś zająć, zaczynam chodzić wokół stołu w holu i oglądać obrazy na ścianach.

W sumie nigdy wcześniej im się nie przyglądałam: wszystkie to dzieła figuratywne, religijne: Madonna z dzieciątkiem. Cała szesnastka. Dziwna sprawa.

Christian nie jest religijny, prawda? Wszystkie obrazy w salonie to abstrakcje – te tutaj bardzo się od nich różnią. Nie zajmują mnie jednak na długo. Gdzie jest Christian?

Patrzę na Sawyera, który przygląda mi się beznamiętnie.

– Co się dzieje?

– Nic nowego nie wiem, panno Steele.

Nagle gałka w drzwiach się przekręca. Sawyer obraca się na pięcie i z kabury na ramieniu wyciąga broń.

Zamieram. W drzwiach pojawia się Christian.

– Droga wolna – mówi. Marszczy brwi i Sawyer natychmiast chowa broń i robi mi przejście.

– Taylor przesadza – burczy Christian, wyciągając rękę. Stoję, wpatrując się w niego, niezdolna do ruchu, chłonąc każdy szczegół: zmierzwione włosy, zaciśnięte usta, odpięte dwa górne guziki koszuli. Myślę, że postarzałam się w tym czasie o dziesięć lat. Christian patrzy na mnie z troską. – Wszystko w porządku, skarbie. – Bierze mnie w ramiona i całuje włosy. – Chodź, jesteś zmęczona. Do łóżka.

– Tak bardzo się martwiłam – mówię cicho, radując się tym, że jestem w jego objęciach, i wdychając słodki zapach.

– Wiem. Wszyscy reagujemy teraz nerwowo.

Sawyer zniknął, zapewne wszedłszy do mieszkania.

– No naprawdę, pańskie byłe kobiety dostarczają nam wielu wrażeń, panie Grey – burczę cierpko.

Christian rozluźnia się.

– Tak, to prawda.

Puszcza mnie, bierze za rękę i prowadzi przez korytarz do salonu.

– Taylor i jego ekipa sprawdzają wszystkie szafy. Nie wydaje mi się, aby się tu schowała.

– No bo czemu miałaby to zrobić? – To nie ma sensu.

– No właśnie.

– Mogła się tu jakoś dostać?

– Nie bardzo wiem jak. Ale Taylor zachowuje się czasami aż nazbyt ostrożnie.

– Sprawdziłeś pokój zabaw? – pytam szeptem.

– Tak, jest zamknięty, ale Taylor i ja sprawdziliśmy.

Biorę głęboki, uspokajający oddech.

– Chcesz się czegoś napić? – pyta Christian.

– Nie. – Dopada mnie potworne zmęczenie; jedyne, czego chcę, to pójść spać.

– Chodź. Położę cię do łóżka. Wyglądasz na wykończoną. – Jego twarz łagodnieje.

Marszczę brwi. A on się nie kładzie? Chce spać sam?

Czuję ulgę, kiedy prowadzi mnie do swojej sypialni. Kładę kopertówkę na komodzie i otwieram, aby wysypać zawartość. Dostrzegam list od pani Robinson.

– Proszę – podaję go Christianowi. – Nie wiem, czy chcesz to czytać. Ja na pewno chcę zignorować.

Christian szybko przebiega wzrokiem tekst i widzę, że cały się spina.

– Nie bardzo wiem, jakie jeszcze szczegóły mogłaby ci podać – mówi lekceważąco. – Muszę porozmawiać z Taylorem. – Obrzuca mnie uważnym spojrzeniem. – Pozwól, że ci rozepnę suknię.

– Zamierzasz zadzwonić na policję w kwestii samochodu? – pytam, odwracając się do niego plecami.

Odsuwa mi włosy na bok, delikatnie muskając palcami skórę pleców, po czym pociąga za suwak.

– Nie. Nie chcę w to mieszać policji. Leili potrzebna jest pomoc, a nie interwencja policji. Musimy jedynie podwoić nasze wysiłki, żeby ją znaleźć. – Całuje mnie lekko w ramię. – Kładź się spać – mówi, po czym zostawia mnie samą.

Leżę, wpatrując się w sufit, czekając na jego powrót. Tak wiele się dzisiaj wydarzyło, tyle trzeba przeanalizować. Od czego zacząć?

Coś mnie nagle wyrywa ze snu. Jestem zdezorientowana. Czy ja zasnęłam? Mrugając w słabym świetle, wpadającym do pokoju dzięki uchylonym drzwiom na korytarz, zauważam, że nie ma przy mnie Christiana. Gdzie on jest? Podnoszę wzrok. Na końcu łóżka stoi jakiś cień? Kobieta? Odziana na czarno? Trudno powiedzieć.

W stanie lekkiego zamroczenia wyciągam rękę i włączam nocną lampkę, po czym odwracam się i widzę, że nikogo tu nie ma. Kręcę głową. Wyobraziłam to sobie? Przyśniło mi się?

Siadam i rozglądam się po pokoju. Ogarnia mnie podstępny niepokój – ale jestem sama.

Przecieram oczy. Która godzina? Gdzie Christian? Budzik wskazuje drugą piętnaście.

Wstaję zaspana z łóżka, aby go poszukać, zirytowana swoją rozbuchaną wyobraźnią. Mam zwidy. To pewnie reakcja na traumatyczne wydarzenia dzisiejszego wieczoru.

Salon jest pusty i oświetlają go jedynie trzy lampy wiszące nad barem śniadaniowym. Drzwi do gabinetu są uchylone i słyszę, że Christian rozmawia przez telefon.

– Nie rozumiem, czemu dzwonisz do mnie o takiej porze. Nie mam ci nic do powiedzenia... cóż, możesz powiedzieć mi teraz. Nie musisz pozostawiać wiadomości.

Stoję w bezruchu w drzwiach, z miną winowajcy podsłuchując. Z kim on rozmawia?

– Nie, to ty posłuchaj. Prosiłem cię, a teraz ci każę. Zostaw ją w spokoju. Ona nie ma nic z tobą wspólnego. Rozumiesz?

Ton głosu ma wojowniczy i rozgniewany. Waham się, czy zapukać.

– Wiem, ale mówię poważnie, Eleno. Zostaw ją, do diaska, w spokoju. Czy muszę ci to powtórzyć trzy razy? Słyszysz mnie?... Dobrze. Dobranoc. – Rzuca telefon na biurko.

O cholera. Pukam niepewnie.

– Co? – warczy, a ja niemal mam ochotę uciec i się gdzieś schować.

Siedzi przy biurku i głowę chowa w dłoniach. Podnosi wzrok. Minę ma srogą, ale na mój widok natychmiast
łagodnieje. Oczy ma szeroko otwarte, nieufne. Wygląda
na bardzo zmęczonego i serce mi się kraje na jego widok.
Mruga powiekami, lustrując moje nogi. Mam na sobie jeden z jego T-shirtów.

– Powinnaś się otulać satyną lub jedwabiem, Anastasio – mówi bez tchu. – Ale wyglądasz ślicznie nawet
w mojej koszulce.

Och, nieoczekiwany komplement.

– Tęskniłam za tobą. Chodź do łóżka.

Wstaje powoli, nadal ubrany w białą koszulę i czarne
spodnie. Ale teraz oczy ma błyszczące i pełne obietnic…
Tyle że widać w nich także cień smutku. Staje przede
mną, ale mnie nie dotyka.

– Wiesz, jak wiele dla mnie znaczysz? – mówi cicho.
– Gdyby coś ci się stało, przeze mnie… – Urywa. Jego
czoło przecinają zmarszczki, a ból malujący się na jego
twarzy jest niemal namacalny. Wygląda tak bezbronnie…
i jego strach jest oczywisty.

– Nic mi się nie stanie – zapewniam go. Unoszę rękę
i dotykam jego twarzy, muskając opuszkami palców zarost
na policzkach. Jest zaskakująco miękki. – Szybko ci rośnie
broda – szepczę, nie będąc w stanie ukryć zachwytu tym
pięknym, zwichrowanym, stojącym przede mną mężczyzną.

Dotykam jego dolnej wargi, następnie przesuwam
palce wzdłuż szyi, do pozostałości szminki nad klatką
piersiową. Christian przygląda mi się, nadal mnie nie dotykając, usta ma rozchylone. Przebiegam palcem wskazującym po linii granicznej, a on zamyka oczy. Jego oddech
staje się szybszy. Docieram palcami do skraju koszuli
i wsuwam je pod pierwszy nierozpięty guzik.

– Nie dotknę cię. Chcę jedynie rozpiąć koszulę –
szepczę.

Oczy ma szeroko otwarte i przygląda mi się niespokojnie. Ale nie próbuje mnie powstrzymać. Bardzo powoli rozpinam guzik, trzymając materiał tak, by nie dotykał skóry, i z wahaniem przechodzę do kolejnego guzika, powtarzając cały proces – powoli, koncentrując się na tym, co robię.

Nie chcę go dotknąć. To znaczy chcę... ale tego nie zrobię. Przy czwartym guziku pojawia się czerwona linia i uśmiecham się nieśmiało.

– Z powrotem na swoim terytorium. – Przesuwam palcami po linii, po czym rozpinam ostatni guzik. Rozchylam koszulę i zabieram się za czarne spinki do mankietów.

– Mogę ci zdjąć koszulę? – pytam.

Kiwa głową. Oczy nadal ma szeroko otwarte, gdy zsuwam mu koszulę z ramion. Chwilę później stoi przede mną nagi od pasa w górę. Wygląda na to, że bez koszuli odzyskał opanowanie. Uśmiecha się do mnie znacząco.

– A co ze spodniami, panno Steele? – pyta, unosząc brew.

– W sypialni. Chcę cię w swoim łóżku.

– Naprawdę? Panno Steele, jest pani nienasycona.

– Nie mam pojęcia dlaczego. – Chwytam go za rękę, wyciągam z gabinetu i prowadzę do sypialni. W pokoju panuje chłód.

– Otwierałaś drzwi balkonowe? – pyta, marszcząc brwi.

– Nie. – Nie przypominam sobie, abym to robiła. Pamiętam, jak rozglądałam się po pokoju po przebudzeniu. Drzwi były na pewno zamknięte.

O cholera... Krew odpływa mi z twarzy i z otwartymi ustami wpatruję się w Christiana.

– Co się stało?

– Kiedy się obudziłam... ktoś tu był – szepczę. – Sądziłam, że tylko to sobie wyobraziłam.

– Co takiego? – Z wyrazem przestrachu w oczach podchodzi szybko do drzwi balkonowych, wygląda przez nie, po czym cofa się do sypialni i zamyka drzwi. – Jesteś pewna? Kto? – pyta z napięciem.

– Chyba kobieta. Było ciemno. A ja się właśnie obudziłam.

– Ubieraj się – warczy. – Natychmiast!

– Ubrania mam na górze – jęczę.

Otwiera jedną z szuflad w komodzie i wyjmuje spodnie od dresu.

– Włóż to.

Są sporo na mnie za duże, ale Christian jest w takim nastroju, że lepiej się z nim nie kłócić.

Wyjmuje jeszcze T-shirt i szybko wciąga go przez głowę. Chwyta leżący na stoliku nocnym telefon i wciska dwa guziki.

– Ona tu, kurwa, jest – syczy do słuchawki.

Mniej więcej trzy sekundy później do sypialni wpada Taylor i jeden z ochroniarzy. Christian streszcza im, co się stało.

– Kiedy? – pyta Taylor, patrząc na mnie z powagą. Nadal ma na sobie marynarkę. Czy ten człowiek w ogóle sypia?

– Jakieś dziesięć minut temu – mamroczę, z jakiegoś powodu czując się winna.

– Zna apartament jak własną kieszeń – mówi Christian. – Zabieram stąd Anastasię. Ona się gdzieś tu ukrywa. Znajdźcie ją. Kiedy wraca Gail?

– Jutro wieczorem, proszę pana.

– Nie ma wracać, dopóki nie będzie tu bezpiecznie. Zrozumiano? – warczy Christian.

– Tak, proszę pana. Jedzie pan do Bellevue?

– Nie będę tym obarczać rodziców. Zarezerwuj mi coś.

– Tak. Zadzwonię do pana.

– Czy my trochę nie przesadzamy? – pytam.

Christian piorunuje mnie wzrokiem.

– Ona może mieć broń – rzuca cierpko.

– Christian, ona stała przy łóżku. Spokojnie mogła mnie wtedy zastrzelić, gdyby taki właśnie miała cel.

Nieruchomieje na chwilę, chyba po to, aby powściągnąć gniew. Podejrzanie cicho mówi:

– Nie zamierzam ryzykować. Taylor, Anastasii potrzebne są buty.

Znika w garderobie, gdy tymczasem ochroniarz obserwuje mnie. Nie pamiętam, jak ma na imię, możliwe, że Ryan. Spogląda to na korytarz, to na drzwi balkonowe. Chwilę później Christian pojawia się ze skórzaną torbą, ubrany w dżinsy i blezer w paski. Zarzuca mi na ramiona dżinsową kurtkę.

– Chodź. – Bierze mnie za rękę i ciągnie za sobą do salonu, a ja niemalże muszę biec, by dotrzymać mu kroku.

– Trudno mi uwierzyć, że mogła się tu gdzieś schować – burczę, wyglądając przez drzwi prowadzące na taras.

– To duży apartament. Nie widziałaś jeszcze wszystkiego.

– Czemu po prostu jej nie zawołasz… nie powiesz, że chcesz porozmawiać?

– Anastasio, ona jest niezrównoważona, no i może mieć broń – odpowiada z irytacją.

– Więc po prostu uciekamy?

– Na chwilę obecną tak.

– A jeśli spróbuje zastrzelić Taylora?

– Taylor doskonale radzi sobie z bronią – mówi z niechęcią w głosie. – Na pewno byłby szybszy od Leili.

– Ray był wojskowym. Nauczył mnie strzelać.

Christian unosi brwi i przez chwilę wygląda na mocno zdeprymowanego.

– Ty, z bronią? – pyta z niedowierzaniem.

– Tak. – Czuję się urażona. – Potrafię strzelać, panie Grey, więc lepiej miej się na baczności. Nie tylko szalonymi uległymi z przeszłości musisz się martwić.

– Będę to miał na uwadze, panno Steele – odpowiada cierpko, ale widzę, że jest rozbawiony. Przyjemna jest świadomość, że nawet w tej absurdalnie napiętej sytuacji potrafię wywołać uśmiech na jego twarzy.

Taylor czeka na nas w holu. Podaje mi moją małą walizkę i czarne conversy. Zaskoczył mnie tym, że spakował mi trochę ubrań. Uśmiecham się do niego z wdzięcznością, a on odpowiada krzepiącym uśmiechem. Pod wpływem impulsu obdarzam go mocnym uściskiem. Biorę go tym z zaskoczenia i kiedy go puszczam, ma różowe policzki.

– Uważaj na siebie – mówię cicho.

– Tak, panno Steele – mruczy zakłopotany.

Christian patrzy na mnie, marszcząc brwi, następnie przenosi pytające spojrzenie na Taylora, który uśmiecha się lekko i poprawia krawat.

– Daj mi znać, dokąd mamy jechać – mówi Christian.

Taylor sięga do kieszeni marynarki, wyjmuje portfel, po czym wręcza Christianowi kartę kredytową.

– Może się tam panu przydać.

Kiwa głową.

– Dobrze pomyślane.

Podchodzi do nas Ryan.

– Sawyer i Reynolds niczego nie znaleźli – informuje.

– Odprowadź pana Greya i pannę Steele do garażu – nakazuje mu Taylor.

W garażu nie ma żywej duszy. Cóż, dochodzi w końcu trzecia nad ranem. Wsiadam do R8, a Christian wkłada do bagażnika swoją torbę i moją walizkę. Stojące po sąsiedzku audi to obraz nędzy i rozpaczy – wszystkie koła przebite, zachlapany białą farbą. Cieszę się, że Christian mnie stąd zabiera.

– W poniedziałek dostarczą samochód zastępczy – mówi posępnie Christian, kiedy już siedzi za kierownicą.

– Skąd wiedziała, że to mój samochód?

Posyła mi niespokojne spojrzenie i wzdycha.

– Ona też taki miała. Wszystkim moim uległym je kupuję; to najbezpieczniejsze auto w swojej klasie.

Och.

– Więc to jednak nie był prezent z okazji ukończenia studiów.

– Anastasio, wbrew temu, na co liczyłem, nigdy nie byłaś moją uległą, więc formalnie rzecz biorąc to jest prezent z okazji ukończenia studiów. – Wyjeżdża z zatoczki i kieruje się do wyjazdu.

Wbrew temu, na co liczył. O nie… Moja podświadomość kręci ze smutkiem głową. Do tego się zawsze wszystko sprowadza.

– Nadal na to liczysz? – pytam szeptem.

Dzwoni telefon.

– Grey – warczy Christian.

– Fairmont Olympic. Na moje nazwisko.

– Dziękuję, Taylor. I, proszę, bądź ostrożny.

– Tak, proszę pana – odpowiada cicho i Christian się rozłącza.

Ulice Seattle są o tej porze wyludnione. Jedziemy Fifth Avenue w kierunku I-5. Kiedy wjeżdżamy na autostradę, dodaje gazu i kierujemy się na północ. Ten samochód ma takie przyspieszenie, że aż mnie wbija w fotel.

Zerkam na niego. Jest pogrążony w myślach. Nie odpowiedział na moje pytanie. Często spogląda w lusterko wsteczne i dociera do mnie, że sprawdza, czy nikt nas nie śledzi. Być może dlatego wjechaliśmy na I-5. No bo przecież hotel Fairmont jest w Seattle.

Patrzę przed siebie, próbując zracjonalizować moje wyczerpane, przewrażliwione myśli. Gdyby Leila chciała mi zrobić krzywdę, w sypialni miała ku temu doskonałą okazję.

– Nie. Już na to nie liczę. Sądziłem, że to oczywiste. – Christian przerywa moje rozmyślania. Głos ma łagodny.

Otulam się ciaśniej jego kurtką i nie wiem, czy czuję chłód od wewnątrz, czy to wina nocnego powietrza.

– Martwię się, że, no wiesz… że ci nie wystarczam.

– Wystarczasz w zupełności. Na litość boską, Anastasio, co muszę zrobić, żeby cię przekonać?

Opowiedzieć mi o sobie. Powiedzieć, że mnie kochasz.

– Czemu sądziłeś, że odejdę, kiedy ci powiedziałam, że doktor Flynn zdradził mi wszystko na twój temat?

Wzdycha ciężko, zamyka na chwilę oczy i bardzo długo milczy. W końcu odpowiada:

– Nawet nie zdajesz sobie sprawy ze stopnia mojej deprawacji, Anastasio. I nie jest to coś, czym chciałbym się z tobą podzielić.

– I naprawdę myślisz, że zostawiłabym cię, gdybym poznała prawdę? – Głos mam piskliwy, pełen niedowierzania. Czy on nie rozumie, że go kocham? – Dlaczego masz o mnie tak niskie mniemanie?

– Wiem, że odejdziesz – mówi ze smutkiem.

– Christianie… Uważam, że to mało prawdopodobne. Nie wyobrażam sobie życia bez ciebie. – Nigdy…

– Już raz odeszłaś. Nie chcę przeżywać tego po raz drugi.

– Elena mówiła, że widzieliście się w zeszłą sobotę – szepczę.

– To nieprawda. – Marszczy brwi.

– Nie spotkałeś się z nią, kiedy odeszłam?

– Nie – warczy z irytacją. – Przecież tak właśnie powiedziałem, a nie lubię się powtarzać. Przez cały weekend

nigdzie nie wychodziłem. Siedziałem i sklejałem szybowiec, który mi dałaś. Trwało to i trwało – dodaje cicho.

Serce ponownie mi się ściska. Pani Robinson mówiła, że się spotkali. Skłamała. Dlaczego?

– Wbrew temu, co sądzi Elena, nie biegam do niej ze
wszystkimi swoimi problemami, Anastasio. Nie biegam
z nimi do nikogo. Możliwe, że zauważyłaś, iż jestem raczej skryty. – Zaciska dłonie na kierownicy.

– Od Carricka wiem, że nie mówiłeś przez dwa lata.

– Powiedział ci to, tak? – Christian zaciska usta
w cienką linię.

– W sumie trochę naciskałam. – Zażenowana wpatruję się w dłonie.

– No więc co jeszcze wiesz od tatusia?

– Powiedział, że twoja mama była lekarzem, który
cię zbadał po przywiezieniu do szpitala. Kiedy cię znale-
ziono w waszym mieszkaniu.

Milczy.

– Mówił, że pomogła nauka gry na pianinie. I Mia.

Uśmiecha się ciepło na dźwięk jej imienia. Po chwili
przerywa milczenie:

– Miała mniej więcej sześć miesięcy, kiedy się pojawiła w naszym domu. Byłem uradowany, Elliot trochę
mniej. On borykał się już z moim przybyciem. Była idealna. – W jego głosie słychać słodko-gorzką nutę. – Teraz,
naturalnie, trochę jej już przeszło – dodaje i przypominają
mi się jej próby pokrzyżowania nam podczas balu lubież-
nych planów. Chichoczę na to wspomnienie. Christian
patrzy na mnie z ukosa. – Panią to śmieszy, panno Steele?

– Wyglądało to tak, jakby koniecznie chciała nas
rozdzielić.

– Tak, moja siostra jest bardzo zdolna. – Wyciąga
rękę i ściska mi kolano. – Ale w końcu nam się udało. –
Uśmiecha się, po czym po raz kolejny zerka w lusterko

wsteczne. – Chyba nikt nas nie śledził. – Zawraca na I-5 i kieruje się z powrotem w stronę Seattle.

– Mogę zapytać cię o coś, co dotyczy Eleny? – Stoimy właśnie na światłach.

Przygląda mi się nieufnie.

– Jeśli musisz – burczy, ale ja nie pozwalam, aby jego irytacja mnie zniechęciła.

– Dawno temu powiedziałeś mi, że kochała cię w sposób, który dla ciebie był do przyjęcia. Co miałeś przez to na myśli?

– A to nie oczywiste?

– Nie dla mnie.

– Nie było nade mną kontroli. Nie mogłem znieść dotyku. Nadal nie mogę. Dla czternasto-, piętnastolatka z burzą hormonów to trudny czas. Ona mi pokazała, w jaki sposób się wyładować.

Och.

– Mia mówiła, że wszczynałeś burdy.

– Chryste, co za gadatliwa rodzina. Choć tak naprawdę to twoja wina. – Stoimy na kolejnych światłach i Christian patrzy na mnie, mrużąc oczy. – Podstępnie wyciągasz z ludzi informacje. – Kręci głową z udawaną odrazą.

– Mia sama mi to powiedziała. Wręcz była bardzo bezpośrednia. Martwiła się, że zaczniesz się awanturować w namiocie, jeśli nie wygrasz licytacji – oświadczam z oburzeniem.

– Och, skarbie, niepotrzebnie się bała. Za nic nie dopuściłbym do tego, aby zatańczył z tobą ktoś inny.

– Doktorowi Flynnowi pozwoliłeś.

– Od każdej reguły jest wyjątek.

Wjeżdża na imponujący, wysadzany drzewami podjazd przed hotelem Fairmont Olympic i zatrzymuje się niedaleko głównego wejścia, przy staroświeckiej kamiennej fontannie.

– Chodź. – Wysiada z samochodu i wyjmuje nasze bagaże. Podbiega do nas boy, wyglądający na zaskoczonego naszym nocnym przyjazdem. Christian rzuca mu kluczyki. – Na nazwisko Taylor – mówi.

Boy kiwa głową, po czym, nie kryjąc zadowolenia, wsiada do R8 i odjeżdża. Christian bierze mnie za rękę i wchodzimy razem do lobby.

Gdy stoję obok niego w recepcji, czuję się doprawdy absurdalnie. Oto ja, w najbardziej prestiżowym hotelu Seattle, ubrana w za dużą dżinsową kurtkę, za duże spodnie od dresu i stary T-shirt, a obok mnie ten elegancki grecki bóg. Nic dziwnego, że recepcjonistka patrzy to na mnie, to na niego, jakby coś jej nie pasowało. Widać, że Christian ją oczywiście onieśmiela. Przewracam oczami, gdy oblewa się rumieńcem i jąka się. Nawet ręce jej się trzęsą.

– Czy... potrzebna panu pomoc... z bagażami, panie Taylor? – pyta, ponownie pąsowiejąc.

– Nie, pani Taylor i ja damy sobie radę.

Pani Taylor! Ale przecież nie mam obrączki. Chowam ręce za plecami.

– Państwa apartament nazywa się Kaskada, panie Taylor, i mieści się na jedenastym piętrze. Nasz boy pomoże państwu z bagażami.

– Nie trzeba – odpowiada zwięźle Christian. – Gdzie są windy?

Panna Szkarłatne Policzki tłumaczy, a Christian ponownie bierze mnie za rękę. Rozglądam się szybko po imponującym, urządzonym z przepychem lobby pełnym miękkich foteli, w którym nie ma nikogo z wyjątkiem ciemnowłosej kobiety, siedzącej na kanapie i karmiącej psa. Podnosi wzrok i uśmiecha się do nas, gdy idziemy w stronę wind. Więc do tego hotelu można zabierać zwierzęta? Dziwne jak na tak luksusowe miejsce.

Apartament ma dwie sypialnie, salon i stoi w nim wielki fortepian. W kominku w salonie płonie ogień. Ten apartament jest większy niż całe moje mieszkanie.

– Cóż, pani Taylor, nie wiem, jak pani, ale mnie by się przydał drink – stwierdza Christian, zamykając drzwi na klucz.

W sypialni kładzie na stojącej w nogach olbrzymiego łóżka otomanie moją walizkę i swoją torbę, po czym prowadzi mnie do salonu, gdzie wesoło płonie ogień. To widok miły dla oka. Stoję i ogrzewam ręce, gdy tymczasem Christian podchodzi do barku.

– Armagnac?

– Poproszę.

Po chwili staje obok mnie przed kominkiem i podaje mi kryształową szklankę do brandy.

– To był dopiero dzień, co?

Kiwam głową. Wzrok Christiana jest pytający i pełen niepokoju.

– Nic mi nie jest – szepczę uspokajająco. – A tobie?

– Cóż, w tej chwili mam ochotę się napić, a potem, jeśli nie jesteś zbyt zmęczona, zabiorę cię do łóżka i zatracę się w tobie.

– Myślę, że da się to zrobić, panie Taylor – uśmiecham się do niego nieśmiało, gdy zdejmuje buty i skarpetki.

– Pani Taylor, proszę przestać przygryzać wargę – szepcze.

Czerwienię się. Armagnac jest pyszny, pozostawia po sobie płonące ciepło, gdy prześlizguje się jedwabiście przez przełyk. Podnoszę wzrok na Christiana, który sączy brandy, patrząc na mnie wygłodniale.

– Nieustannie mnie zadziwiasz, Anastasio. Po dniu takim jak dzisiaj, a raczej wczoraj, ty nie marudzisz ani nie uciekasz z krzykiem. Podziwiam cię. Jesteś bardzo silną osobą.

– Mam dobry powód do tego, aby zostać: ciebie – odpowiadam cicho. – Mówiłam ci, Christianie, że nigdzie się nie wybieram, bez względu na to, co zrobiłeś. Wiesz, co do ciebie czuję.

Krzywi się, jakby powątpiewał w moje słowa, i marszczy czoło, jakby to, co mówię, było zbyt bolesne. Och, Christianie, co muszę zrobić, aby dotarło do ciebie, co czuję?

„Daj mu się zbić" – szydzi moja podświadomość.

– Gdzie zamierzasz powiesić te zdjęcia, które zrobił mi José? – pytam, próbując rozładować napiętą atmosferę.

– Zależy. – To zdecydowanie lepszy temat na rozmowę.

– Od czego?

– Od okoliczności – mówi tajemniczo. – Jego wystawa jeszcze się nie skończyła, więc nie muszę od razu podejmować decyzji.

Przechylam głowę i mrużę oczy.

– Możesz wbijać we mnie to surowe spojrzenie, ile tylko masz ochotę. I tak ci nic nie powiem – przekomarza się.

– Wydobędę z ciebie prawdę torturami.

Unosi brew.

– Naprawdę, Anastasio, nie powinnaś czynić obietnic, których nie jesteś w stanie spełnić.

O rety, czy tak właśnie uważa? Odstawiam szklankę na gzyms kominka i ku zdziwieniu Christiana to samo robię z jego szklanką.

– Będziemy się więc musieli przekonać – mruczę.

Bardzo odważnie – to z pewnością zasługa brandy – biorę Christiana za rękę i zaciągam go do sypialni. Zatrzymuję się w nogach łóżka. Christian próbuje ukryć rozbawienie.

– No więc skoro już tu jestem, Anastasio, to co zamierzasz ze mną zrobić? – pyta żartobliwie.

– Zamierzam zacząć cię rozbierać. Chcę skończyć to, co wcześniej zaczęliśmy.

Sięgam do klap jego marynarki, uważając, aby go nie dotknąć, a on nie wzdryga się, ale widzę, że wstrzymuje oddech.

Delikatnie zsuwam mu marynarkę z ramiom. Nie odrywa spojrzenia od mojej twarzy, a w jego oczach nie ma już wesołości; stają się większe, wwiercają się we mnie, czujne... i spragnione? Na tak wiele sposobów można zinterpretować jego spojrzenie. Odkładam marynarkę na otomanę.

– Teraz T-shirt – szepczę i unoszę go za skraj. Christian ponosi ręce i robi krok w tył, ułatwiając mi przeciągnięcie koszulki przez głowę. Kiedy już jest nagi od pasa w górę, przygląda mi się z napięciem. Dżinsy zwisają prowokacyjnie z jego bioder, zza paska wyłania się gumka bokserek.

Moje spojrzenie przesuwa się wygłodniale po jego płaskim brzuchu aż do pozostałości po czerwonej linii, następnie przesuwa się na klatkę piersiową. Niczego bardziej nie pragnę, jak zatopić język we włoskach, aby rozkoszować się ich smakiem.

– Teraz co? – szepcze. Oczy mu płoną.

– Chcę cię tu pocałować. – Przesuwam palcem po brzuchu, od jednej kości biodrowej do drugiej.

Rozchyla usta, łapiąc powietrze.

– Nie będę cię powstrzymywał – wyrzuca z siebie.

Biorę go za rękę.

– To lepiej się połóż – mruczę i podprowadzam go do krawędzi łóżka z czterema kolumnami. Wydaje się oszołomiony i w mojej głowie pojawia się myśl, że być może nikt nie przejmował z nim inicjatywy od czasów... pani Robinson. Nie, nie zapuszczaj się w tamte rejony.

Odsuwa narzutę i przysiada na skraju łóżka, patrząc na mnie, czekając. Staję przed nim i pozbywam się najpierw dżinsowej kurtki, następnie spodni.

Pociera kciukiem o opuszki palców. Widzę, że aż go ręce świerzbią, żeby mnie dotknąć, ale tłumi w sobie to pragnienie. Biorąc głęboki oddech, chwytam za brzeg T-shirta i ściągam go przez głowę. I jestem już naga. Christian nie odrywa ode mnie wzroku. Przełyka ślinę i rozchyla usta.

– Jesteś Afrodytą, Anastasio – szepcze.

Ujmuję jego twarz, nachylam się i go całuję. Z jego gardła wydobywa się niski dźwięk.

Gdy nasze usta się łączą, on chwyta mnie za biodra i nim dociera do mnie, co się dzieje, leżę pod nim. Nogami rozsuwa moje. Całuje mnie, mocno, a nasze języki splatają się ze sobą. Dłoń przesuwa w górę mego uda, po brzuchu aż do piersi, ściskając, ugniatając i zmysłowo pociągając za brodawkę.

Jęczę i mimowolnie unoszę biodra w jego stronę, ocierając się rozkosznie o rozporek dżinsów i jego rosnącą erekcję. Przestaje mnie całować i patrzy na mnie zaskoczony. Brak mu tchu. Wypycha biodra, tak że napiera członkiem na mnie… Tak. Właśnie tak.

Zamykam oczy i jęczę, a on robi to znowu, ale tym razem wychodzę mu na spotkanie, delektując się jego jękiem. Znowu mnie całuje. Kontynuuje te powolne, słodkie tortury – ocierając się o mnie, raz za razem. I ma rację, zatracam się w nim tak, że wszystko inne przestaje się liczyć. Znikają wszystkie moje troski. Liczy się tylko tu i teraz – z nim. Krew dudni mi w uszach, mieszając się z naszymi przyspieszonymi oddechami. Zatapiam palce w jego włosach, przytrzymując jego usta przy swoich, konsumując go, a mój język jest równie wygłodniały jak jego. Przesuwam dłońmi wzdłuż ramion, potem po dolnej części pleców, docierając do paska dżinsów. Wsuwam pod materiał nieustraszone, łakome palce i przyciągam go jeszcze bliżej siebie, zapominając o wszystkim z wyjątkiem nas dwojga.

– Pozbawisz mnie męskości, Ana – szepcze, odsuwając się nagle i klękając. Szybko ściąga dżinsy i wręcza mi foliową paczuszkę.

– Pragniesz mnie, mała, a ja cholernie pragnę ciebie. Wiesz, co robić.

Niecierpliwymi palcami rozrywam folię i zakładam prezerwatywę. Christian uśmiecha się do mnie. Usta ma rozchylone, oczy mgliście szare, pełne zmysłowych obietnic. Nachyla się nade mną, pociera nosem o mój nos, zamyka oczy i rozkosznie powoli wchodzi we mnie.

Chwytam go za ramiona, delektując się tym niezwykłym uczuciem wypełnienia. Kąsa delikatnie moją brodę, wysuwa się, po czym znowu się wślizguje – tak powoli, tak słodko, tak czule. Jego ciało napiera na moje, a łokcie i dłonie znajdują się po obu stronach mojej głowy.

– Dzięki tobie o wszystkim zapominam. Jesteś najlepszą terapią – wyrzuca z siebie, poruszając się w boleśnie powolnym tempie, rozkoszując się każdym centymetrem mnie.

– Proszę cię, szybciej – mruczę, pragnąc więcej, teraz, już.

– O nie, maleńka. Tym razem będzie powoli. – Całuje mnie słodko, delikatnie przygryzając mi dolną wargę. Jęczę cichutko.

Wczepiam palce w jego włosy i poddaję się temu rytmowi, a tymczasem moje ciało powoli i nieubłaganie wspina się coraz wyżej i wyżej, aż w końcu osiąga szczyt, po czym spada, wirując i wirując.

– Och, Ana – dyszy, a moje imię jest niczym modlitwa, gdy w końcu i on doznaje spełnienia.

JEGO GŁOWA SPOCZYWA na moim brzuchu, ramiona obejmują mnie mocno. Palce mam zanurzone w jego niesfornych włosach, gdy tak leżymy, sama nie wiem jak

długo. Zrobiło się strasznie późno i taka jestem zmęczona, ale pragnę się delektować tymi spokojnymi, łagodny-
mi chwilami po seksie z Christianem Greyem. A właściwie nie, to nie był seks, myśmy się kochali, delikatnie
i słodko.

Christian przebył długą drogę, tak jak i ja, w bardzo
krótkim czasie. To niemal zbyt wiele do ogarnięcia. Przez
to wszystko, co jest popieprzone, z oczu tracę jego prostą,
szczerą podróż w moim towarzystwie.

– Nigdy się tobą nie nasycę. Nie zostawiaj mnie –
mruczy i całuje mój brzuch.

– Nigdzie się nie wybieram, Christianie, i przypomniało mi się, że miałam ochotę pocałować twój brzuch
– mamroczę sennie.

Uśmiecha się.

– Nikt ci tego nie zabrania, mała.

– Tyle że chyba nie dam rady się ruszyć... Jestem
taka zmęczona.

Christian wzdycha i niechętnie podnosi głowę z mojego brzucha, po czym przesuwa się tak, że leży na łóżku
obok mnie. Przykrywa nas kołdrą. Patrzy na mnie, a oczy
ma ciepłe, kochające.

– No to śpij, maleńka. – Całuje moje włosy i mocno
przytula, a ja odpływam.

Kiedy otwieram oczy, do pokoju wlewa się światło.
Z niewyspania mam w głowie mętlik. Gdzie ja jestem?
Och, w hotelu...

– Cześć – mruczy Christian, uśmiechając się czule.
Leży w ubraniu na kołdrze. Od jak dawna tu jest? Przy-
glądał mi się? Nagle czuję skrępowanie, a moje policzki
pod jego bacznym spojrzeniem stają się różowe.

– Cześć – odpowiadam, ciesząc się, że leżę na brzuchu. – Od jak dawna mnie obserwujesz?

– Godzinami mógłbym patrzeć, jak śpisz, Anastasio. Ale leżę tu dopiero od pięciu minut. – Nachyla się i całuje delikatnie. – Niedługo zjawi się doktor Greene.

– Och. – Zdążyłam zapomnieć o tej niestosownej interwencji Christiana.

– Dobrze spałaś? – pyta uprzejmie. – Tak chrapałaś, że nie mam wątpliwości, jak brzmi odpowiedź.

Och, mój dokazujący Szary.

– Ja nie chrapię! – protestuję.

– To prawda. – Uśmiecha się do mnie. Wokół jego szyi widać jeszcze bladoczerwoną linię.

– Brałeś prysznic?

– Nie. Czekałem na ciebie.

– Och… no dobrze. Która godzina?

– Kwadrans po dziesiątej. Nie miałem serca budzić cię wcześniej.

– Mówiłeś mi, że w ogóle nie masz serca.

Uśmiecha się smutno, ale nie odpowiada.

– Jest już śniadanie. Dla ciebie naleśniki i bekon. Wstawaj, zaczyna mi się nudzić w pojedynkę. – Klepie mnie w pupę i wstaje z łóżka.

Hmm… Christianowa wersja czułości.

Przeciągam się i czuję, że cała jestem obolała… To na pewno przez ten cały seks, tańce i długi wieczór w szpilkach. Wstaję z łóżka i udaję się do urządzonej z przepychem łazienki, analizując wczorajsze wydarzenia. Kiedy wychodzę, mam na sobie niezwykle puszysty szlafrok, który wisiał na drzwiach łazienki.

Leila – ta dziewczyna, która wygląda jak ja – to najbardziej zaskakujący obraz, jaki przywołuje mój mózg; ona i jej przyprawiająca o gęsią skórkę obecność w sypialni Christiana. Czego chciała? Mnie? Christiana? Ale po co? I czemu, do cholery, zniszczyła mi samochód?

Christian powiedział, że wszystkie jego uległe jeździły audi. To nie jest przyjemna myśl. Ale skoro w tak szczodry sposób pozbyłam się otrzymanych od niego pieniędzy, niewiele mogę z tym zrobić.

Przechodzę do salonu – ani śladu Christiana. Znajduję go w części jadalnej. Siadam, wdzięczna za apetycznie wyglądające śniadanie. Christian czyta niedzielne gazety i pije kawę, skończywszy już jeść. Uśmiecha się do mnie.

– Wcinaj. Przyda ci się dziś dużo siły – mówi wesoło.

– A to dlaczego? Zamierzasz mnie zamknąć w sypialni? – Moja wewnętrzna bogini budzi się nagle. Jest potargana i wygląda, jakby dopiero co uprawiała seks.

– Choć to kuszący pomysł, uznałem, że przyda nam się dzień spędzony na świeżym powietrzu.

– To bezpieczne? – pytam niby niewinnie, ale w gruncie rzeczy ironicznie.

Christianowi rzednie mina. Zaciska usta w cienką linię.

– Tam, gdzie się wybieramy, jest bezpiecznie. I nie jest to temat do żartów – dodaje surowo, mrużąc oczy.

Rumienię się i opuszczam wzrok na śniadanie. Niefajnie być besztaną po tych wszystkich nocnych wydarzeniach. Jem w milczeniu, nieco nadąsana.

Moja podświadomość kręci głową. Kwestia mojego bezpieczeństwa to dla Szarego nie jest temat do żartów, powinnam już to wiedzieć. Mam ochotę wywrócić oczami, udaje mi się jednak powstrzymać.

Okej, jestem zmęczona i rozdrażniona. Wczorajszy dzień obfitował w wydarzenia, no i zbyt krótko spałam. No ale dlaczego Christian wygląda świeżo jak pączek róży? Życie nie jest sprawiedliwe.

Rozlega się pukanie do drzwi.

– To na pewno doktor Greene – burczy Christian, najwyraźniej nadal urażony moją ironiczną uwagą. Wstaje od stołu.

Czy nie możemy spędzić spokojnego, normalnego poranka? Wzdycham ciężko, pozostawiając połowę śniadania, i wstaję, aby przywitać się z dr Depo-Provera.

Znajdujemy się w sypialni i dr Greene wpatruje się we mnie z niedowierzaniem. Jest ubrana swobodniej niż poprzednim razem: bliźniak z jasnoróżowego kaszmiru i czarne spodnie. Gęste jasne włosy ma rozpuszczone.

– I przestała je pani brać? Ot, tak?

Oblewam się rumieńcem, czując się jak idiotka.

– Tak – odpowiadam cichutko.

– Może pani być w ciąży – stwierdza rzeczowo.

Że co? Świat rozpada się na kawałki. Moja podświadomość pada na ziemię targana torsjami, i mnie też się robi niedobrze. Nie!

– Proszę iść do łazienki i nasikać do tego. – Zachowuje się dziś bardzo służbowo. Nie ma to tamto.

Pokornie biorę od niej mały plastikowy pojemnik i oszołomiona ruszam do toalety. Nie. Nie. Nie. W żadnym razie. W żadnym razie… Proszę, nie. Nie.

Co zrobi Szary? Blednę. Wpadnie w szał.

Nie, błagam! Modlę się bezgłośnie.

Wręczam dr Greene próbkę moczu, a ona ostrożnie wkłada do niej mały biały patyczek.

– Kiedy zaczęła się pani miesiączka?

Jak mam myśleć o takich drobnych szczegółach, kiedy jedyne, co jestem w stanie robić, to wpatrywać się niespokojnie w patyczek?

– Eee… W środę? Nie tę ostatnią, ale tydzień wcześniej. Pierwszego czerwca.

– A kiedy przestała pani brać pigułki?

– W niedzielę. Tydzień temu.

Sznuruje usta.

– Powinno być w porządku – mówi ostro. – Po pani minie wnioskuję, że nieplanowana ciąża nie stanowiłaby dobrej wiadomości. A więc medroksyprogesteron to dobre rozwiązanie, skoro nie pamięta pani o codziennym przyjmowaniu tabletek. – Posyła mi surowe spojrzenie, a ja truchleję. Bierze do ręki biały patyczek i zerka na niego.

– Jest dobrze. Nie miała pani jeszcze owulacji, więc zakładając, że stosowali państwo inne zabezpieczenie, nie powinna pani być w ciąży. No dobrze, przejdźmy teraz do zastrzyku. Ostatnio nie wzięliśmy go pod uwagę z powodu skutków ubocznych, ale prawda jest taka, że skutek uboczny w postaci dziecka to kwestia o wiele bardziej poważna, no i trwa całymi latami. – Uśmiecha się, zadowolona z siebie i tego żarciku, ale ja nie reaguję; zbyt jestem oszołomiona.

Dr Greene przystępuje do wymieniania możliwych skutków ubocznych zastrzyku, a ja siedzę sparaliżowana uczuciem ulgi, nie słuchając ani słowa z tego, co mówi. Chyba wolę już, aby nieznajome kobiety stały nocą przy moim łóżku niż przyznać się Christianowi, że mogę być w ciąży.

– No to kłujemy!

Dr Greene wyrywa mnie z zadumy i ochoczo podwijam rękaw.

CHRISTIAN ZAMYKA ZA nią drzwi i przygląda mi się nieufnie.

– Wszystko w porządku? – pyta.

Kiwam bez słowa głową.

– Anastasio, co się stało? – Widać, że jest niespokojny. – Co powiedziała doktor Greene?

Kręcę głową.

– Za siedem dni masz zielone światło – mamroczę.

– Siedem dni?

– Tak.

– Ana, co się stało?

Przełykam ślinę.

– Nic, czym trzeba by się martwić. Proszę, Christian, zostawmy ten temat.

Staje przede mną. Ujmuje moją brodę i zagląda mi w oczy, próbując rozszyfrować, co się dzieje.

– Powiedz mi – warczy.

– Ale nie mam co ci mówić. Chciałabym się ubrać. – Odsuwam się od niego.

Wzdycha i przeczesuje palcami włosy.

– Chodźmy pod prysznic – mówi wreszcie.

– Oczywiście – bąkam.

Wykrzywia usta w grymasie niezadowolenia.

– Chodź – ponagla ponuro, biorąc mnie za rękę. Idzie do łazienki, a ja za nim. Wygląda na to, że nie tylko ja mam kiepski nastrój. Christian odkręca wodę, rozbiera się szybko, po czym odwraca w moją stronę. – Nie wiem, czy coś cię zdenerwowało, czy też to brak snu czyni cię taką nieprzyjemną – mówi, rozwiązując pasek przy moim szlafroku. – Ale chcę, żebyś mi powiedziała. Wyobraźnia podpowiada mi różne scenariusze, które wcale mi się nie podobają.

Przewracam oczami, a on piorunuje mnie wzrokiem. Cholera! No dobrze… proszę bardzo.

– Doktor Greene zbeształa mnie za zawalenie sprawy z pigułkami. Powiedziała, że mogę być w ciąży.

– Co takiego? – Blednie i zastyga w bezruchu, wpatrując się we mnie.

– Ale nie jestem. Zrobiła test. Przeżyłam szok, to wszystko. Nie mogę uwierzyć, że zachowałam się tak głupio.

Wyraźnie się odpręża.

– To pewne, że nie jesteś w ciąży?

– Tak.

Oddycha z ulgą.

– To dobrze. Tak, rozumiem, że tego rodzaju wiadomość byłaby mocno przygnębiająca.

Marszczę brwi. Przygnębiająca?

– Bardziej się przejmowałam twoją reakcją.

Patrzy na mnie z konsternacją.

– Moją reakcją? Cóż, to oczywiste, że czuję ulgę... Szczytem nieostrożności i złych manier byłoby wrobienie cię w dziecko.

– No to może powinniśmy zachowywać wstrzemięźliwość – syczę.

Przygląda mi się przez chwilę, jakbym była jakimś eksperymentem naukowym.

– Kiepski masz dzisiaj humor.

– Przeżyłam szok i tyle – powtarzam z rozdrażnieniem.

Chwytając za klapy szlafroka, przyciąga mnie do siebie i przytula, całuje włosy i opiera mi głowę o swój tors. Policzek łaskoczą mi włoski. Och, gdybym tak mogła go powąchać!

– Ana, nie jestem do tego przyzwyczajony – mruczy. – Najchętniej przełożyłbym cię przez kolano, ale wątpię, byś miała na to ochotę.

– Nie mam. – Przytulam się mocniej i stoimy tam w naszym dziwnym uścisku, Christian nagi, a ja w szlafroku. Po raz kolejny porusza mnie jego szczerość. Nie wie nic na temat związków, zresztą tak samo jak i ja. Cóż, prosił mnie o wiarę i cierpliwość; może ja też powinnam to zrobić.

– Chodź, wykąpmy się – mówi w końcu, puszczając mnie.

Cofa się o krok, zdejmuje ze mnie szlafrok, a potem wchodzę za nim pod strumień wody. Pod wielką deszczownicą jest miejsce dla nas obojga. Christian sięga po szampon i zaczyna myć włosy. Przekazuje mi butelkę, bym zrobiła to samo.

Och, ale mi dobrze. Zamykam oczy i poddaję się oczyszczającej, ciepłej wodzie. Gdy spłukuję szampon, czuję na sobie dłonie Christiana, namydlające moje ciało: ramiona, pachy, piersi, plecy. Delikatnie mnie odwraca i kontynuuje: brzuch, uda, jego zręczne palce między moimi nogami... hmm... między pośladkami. Och, jakie to przyjemne i intymne. Odwraca mnie znowu, tak że stoimy przodem do siebie.

– Proszę – mówi cicho, wręczając mi żel pod prysznic. – Chcę, żebyś zmyła ze mnie pozostałości szminki.

Otwieram natychmiast oczy. Christian wpatruje się we mnie z napięciem, cały mokry i piękny. Z jego błyszczących szarych oczu niczego się nie da wyczytać.

– Nie wychodź, proszę, poza linię – mówi spięty.

– Dobrze.

Dociera do mnie ogrom tego, o co mnie właśnie poprosił – abym dotknęła go na granicy zakazanego terytorium.

Wyciskam na dłoń niewielką ilość żelu, pocieram je, aby się spienił, po czym kładę na ramionach Christiana i delikatnie zmywam szminkę. Stoi nieruchomo, oczy ma zamknięte, wyraz twarzy obojętny, ale oddech ma przyspieszony i wiem, że powodem nie jest podniecenie, lecz strach.

Drżącymi palcami ostrożnie przesuwam po linii biegnącej wzdłuż klatki piersiowej, namydlając ją i lekko pocierając. Przełyka ślinę i zaciska zęby. Och! Serce mi się ściska i czuję w gardle dużą gulę. No nie, zaraz się rozpłaczę.

Przerywam mycie, aby nabrać więcej żelu, i czuję, jak Christian się rozluźnia. Nie jestem w stanie na niego spojrzeć. Nie potrafię znieść widoku jego cierpienia – to dla mnie zbyt wiele. Tym razem to ja przełykam ślinę.

– Gotowy? – pytam cicho. W moim głosie wyraźnie słychać napięcie.

– Tak – odszeptuje chrapliwie, ze strachem.

Delikatnie kładę dłonie po obu stronach jego klatki piersiowej, a on ponownie zamiera.

Tego już za wiele. Czuję się przytłoczona jego zaufaniem – przytłoczona jego strachem, krzywdami wyrządzonymi temu pięknemu, upadłemu, pełnemu wad mężczyźnie.

W moich oczach wzbierają łzy, po czym zaczynają spływać po policzkach, zmywane wodą z deszczownicy. Och, Christianie! Kto ci to zrobił?

Przepona porusza mu się szybko z każdym płytkim oddechem, ciało ma sztywne i emanuje z niego napięcie, gdy przesuwam dłońmi wzdłuż linii, wymazując ją. Och, wszystko bym oddała, aby wymazać jego ból. Niczego bardziej nie pragnę, niż ucałować każdą jego bliznę, scałować te wszystkie lata potwornego zaniedbania. Ale wiem, że nie mogę, i przez to łzy płyną jeszcze większym strumieniem.

– Nie. Proszę, nie płacz – mówi cicho głosem pełnym udręki. Bierze mnie w ramiona. – Proszę, nie płacz z mojego powodu.

A ja zaczynam szlochać, chowając twarz na jego szyi, myśląc o tym małym chłopcu zagubionym w morzu strachu i bólu, przerażonym, zaniedbanym, wykorzystywanym, skrzywdzonym ponad wszelką miarę.

Christian ujmuje moją twarz i nachyla się, aby mnie pocałować.

– Nie płacz, Ana, proszę – mruczy mi do ust. – To było dawno temu. Z jednej strony gorąco pragnę, abyś mnie dotknęła, ale po prostu nie mogę tego znieść. To zbyt wiele. Proszę, proszę, nie płacz.

– Ja też pragnę cię dotknąć. Bardziej, niż jesteś to sobie w stanie wyobrazić. Oglądanie ciebie w takim stanie... tak poranionego i pełnego strachu, Christianie... Tak bardzo cię kocham.

Przesuwa kciukiem po mojej dolnej wardze.

– Wiem. Wiem – szepcze.

– Tak łatwo cię kochać. Nie widzisz tego?

– Nie, maleńka.

– Ale to prawda. Ja cię kocham i cała twoja rodzina. Także Elena i Leila. Może okazują to w dziwny sposób, ale cię kochają. Zasługujesz na miłość.

– Przestań. – Kładzie mi palec na ustach i kręci głową. Na jego twarzy maluje się udręka. – Nie mogę tego słuchać. Jestem nikim, Anastasio. Jestem zwykłą skorupą. Nie mam serca.

– Ależ masz. I pragnę tego wszystkiego. Jesteś dobrym człowiekiem, Christianie, naprawdę dobrym. Nie waż mi się w to wątpić. Spójrz tylko na to, co zrobiłeś... co osiągnąłeś. – Moim ciałem wstrząsa szloch. – Spójrz na to, co zrobiłeś dla mnie... co dla mnie poświęciłeś – szepczę. – Wiem. Wiem, co do mnie czujesz.

Patrzy na mnie. Oczy ma szeroko otwarte i pełne paniki. Jedyne, co słyszymy, to szum obmywającej nas wody.

– Kochasz mnie – szepczę.

Jego oczy stają się jeszcze większe. Bierze głęboki oddech. Wygląda na udręczonego i bezbronnego.

– Tak – odpowiada szeptem. – Kocham.

ROZDZIAŁ DZIEWIĄTY

Nie potrafię ukryć rozradowania. Moja podświadomość gapi się na mnie z otwartymi ustami, a ja mam na twarzy uśmiech od ucha do ucha, gdy tak patrzę czule w pełne udręki oczy Christiana.

Jego cudowne, słodkie wyznanie porusza we mnie jakąś głęboko schowaną nutę – tak, mam wrażenie, że on pragnie rozgrzeszenia. Te dwa krótkie słowa są moją manną z nieba. W moich oczach ponownie wzbierają łzy. Tak, kochasz mnie. Wiem, że tak jest.

Ta świadomość okazuje się dla mnie oswobadzająca, jakby odrzucono na bok olbrzymi kamień młyński. Ten piękny, pokręcony mężczyzna, który był dla mnie uosobieniem bohatera romantycznego – silny, tajemniczy samotnik – jest także kruchy, wyobcowany i pełen nienawiści do siebie samego. W moim sercu gości nie tylko radość, lecz również ból z powodu cierpienia Christiana. I wiem, że moje serce jest na tyle duże, by pomieścić nas oboje. A przynajmniej mam taką nadzieję.

Unoszę rękę, dotykam kochanej, przystojnej twarzy i na jego ustach składam delikatny pocałunek, wlewając w niego całą swoją miłość. Pragnę delektować się nim pod kaskadami gorącej wody. Christian z jękiem bierze mnie w ramiona, tuląc tak, jakbym była niezbędnym mu do życia powietrzem.

– Och, Ana – szepcze ochryple. – Pragnę cię, ale nie tutaj.

– Tak – mruczę mu do ust.

Zakręca wodę, bierze mnie za rękę, wyprowadza z kabiny i otula szlafrokiem. Owija sobie ręcznik wokół bioder, a drugim delikatnie wyciera mi włosy. Następnie okręca ręcznik wokół mojej głowy, tak że w dużym lustrze nad umywalką wyglądam, jakbym miała welon. Stoi za mną i nasze spojrzenia krzyżują się w lustrze, szare z niebieskim. Wpadam na pewien pomysł.

– Mogę się odwzajemnić? – pytam.

Kiwa głową, marszcząc jednak brwi. Ze stosu puszystych ręczników ułożonych obok toaletki biorę jeszcze jeden. Staję przed Christianem na palcach i zabieram się za wycieranie mu włosów. Pochyla głowę, ułatwiając mi zadanie. Uśmiecha się jak mały chłopiec.

– Dawno nikt tego nie robił. Bardzo dawno. – Marszczy brwi. – Właściwie to chyba nigdy nikt mi nie wycierał włosów.

– No a Grace? Nie wycierała, kiedy byłeś mały?

Kręci głową, nieco utrudniając mi pracę.

– Nie. Od samego początku szanowała moje granice, nawet jeśli sprawiało jej to ból. Jako dziecko byłem bardzo samowystarczalny – mówi cicho.

Czuję dźgnięcie w serce na myśl o małym chłopcu o miedzianych włosach, opiekującym się sobą, ponieważ wszyscy inni mają to gdzieś. Ta myśl jest przeraźliwie smutna. Ale nie chcę, by moja melancholia zagroziła kiełkującej poufałości.

– A więc czuję się zaszczycona – przekomarzam się z nim delikatnie.

– Rzeczywiście, panno Steele. A może to ja jestem zaszczycony.

– To akurat rozumie się samo przez się, panie Grey – odpowiadam cierpko.

Kończę wycierać włosy, sięgam po jeszcze jeden ręcznik i staję za Christianem. Nasze spojrzenia ponownie krzyżują się w lustrze. Patrzy na mnie pytająco.

– Mogę czegoś spróbować?

Po chwili wahania kiwa głową. Ostrożnie i bardzo delikatnie przesuwam miękkim ręcznikiem w dół jego lewej ręki, zbierając wodę, która zgromadziła się na skórze. Podnoszę głowę i sprawdzam w lustrze jego minę. Mruga powiekami, wwiercając we mnie płonące spojrzenie.

Nachylam się i całuję go w biceps, a Christian minimalnie rozchyla usta. Podobnie wycieram drugą rękę, obsypując pocałunkami prawy biceps. Na jego ustach czai się lekki uśmiech. Ostrożnie wycieram plecy poniżej bladej linii szminki, nadal widocznej. Pleców przecież nie zdążyłam mu umyć.

– Całe plecy – mówi cicho. – Ręcznikiem.

Robi gwałtowny wdech i ma zaciśnięte powieki, gdy szybko go wycieram, uważając, aby jego skóry dotykał tylko ręcznik.

Ma takie piękne plecy – szerokie, wyrzeźbione ramiona, gdzie widać dokładnie wszystkie mięśnie. Widać, że naprawdę dba o kondycję. Ten piękny widok szpecą jedynie blizny.

Z trudem je ignoruję i tłumię chęć pocałowania każdej po kolei. Kiedy kończę, Christian wypuszcza z płuc powietrze, a ja nagradzam go pocałunkiem w ramię, po czym wycieram mu brzuch. Nasze spojrzenia po raz kolejny napotykają się w lustrze. Wydaje się rozbawiony, ale i czujny.

– Trzymaj. – Podaję mu mały ręcznik do twarzy, a on patrzy na mnie z konsternacją. – Pamiętasz Georgię? Kazałeś mi się dotykać za pomocą twoich dłoni – dodaję.

Pochmurnieje, ale ja ignoruję jego reakcję i obejmuję go od tyłu. Widząc nas oboje w lustrze – jego piękno, jego nagość i siebie z ręcznikiem na głowie – dochodzę do wniosku, że to widok niemal biblijny, jak z barokowego obrazu przedstawiającego scenę ze Starego Testamentu. Sięgam po jego dłoń i kieruję w górę klatki piersiowej, aby wytrzeć ją ręcznikiem. Przesuwam raz, drugi, a potem jeszcze raz. Christian stoi jak skamieniały, sztywny z napięcia. Poruszają się tylko jego oczy, podążające za naszymi złączonymi dłońmi.

Moja podświadomość patrzy na to wszystko z aprobatą, a na jej najczęściej skrzywionej twarzy widnieje uśmiech. Zdenerwowanie Christiana jest niemal namacalne, ale utrzymuje ze mną kontakt wzrokowy, chociaż oczy ma ciemniejsze, poważniejsze... być może ujawniające tajemnice.

Czy naprawdę chcę się tam zapuszczać? Chcę konfrontacji z jego demonami?

– Chyba już jesteś suchy – mówię cicho, opuszczając rękę. Nadal patrzę mu prosto w oczy. Oddech ma przyspieszony, usta rozchylone.

– Potrzebuję cię, Anastasio – szepcze.

– Ja ciebie także. – I gdy wypowiadam te słowa, uderza mnie to, jak bardzo są prawdziwe. Nie wyobrażam sobie życia bez Christiana.

– Pozwól mi cię kochać – mówi schrypniętym głosem.

– Dobrze – odpowiadam.

Odwraca się, bierze mnie w ramiona, jego usta szukają moich, błagając mnie, wielbiąc, oddając cześć... kochając mnie.

Przesuwa palcami po moich plecach, wzdłuż kręgosłupa, gdy wpatrujemy się w siebie, rozkoszując się błogim uczuciem nasycenia. Leżymy razem, ja na brzuchu, tuląc do siebie poduszkę, on na boku, i delektuję się jego czułym dotykiem. Wiem, że w tej właśnie chwili musi mnie dotykać. Jestem balsamem na jego duszę, źródłem

ukojenia, więc jak mogłabym mu tego odmówić? Zresztą
ja czuję to samo w odniesieniu do niego.

– A więc potrafisz być delikatny – mruczę.

– Hmm… na to wygląda, panno Steele.

Uśmiecham się szeroko.

– Nie byłeś taki, kiedy po raz pierwszy… eee, to robiliśmy.

– Nie? – Uśmiecha się znacząco. – Kiedy odebrałem
ci wianek?

– Nie uważam, abyś mi cokolwiek odebrał – burczę
wyniośle. - Swój wianek zaoferowałam ci dobrowolnie.
Ja ciebie także pragnęłam, i jeśli mnie pamięć nie myli,
bardzo mi było przyjemnie. – Uśmiecham się nieśmiało,
przygryzając wargę.

– Mnie także, o ile dobrze pamiętam, panno Steele.
Naszym celem jest sprawianie przyjemności – mówi,
przeciągając samogłoski, po czym poważnieje. – I to
oznacza, że jesteś moja, cała moja. – Z jego oczu znika
wesołość.

– Tak, jestem – odpowiadam cicho. – Chciałam cię
o coś zapytać.

– Śmiało.

– Twój biologiczny ojciec… wiesz, kto to był? – Od
jakiegoś czasu gryzie mnie ta myśl.

Marszczy brwi, po czym kręci głową.

– Nie mam pojęcia. Na pewno nie ten potwór, który
był jej alfonsem, a to dobrze.

– Skąd wiesz?

– Coś mi na ten temat powiedział mój tato… Carrick.

Przyglądam się wyczekująco mojemu Szaremu, czekając.

– Taka złakniona informacji – wzdycha, kręcąc głową. – To ten alfons znalazł ciało dziwki i zadzwonił na
policję. Znalazł je dopiero po czterech dniach. Zamknął

drzwi, kiedy wyszedł… zostawił mnie z nią… jej ciałem.
– Oczy zachodzą mu mgłą na to wspomnienie.

Gwałtownie chwytam powietrze. Biedny chłopczyk
– musiał przejść przez istne piekło.

– Policja później go przesłuchała. Zdecydowanie za-
przeczył, bym miał z nim coś wspólnego, a Carrick mi
powiedział, że w ogóle nie byliśmy podobni do siebie.

– Pamiętasz, jak wyglądał?

– Anastasio, nie jest to część mego życia, do której często wracam. Tak, pamiętam jak wyglądał. Nigdy go nie zapomnę. – Twarz Christiana pochmurnieje, a oczy stają się lodowate z gniewu. – Możemy porozmawiać o czymś innym?

– Przepraszam. Nie chciałam cię denerwować.

Kręci głową.

– To stare dzieje, Anastasio. Nie mam ochoty do tego
wracać.

– No więc jaką masz dla mnie niespodziankę? – Muszę zmienić temat, nim Christian zmieni się w stupro-
centowego Szarego. Wyraz jego twarzy ulega natychmia-
stowej zmianie.

– Masz ochotę pobyć trochę na świeżym powietrzu?
Chcę ci coś pokazać.

– Oczywiście.

Po raz kolejny zdumieniem napawa mnie to, jak
szybko zmienia nastrój. Obdarza mnie tym swoim chłopięcym, beztroskim uśmiechem mówiącym: „Mam dopiero dwadzieścia siedem lat" i serce podchodzi mi do
gardła. Rozumiem, że będzie to coś bliskie jego sercu.
Klepie mnie żartobliwie w pupę.

– Ubieraj się. Najlepsze będą dżinsy. Mam nadzieję,
że Taylor ci jakieś spakował.

Wstaje i wkłada bokserki. Och… cały dzień mogłabym tak siedzieć i patrzeć, jak chodzi po pokoju.

– Wstajemy – nakazuje mi władczo.

Patrzę na niego, uśmiechając się.

– Ja tylko podziwiam widoki.

Przewraca oczami.

Przy ubieraniu zwracam uwagę, że poruszamy się
z synchronizacją charakterystyczną dla dwojga ludzi,
którzy dobrze się znają, są świadomi swojej obecności
i co jakiś czas obdarzają się nieśmiałym uśmiechem czy
słodkim dotykiem. I dociera do mnie, że dla niego to taka
sama nowość jak dla mnie.

– Wysusz włosy – nakazuje mi, kiedy jesteśmy już
ubrani.

– Apodyktyczny jak zawsze. – Uśmiecham się drwiąco, gdy się nachyla, aby pocałować mnie w głowę.

– To się nigdy nie zmieni, mała. Nie chcę, żebyś się
przeziębiła.

Wywracam oczami, a kąciki jego ust unoszą się
z rozbawieniem.

– Nadal mnie świerzbi ręka, panno Steele.

– Miło mi to słyszeć, panie Grey. Już myślałam, że
traci pan na wyrazistości.

– Mogę ci zademonstrować, że ani trochę się na to
nie zanosi. Jeśli oczywiście wyrazisz takie życzenie. – Wyjmuje z torby duży kremowy sweter z dzianiny i zgrabnie
zarzuca go na ramiona. W białym T-shircie i dżinsach,
z włosami w artystycznym nieładzie, a teraz jeszcze z tym
swetrem na ramionach wygląda, jakby właśnie zszedł ze
stron luksusowego magazynu.

Nikt nie powinien aż tak dobrze wyglądać. I nie
wiem, czy powodem jest mój zachwyt jego idealnym
wyglądem, czy też świadomość, że mnie kocha, ale jego
groźba nie napawa mnie już przerażeniem. To jest mój
Szary; taki już jest i koniec.

Gdy sięgam po suszarkę, kiełkuje we mnie nadzieja.
Jakoś damy radę. Musimy jedynie odkrywać nawzajem

swoje potrzeby i wychodzić im naprzeciw. Potrafię to zrobić, prawda?

Przeglądam się w lustrze stojącym na toaletce. Włożyłam jasnoniebieską bluzkę, którą Taylor kupił mi i teraz zapakował. Włosy mam w nieładzie, policzki zarumienione, usta spuchnięte – dotykam ich, pamiętając gorące pocałunki Christiana, i uśmiecham się mimowolnie. „Tak, kocham" – tak właśnie powiedział.

– A GDZIE KONKRETNIE JEDZIEMY? – pytam, gdy czekamy w hotelowym lobby na boya.

Christian stuka palcem po nosie i mruga do mnie konspiracyjnie, bardzo z siebie zadowolony. Zachowanie zupełnie nie w stylu Szarego.

Zachowywał się tak, kiedy odbywaliśmy lot szybowcem – może zrobimy to ponownie. Patrzy na mnie teraz, uśmiechając się w ten swój charakterystyczny sposób. Nachyla się i całuje lekko w usta.

– Masz pojęcie, jak bardzo jestem dzięki tobie szczęśliwy? – mruczy.

– Owszem, mam. Bo tak samo jest ze mną.

Boy zajeżdża przed wejście samochodem Christiana. Uśmiecha się szeroko. Rany, wszyscy są dzisiaj tacy weseli.

– Fantastyczne auto, proszę pana – mówi, wręczając kluczyki.

Christian mruga i daje mu nieprzyzwoicie wysoki napiwek.

Marszczę brwi. No bo naprawdę.

GDY JEDZIEMY PRZEZ miasto, Christian jest zatopiony w myślach. Z głośników sączy się głos jakiejś młodej kobiety, śliczny, aksamitny. Zatracam się w smutnej, tęsknej piosence.

– Muszę jechać okrężną drogą. To nie powinno nam zająć dużo czasu – mówi Christian z roztargnieniem, wyrywając mnie z zadumy.

Och, dlaczego? Już się nie mogę doczekać tej jego niespodzianki. Moja wewnętrzna bogini podskakuje jak pięciolatka.

– Jasne – mruczę. Coś jest nie w porządku. Nagle Christian sprawia wrażenie pełnego determinacji.

Zatrzymuje się na parkingu przed dużym salonem samochodowym, gasi silnik i odwraca się w moją stronę.

– Musimy ci załatwić nowy samochód – mówi.

Patrzę na niego zdumiona. Teraz? W niedzielę? Jak to? I to przecież salon saaba.

– Nie audi? – pytam niemądrze. Tylko to przychodzi mi do głowy, a on ma tyle przyzwoitości, aby się zaczerwienić.

Zakłopotany Christian. Pierwszy raz!

– Pomyślałem, że mogłoby ci się spodobać coś innego – mamrocze, uciekając wzrokiem.

Och, błagam… To zbyt dobra okazja, żeby się z nim nie poprzekomarzać. Uśmiecham się drwiąco.

– Saab?

– Tak. 9-3. Chodź.

– Co ty masz z tymi zagranicznymi markami?

– Niemcy i Szwedzi produkują najbezpieczniejsze samochody na świecie, Anastasio.

Naprawdę?

– Myślałam, że zamówiłeś mi drugie audi A3.

Posyła mi lekko rozbawione spojrzenie.

– Mogę anulować zamówienie. Chodźmy. – Wysiada z samochodu, przechodzi na drugą stronę i otwiera mi drzwi. – Jestem ci winien prezent z okazji ukończenia studiów – mówi i wyciąga do mnie rękę.

– Christianie, naprawdę nie musisz tego robić.

– Muszę. Proszę. Chodź. – Po głosie poznaję, że w tej kwestii nie ma żartów.

Poddaję się swemu przeznaczeniu. Saab? Chcę mieć saaba? Audi dla uległych nawet mi się podobało. Było bardzo szykowne.

Oczywiście teraz, z tą warstwą białej farby… Wzdrygam się. A ona jest nadal na wolności.

Ujmuję dłoń Christiana i udajemy się do salonu.

Troy Turniansky, sprzedawca, od razu przykleja się do Szarego. Wyczuwa prowizję. Mówi z lekkim, chyba brytyjskim akcentem. Ale pewności nie mam.

– Saab, proszę pana? Używany? – Zaciera radośnie ręce.

– Nowy. – Usta Christiana tworzą cienką kreskę.

Nowy!

– Chodzi panu o jakiś konkretny model?

– 9-3 2.0T Sport Sedan.

– Doskonały wybór, proszę pana.

– Jaki kolor, Anastasio? – Christian przekrzywia głowę.

– Eee… czarny? – Wzruszam ramionami. – Naprawdę nie musisz tego robić.

Marszczy brwi.

– Czarny nie jest zbyt dobrze widoczny nocą.

Och, na litość boską. Opieram się pokusie przewrócenia oczami.

– Ty masz czarny samochód.

Piorunuje mnie wzrokiem.

– No to kanarkowożółty. – Ponownie wzruszam ramionami.

Christian krzywi się – kanarkowa żółć chyba nie należy do jego ulubionych kolorów.

– A jaki ty chcesz kolor? – pytam, jakby był małym dzieckiem. Którym na swój sposób rzeczywiście jest. To nie jest przyjemna myśl; smutna i jednocześnie otrzeźwiająca.

– Srebrny albo biały.

– Wobec tego srebrny. Ale wiesz, że nie mam nic przeciwko audi, prawda?

Troy blednie, wyczuwając, że traci prowizję.

– Może chciałaby pani kabriolet? – pyta, klaszcząc entuzjastycznie w dłonie.

Moja podświadomość krzywi się z odrazą, upokorzona tym całym kupowaniem samochodu, ale wewnętrzna bogini powala ją na ziemię. „Kabriolet? Ekstra!"

– Kabriolet? – pyta Christian, unosząc brew.

Czerwienię się. Można by odnieść wrażenie, że łączy się bezpośrednio z moją wewnętrzną boginią, co rzeczywiście czyni. Bywa to mocno kłopotliwe. Wbijam wzrok w dłonie.

Christian odwraca się w stronę Troya.

– Jakie są statystyki dotyczące bezpieczeństwa?

Troy, wyczuwając słabość Christiana, idzie na całość, zarzucając go całym mnóstwem danych.

Christian naturalnie pragnie mojego bezpieczeństwa. To dla niego religia i jak zelota wysłuchuje uważnie wyuczonej gadki sprzedawcy. Szaremu rzeczywiście na tym zależy.

„Tak, kocham". Przypominają mi się jego wypowiedziane zduszonym szeptem słowa z dzisiejszego ranka i krew w moich żyłach zamienia się w ciepły miód. Ten mężczyzna – dar boży dla kobiet – kocha mnie.

Przyłapuję się na tym, że uśmiecham się do niego jak idiotka, a kiedy on to zauważa, wydaje się zarazem rozbawiony i skonsternowany. Jestem taka szczęśliwa, że mam ochotę skakać z radości.

– Nie wiem, co pani zażyła, panno Steele, ale ja też chcę trochę – mruczy, gdy Troy odchodzi po coś do komputera.

– To pan jest moim narkotykiem, panie Grey.

– Naprawdę? Cóż, zdecydowanie wyglądasz na odurzoną. – Całuje mnie lekko. – I dziękuję za przyjęcie samochodu. Łatwiej poszło niż za pierwszym razem.

– Cóż, to nie jest audi A3.

Uśmiecha się znacząco.

– To nie samochód dla ciebie.

– Mnie się podobał.

– Proszę pana, 9-3? Zlokalizowałem taki model u jednego z naszych dealerów w Beverly Hills. Możemy go dla pana sprowadzić w ciągu dwóch dni – oświadcza triumfalnie.

– Ze wszystkimi udogodnieniami?

– Tak, proszę pana.

– Doskonale.

Christian wyjmuje kartę kredytową. Swoją czy Taylora? Ta myśl jest niepokojąca. Ciekawe, co u Taylora i czy namierzył w mieszkaniu Leilę. Pocieram czoło. Tak, bagaż Christiana jest naprawdę spory.

– Może pozwolić pan ze mną, panie… – Troy zerka na widniejące na karcie nazwisko. – Grey?

CHRISTIAN OTWIERA PRZEDE mną drzwi i siadam na fotelu pasażera.

– Dziękuję – mówię, kiedy zajmuje miejsce obok.

Uśmiecha się.

– Ależ nie ma za co, Anastasio.

Gdy przekręca kluczyk w stacyjce, w głośnikach rozbrzmiewa muzyka.

– Kto to? – pytam.

– Eva Cassidy.

– Ma piękny głos.

– Ma. To znaczy miała.

– Och.

– Młodo umarła.

– Och.

– Głodna jesteś? Nie dokończyłaś śniadania. – Na jego twarzy maluje się wyraz dezaprobaty.

– Tak.

– Wobec tego najpierw lunch.

Zjeżdża w kierunku nabrzeża, a potem sunie na północ wiaduktem Alaskan Way. Mamy kolejny śliczny dzień w Seattle; w ostatnich tygodniach pogoda wyjątkowo dopisuje.

Christian wygląda na szczęśliwego i zrelaksowanego, gdy tak jedziemy spokojnie, słuchając słodkiego, smutnego głosu Evy Cassidy. Chyba jeszcze nigdy nie czułam się w jego towarzystwie tak swobodnie.

Mniej się denerwuję jego nastrojami, gdy mam pewność, że mnie nie ukarze. I jego także cechuje większa swoboda. Skręca w lewo i w końcu zatrzymuje się na parkingu naprzeciwko rozległej mariny.

– Zjemy tutaj lunch. Otworzę ci drzwi – mówi takim tonem, że wiem, iż próba samodzielnego wyjścia z samochodu nie byłaby mądrym posunięciem. Patrzę, jak obchodzi auto. Czy tak będzie już zawsze?

Pod rękę idziemy w stronę nabrzeża, a przed nami rozciąga się marina.

– Ile tu łodzi! – mówię ze zdumieniem.

Są ich całe setki w różnych kształtach i rozmiarach, podskakujących lekko na niemal spokojnej tafli wody. W oddali, na wodach Puget, widać dziesiątki żagli. To niezwykle przyjemny dla oka widok. Wiatr przybrał nieco na sile, więc otulam się kurtką.

– Zimno? – pyta i mocno mnie przytula.

– Nie, podziwiam jedynie widok.

– Mógłbym tak patrzeć przez cały dzień. Chodź, tędy.

Christian prowadzi mnie do dużego baru nad samym morzem. Jego wystrój to bardziej Nowa Anglia niż Zachodnie Wybrzeże – białe ściany, jasnoniebieskie meble i wiszące wszędzie akcesoria żeglarskie. Bardzo sympatyczne miejsce.

– Panie Grey! – wita się barman ciepło. – Na co ma pan dzisiaj ochotę?

– Dzień dobry, Dante. – Christian uśmiecha się do niego, kiedy siadamy na stołkach barowych. – Ta urocza dama to Anastasia Steele.

– Witam w SP's Place. – Dante obdarza mnie przyjacielskim uśmiechem.

Przystojny ciemnoskóry mężczyzna uważnie taksuje mnie wzrokiem. Z jego ucha mruga do mnie duży diamentowy kolczyk. Już go lubię.

– Czego się napijesz, Anastasio?

Zerkam na Christiana. Patrzy na mnie wyczekująco. Och, pozwoli mi samej zdecydować.

– Proszę, mów mi Ana. I poproszę to samo, co wybierze Christian. – Uśmiecham się do Dantego nieśmiało. Na winach Szary zna się znacznie lepiej niż ja.

– Ja się napiję piwa. To jedyny bar w Seattle, gdzie można dostać Adnams Explorer.

– Piwo?

– Tak. – Uśmiecha się szeroko. – Dwa explorery, Dante.

Mężczyzna kiwa głową i stawia na barze dwie butelki.

– Mają tu przepyszną zupę z owoców morza – mówi Christian.

Pyta mnie o zdanie.

– Brzmi nieźle – odpowiadam z uśmiechem.

– Dwie porcje zupy? – pyta Dante.

– Poprosimy.

Podczas posiłku rozmawiamy tak, jak chyba jeszcze nigdy. Christian jest zrelaksowany i spokojny. I wygląda tak młodo i radośnie, pomimo tego wszystkiego, co się wczoraj wydarzyło. Opowiada mi historię Grey Enterprises Holdings, Inc., i im więcej mi wyjawia, tym większą wyczuwam w nim pasję rozwiązywania firmowych problemów, nadzieje związane z rozwijanymi przez niego technologiami i marzenia, aby glebę w krajach trzeciego świata uczynić żyźniejszą. Słucham jego opowieści jak urzeczona. Jest zabawny, mądry, filantropijny i piękny, no i kocha mnie.

A potem zasypuje mnie pytaniami na temat Raya i mamy, dorastania wśród zielonych lasów Montesano i krótkich pobytów w Teksasie oraz Vegas. Chce znać tytuły moich ulubionych książek i filmów. Niesamowite, ile mamy ze sobą wspólnego.

Gdy tak rozmawiamy, uderza mnie myśl, że z Aleca zmienił się w Angela, i to w takim krótkim czasie.

Jest już po drugiej, kiedy kończymy posiłek. Christian reguluje rachunek, po czym Dante żegna się z nami wylewnie.

– To fantastyczne miejsce. Dziękuję za lunch – mówię do Christiana, gdy bierze mnie za rękę i opuszczamy bar.

– Przyjdziemy tu jeszcze – obiecuje, gdy spacerkiem podążamy wzdłuż brzegu. – Chciałem ci coś pokazać.

– Wiem… i nie mogę się doczekać, bez względu na to, co to takiego.

Spacerujemy niespiesznie wzdłuż mariny. To takie przyjemne popołudnie. Mnóstwo ludzi postanowiło spędzić tu niedzielę – wyprowadzają psy, podziwiają łodzie, patrzą, jak ich dzieciaki biegają po promenadzie.

Gdy kierujemy się w głąb mariny, jachty i łodzie stają się coraz większe. Christian prowadzi mnie do nabrzeża i zatrzymuje się przed wielkim katamaranem.

– Pomyślałem, że dziś sobie popływamy. To moja łódź.

A niech mnie. Ma z dwanaście, a może i piętnaście metrów długości. Dwa białe kadłuby, pokład, przestronna kabina i górujący nad nami maszt. Nawet ja, chociaż nie znam się na łodziach, widzę, że ta jest naprawdę wyjątkowa.

– O rany... – mówię z zachwytem.

– Zbudowana przez moją firmę – oświadcza z dumą w głosie, a mnie raduje się serce. – Zaprojektowali ją najlepsi projektanci na świecie, a zbudowano ją tutaj, w Seattle. Ma silnik hybrydowy, asymetryczne miecze, ścięty grotżagiel..

– Okej... nie nadążam, Christianie.

Uśmiecha się szeroko.

– To fantastyczna łódź.

– Jest niezwykle piękna, panie Grey.

– A owszem, panno Steele.

– Jak się nazywa?

Odciąga mnie na bok, żebym sama mogła zobaczyć: Grace. Zaskakuje mnie tym.

– Nazwałeś ją na cześć swojej mamy?

– Tak. – Przechyla głowę i patrzy na mnie pytająco. – Czemu cię to dziwi?

Wzruszam ramionami. Chyba dlatego, że zawsze w jej obecności zachowuje się tak dziwnie.

– Uwielbiam moją mamę, Anastasio. Czemu moja łódź nie miałaby nosić jej imienia?

Oblewam się rumieńcem.

– Nie o to mi chodzi... ja tylko... – Cholera, jak mam to ubrać w słowa?

– Anastasio, Grace Trevelyan-Grey uratowała mi życie. Jestem jej dozgonnym dłużnikiem.

W jego cichym wyznaniu słychać szacunek. Po raz pierwszy staje się dla mnie oczywiste, że kocha swoją mamę. Skąd więc ta dziwna ambiwalencja w stosunku do niej?

– Masz ochotę wejść na pokład? – pyta. Oczy mu błyszczą.

– Oczywiście.

Uradowany bierze mnie za rękę i prowadzi przez niewielki trap. Stajemy na pokładzie pod zadaszeniem.

Po jednej stronie znajduje się stół i kanapa w kształcie litery U, mogąca pomieścić co najmniej osiem osób. Zerkam przez przesuwne drzwi do wnętrza kabiny i podskakuję zaskoczona, kiedy dostrzegam, że ktoś tam jest. Chwilę później dołącza do nas wysoki blondyn w wypłowiałej różowej koszulce polo i krótkich spodenkach. Ma śniadą cerę, kręcone włosy i brązowe oczy. Wygląda na trzydzieści kilka lat.

– Mac. – Christian uśmiecha się do niego promiennie.

– Panie Grey! Witamy. – Wymieniają uścisk dłoni.

– Anastasio, to Liam McConnell. Liam, moja dziewczyna, Anastasia Steele.

Dziewczyna! Moja wewnętrzna bogini wykonuje szybką arabeskę. Od wizyty w salonie saaba uśmiecha się od ucha do ucha. Muszę się do tego przyzwyczaić – nie po raz pierwszy wypowiedział te słowa, ale nadal mnie one ekscytują.

– Miło mi – Liam i ja ściskamy sobie dłonie.

– Proszę mi mówić Mac – mówi ciepło. Trudno mi sprecyzować jego akcent. – Witam na pokładzie, panno Steele.

– Ano, poproszę – mamroczę, rumieniąc się. Ma przepastne, brązowe oczy.

– No i jak, Mac? – wtrąca pospiesznie Christian i przez chwilę myślę, że chodzi mu o mnie.

– Gotowa do drogi, proszę pana – uśmiecha się Mac. Och, chodzi im o łódź. O Grace. Głuptas ze mnie.

– No to do roboty.

– Zamierza pan popływać?

– Aha. – Christian posyła Macowi łobuzerski uśmiech. – Mały rejsik, Anastasio?

– Bardzo chętnie.

Wchodzę za nim do kabiny. Dokładnie na wprost wejścia znajduje się kremowa, skórzana kanapa w kształcie litery L, a duże okna nad nią zapewniają panoramiczny widok na marinę. Po lewej stronie mieści się aneks kuchenny – bardzo stylowy, cały w jasnym drewnie.

– To główny salon. Obok jest kambuz – wyjaśnia Christian, pokazując na kuchnię.

Bierze mnie za rękę i prowadzi przez salon. Jest zaskakująco przestronny. Podłogę wykonano z jasnego drewna. Wygląda nowocześnie i elegancko, ale wszystko jest bardzo funkcjonalne.

– Z obu stron są łazienki – mówi Christian, po czym otwiera małe drzwi o dziwnym kształcie i wchodzi do znajdującego się przed nami pomieszczenia. Znajdujemy się w pluszowej sypialni. Och…

Mieści się tu wielkie łóżko wykonane z jasnego drewna. Pościel jest bladoniebieska, jak w jego sypialni w Escali. Najwyraźniej Christian lubi się trzymać jednej stylistyki.

– To kajuta główna. – Patrzy na mnie płonącymi oczami. – Jesteś tu pierwszą dziewczyną, z wyjątkiem rodziny. Ale one się nie liczą.

Rumienię się pod jego gorącym wzrokiem i puls mi przyspiesza. Naprawdę? Kolejny pierwszy raz. Bierze mnie w ramiona, palce zanurza w moich włosach i całuje mocno i długo. Kiedy się odsuwa, brak nam tchu.

– Trzeba ochrzcić to łóżko – szepcze.

Och, na morzu!

– Ale nie w tej chwili. Chodź, Mac odda cumy.

Ignoruję ukłucie rozczarowania, gdy bierze mnie za rękę i prowadzi z powrotem przez salon. Pokazuje kolejne drzwi.

– Tam jest gabinet, a tutaj jeszcze dwie kajuty.

– Ile osób może tu spać?

– Jest sześć koi. Ale przebywała tu tylko moja rodzina. Lubię żeglować w pojedynkę. Ale nie, kiedy ty tu jesteś. Muszę cię mieć na oku.

Wyjmuje ze skrzyni czerwony kapok.

– Proszę. – Wkłada mi go przez głowę, zaciska wszystkie paski, uśmiechając się przy tym lekko.

– Lubisz mnie krępować, prawda?

– Na wszystkie sposoby – odpowiada z lubieżnym uśmiechem.

– Zboczeniec z ciebie.

– Wiem. – Unosi brwi, a jego uśmiech staje się jeszcze szerszy.

– Mój zboczeniec – szepczę.

– Tak, twój. – Chwyta za poły mojego kapoka i mnie całuje. – Na zawsze – dodaje bez tchu, po czym mnie puszcza, nim zdążę cokolwiek powiedzieć.

Na zawsze! A niech mnie.

– Chodź.

Bierze mnie za rękę i prowadzi na górny pokład. Jest tam niewielki kokpit z wielkim sterem i miejscem na podwyższeniu. Na dziobie Mac majstruje coś przy cumach.

– To właśnie stąd znasz te wszystkie sztuczki ze sznurami i węzłami? – pytam niewinnie.

– Wyblinki okazały się bardzo użyteczne – mówi, patrząc na mnie oceniająco. – Panno Steele, w pani głosie słyszę ciekawość. Lubię cię taką. Z największą przyjemnością zademonstrowałbym ci, co potrafię zrobić ze sznurkiem.

Spoglądam na niego takim wzrokiem, jakby mnie uraził. Rzednie mu mina.

– Mam cię! – śmieję się.

Mruży oczy.

– Możliwe, że później się z tobą rozprawię, ale w tej chwili muszę się zająć łodzią. – Siada przed pulpitem sterowniczym, wciska jakiś guzik i silniki budzą się do życia.

Mac przechodzi na rufę, uśmiechając się do mnie, a potem zeskakuje na pokład, gdzie zabiera się za odwiązywanie cumy. Może on też zna jakieś sztuczki ze sznurami. Myśl ta pojawia się nieproszona w mojej głowie.

Moja podświadomość piorunuje mnie wzrokiem. W duchu wzruszam ramionami i zerkam na Christiana – to wina Szarego. Bierze do ręki radio i kontaktuje się ze strażą przybrzeżną. Mac woła, że jesteśmy gotowi do wypłynięcia.

Po raz kolejny czuję się oszołomiona umiejętnościami Christiana. Czy ten człowiek czegoś nie potrafi? Wtedy przypominają mi się jego próby pokrojenia w moim mieszkaniu papryki. Uśmiecham się na tę myśl.

Powoli Christian wyprowadza Grace z miejsca postojowego, kierując się ku wejściu do mariny. Nasze wypłynięcie obserwuje zebrana na nabrzeżu grupka ludzi. Małe dzieci machają. Odmachuję im.

Christian rzuca spojrzenie przez ramię, po czym przyciąga mnie między nogi i pokazuje na różnorakie wyświetlacze i gadżety w kokpicie.

– Trzymaj ster – poleca mi, apodyktyczny jak zawsze.

Robię, co mi każe.

– Tak jest, kapitanie! – chichoczę.

Kładzie dłonie na moich i spokojnie wyprowadza katamaran z mariny. Nie mija kilka minut, a znajdujemy się na otwartym morzu, na chłodnych, błękitnych wodach Puget. Poza mariną wiatr jest zdecydowanie silniejszy. Morze kołysze się pod nami.

Uśmiecham się szeroko, wyczuwając podekscytowanie Christiana. Zataczamy spory łuk, a potem płyniemy

z wiatrem w kierunku zachodnim ku Półwyspowi Olim-
pijskiemu.

– Czas trochę pożeglować – oświadcza radośnie
Christian. – Proszę, przejmij ster. Nie zbaczaj z kursu.

Co takiego? Uśmiecha się szeroko, widząc przestrach
w moich oczach.

– Mała, to naprawdę proste. Trzymaj ster i nie spusz-
czaj wzroku z horyzontu przed dziobem. Poradzisz sobie,
jak zawsze. Kiedy postawię żagle, poczujesz szarpnięcie.
Utrzymuj jedynie kurs. Jak pokażę ci tak – wykonuje gest
obrazujący podcinanie gardła – wyłącz silniki. Tym gu-
zikiem. – Pokazuje duży czarny przycisk. – Rozumiesz?

– Tak. – Kiwam gorączkowo głową. Cała jestem
spanikowana. O rany, nie spodziewałam się, że będę coś
robić!

Daje mi szybkiego buziaka, po czym schodzi z krzesła kapitańskiego i dołącza do Maca. Razem rozwijają
żagle, odwiązują liny i manewrują kabestanami. Świetnie
im wychodzi ta praca zespołowa. Wykrzykują do siebie
różne żeglarskie komendy i moje oczy raduje widok Szarego, tak swobodnie się komunikującego z innym człowiekiem.

Być może Mac to jego przyjaciel. Raczej nie ma
ich wielu, przynajmniej z tego, co mi wiadomo, no ale
w sumie ze mną jest podobnie. To znaczy tutaj, w Seattle.
Moja jedyna przyjaciółka smaży się teraz w Saint James
na zachodnim wybrzeżu Barbadosu.

Nagle ogarnia mnie tęsknota za Kate. Niesamowicie
mi jej brakuje. Mam nadzieję, że zmieni zdanie i wróci
razem z Ethanem, zamiast zostawać tam dłużej z Elliot-
tem, bratem Christiana.

Christian i Mac stawiają grotżagiel. Furkocze i wydyma się, gdy wiatr przypuszcza na niego atak. Łodzią
szarpie nagle do przodu. Czuję to przez ster. Ha!

Biorą się za żagiel przedni, a ja patrzę zafascynowana, jak wjeżdża na maszt. Chwilę potem wiatr go wypełnia.

– Trzymaj kurs, mała, i wyłącz silniki! – woła do mnie Christian, przekrzykując wiatr, i gestem pokazuje, co mam zrobić.

Prawie w ogóle go nie słyszę, ale kiwam entuzjastycznie głową, patrząc na mężczyznę, którego kocham: smaganego wiatrem i rozradowanego.

Wciskam guzik, ryk silników milknie, a Grace mknie w stronę Półwyspu Olimpijskiego, prześlizgując się po powierzchni wody, jakby frunęła. Mam ochotę krzyczeć i piszczeć: to moje najbardziej ekscytujące przeżycie, może z wyjątkiem szybowca, i może Czerwonego Pokoju Bólu.

O rany. Ale ta łódź potrafi mknąć! Stoję i trzymam mocno ster, a chwilę później pojawia się za mną Christian, i ponownie kładzie ręce na moich dłoniach.

– No i jak? – woła, przekrzykując wiatr i morze.

– Christian! To fantastyczne!

Uśmiecha się od ucha do ucha.

– Poczekaj, aż postawimy spinaker. – Pokazuje brodą na Maca, który rozwija właśnie maszt w kolorze głębokiej czerwieni. Przypomina mi ściany w pokoju zabaw.

– Interesujący kolor! – wołam.

Posyła mi drapieżny uśmiech i puszcza oko. Och, a więc to zamierzone.

Spinaker się wydyma – ma dziwny, eliptyczny kształt – a Grace jeszcze bardziej przyspiesza.

– Asymetryczny żagiel. Dla zwiększenia prędkości. – Christian odpowiada na moje niewypowiedziane na głos pytanie.

– Niesamowite. – Nic innego nie przychodzi mi do głowy. Mam na twarzy absurdalnie szeroki uśmiech, gdy tak mkniemy przez fale, kierując się ku majestatycznym

Górom Olimpijskim i wyspie Bainbridge. Oglądam się i widzę coraz bardziej oddalające się Seattle, a hen, daleko górę Rainier.

Dotąd tak naprawdę nie doceniałam piękna okolic Seattle – bujna zieleń, umiarkowany klimat, wysokie, wiecznie zielone drzewa i opadające ku morzu klify. W to słoneczne popołudnie towarzyszy mu dzikość, ale i spokój, który wprost zapiera mi dech w piersiach. Ten spokój zdumiewa zwłaszcza w porównaniu z prędkością, z jaką Grace pokonuje zatokę.

– Jak szybko płyniemy?

– Piętnaście węzłów.

– Nie mam pojęcia, co to znaczy.

– Mniej więcej dwadzieścia siedem kilometrów na godzinę.

– Tylko tyle? Mam wrażenie, że płyniemy znacznie szybciej.

Ściska mi z uśmiechem dłonie.

– Ślicznie wyglądasz, Anastasio. Do twarzy ci z kolorkami na policzkach… takimi, które nie są wynikiem czerwienienia się. Wyglądasz jak na zdjęciach José.

Odwracam się i całuję go.

– Wie pan, jak sprawić dziewczynie przyjemność, panie Grey.

– Jest to naszym celem, panno Steele. – Odsuwa mi włosy i całuje w kark, a mnie natychmiast przeszywa cudowny dreszcz. – Lubię, gdy jesteś szczęśliwa – mruczy i obejmuje mnie mocno.

Spoglądam na wody zatoki i zastanawiam się, czym sobie zasłużyłam na tego mężczyznę.

„Tak, szczęściara z ciebie" – prycha moja podświadomość. „Ale czeka cię sporo pracy. W końcu znudzi mu się to całe waniliowe badziewie… będziesz musiała pójść na kompromis". Gromię ją w duchu i opieram głowę o klat-

kę piersiową Christiana. W głębi duszy wiem, że moja
podświadomość ma rację, ale nie dopuszczam do siebie
tej myśli. Nie chcę sobie psuć pięknego dnia.

GODZINĘ PÓŹNIEJ CUMUJEMY w niewielkiej, ustronnej
zatoczce wyspy Bainbridge. Mac popłynął pontonem na
brzeg. Nie wiem po co. Ale nabieram podejrzeń, ponieważ gdy tylko uruchomił silnik, Christian chwycił mnie
za rękę i praktycznie zaciągnął do swojej kajuty.

Teraz zaś stoi przede mną, emanując tą swoją odu-
rzającą zmysłowością, a jego sprawne palce rozpinają mój
kapok. Rzuca go na bok i wwierca we mnie płonące spojrzenie. Źrenice ma rozszerzone.

Przepadłam, a jeszcze mnie nawet nie dotknął. Podnosi rękę do mojej twarzy i jego palce przesuwają się po
brodzie, szyi, mostku, aż do pierwszego guzika niebieskiej
bluzki.

– Chcę cię zobaczyć – mówi bez tchu i zręcznie rozpina guzik. Pochyla się i i składa na mych rozchylonych
ustach czuły pocałunek. Podnieca mnie to sugestywne
połączenie jego urzekającej urody, surowej seksualności
i delikatnego kołysania łodzi. Cofa się o krok. – Rozbierz
się dla mnie – szepcze. Wzrok mu płonie.

O rety. Z największą ochotą. Nie odrywając wzroku od jego twarzy, powoli rozpinam guziki, delektując
się jego palącym spojrzeniem. Och, to naprawdę niezłe.
Wyczuwam jego pożądanie – widać je na twarzy… i nie
tylko tam.

Pozwalam, by koszula spadła na podłogę, i sięgam do
guzika dżinsów.

– Stop – mówi. – Usiądź.

Przysiadam na skraju łóżka, a on klęka przede mną.
Rozwiązuje sznurówki moich trampek, po czym zdejmuje je z moich stóp, a po nich skarpetki. Ujmuje moją lewą

stopę, zbliża ją do ust i całuje delikatnie podeszwę dużego palca. Sekundę później go przygryza.

– Ach! – jęczę, czując w lędźwiach, jak bardzo to na mnie działa.

Christian wstaje, wyciąga rękę i podnosi mnie do góry.

– Kontynuuj – mówi i odsuwa się, aby na mnie patrzeć.

Przesuwam suwak w dół, wkładam kciuki za pasek i niespiesznie pozbywam się dżinsów. Na jego ustach błąka się delikatny uśmiech, ale oczy pozostają poważne.

I nie wiem, czy to dlatego, że rankiem się ze mną kochał, naprawdę się kochał, delikatnie, słodko, czy przez jego deklarację – „tak... kocham" – ale w ogóle nie czuję skrępowania. Chcę być seksowna dla tego mężczyzny. Zasługuje na to, gdyż dzięki niemu tak właśnie się czuję. Okej, to dla mnie nowość, ale szybko się uczę pod jego okiem. No ale w końcu dla niego także tyle rzeczy jest nowych. Trochę to równoważy tę huśtawkę między nami.

Mam na sobie nową bieliznę – białe koronkowe stringi i stanik do kompletu. Jest markowa, a jej cena przyprawia o zawrót głowy. Stoję przed nim w samej bieliźnie, którą mi kupił, ale nie czuję się już tania. Czuję, że należę do niego.

Rozpinam stanik, zsuwam ramiączka, po czym rzucam go na leżącą na podłodze bluzkę. Powoli zdejmuję stringi, zaskoczona własną gracją.

Stoję przed nim naga i pozbawiona wstydu i wiem, że jest tak dlatego, iż on mnie kocha. Nie muszę się już chować. Christian nic nie mówi, jedynie patrzy. Widzę jego pożądanie, wręcz uwielbienie, i coś jeszcze, siłę jego pragnienia – siłę jego miłości do mnie.

Ściąga przez głowę kremowy sweter, a po nim T-shirt, ani na chwilę nie odrywając ode mnie wzroku.

Następnie pozbywa się butów i skarpetek. Sięga do guzika dżinsów.

– Pozwól mi – szepczę.

– Proszę bardzo.

Podchodzę do niego, wsuwam nieustraszone palce za pasek dżinsów i pociągam, tak że on musi przysunąć się do mnie o krok. Wciąga gwałtownie powietrze, zaskoczony moją zuchwałością, ale uśmiecha się do mnie. Rozpinam guzik, ale zanim pociągam za suwak, przesuwam palcem po widocznym pod materiałem spodni wybrzuszeniu. Christian wysuwa biodra do przodu i na chwilę zamyka oczy, rozkoszując się moim dotykiem.

– Śmiała się robisz, Ano – szepcze i chwyta dłońmi moją twarz, po czym nachyla się i mocno całuje mnie w usta.

Kładę ręce na jego biodrach, częściowo na chłodnej skórze, częściowo na pasku dżinsów.

– Ty też – mruczę mu do ust, kciukami zataczając maleńkie kółka na jego ciele.

Przesuwam dłonie do rozporka i pociągam za suwak. Moje zuchwałe palce muskają włosy łonowe, przeciskając się do nabrzmiałego członka. Zaciskam na nim dłoń.

Z gardła Christiana wydobywa się niski jęk, jego słodki oddech omiata moją twarz. I znowu całuje mnie czule. Gdy pieszczę go dłonią, on obejmuje mnie jednym ramieniem, kładąc rękę na plecach, a drugą zanurza w moich włosach.

– Och, tak bardzo cię pragnę, maleńka – mówi bez tchu. Odsuwa się nagle i szybko pozbywa dżinsów i bokserek. Zarówno w ubraniu, jak i bez prezentuje sobą piękny widok.

Jest idealny. Myślę ze smutkiem, że jego urodę szpecą tylko jego blizny. Które sięgają głębiej niż do skóry.

– Co się stało, Ano? – pyta cicho i delikatnie gładzi mnie po policzku.

– Nic. Kochaj się ze mną, natychmiast.

Bierze mnie w ramiona, całuje, wczepiając palce we włosy. Nasze języki tańczą razem. Delikatnie popycha mnie ku skrajowi łóżka i opuszcza mnie na nie, a sam kładzie się obok. Przesuwa nosem po mojej brodzie.

– Masz pojęcie, jak przepięknie pachniesz, Ana? Nie potrafię ci się oprzeć.

Jego słowa robią to, co zawsze – rozpalają moją krew, przyspieszają bicie serca – a on muska nosem moją szyję, zsuwając się do piersi, całując mnie przy tym nabożnie.

– Jesteś taka piękna – mruczy, po czym bierze do ust jedną z brodawek i delikatnie ssie.

Z jękiem wyginam się w łuk.

– Jęcz, maleńka, chcę cię słyszeć.

Jego dłoń przesuwa się do mojej talii, a ja upajam się jego dotykiem, skóra na skórze – jego głodne usta na mojej piersi i długie palce pieszczące mnie, hołubiące. Dłoń ześlizguje się po moich biodrach, pupie, udzie, aż do kolana, a przez cały ten czas on całuje i ssie moje piersi.

Zgina mi nogę w kolanie i oplata się nią w pasie. Łapię głośno powietrze i bardziej czuję, niż widzę jego uśmiech przy swojej skórze. Przekręca się tak, że siedzę na nim okrakiem. Wręcza mi foliową paczuszkę.

Odchylam się, oplatam go dłonią i po prostu nie mogę się oprzeć. Nachylam głowę i całuję go, po czym biorę do ust. Mój język wiruje wokół naprężonej męskości, a chwilę później zaczynam mocno ssać. Christian jęczy i wypycha biodra w górę, tak że wchodzi do moich ust jeszcze głębiej.

Mhm… pyszny jest. Pragnę poczuć go w sobie. Prostuję się i patrzę na niego; oddycha ciężko, usta ma rozchylone, przygląda mi się w napięciu.

Pospiesznie rozrywam folię i zakładam prezerwatywę. Christian wyciąga do mnie ręce. Opieram się o niego jedną dłonią, a drugą odpowiednio nakierowuję, po czym powoli opuszczam się, biorąc w posiadanie to, co należy do mnie.

Jęczy głośno, zamykając oczy.

To uczucie, gdy jest we mnie… rozciągając mnie… wypełniając… jest boskie. Jęczę cichutko. Christian kładzie dłonie na moich biodrach i unosi mnie i opuszcza, wchodząc do samego końca. Och… jest tak rozkosznie.

– Och, skarbie – szepcze i nagle się podnosi, tak że siedzimy twarzą w twarz. Doznanie jest niezwykłe – czuję się taka pełna. Łapię głośno powietrze, chwytając go za ramiona, a on bierze w dłonie moją twarz i patrzy mi prosto w oczy.

– Och, Ana. Co ty ze mną wyrabiasz? – mruczy i całuje mnie namiętnie. Oddaję mu pocałunek, oszołomiona żarliwością jego ust i uczuciem wypełnienia.

– Kocham cię – mówię bez tchu.

Christian jęczy, jakby słuchanie mych słów sprawiało mu ból, a potem przekręca się, zabierając mnie ze sobą, nie przerywając naszego cudownego złączenia, tak że leżę teraz pod nim. Oplatam go nogami w pasie.

Wpatruje się we mnie z uwielbieniem i jestem pewna, że z mojej twarzy można wyczytać to samo, gdy unoszę ręce i biorę w dłonie jego piękną twarz. Bardzo powoli zaczyna się poruszać, zamykając przy tym oczy i cicho jęcząc.

Delikatne kołysanie łodzi, panujący w kajucie spokój i nasze zmieszane ze sobą oddechy, gdy tak porusza się we mnie powoli – jest niebiańsko. Kładzie rękę nad moją głową, a palcami drugiej gładzi mnie czule po twarzy, gdy się nachyla, by objąć w posiadanie me usta.

Jestem cała otulona nim, gdy kocha się ze mną niespiesznie, delektując się mną. Dotykam go, pamiętając o wyznaczonych granicach: ramion, włosów, dolnej czę-

ści pleców, pięknych pośladków. Mój oddech przyspiesza,
a jego równomierny rytm posyła mnie coraz wyżej i wyżej. Christian całuje moje usta, brodę, podskubuje ucho.
Słyszę jego przyspieszony oddech, towarzyszący każdemu delikatnemu pchnięciu.

Moje ciało zaczyna drżeć. Och… To uczucie, które
tak dobrze znam… jestem blisko… och.

– Właśnie tak, maleńka… oddaj mi się… Proszę…
Ano – mruczy, a jego słowa sprawiają, że puszczają
wszystkie tamy.

– Christian – wołam, a on jęczy głośno, gdy razem
przeżywamy spełnienie.

ROZDZIAŁ DZIESIĄTY

– Mac niedługo wróci – mówi Christian.

– Hmm.

Unoszę powieki i napotykam łagodne szare spojrzenie. Jego oczy mają naprawdę niezwykłą barwę, zwłaszcza tutaj, na morzu, gdzie odbijają się w nich wpływające przez iluminatory odbłyski.

– Choć bardzo chciałbym tak leżeć z tobą całe popołudnie, będzie potrzebował pomocy przy pontonie. – Całuje mnie czule. – Ana, wyglądasz w tej chwili tak pięknie, taka potargana i seksowna. Znowu mam na ciebie ochotę.

Uśmiecha się i wstaje z łóżka. Przekręcam się na brzuch i podziwiam widok.

– Pan też nieźle wygląda, kapitanie. – Cmokam z podziwem, a on się śmieje.

Patrzę, jak się ubiera. Mężczyzna, który dopiero co znowu się ze mną słodko kochał. Ledwo mogę uwierzyć we własne szczęście. Siada obok mnie, aby włożyć buty.

– Kapitanie, co? – pyta cierpko. – Cóż, jestem panem tej łajby.

Przechylam głowę.

– Jesteś panem mojego serca, Christianie. – I mojego ciała… i duszy.

Kręci z niedowierzaniem głową i nachyla się, aby mnie pocałować.

– Będę na pokładzie. W łazience jest prysznic, gdybyś chciała skorzystać. Potrzebujesz czegoś? Chce ci się pić? – pyta z troską, a ja jedynie się uśmiecham. Czy to ten sam człowiek? Ten sam Szary? – No co? – pyta.

– Ty.

– To znaczy?

– Kim jesteś i co zrobiłeś z Christianem?

Usta wyginają mu się w smutnym uśmiechu.

– Nie odszedł zbyt daleko, maleńka – mówi cicho i w jego głosie pobrzmiewa cień melancholii. Natychmiast żałuję swego pytania. Ale tylko przez chwilę. – Niedługo go zobaczysz – uśmiecha się do mnie znacząco – zwłaszcza, jeśli zaraz nie wstaniesz. – Klepie mnie mocno w pupę, a ja wydaję głośny pisk.

– Nastraszyłeś mnie.

– Czyżby? – Christian marszczy brwi. – Wysyłasz sprzeczne sygnały, Anastasio. Jak człowiek ma się w nich rozeznać? – Pochyla się i daje mi jeszcze jednego buziaka. – Na razie, mała – dodaje z oszałamiającym uśmiechem, po czym wstaje i zostawia mnie sam na sam z myślami.

KIEDY POJAWIAM SIĘ na pokładzie, Mac już jest, ale gdy otwieram drzwi do salonu, udaje się na górę. Christian rozmawia przez telefon. Ciekawe z kim. Podchodzi do mnie leniwie, przyciąga do siebie i całuje we włosy.

– Doskonała wiadomość… świetnie. Tak… Naprawdę? Schodki przeciwpożarowe?… Rozumiem… Tak, dziś wieczorem.

Rozłącza się. Rozlega się głośny warkot silników, a ja aż podskakuję. To pewnie Mac siedzi w kokpicie.

– Pora wracać – mówi Christian, po czym zakłada mi kapok.

SŁOŃCE WISI NISKO na niebie za nami, gdy płyniemy z powrotem do mariny. Dumam o tym wspaniałym po-

południu. Pod kierunkiem Christiana zwinęłam żagle, nauczyłam się także robić węzeł refowy, wyblinkę i węzeł skrótowy. Usta mu drżały przez całą naszą lekcję.

– Pewnego dnia może cię zwiążę – burczę zrzędliwie. Uśmiecha się.

– Najpierw będzie musiała mnie pani złapać, panno Steele.

Jego słowa przywołują wspomnienie tego, jak gonił mnie po apartamencie. Ekscytacja, a potem te okropne wydarzenia. Wzdrygam się. To przecież po tym wszystkim od niego odeszłam.

Zostawiłabym go ponownie teraz, kiedy się przyznał, że mnie kocha? Zaglądam w jego szare oczy. Potrafiłabym od niego odejść, bez względu na to, co by mi zrobił? Potrafiłabym go tak zdradzić? Nie. Nie sądzę.

Oprowadził mnie raz jeszcze po tej pięknej łodzi, wyjaśniając wszystkie innowacyjne projekty i technologie oraz opowiadając o najwyższej jakości materiałach wykorzystanych do jej zbudowania. Pamiętam nasze pierwsze spotkanie; już wtedy wyczułam jego żeglarską pasję. Sądziłam, że odnosi się to jedynie do budowanych przez jego firmę frachtowców, a nie niezwykle seksownych, eleganckich katamaranów.

No i, rzecz jasna, słodko i niespiesznie się ze mną kochał. Kręcę głową, wspominając, jak moje ciało zachowywało się pod jego zręcznymi dłońmi. To wyjątkowy kochanek, jestem tego pewna – choć, naturalnie, nie mam żadnego porównania. Ale Kate częściej by się entuzjazmowała, gdyby zawsze tak było; ona nie ma w zwyczaju zachowywać takich informacji dla siebie.

Tylko jak długo będzie mu to wystarczać? Po prostu nie wiem i myśl ta wytrąca mnie z równowagi.

Teraz Christian siedzi, a ja stoję w bezpiecznej przystani jego ramion. W przyjacielskiej ciszy obserwujemy, jak Grace zbliża się do Seattle. Ja trzymam ster, on co jakiś czas czyni uwagę na temat utrzymywania kursu.

– W żeglarstwie jest poezja stara jak świat – mruczy mi do ucha.

– To brzmi jak jakiś cytat.

Wyczuwam jego uśmiech.

– Bo jest. Antoine de Saint-Exupéry.

– Och… Uwielbiam *Małego księcia*.

– Ja też.

JEST WCZESNY WIECZÓR, gdy Christian, nadal trzymając dłonie na moich, wprowadza nas do mariny. Na łodziach mrugają światełka, odbijające się w ciemnej wodzie, ale jest jeszcze jasno – ciepły, pogodny wieczór, uwertura do z pewnością spektakularnego zachodu słońca.

Na nabrzeżu gromadzi się mały tłum, gdy Christian powoli manewruje łodzią w ograniczonej przestrzeni. Pewnie i bez żadnego problemu wpływa w to samo miejsce, z którego wypłynęliśmy. Mac wyskakuje z Grace i zakłada cumę na poler.

– No i jesteśmy z powrotem – mówi cicho Christian.

– Dziękuję ci – odpowiadam nieśmiało. – To było doskonałe popołudnie.

Uśmiecha się szeroko.

– Też tak uważam. Niewykluczone, że zapiszemy cię do szkoły żeglarskiej, żebyśmy mogli wypływać na kilka dni, tylko ty i ja.

– Bardzo chętnie. Możemy chrzcić twoją kajutę i chrzcić.

Całuje mnie tuż pod uchem.

– Hmm… już się nie mogę doczekać, Anastasio – szepcze, przyprawiając mnie o gęsią skórę.

Jak on to robi?

– Chodź, apartament jest czysty. Możemy wracać.

– A co z naszymi rzeczami w hotelu?

– Taylor już je zabrał.

Och! Kiedy?

– Po tym, jak ze swoim zespołem przeszukał Grace – odpowiada na moje zadane w myślach pytanie.

– Czy ten biedny człowiek w ogóle sypia?

– Sypia. – Christian unosi brew. – On wykonuje jedynie swoją pracę, Anastasio, w której jest bardzo dobry. Jason to prawdziwy skarb.

– Jason?

– Jason Taylor.

Sądziłam, że Taylor to jego imię. Jason. Pasuje do niego – solidny, godny zaufania. Uśmiecham się mimowolnie.

– Lubisz Taylora – stwierdza Christian, przyglądając mi się uważnie.

– Na to wygląda. – Zbija mnie to z tropu. Christian marszczy brwi. – Nie podoba mi się, jeśli o to ci chodzi. Przestań się boczyć.

Patrzy na mnie chmurnie.

Jezu, czasami zachowuje się jak dzieciuch.

– Uważam, że Taylor bardzo dobrze się tobą opiekuje. Dlatego go lubię. Wydaje się życzliwy, godny zaufania i lojalny. Traktuję go trochę jak ojca.

– Ojca?

– Tak.

– Okej, jak ojca.

Śmieję się.

– Och, Christianie, doroślij, na litość boską.

Otwiera usta, zaskoczony moimi słowami, ale po chwili poważnieje.

– Staram się – szepcze w końcu.

– Wiem – mówię miękko, ale zaraz potem przewracam oczami.

– Cóż za wspomnienia przywołujesz, Anastasio. – Uśmiecha się od ucha do ucha.

Prycham.

– Cóż, jeśli się będziesz dobrze zachowywał, może część uda nam się przeżyć ponownie.

– Dobrze zachowywał? – Unosi brwi. – Naprawdę, panno Steele, co każe pani myśleć, że mam je ochotę przeżyć raz jeszcze?

– Prawdopodobnie fakt, że oczy zaświeciły ci się jak lampki na choince, kiedy to powiedziałam.

– Tak dobrze mnie już znasz – mówi cierpko.

– Chciałabym poznać cię lepiej.

Uśmiecha się łagodnie.

– A ja ciebie, Anastasio.

– Dzięki, Mac. – Christian ściska dłoń McConnella i schodzi na ląd.

– Jak zawsze cała przyjemność po mojej stronie, panie Grey. Do widzenia. Ano, miło było cię poznać.

Nieśmiało wymieniam z nim uścisk dłoni. Na pewno wie, co Christian i ja robiliśmy na łodzi, kiedy on popłynął na ląd.

– Do widzenia, Mac, i dziękuję.

Uśmiecha się do mnie i puszcza oko, a ja oblewam się rumieńcem. Christian bierze mnie za rękę i udajemy się w stronę promenady.

– Skąd pochodzi Mac? – pytam, zaciekawiona jego akcentem.

– Z Irlandii... Irlandii Północnej – poprawia się.

– Przyjaźnicie się?

– Z Makiem? Pracuje dla mnie. Pomagał budować Grace.

– Masz wielu przyjaciół?

Marszczy brwi.

– Nie bardzo. Robiąc to, co robię... nie przyjaźnię się. Jest tylko... – Urywa, ale ja wiem, że ma na myśli panią Robinson. – Głodna? – pyta, próbując zmienić temat. Kiwam głową. Prawdę mówiąc, umieram z głodu.

– Zjemy tam, gdzie zostawiłem samochód. Chodź.

ZARAZ OBOK SP's mieści się niewielkie włoskie bistro o nazwie Bee's. Przypomina mi pewien lokal w Portland – kilka stolików i boksów, nowoczesny wystrój, duże czarno-białe zdjęcie przedstawiające milenijną fiestę.

Siadamy w boksie. Przeglądamy menu, sącząc pyszne, lekkie frascati. Kiedy podnoszę wzrok, dokonawszy wyboru, Christian przygląda mi się uważnie.

– No co? – pytam.

– Ślicznie wyglądasz, Anastasio. Przebywanie na świeżym powietrzu dobrze ci robi.

– Jeśli chcesz znać prawdę, to wiatr nieźle mnie wysmagał. Ale to było cudowne popołudnie. Idealne. Dziękuję ci.

Uśmiecha się ciepło.

– Cieszę się bardzo, że ci się podobało.

– Mogę cię o coś zapytać? – Decyduję się na misję rozpoznawczą.

– O co tylko chcesz, Anastasio. Wiesz o tym. – Przechyla głowę.

– Nie masz wielu przyjaciół. Dlaczego?

Wzrusza ramionami.

– Już ci mówiłem, nie mam na to czasu. Mam współpracowników, ale to zupełnie co innego niż przyjaciele. Mam rodzinę, i to by było na tyle. Z wyjątkiem Eleny.

Ignoruję imię tej zdziry.

– Żadnych kumpli w twoim wieku, z którymi możesz się spotkać i spożytkować energię?

– Wiesz, w jaki sposób lubię ją pożytkować, Anastasio. – Krzywi się. – Ciężko pracuję, utrzymując w dobrej kon-

dycji moją firmę. – Wydaje się skonsternowany. – To jedyne,
co robię, z wyjątkiem okazjonalnego żeglowania i latania.

– Nawet w trakcie studiów?

– Nawet.

– Wobec tego tylko Elena?

Kiwa głową. W jego oczach czai się nieufność.

– Musisz być samotny.

Usta wygina w smutnym uśmiechu.

– Co chciałabyś zjeść? – pyta, ponownie zmieniając
temat.

– Risotto.

– Dobry wybór. – Przywołuje kelnera, kończąc tym
samym tę rozmowę.

Po złożeniu zamówienia wpatruję się w splecione
dłonie. Skoro jest w nastroju na zwierzenia, muszę to wy-
korzystać.

Muszę z nim porozmawiać o jego oczekiwaniach,
o jego, eee... potrzebach.

– Anastasio, co się dzieje? Powiedz mi.

Patrzę w jego zaniepokojone oczy.

– Powiedz – powtarza z większą stanowczością,
a jego troska przekształca się... w co? Strach? Gniew?

Biorę głęboki oddech.

– Martwię się jedynie, że dla ciebie to nie jest wy-
starczające. No wiesz, to pożytkowanie energii.

Twarz mu tężeje.

– Czy dałem ci do zrozumienia, że mi to nie wystarcza?

– Nie.

– Wobec tego dlaczego tak uważasz?

– Wiem, jaki jesteś. Czego... eee... potrzebujesz –
dukam.

Zamyka oczy i pociera długimi palcami czoło.

– Co muszę zrobić? – Głos ma niepokojąco spokojny,
jakby był rozgniewany, a mnie serce podchodzi do gardła.

– Nie, źle mnie zrozumiałeś. Jesteś wspaniały i wiem, że to dopiero kilka dni, ale mam nadzieję, że nie zmuszam cię do bycia kimś, kim nie jesteś.

– Nadal jestem sobą, Anastasio, we wszystkich pięćdziesięciu odcieniach popieprzenia. Tak, muszę zwalczać w sobie chęć sprawowania kontroli... ale taką już mam naturę, taki jestem od zawsze. Tak, oczekuję od ciebie, że będziesz się zachowywać w pewien sposób, a kiedy tego nie robisz, jest to zarazem prowokacyjne i odświeżające. Nadal robimy to, co lubię. Wczoraj pozwoliłaś mi na klapsy po tej oburzającej licytacji. – Uśmiecha się na to wspomnienie. – Lubię cię karać. Nie sądzę, by mi to kiedyś minęło... ale się staram, i nie jest wcale tak ciężko, jak wcześniej sądziłem.

Czerwienię się na wspomnienie naszej ukradkowej schadzki w jego dawnym pokoju.

– Mnie to nie przeszkadza – mówię, uśmiechając się nieśmiało.

– Wiem. – Uśmiecha się niechętnie. – Mnie też nie. Ale coś ci powiem, Anastasio. To wszystko stanowi dla mnie nowość, a kilka ostatnich dni było najlepszych w moim życiu. Nie chcę niczego zmieniać...

Och!

– Dla mnie też były najlepsze, bez żadnego wyjątku – mówię cicho, a jego uśmiech staje się szerszy. Moja wewnętrzna bogini kiwa gorączkowo głową i daje mi mocnego kuksańca w bok. „Okej, okej".

– Więc nie chcesz zabrać mnie do swojego pokoju zabaw?

Przełyka ślinę i blednie. Po dobrym nastroju nie ma śladu.

– Nie chcę.

– Dlaczego? – pytam szeptem. Nie takiej odpowiedzi się spodziewałam.

I owszem, pojawiło się – maleńkie ukłucie rozczarowania. Moja wewnętrzna bogini dąsa się, krzyżując ręce
na piersi jak rozgniewane dziecko.

– Po ostatnim razie odeszłaś ode mnie – mówi cicho. – Będę się trzymał z daleka od wszystkiego, przez
co znowu mogłabyś mnie zostawić. Po twoim odejściu
byłem zdruzgotany. Tłumaczyłem ci to. Już nigdy więcej
nie chcę się tak czuć. – Szare oczy błyszczą szczerością.

– Ale to nie jest fair. Trudno mówić o odprężeniu,
skoro nieustannie musisz się martwić tym, jak się czuję. Dokonałeś dla mnie tych wszystkich zmian, a ja...
ja uważam, że powinnam ci się jakoś odwdzięczyć. Nie
wiem, może... spróbować... jakiegoś odgrywania ról –
jąkam się, a policzki mam równie szkarłatne jak ściany
w jego pokoju zabaw.

Dlaczego tak trudno o tym rozmawiać? Uprawiałam z tym mężczyzną perwersyjny seks, robiłam rzeczy,
o których jeszcze kilka tygodni temu nie miałam pojęcia,
rzeczy według moich wyobrażeń w ogóle niemożliwe,
a jednak najtrudniej przychodzi mi rozmowa.

– Ano, odwdzięczasz mi się, bardziej, niż jesteś tego
świadoma. Proszę, proszę, nie czuj się tak.

Zniknął beztroski Christian. Oczy ma pełne niepokoju i na ich widok ściska mnie w brzuchu.

– Skarbie, to dopiero jeden weekend – kontynuuje.
– Daj nam trochę czasu. Podczas tego tygodnia po twoim odejściu naprawdę dużo o nas myślałem. Potrzebny ci
czas. Musimy zaufać sobie nawzajem. Może z czasem coś
zmienimy, ale na razie podobasz mi się taka jak teraz. Lubię, gdy jesteś taka szczęśliwa, zrelaksowana i beztroska
i gdy wiem, że to dzięki mnie. Ja nigdy... – Urywa i przeczesuje palcami włosy. – Pierwej niźli biegać, nauczcie się
chodzić. – Nagle uśmiecha się drwiąco.

– Co jest takie zabawne?

– Flynn. Cały czas mi to powtarza. Nigdy nie sądziłem, że go zacytuję.

– Flynnizm.

Śmieje się.

– Właśnie tak.

Zjawia się kelner z przystawkami i bruschettą i nasza rozmowa zaczyna biec innym torem.

Ale kiedy na stoliku pojawiają się nierozsądnie duże talerze, wracam myślami do tego, jaki był dzisiaj Christian: rozluźniony, szczęśliwy i beztroski. Dobrze, że znowu się śmieje.

W duchu oddycham z ulgą, gdy zaczyna mnie wypytywać o miejsca, w których byłam. To krótka rozmowa, ponieważ nigdy nie wyjeżdżałam poza granice Stanów Zjednoczonych. Christian z kolei zjechał cały świat. I tak prowadzimy lekką, przyjemną pogawędkę na temat wszystkich krajów, które zwiedził.

Po smacznym i sycącym posiłku wracamy do Escali, a podróż umila nam delikatny, słodki głos Evy Cassidy. Dzięki temu mogę spokojnie oddać się rozmyślaniom. To był niesamowity dzień: dr Greene, nasz prysznic, wyznanie Christiana, kochanie się w hotelu i na łodzi, kupno samochodu. Nawet Christian zachowywał się dziś inaczej. Tak, jakby coś odpuścił albo na nowo odkrył – sama nie wiem.

Kto by pomyślał, że potrafi być taki słodki?

Zerkam na niego i widzę, że on także zatopiony jest w myślach. Wtedy uderza mnie myśl, że tak naprawdę nigdy nie przeżył wieku dojrzewania – to znaczy takiego normalnego. Kręcę głową.

Wracam myślami do balu, tańca z doktorem Flynnem i strachu Christiana, że Flynn opowiedział mi o nim. A więc nadal coś przede mną skrywa. Jak możemy rozpocząć kolejny etap, skoro tak właśnie jest?

Uważa, że mogłabym odejść, gdybym go dobrze poznała. Uważa, że mogłabym odejść, gdyby był sobą. Och,
ten człowiek jest taki skomplikowany.

Gdy dojeżdżamy do domu, zaczyna z niego emano-
wać napięcie. Przeczesuje wzrokiem chodniki i boczne
uliczki, a ja wiem, że szuka Leili. Też się rozglądam. Każda młoda brunetka automatycznie staje się podejrzana.

Kiedy wjeżdża do garażu, usta ma zaciśnięte w cienką, ponurą linię. Zastanawiam się, dlaczego tu wróciliśmy,
jeśli zamierza się zachowywać tak czujnie i ostrożnie.
Sawyer robi rekonesans w garażu. Zniszczone audi znik-
nęło. Podchodzi, aby otworzyć mi drzwi, gdy Christian
parkuje obok SUV-a.

– Witaj, Sawyer – mówię na powitanie.

– Panno Steele – kiwa głową. – Panie Grey.

– Ani śladu? – pyta Christian.

– Nie, proszę pana.

Christian bierze mnie za rękę i prowadzi w stronę
windy. Wiem, że jego mózg pracuje teraz na najwyższych
obrotach. Kiedy wsiadamy, odwraca się do mnie.

– Nie wolno ci wychodzić stąd samej. Rozumiesz? –
warczy.

– W porządku. – Rany, trochę wyluzuj. Uśmiecham
się. Mam ochotę skakać z radości. Jeszcze tydzień temu
coś takiego odebrałabym jako zagrożenie. Ale teraz
znacznie lepiej go rozumiem. To jego mechanizm obron-
ny. Stresuje się Leilą, kocha mnie i chce mnie chronić.

– Co cię tak bawi? – pyta z przekąsem, ale w jego
oczach czai się wesołość.

– Ty.

– Ja? Panno Steele? Dlaczego panią bawię? – Wydyma wargi.

Christian wydymający wargi jest... seksowny.

– Nie dąsaj się.

– Dlaczego? – Rozbawienie w oczach jest jeszcze wyraźniejsze.

– Ponieważ działa to na mnie tak samo, jak na ciebie to. – Przygryzam celowo wargę.

Unosi brwi, jednocześnie zaskoczony i zadowolony.

– Naprawdę? – Ponownie wydyma usta i pochyla się, aby dać mi buziaka.

W ułamku sekundy charakter naszego pocałunku ulega zmianie – w moich żyłach zaczyna szaleń ogień, popychając mnie w stronę Christiana.

Nagle wczepiam palce w jego włosy, a on opiera mnie o ścianę windy. Nasze języki uderzają o siebie. I nie wiem, czy ciasnota windy czyni wszystko jeszcze bardziej rzeczywistym, ale czuję jego pragnienie, jego namiętność, jego żarliwość.

O cholera. On mnie pragnie, tu i teraz.

Winda się zatrzymuje, drzwi rozsuwają i Christian odrywa usta ode mnie, biodrami nadal przytrzymując mnie pod ścianą.

– Hola – mruczy, dysząc.

– Hola – powtarzam za nim, wciągając do płuc życiodajne powietrze.

Patrzy na mnie płonącym wzrokiem.

– Co ty ze mną wyprawiasz? – Przesuwa kciukiem po mojej wardze.

Kątem oka widzę, że Taylor robi krok w tył. Całuję Christiana w kącik jego pięknie wykrojonych ust.

– A co ty wyprawiasz ze mną, Christianie?

Odsuwa się i bierze mnie za rękę. Oczy zdążyły mu pociemnieć.

– Chodź – mówi.

Taylor nadal stoi w holu, czekając na nas dyskretnie.

– Dobry wieczór, Taylor – mówi serdecznie Christian.

– Panie Grey, panno Steele.

– Wczoraj byłam panią Taylor. – Uśmiecham się szeroko do Taylora, który oblewa się rumieńcem.

– Ładnie to brzmi, panno Steele – mówi spokojnie.

– Też tak pomyślałam.

Christian ściska mi mocniej dłoń.

– Jeśli już skończyliście, chciałbym usłyszeć raport. – Piorunuje wzrokiem Taylora, który wygląda na zakłopotanego.

Krzywię się w duchu. Przekroczyłam granicę.

– Przepraszam – mówię bezgłośnie do Taylora, a on wzrusza ramionami i uśmiecha się miło, nim odwracam się i podążam za Christianem.

– Zaraz do ciebie przyjdę. Zamienię jedynie słówko z panną Steele – mówi Christian do Taylora i już wiem, że mam kłopoty.

Prowadzi mnie do sypialni i zamyka drzwi.

– Nie flirtuj z personelem, Anastasio – beszta mnie.

Otwieram usta, aby powiedzieć coś na swoją obronę – po czym je zamykam, i znów otwieram.

– Nie flirtowałam. Zachowywałam się przyjacielsko, a to różnica.

– Nie zachowuj się przyjacielsko wobec personelu ani z nim nie flirtuj. Nie podoba mi się coś takiego.

Och. Żegnaj, beztroski Christianie.

– Przepraszam – szepczę i wpatruję w dłonie. Przez cały dzień udało mu się nie sprawić, abym czuła się jak dziecko. Ujmuje moją brodę i unosi głowę. Patrzy mi w oczy.

– Wiesz, jaki jestem zazdrosny.

– Nie masz żadnego powodu do zazdrości, Christianie. Jestem twoja ciałem i duszą.

Mruga powiekami, jakby niełatwo mu było to przyswoić. Nachyla się i całuje mnie szybko w usta, ale bez tej namiętności, jakiej doświadczyliśmy zaledwie chwilę temu w windzie.

– Niedługo wrócę. Czuj się jak u siebie w domu – mówi chmurnie, odwraca się i wychodzi, zostawiając mnie skonsternowaną w swojej sypialni.

Czemu, u licha, miałby być zazdrosny o Taylora? Kręcę z niedowierzaniem głową.

Zerkam na zegarek i widzę, że właśnie minęła ósma. Postanawiam przygotować sobie ubranie na jutro do pracy. Idę na górę do swojego pokoju i otwieram szafę. Jest pusta. Zniknęły wszystkie ubrania. O nie! Christian wziął na poważnie moje słowa i pozbył się ich. Cholera.

Moja podświadomość patrzy na mnie gniewnie. „Ty i ten twój niewyparzony język".

Dlaczego to zrobił? Przypomina mi się myśl mojej matki: „Mężczyźni są tacy dosłowni, skarbie". Wydymam usta, wpatrując się w pustą szafę. Niektóre stroje były naprawdę śliczne, jak tak srebrna suknia, którą włożyłam na bal.

Podchodzę zasmucona do łóżka. Chwileczkę, co się dzieje? iPad zniknął. Gdzie jest mój Mac? O nie. Pierwsza myśl, jaka przychodzi mi do głowy, to że ukradła je Leila.

Zbiegam na dół do sypialni Christiana. Na stoliku nocnym leżą mój Mac, iPad i plecak. Wszystko jest tutaj.

Otwieram drzwi do garderoby. I są tu moje ubrania – wszystkie – dzieląc przestrzeń z ubraniami Christiana. Kiedy to się stało? Dlaczego on nigdy mnie nie uprzedza przed czymś takim?

Odwracam się i widzę, że stoi w drzwiach.

– Och, a więc poradzili sobie z przenosinami – mówi z roztargnieniem.

– Co się stało? – pytam.

– Taylor uważa, że Leila dostała się schodkami przeciwpożarowymi. Musiała mieć klucz. Zmieniono wszystkie zamki. Zespół Taylora przeczesał każde pomieszczenie w apartamencie. Nie ma jej tutaj. – Milknie i przeczesuje palcami włosy. – Szkoda, że nie wiem, gdzie jest. Udaremnia nam wszystkie próby znalezienia jej, a przecież potrzebna jej pomoc. – Marszczy brwi, a moja wcześniejsza irytacja znika. Obejmuję go, a on całuje moje włosy.

– Co zrobisz, kiedy ją znajdziesz? – pytam.

– Dr Flynn zna pewne miejsce.

– A co z jej mężem?

– Umywa ręce. – W jego głosie słychać rozgoryczenie. – Jej rodzina mieszka w Connecticut. Sądzę, że tutaj jest zupełnie sama.

– To smutne.

– Nie przeszkadza ci, że wszystkie twoje rzeczy są tutaj? Chcę, żebyś dzieliła ze mną pokój – mówi miękko.

Cóż za zmiana nastroju.

– Nie przeszkadza.

– Chcę, żebyś ze mną spała. Nie mam koszmarów, kiedy jesteś przy mnie.

– A miewasz je?

– Tak.

Otulam go mocniej ramionami. Jeszcze większy bagaż. Ściska mi się serce.

– Miałam sobie właśnie przyszykować ubranie na jutro do pracy – mamroczę.

– Do pracy! – wykrzykuje Christian, a potem puszcza mnie i obrzuca gniewnym spojrzeniem.

– Tak, do pracy – odpowiadam, zdezorientowana jego reakcją.

Patrzy na mnie nic nierozumiejącym wzrokiem.

– Ale Leila… Jest na wolności. – Waha się. – Nie chcę, abyś jechała do pracy.

Co takiego?

– To niedorzeczne, Christianie. Muszę jechać.

– Nie musisz.

– Mam nową pracę, która mi się podoba. Oczywiście, że muszę do niej jechać. – O co mu chodzi?

– Nie musisz – powtarza z naciskiem.

– Sądzisz, że zamierzam tu siedzieć i kręcić młynka palcami, gdy tymczasem ty wybywasz, bawiąc się w pana wszechświata?

– Szczerze mówiąc... tak.

Och, Szary, Szary, Szary... daj mi siłę.

– Christianie, muszę jechać do pracy.

– Nie musisz.

– Muszę – mówię powoli, jakbym rozmawiała z małym dzieckiem.

Patrzy na mnie gniewnie.

– To nie jest bezpieczne.

– Christianie... Muszę zarabiać jakoś na życie. Nic mi się nie stanie.

– Nie musisz zarabiać na życie. I skąd wiesz, że nic ci się nie stanie? – Niemal krzyczy.

Co ma przez to na myśli? Zamierza mnie utrzymywać. Och, to się robi bardziej niż niedorzeczne. Znamy się jak długo? Pięć tygodni?

Jest teraz rozgniewany, jego oczy ciskają błyskawice, ale mam to gdzieś.

– Na litość boską, Christianie, Leila stała w nogach twojego łóżka i nie zrobiła mi krzywdy. I owszem, muszę pracować. Nie chcę być twoją utrzymanką. Mam kredyt studencki do spłacenia.

Usta zaciska w ponurą linię, gdy kładę mu ręce na biodrach. W tym przypadku nie ustąpię. Za kogo on się, do cholery, uważa?

– Nie chcę, żebyś jechała do pracy.

– To nie zależy od ciebie, Christianie. To ja podejmuję w tej sprawie decyzje.

Przeczesuje palcami włosy i wpatruje się we mnie. Mijają sekundy, minuty, gdy tak piorunujemy się wzrokiem.

– Sawyer z tobą pojedzie.

– To nie jest konieczne. Zachowujesz się irracjonalnie.

– Irracjonalnie? – warczy. – Albo pojedzie z tobą, albo zachowam się naprawdę irracjonalnie i cię tu zatrzymam.

Nie zrobi tego, prawda?

– A niby w jaki sposób?

– Och, znajdę jakiś, Anastasio. Nie przeginaj.

– W porządku! – kapituluję. Jasny gwint, wrócił mściwy Szary. – Sawyer może ze mną jechać, jeśli dzięki temu poczujesz się lepiej – mówię, wywracając oczami.

Christian mruży swoje i robi krok w moją stronę. Natychmiast się cofam. Zatrzymuje się, bierze głęboki oddech, przymyka powieki i rękoma przeczesuje włosy. O nie. Szary porządnie się wkurzył.

– Mam cię oprowadzić po apartamencie?

Oprowadzić po apartamencie? Żartuje sobie?

– Okej – mówię ostrożnie. Kolejna zmiana taktyki; oto wrócił Pan Zmienny. Wyciąga rękę, a kiedy ją ujmuję, lekko ściska mi dłoń.

– Nie chciałem cię przestraszyć.

– Nie przestraszyłeś. Właśnie się szykowałam do ucieczki – mówię żartobliwie.

– Ucieczki? – Oczy Christiana się rozszerzają.

– Żartuję! – Jezu.

Wyprowadza mnie z garderoby, a ja próbuję się uspokoić. W moich żyłach nadal krąży adrenalina. Kłótnia z Szarym to nie bułka z masłem.

Oprowadza mnie po pomieszczeniu, pokazując kolejno wszystkie pomieszczenia. Odkrywam nie tylko trzy dodatkowe sypialnie, ale także to, że Taylor i pani Jones mają dla siebie całą osobną część: kuchnię, przestronny salon i dwie sypialnie. Pani Jones jeszcze nie wróciła od mieszkającej w Portland siostry.

Na dole moją uwagę zwraca pomieszczenie naprzeciwko gabinetu – sala telewizyjna z aż nazbyt wielkim ekranem plazmowym i różnymi konsolami do gier. Przytulnie tu.

– Więc masz Xboxa? – uśmiecham się lekko drwiąco.

– Tak, ale jestem w tym beznadziejny. Elliot zawsze ze mną wygrywa. To było zabawne, kiedy sądziłaś, że mój pokój zabaw to właśnie to pomieszczenie. – Uśmiecha się szeroko. Po napadzie złości nie ma ani śladu. Jak to dobrze, że odzyskał dobry humor.

– Cieszę się, że uznaje mnie pan za zabawną, panie Grey – odpowiadam wyniośle.

– Bo taka pani jest, panno Steele. Naturalnie wtedy, gdy nie jest pani irytująca.

– Irytująca jestem zazwyczaj wtedy, kiedy pan zachowuje się nierozsądnie.

– Ja? Nierozsądnie?

– Owszem, panie Grey. Nierozsądny, tak mógłby pan mieć na drugie imię.

– Nie mam drugiego imienia.

– Wobec tego Nierozsądny pasuje idealnie.

– To kwestia subiektywnej opinii, panno Steele.

– Chętnie poznałabym zawodową opinię doktora Flynna.

Christian uśmiecha się drwiąco.

– Sądziłam, że Trevelyan to twoje drugie imię.

– Nie. Nazwisko. Trevelyan-Grey.

– Ale go nie używasz.

– Jest za długie. Chodź.

Wychodzę za nim z sali telewizyjnej. Przecinamy salon, a na korytarzu mijamy pomieszczenie gospodarcze i imponującą piwniczkę z winami, aż docieramy do dużego gabinetu Taylora. Wstaje na nasz widok. Jest tu miejsce na sześcioosobowy stół. Nad biurkiem wisi szereg monitorów. Nie miałam pojęcia, że apartament posiada monitoring. Kamery nadzorują balkon, klatkę schodową, windę dla personelu i hol.

– Cześć, Taylor. Ja tylko oprowadzam Anastasię.

Taylor kiwa głową, ale się nie uśmiecha. Ciekawe, czy on także dostał burę i dlaczego jeszcze pracuje? Kiedy uśmiecham się do niego, kiwa grzecznie głową. Christian ponownie bierze mnie za rękę i prowadzi do biblioteki.

– To pomieszczenie już widziałaś – mówi, otwierając drzwi.

Dostrzegam zielone płótno na stole bilardowym.

– Zagramy? – pytam.

Christian uśmiecha się zaskoczony.

– Dobra. Grałaś już kiedyś?

– Parę razy – kłamię, a on mruży oczy i przekrzywia głowę.

– Beznadziejny z ciebie kłamca, Anastasio. Albo nigdy nie grałaś, albo…

Oblizuję usta.

– Boisz się rywalizacji?

– Bać się takiej kruszynki? – drwi dobrodusznie.

– Zakład, panie Grey.

– Taka pani pewna siebie, panno Steele? – Jest jednocześnie rozbawiony i pełen niedowierzania. – O co chcesz się założyć?

– Jeśli wygram, zabierzesz mnie z powrotem do pokoju zabaw.

Patrzy na mnie takim wzrokiem, jakby nie do końca zrozumiał sens moich słów.

– A jeśli ja wygram? – pyta po kilku zaszokowanych sekundach.

– Wtedy ty zdecydujesz, co chcesz.

Zastanawia się przez chwilę.

– Umowa stoi. – Uśmiecha się drwiąco. – Chcesz zagrać w poola, snookera czy bilard?

– W poola. Nie znam pozostałych.

Z szafki stojącej obok jednego z regałów z książkami Christian wyjmuje dużą skórzaną walizkę. W niej znajdują się bile. Szybko i sprawnie ustawia je na suknie. Chyba jeszcze nigdy nie grałam w poola na tak dużym stole. Christian wręcza mi kij i kredę.

– Chcesz zacząć? – Udaje uprzejmość. Dobrze się bawi; uważa, że wygra.

– Dobra. – Pocieram kredą końcówkę kija i zdmuchuję jej nadmiar, obserwując Christiana spod rzęs. Gdy to robię, jego spojrzenie ciemnieje.

Nakierowuję kij na białą bilę, po czym jednym ruchem uderzam w środkową z taką siłą, że pasiasta obraca się i ląduje w prawej górnej łuzie. Reszta bil rozbiegła się po całym stole.

– Wybieram pasiaste – mówię niewinnie, uśmiechając się z fałszywą skromnością.

Usta drgają mu z rozbawieniem.

– Proszę bardzo – odpowiada grzecznie.

Chwilę później umieszczam w łuzach trzy kolejne bile. Chce mi się skakać z radości. Jestem tak bardzo wdzięczna José za to, że nauczył mnie grać w poola. Dobrze grać. Christian przygląda się spokojnie, niczego nie zdradzając, ale jego rozbawienie nie jest już tak oczywiste. Minimalnie chybiam z zieloną bilą.

– Wiesz, Anastasio, cały dzień mógłbym tu stać i obserwować, jak się pochylasz nad tym stołem – mówi z uznaniem.

Rumienię się. Dzięki Bogu, że mam na sobie dżinsy. Uśmiecha się drwiąco. Próbuje zbić mnie z tropu, drań jeden. Ściąga przez głowę kremowy sweter, rzuca go na oparcie krzesła i uśmiecha się do mnie szeroko, szykując się do pierwszego uderzenia.

Pochyla się nisko nad stołem. W ustach mi zasycha. O, już rozumiem, o co mu chodzi. Christian w dopasowanych dżinsach i białym T-shircie, pochylający się w taki sposób... to nie byle jaki widok. Umieszcza w łuzach cztery bile, po czym daje ciała, wbijając tam białą.

– Elementarny błąd, panie Grey – przekomarzam się z nim.

– Ach, panno Steele, jestem jedynie zwykłym śmiertelnikiem. Twoja kolej. – Pokazuje na stół.

– Nie próbujesz przegrać, co?

– O nie. Jako nagrodę obmyśliłem sobie coś takiego, że zdecydowanie chcę wygrać, Anastasio. – Wzrusza lekko ramionami. – No ale w końcu ja zawsze chcę wygrywać.

Mrużę oczy. W takim razie świetnie... Tak się cieszę, że mam na sobie niebieską bluzkę, która ma spory dekolt. Obchodzę stół, pochylając się przy każdej nadarzającej się sposobności, daję Christianowi popatrzeć na moją pupę i dekolt. Ten kij ma dwa końce. Zerkam na niego.

– Wiem, co robisz – mówi cicho.

Przechylam kokieteryjnie głowę i delikatnie głaszczę kij, powoli przesuwając po nim dłonią.

– Och, ja tylko próbuję zdecydować, jaki ma być mój kolejny ruch – rzucam z roztargnieniem.

Nachylam się i uderzam w pomarańczową bilę, umieszczając ją w lepszym położeniu. Następnie staję dokładnie naprzeciwko Christiana i pochylam się nad stołem. Słyszę, jak wciąga głośno powietrze, i oczywiście pudłuję. Cholera.

Podchodzi i staje za mną, gdy nadal się pochylam, i kładzie mi dłoń na pupie. Hmm...

– Próbuje mnie pani sprowokować, panno Steele? – I daje mi mocnego klapsa.

Łapię powietrze.

– Tak – mruczę, ponieważ to prawda.

– Uważaj, maleńka, bo igrasz z ogniem.

Przechodzi na drugi koniec stołu, nachyla się i uderza. Trafia w czerwoną bilę, która wpada do lewej łuzy. Następnie celuje w żółtą i pudłuje. Uśmiecham się szeroko.

– Czerwony Pokoju, nadchodzimy – nucę drwiąco.

Christian unosi jedynie brew i gestem pokazuje, abym kontynuowała. Szybko rozprawiam się z zieloną bilą i prawdziwym fuksem udaje mi się trafić w ostatnią pomarańczową.

– Która łuza? – pyta Christian takim tonem, jakby rozmawiał o czymś zupełnie innym, czymś mrocznym i niegrzecznym.

– Górna lewa. – Celuję, uderzam, ale chybiam. Jasna cholera.

Christian uśmiecha się szelmowsko, pochyla nad stołem i szybko wbija dwie ostatnie bile. Głośno oddycham, patrząc na jego smukłe ciało. Prostuje się i pociera kredą kij, wwiercając we mnie spojrzenie.

– Jeśli wygram…

Tak?

– Zamierzam najpierw dać ci klapsy, a potem zerżnąć cię na tym stole.

Jasny gwint. Wszystkie mięśnie w moim podbrzuszu zaciskają się na te słowa.

– Górna prawa – mruczy, celując w czarną, i nachyla się nad stołem.

ROZDZIAŁ JEDENASTY

U derza z gracją w białą bilę, ona zaś przesuwa się po stole, muska czarną, a ta z kolei powoli, och, tak bardzo powoli toczy się, waha na krawędzi i w końcu wpada do prawej górnej łuzy.

Do diaska.

Prostuje się i na jego twarzy pojawia się triumfujący uśmiech w stylu „jesteś moja, Steele". Odkłada kij i podchodzi do mnie niespiesznie. W dżinsach, białej koszulce i z potarganymi włosami zupełnie nie wygląda jak prezes – wygląda jak niegrzeczny chłopak z szemranej dzielnicy. I jest tak cholernie seksowny.

– Chyba nie będziesz płakać z powodu przegranej, co? – pyta.

– To zależy, jak mocno mnie zbijesz – odpowiadam cicho, opierając się o kij. Bierze go ode mnie i odkłada na bok. Wsuwa palec za skraj mojej bluzki i przyciąga mnie do siebie.

– Cóż, porachujemy pani występki, panno Steele. – Odlicza na długich palcach. – Pierwszy, wyzwoliłaś we mnie zazdrość o mojego pracownika. Drugi, kłóciłaś się ze mną o pracę. I trzeci, przez dwadzieścia minut szczułaś mnie tą swoją apetyczną pupcią. – Nachyla się i pociera nosem o mój nos. – Chcę, żebyś zdjęła dżinsy i tę uroczą bluzkę. Natychmiast. – Składa na moich ustach delikatny jak piórko pocałunek, po czym podchodzi nonszalancko do drzwi i zamyka je na klucz.

Kiedy się odwraca, oczy mu płoną. Stoję sparaliżowana, serce wali mi jak młotem, krew dudni w uszach i naprawdę nie jestem w stanie wykonać żadnego ruchu. W mojej głowie niczym mantra rozbrzmiewa jedna tylko myśl: „To dla niego".

– Ubranie, Anastasio. Masz je jeszcze na sobie. Zdejmij je, inaczej sam to zrobię.

– Zrób. – W końcu wraca mi zdolność mówienia.

Uśmiecha się szeroko.

– Och, panno Steele. To brudna robota, ale chyba podejmę wyzwanie.

– Zazwyczaj doskonale pan sobie radzi z wyzwaniami, panie Grey. – Unoszę brew.

– Ależ panno Steele, cóż pani ma na myśli?

Idąc w moją stronę, zatrzymuje się przy niewielkim biurku, połączonym z jednym z regałów. Bierze z niego trzydziestocentymetrową linijkę i trzymając za końce, wygina lekko, nie spuszczając ze mnie wzroku.

O cholera, a więc takie wybrał narzędzie. W ustach mi zasycha.

Nagle robi mi się gorąco i wilgotno we wszystkich właściwych miejscach. Tylko Christian potrafi doprowadzić do tego jednym spojrzeniem i wygięciem linijki. Wsuwa ją w tylną kieszeń spodni i z oczami błyszczącymi obietnicą podchodzi do mnie. Bez słowa klęka i zaczyna rozsznurowywać mi buty. Chwilę później ściąga mi conversy i skarpetki. Opieram się o stół bilardowy, żeby się nie przewrócić. Patrząc, jak rozwiązuje mi buty, zdumiewam się głębią uczuć, jakie żywię do tego mężczyzny. Kocham go.

Chwyta mnie za biodra, wsuwa palce pod pasek dżinsów, po czym rozpina guzik i pociąga za suwak. Zerka na mnie, uśmiechając się lubieżnie, i zsuwa mi powoli spodnie. Cieszę się, że włożyłam dziś te ładne koronkowe majteczki. Łapie mnie za biodra i wtula nos w złączenie mych ud. A ja się dosłownie rozpływam.

– Chcę być dla ciebie ostry, Anastasio. Będziesz mi musiała kazać przestać, jeśli posunę się za daleko – mówi bez tchu.

O rety. Całuje mnie… tam. Cicho jęczę.

– Hasło bezpieczeństwa? – mruczę.

– Nie, każ mi jedynie przestać, a przestanę. Rozumiesz? – Ponownie mnie całuje. Och, ale mi dobrze. Wstaje. – Odpowiedz – nakazuje głosem miękkim jak aksamit.

– Tak, tak, rozumiem.

– Przez cały dzień wysyłałaś mi sprzeczne sygnały, Anastasio. Mówiłaś, że się martwisz, iż utraciłem swoją wyrazistość. Nie jestem pewny, co miałaś przez to na myśli, i nie wiem, czy mówiłaś poważnie, ale zaraz się tego dowiemy. Nie chcę wracać jeszcze do pokoju zabaw, więc spróbujemy czegoś innego, a jeśli ci się nie spodoba, musisz obiecać, że mi to powiesz. – Wcześniejszą pewność siebie zastępuje zrodzona z niepokoju żarliwość.

Hola, nie bój się tak, Christianie.

– Powiem ci. Nie używając hasła bezpieczeństwa – zapewniam go.

– Jesteśmy kochankami, Anastasio. Kochankowie nie potrzebują takich haseł. – Marszczy brwi. – Prawda?

– Chyba nie – odpowiadam cicho. Skąd mam wiedzieć? – Obiecuję.

Przygląda się uważnie mojej twarzy, sprawdzając, czy mówię to z przekonaniem. Jestem zdenerwowana, ale i podekscytowana. O wiele chętniej się na to godzę, wiedząc, że Christian mnie kocha. To dla mnie bardzo proste i na razie nie chcę zbyt wiele myśleć na ten temat.

Z lekkim uśmiechem zaczyna mi rozpinać bluzkę. Nie zdejmuje jej jednak. Schyla się i bierze do ręki kij bilardowy.

O kuźwa, co on zamierza z nim zrobić? Oblatuje mnie strach.

– Dobrze pani gra, panno Steele. Muszę powiedzieć, że jestem zaskoczony. Dlaczego nie wbiła pani czarnej bili?

Zapominając o strachu, wydymam usta, zastanawiam się, czemu niby miałby być zaskoczony – seksowny, arogancki drań. Moja wewnętrzna bogini wykonuje rozgrzewkę. Na jej twarzy widnieje szeroki uśmiech.

Kładę na suknie białą bilę. Christian obchodzi stół i staje tuż za mną, gdy pochylam się, aby wykonać uderzenie. Kładzie mi dłoń na prawym udzie i przesuwa ją w górę i w dół, delikatnie pieszcząc moją skórę.

– Spudłuję, jeśli tak będziesz robił – burczę, zamykając oczy i rozkoszując się jego dotykiem.

– Nie interesuje mnie, czy trafisz, czy spudłujesz, mała. Chcę cię jedynie oglądać w takim stanie: częściowo rozebraną, pochyloną nad moim stołem. Masz pojęcie, jak seksownie teraz wyglądasz?

Czerwienię się, a moja wewnętrzna bogini wkłada w zęby różę i zaczyna tańczyć tango. Biorę głęboki oddech, próbując go ignorować, i szykuję się do uderzenia. To niemożliwe. Christian pieści mi pośladki, nie odrywając od nich dłoni.

– Lewa górna – rzucam, po czym uderzam w białą bilę. Christian uderza mnie mocno w tyłek.

To takie nieoczekiwane, że aż wydaję okrzyk. Biała bila uderza w czarną, która odbija się od sukna i zatrzymuje daleko od łuzy. Christian ponownie gładzi moje pośladki.

– Och, chyba musisz spróbować raz jeszcze – szepcze. – Skoncentruj się, Anastasio.

Oddech mam przyspieszony. Christian przechodzi na drugi koniec stołu, ponownie ustawia czarną bilę, po czym turla białą w moją stronę. Wygląda tak zmysłowo.

Jak mogłabym mu się oprzeć? Łapię bilę i ustawiam ją, szykując się do ponownego uderzenia.

– Chwileczkę – mówi. Och, on uwielbia przedłużać udrękę. Wraca niespiesznie i znowu zajmuje miejsce za mną. Zamykam oczy, gdy ponownie gładzi mi pośladki.

– Wyceluj.

Nie jestem w stanie zdusić jęku wywołanego zżerającym mnie pożądaniem. I próbuję, naprawdę próbuję zastanowić się nad tym, gdzie powinnam trafić czarną bilą. Robię pół kroku w prawą stronę, a on podąża za mną. Raz jeszcze pochylam się nad stołem. Ponawiając próbę koncentracji – a jest to naprawdę trudne, zważywszy na to, że wiem, co mnie czeka po trafieniu w białą bilę – celuję i uderzam. Christian daje mi kolejnego klapsa. Mocnego.

Ał! Znowu chybiłam.

– O nie! – jęczę.

– Jeszcze jedna próba, maleńka. I jeśli też spudłujesz, dam ci popalić.

Co takiego?

Jeszcze raz ustawia czarną bilę i boleśnie powoli wraca do mnie. Staje i zaczyna gładzić mi pośladki.

– Dasz radę – zachęca mnie.

Nie, kiedy mnie tak rozpraszasz. Dociskam pupę do jego dłoni, a on daje mi lekkiego klapsa.

– Taka pani chętna, panno Steele?

Tak. Pragnę cię.

– Cóż, wobec tego pozbądźmy się ich. – Delikatnie zsuwa mi majteczki. Nie widzę, co z nimi robi. Całuje mnie lekko w oba pośladki.

– Strzelaj, mała.

Wiem, że znowu spudłuję. Po prostu wiem. Celuję w białą bilę, uderzam, ale tak beznadziejnie, że czarna kula pozostaje nietknięta. Czekam na klapsa – na próżno. Zamiast tego Christian nachyla się nade mną, przyciskając do stołu, wyjmuje mi z dłoni kij i odsuwa go na bok. Czuję na pośladkach jego twardość.

– Spudłowałaś – szepcze mi do ucha. Policzkiem dotykam sukna. – Połóż ręce na stole.

Robię, co mi każe.

– Dobrze. Dam ci teraz klapsy i następnym razem może trafisz. – Przesuwa się tak, że erekcją napiera mi na biodro.

Jęczę i serce podchodzi mi do gardła. Oddech mam przyspieszony, a krew niemal mi wrze z podniecenia. Christian delikatnie gładzi moje pośladki, drugą rękę kładzie mi na szyi. Łokieć opiera na plecach, przyszpilając mnie do stołu. Jestem zdana na jego łaskę.

– Rozstaw nogi – mruczy i przez chwilę się waham. I uderza mnie mocno – linijką! Bardziej przeraża mnie towarzyszący temu dźwięk niż samo uderzenie. Łapię głośno powietrze, a on uderza ponownie. – Nogi – nakazuje. Rozsuwam je, dysząc głośno. Linijka znowu opada na pośladki. Ał, piecze, ale nie tak bardzo, jak można by sądzić po odgłosie.

Zamykam oczy i przyswajam ból. Nie jest tak źle. Oddech Christiana staje się coraz głośniejszy. Uderza mnie mocno, i jeszcze raz, a z mojego gardła wydobywa się jęk. Nie jestem pewna, ile jeszcze razów zniosę – ale słysząc go, wiedząc, jak bardzo go to kręci, ja także czuję podniecenie i chęć kontynuowania. Przechodzę na ciemną stronę, miejsce w mojej psychice, którego nie znam dobrze, ale w którym już miałam okazję być – w pokoju zabaw razem z Tallisem. Linijka raz jeszcze opada na moje pośladki i głośno jęczę. Z gardła Christiana także wydobywa się niski jęk. Uderza mnie znowu – i znowu... i jeszcze raz... tym razem mocniej – a ja się krzywię.

– Przestań. – To słowo wydostaje się z moich ust niemal podświadomie. Christian natychmiast odkłada linijkę i puszcza mnie.

– Wystarczy? – szepcze.

– Tak.

– Teraz chcę cię zerżnąć.

– Tak – kwilę zżerana pożądaniem. Rozpina rozporek, a ja leżę na stole i głośno dyszę, wiedząc, że będzie ostro.

Raz jeszcze zdumiewam się tym, że dałam radę i że nawet mi się podobało. To takie mroczne, ale tak bardzo w jego stylu.

Wsuwa we mnie dwa palce i zatacza nimi małe kółka. Co za niezwykłe doznanie. Zamykam oczy i rozkoszuję się nim. Słyszę charakterystyczny dźwięk rozrywanej folii, a potem Christian staje za mną i rozsuwa mi nogi jeszcze szerzej.

Powoli wchodzi we mnie, wypełniając mnie sobą. Słyszę jęk czystej przyjemności, który dociera aż do mojej duszy. Christian chwyta mnie mocno za biodra, wychodzi ze mnie, a następne pchnięcie jest tak mocne, że aż wydaję okrzyk. Na chwilę nieruchomieje.

– Jeszcze raz? – pyta łagodnie.

– Tak… wszystko w porządku. Zatrać się… weź mnie ze sobą – mówię bez tchu.

Wysuwa się ze mnie raz jeszcze, po czym wchodzi z impetem i powtarza wszystko powoli – to brutalny, niebiański rytm.

O mamusiu… Moje mięśnie zaciskają się wokół niego coraz szybciej. On też to czuje i przyspiesza – wyżej, mocniej, szybciej – aż poddaję się, eksplodując wokół niego w wyczerpującym orgazmie, kompletnie pozbawiającym mnie sił.

Mam mglistą świadomość, że Christian także szczytuje, wołając moje imię. Palce wbija mi w biodra, po czym nieruchomieje i opada na mnie. Osuwamy się razem na podłogę. Bierze mnie w ramiona.

– Dziękuję, skarbie – mówi bez tchu, po czym obsypuje mi twarz delikatnymi jak piórko pocałunkami. Otwieram oczy i wpatruję się w niego, a on jeszcze mocniej mnie przytula.

– Policzek masz różowy od sukna – mruczy, dotykając czule mojej twarzy. – Jak było? – Oczy ma duże i pełne ostrożności.

– Cholernie dobrze. Lubię ostry seks, Christianie, ale łagodny także. Lubię dlatego, że robię to z tobą.

Zamyka oczy i jeszcze mocniej mnie obejmuje.

Jezu, ale jestem zmęczona.

– Nigdy mnie nie zawodzisz, Ano. Jesteś śliczna, mądra, prowokacyjna, zabawna, seksowna i każdego dnia dziękuję opatrzności boskiej, że to ty przyjechałaś przeprowadzić ze mną wywiad, a nie Katherine Kavanagh. – Całuje moje włosy. Uśmiecham się i ziewam głośno. – Zmęczyłem cię – kontynuuje. – Chodź. Kąpiel, a potem spać.

Leżymy w wannie Christiana, aż po szyje zanurzeni w pianie. Otula nas słodki zapach jaśminu. Christian masuje mi stopy. Jest mi tak przyjemnie, że to powinno być zakazane.

– Mogę cię o coś zapytać? – mruczę.

– Naturalnie. O co tylko chcesz.

Biorę głęboki oddech i siadam wyprostowana, lekko się przy tym krzywiąc.

– Jutro, kiedy pojadę do pracy, czy możemy zrobić tak, że Sawyer odstawi mnie pod drzwi redakcji, a potem przyjedzie po mnie na koniec dnia? Proszę, Christianie, proszę – mówię błagalnie.

Jego dłonie nieruchomieją, a na czole pojawiają się zmarszczki.

– Sądziłem, że już to ustaliliśmy – warczy.

– Proszę.

– A co z przerwą na lunch?

– Przygotuję sobie coś tutaj, żebym nie musiała wychodzić. Proszę.

Całuje podbicie lewej stopy.

– Trudno mi odmówić ci czegokolwiek – mówi takim tonem, jakby to była ułomność. – Nie opuścisz redakcji?

– Nie.

– W porządku.

Obdarzam go promiennym uśmiechem.

– Dziękuję ci. – Klękam, rozlewając wokół wodę, i daję mu całusa.

– Ależ nie ma za co, panno Steele. Jak twoja pupa?

– Boli. Ale nie tak bardzo. Woda działa znieczulająco.

– Cieszę się, że kazałaś mi przestać – mówi, wpatrując się we mnie.

– Moja pupa też.

Uśmiecha się szeroko.

Przeciągam się w łóżku. Jestem taka zmęczona. Dopiero wpół do jedenastej, a mam wrażenie, że to trzecia w nocy. To chyba jeden z najbardziej wyczerpujących weekendów w moim życiu.

– Pani Acton nie zatroszczyła się o bieliznę nocną? – pyta Christian z dezaprobatą w głosie.

– Nie mam pojęcia. Lubię wkładać twoje T-shirty – mamroczę sennie.

Jego twarz łagodnieje. Nachyla się i całuje mnie w czoło.

– Muszę jeszcze popracować. Ale nie chcę zostawiać cię samej. Mogę skorzystać z twojego laptopa, żeby zalogować się do biura? Bardzo ci będę przeszkadzał, pracując tutaj?

– To nie mój laptop. – Po tych słowach odpływam.

* * *

Ze snu wyrywa mnie budzik, nastawiony na wiadomości drogowe. Christian śpi obok mnie. Trę oczy i zerkam
na zegarek. Szósta trzydzieści – za wcześnie.

Po raz pierwszy od dawna pada deszcz i jest szaro
za oknem. Bardzo mi wygodnie w tym dużym, nowocze-
snym łóżku z Christianem u boku. Przeciągam się i odwracam do leżącego obok pięknego mężczyzny. Otwiera
oczy i sennie mruga powiekami.

– Dzień dobry. – Uśmiecham się i głaszczę go po
policzku.

– Dzień dobry, mała. Zazwyczaj budzę się, zanim
włączy się budzik – mruczy ze zdziwieniem.

– Źle go ustawiłeś, jest za wcześnie.

– Wcale nie, panno Steele. – Christian uśmiecha się
szeroko. – Muszę wstać.

Całuje mnie, po czym wstaje z łóżka. Opadam z powrotem na poduszki. O rany, pobudka w dzień powszedni
u boku Christiana Greya. Jak do tego doszło? Zamykam
oczy i zapadam w drzemkę.

– No już, śpiochu, wstawaj. – Christian nachyla się
i daje mi buziaka. Jest ogolony, wykąpany – hmm, ślicznie
pachnie – i ubrany w białą koszulę i czarny krawat. Wrócił prezes. – No co? – pyta.

– Szkoda, że nie możesz wrócić do łóżka.

Zaskoczony moją prowokacją, uśmiecha się niemal
nieśmiało.

– Jest pani nienasycona, panno Steele. I choć myśl
o powrocie do łóżka jest mocno kusząca, o ósmej trzydzieści mam spotkanie, więc niedługo muszę wyjść.

Och, moja drzemka trwała chyba z godzinę. Cholera. Ku rozbawieniu Christiana wyskakuję z łóżka.

Biorę prysznic i szybko się ubieram w to, co wczoraj
sobie naszykowałam: szarą ołówkową spódnicę, jasnosza-

rą bluzkę z jedwabiu i czarne pantofle na wysokim obcasie. Wszystko to znalazłam w swojej nowej garderobie.
Układam starannie włosy, po czym udaję się do salonu,
nie do końca wiedząc, czego się spodziewać. Jak dostanę
się do pracy?

Christian siedzi przy barze śniadaniowym i pije
kawę. Pani Jones smaży właśnie naleśniki i bekon.

– Ślicznie wyglądasz – wita mnie Christian. Obejmuje mnie i całuje miejsce pod uchem. Kątem oka dostrzegam, że pani Jones się uśmiecha. Oblewam się rumieńcem.

– Dzień dobry, panno Steele – mówi, stawiając
przede mną talerz ze śniadaniem.

– Dziękuję pani. Dzień dobry. – O rany. Mogłabym
się do czegoś takiego przyzwyczaić.

– Pan Grey mówi, że chciałaby pani zabrać do pracy
lunch. Na co ma pani ochotę?

Rzucam Christianowi groźne spojrzenie, a on bardzo się stara nie uśmiechać.

– Kanapkę… sałatkę. Jak będzie pani wygodniej –
uśmiecham się do pani Jones.

– Przygotuję dla pani coś dobrego.

– Proszę mi mówić Ana.

– Ana. – Uśmiecha się i odwraca, aby zaparzyć herbatę.
Wow… ale jest fajnie.

Posyłam Christianowi wyzywające spojrzenie –
śmiało, oskarż mnie o flirtowanie z panią Jones.

– Muszę lecieć, mała. Taylor wróci po ciebie i Sawyera i zawiezie was do pracy.

– Tylko do drzwi.

– Tak. Tylko do drzwi. – Christian przewraca oczami. – Uważaj na siebie.

Oglądam się i dostrzegam stojącego przy wyjściu
Taylora. Christian wstaje i całuje mnie na pożegnanie.

– Na razie, mała.

– Miłego dnia, skarbie – wołam za nim.

Odwraca się, posyła mi jeden z tych swoich promiennych uśmiechów, po czym znika za drzwiami. Pani Jones stawia przede mną kubek z herbatą. Nagle czuję się niezręcznie.

– Długo pani pracuje dla Christiana? – pytam, uważając, że powinnam coś powiedzieć.

– Mniej więcej cztery lata – odpowiada uprzejmie i zabiera się za przygotowywanie dla mnie lunchu.

– W sumie sama mogę coś sobie naszykować – mamroczę, zażenowana tym, że robi to za mnie.

– Proszę zjeść spokojnie śniadanie. Jedzeniem zajmuję się ja. Lubię to. I przyjemnie dbać o kogoś jeszcze oprócz pana Greya i pana Taylora. – Uśmiecha się do mnie sympatycznie.

Kraśnieję z zadowolenia. Mam ochotę zasypać tę kobietę pytaniami. Musi tyle wiedzieć na temat Szarego. Ale choć zachowuje się względem mnie ciepło i przyjacielsko, jest profesjonalistką. Wiem, że gdybym zaczęła ją wypytywać, zakłopotałabym tym nas obie, więc kończę śniadanie. Przyjemną ciszę przerywają jedynie pytania pani Jones o moje preferencje związane z jedzeniem.

Dwadzieścia pięć minut później w drzwiach pojawia się Sawyer. Zdążyłam już umyć zęby i jestem gotowa do wyjścia. Ściskam w ręce brązową papierową torbę z lunchem – nie przypominam sobie, żebym dostawała coś takiego od mamy – i windą zjeżdżamy razem na parter. Jest bardzo małomówny. W audi czeka na nas Taylor. Sawyer otwiera mi drzwi i siadam na tylnej kanapie.

– Dzień dobry, Taylor – mówię pogodnie.

– Panno Steele – uśmiecha się.

– Taylor, przepraszam za wczoraj i moje niestosowne uwagi. Mam nadzieję, że nie narobiłam ci tym kłopotów.

Zdeprymowany zerka w tylne lusterko, włączając się do porannego ruchu.

– Panno Steele, ja rzadko miewam kłopoty – mówi uspokajająco.

Och, to dobrze. Może Christian go nie zrugał. Tylko mnie, myślę z goryczą.

– Cieszę się bardzo – mówię, uśmiechając się.

GDY IDĘ W STRONĘ swojego biurka, Jack obrzuca mnie badawczym spojrzeniem.

– Dzień dobry, Ana. Udany weekend?

– Tak, dzięki. A twój?

– Nie najgorszy. Mam dla ciebie sporo pracy na dzisiaj.

Kiwam głową i siadam przed komputerem. Mam wrażenie, że lata całe minęły od ostatniego dnia w pracy. Włączam komputer i uruchamiam program pocztowy – no i oczywiście czeka na mnie mejl od Christiana.

Nadawca: Christian Grey
Temat: Szef
Data: 13 czerwca 2011, 8:24
Adresat: Anastasia Steele

Dzień dobry, Panno Steele

Chciałem Ci jedynie podziękować za weekend, który pomimo tych wszystkich dramatycznych wydarzeń okazał się cudowny.

Mam nadzieję, że nigdy mnie nie zostawisz, nigdy.

I chciałbym Ci przypomnieć, że przez cztery tygodnie istnieje embargo na informacje związane z SIP.

Usuń ten mejl od razu po przeczytaniu.

Twój

Christian Grey
Prezes, Grey Enterprises Holdings, Inc. & szef szefa Twojego szefa.

Ma nadzieję, że nigdy nie odejdę? Chce, żebym się do niego wprowadziła? Święty Barnabo... ledwie znam tego człowieka. Usuwam wiadomość.

Nadawca: Anastasia Steele
Temat: Rządzisz się
Data: 13 czerwca 2011, 9:03
Adresat: Christian Grey

Drogi Panie Grey

Prosisz mnie, abym się do Ciebie wprowadziła? Pamiętałam oczywiście, że dowód Twojej manii prześladowczej ma czterotygodniowe embargo. Czy czek dla Damy Radę mam przesłać Twojemu tacie? Proszę, nie usuwaj tego mejla. Odpowiedz na niego.

KC xxx

Anastasia Steele
Asystentka Jacka Hyde'a, redaktora naczelnego SIP

– Ana! – Aż podskakuję.
– Tak?
Oblewam się rumieńcem, bo Jack przygląda mi się uważnie.
– Wszystko w porządku?
– Jasne. – Wstaję od biurka, biorę notatnik i udaję się za Jackiem do jego gabinetu.
– To dobrze. Pewnie pamiętasz, że w czwartek wybieram się do Nowego Jorku na to Sympozjum Literackie. Mam bilety i rezerwacje i chciałbym, abyś pojechała tam ze mną.
– Do Nowego Jorku?
– Tak. Będziemy musieli jechać w środę i przenocować. Uważam, że dla ciebie to będzie bardzo pouczające doświadczenie. – Spojrzenie mu ciemnieje przy tych słowach, ale uśmiech ma uprzejmy. – Zajmiesz się szczegółami związanymi z podróżą? I zarezerwujesz w hotelu dodatkowy pokój? Wydaje mi się, że Sabrina, moja poprzednia asystentka, gdzieś zostawiła wszystkie przydatne informacje.
– Dobrze. – Uśmiecham się do niego blado.
Kurde. Wracam do swojego biurka. Szaremu mocno się to nie spodoba – ale prawda jest taka, że chcę tam jechać. To dla mnie naprawdę świetna okazja i jestem pewna, że utrzymam Jacka na dystans, jeśli ma jakieś ukryte motywy. W komputerze czeka na mnie odpowiedź od Christiana.

Nadawca: Christian Grey
Temat: Rządzę się? Ja?
Data: 13 czerwca 2011, 9:07
Adresat: Anastasia Steele

Tak. Proszę.

Christian Grey,
Prezes, Grey Enterprises Holdings, Inc.

A więc rzeczywiście chce, żebym się do niego wprowadziła. Och, Christianie, za wcześnie na to. Skrywam twarz w dłoniach, próbując zebrać myśli. Tego właśnie mi trzeba po takim wyjątkowym weekendzie. Nie miałam ani chwili, aby spokojnie pomyśleć i zrozumieć wszystko, czego przez te dwa dni doświadczyłam i czego się dowiedziałam.

Nadawca: Anastasia Steele
Temat: Flynnizmy
Data: 13 czerwca 2011, 9:20
Adresat: Christian Grey

Christianie

Co się stało z chodzeniem i bieganiem?

Możemy porozmawiać o tym wieczorem?

Poproszono mnie, abym w czwartek wzięła udział w konferencji w Nowym Jorku. To oznacza przenocowanie tam z środy na czwartek.

Uznałam, że powinieneś o tym wiedzieć.

A x

Anastasia Steele
Asystentka Jacka Hyde'a, redaktora naczelnego SIP

Nadawca: Christian Grey
Temat: CO TAKIEGO?
Data: 13 czerwca 2011, 9:21
Adresat: Anastasia Steele

Tak. Porozmawiamy wieczorem.

Wybierasz się tam sama?

Christian Grey,
Prezes, Grey Enterprises Holdings, Inc.

Nadawca: Anastasia Steele
Temat: Tylko bez wielkich, krzyczących liter w poniedziałkowy ranek!
Data: 13 czerwca 2011, 9:30
Adresat: Christian Grey

Możemy porozmawiać o tym wieczorem?

A x

Anastasia Steele
Asystentka Jacka Hyde'a, redaktora naczelnego SIP

Nadawca: Christian Grey
Temat: Krzyczących to Ty jeszcze nie widziałaś
Data: 13 czerwca 2011, 9:35
Adresat: Anastasia Steele

Powiedz mi.

Jeśli masz tam jechać z tą kanalią, dla której pracujesz, to odpowiedź brzmi: nie, po moim trupie.

Christian Grey,
Prezes, Grey Enterprises Holdings, Inc.

Serce mi zamiera. Cholera – zachowuje się, jakby był moim ojcem.

Nadawca: Anastasia Steele
Temat: Nie, to TY nie widziałeś jeszcze krzyczących.
Data: 13 czerwca 2011, 9:46
Adresat: Christian Grey

Tak. Mam jechać z Jackiem.

Chcę jechać. To dla mnie ekscytująca perspektywa.

I nie byłam jeszcze w Nowym Jorku.

Nie trzęś portkami.

Anastasia Steele
Asystentka Jacka Hyde'a, redaktora naczelnego SIP

Nadawca: Christian Grey
Temat: Nie, to TY nie widziałaś jeszcze krzyczących.
Data: 13 czerwca 2011, 9:50
Adresat: Anastasia Steele

Anastasio

To nie o swoje cholerne portki się martwię.

Odpowiedź brzmi NIE.

Christian Grey,
Prezes, Grey Enterprises Holdings, Inc.

– Nie! – wołam do komputera, a cała redakcja nieruchomieje i gapi się na mnie.

Jack wychyla głowę ze swojego gabinetu.

– Wszystko dobrze, Ana?

– Tak. Przepraszam – mamroczę. – Ja... eee... nie zapisałam dokumentu. – Jestem cała czerwona ze wstydu.

Jack uśmiecha się do mnie, ale minę ma skonsternowaną. Robię kilka głębokich wdechów i szybko wystukuję odpowiedź. Ależ jestem wściekła.

Nadawca: Anastasia Steele
Temat: Szary
Data: 13 czerwca 2011, 9:55
Adresat: Christian Grey

Christianie

Musisz wziąć się w garść.

NIE zamierzam iść z Jackiem do łóżka – nigdy w życiu.

KOCHAM Cię. Tak się właśnie dzieje, kiedy ludzie się kochają.

UFAJĄ sobie.

Ja nie uważam, żebyś zamierzał IŚĆ DO ŁÓŻKA z inną, DAWAĆ KLAPSY, PIEPRZYĆ czy SMAGAĆ PEJCZEM. Ja Ci UFAM i WIERZĘ.

Proszę, zrób dla mnie to samo.

Ana

Anastasia Steele
Asystentka Jacka Hyde'a, redaktora naczelnego SIP

Czekam na jego odpowiedź. Cisza. Dzwonię do linii lotniczych i rezerwuję dla siebie bilet, dopilnowując, aby lecieć tym samym samolotem co Jack. Słyszę sygnał nadejścia nowej wiadomości.

Nadawca: Lincoln, Elena
Temat: Spotkanie
Data: 13 czerwca 2011, 10:15
Adresat: Anastasia Steele

Droga Anastasio

Naprawdę chętnie zjadłabym z Tobą lunch. Uważam, że nasza znajomość źle się zaczęła i chcę to naprawić. Masz czas w tym tygodniu?

Elena Lincoln

O cholera – tylko nie pani Robinson! Jak udało jej się zdobyć mój adres mejlowy? Chowam twarz w dłoniach. Czy ten dzień może stać się jeszcze gorszy?

Dzwoni mój telefon. Odbieram, zerkając na zegarek. Jest dopiero dziesiąta dwadzieścia, a ja już żałuję, że nie zostałam w łóżku Christiana.

– Gabinet Jacka Hyde'a, z tej strony Ana Steele.

Boleśnie znajomy głos warczy:

– Czy z łaski swojej usuniesz ostatni wysłany do mnie mejl i postarasz się o nieco większą powściągliwość w wiadomościach pisanych w pracy? Mówiłem ci, że korespondencja jest monitorowana. Postaram się ograniczyć jakoś szkody. – Rozłącza się.

A niech to… Siedzę i wpatruję się w telefon. Christian się rozłączył. Ten człowiek depcze po mojej raczkującej karierze i ma czelność się rozłączać? Piorunuję aparat wzrokiem, jakby to było żywe stworzenie.

Otwieram pocztę i usuwam mejl, który wysłałam do Christiana. Nie jest wcale naganny. Wspominam jedynie o klapsach i, cóż, o pejczach. Skoro tak się tego wstydzi, to po co mu ten jego pokój zabaw? Biorę do ręki BlackBerry i dzwonię do niego na komórkę.

– Co chcesz? – pyta gniewnie.

– Jadę do Nowego Jorku, czy ci się to podoba, czy nie – syczę.

– Nie liczyłbym…

Rozłączam się, przerywając mu w pół zdania. Czuję w ciele przypływ adrenaliny. Proszę bardzo – to mu da do myślenia. Jestem taka zła.

Biorę głęboki oddech, próbując się uspokoić. Zamykam oczy i wyobrażam sobie, że jestem w jakimś przyjemnym miejscu. Hmm… w kajucie z Christianem. Odsuwam od siebie tę myśl, gdyż w tej chwili jestem zbyt wściekła na Szarego, żeby pozwolić mu tak być ze mną.

Otwieram oczy, spokojnie sięgam po notes i przebiegam wzrokiem listę rzeczy do zrobienia. Robię głęboki wdech i w końcu odzyskuję równowagę.

– Ana! – woła Jack, zaskakując mnie tym. – Nie rezerwuj tamtego lotu!

– Och, za późno. Już to zrobiłam – odpowiadam.

Wychodzi z gabinetu i podchodzi do mojego biurka. Wygląda na nieźle wkurzonego.

– Coś jest na rzeczy. Z jakiegoś powodu nagle wszystkie wydatki na podróże służbowe pracowników muszą być przyklepywane przez zarząd. To polecenie z samej góry. Wybieram się do starego Roacha. Podobno właśnie zaczęło obowiązywać moratorium na wszystkie wydatki. Nie rozumiem tego. – Jack szczypie się w grzbiet nosa i zamyka oczy.

Z mojej twarzy odpływa cała krew i czuję ściskanie w żołądku. Szary!

– Odbieraj moje telefony. Idę sprawdzić, co ma do powiedzenia Roach.

Po tych słowach udaje się na spotkanie ze swoim szefem – nie szefem szefa.

Do diaska. Christian Grey... Krew znowu zaczyna mi wrzeć.

Nadawca: Anastasia Steele
Temat: Co zrobiłeś?
Data: 13 czerwca 2011, 10:43
Adresat: Christian Grey

Proszę, powiedz mi, że nie będziesz się wtrącał w moją pracę.

Naprawdę chcę jechać na tę konferencję.

Nie powinnam musieć Cię o to prosić.

Wykasowałam obrazoburczy mejl.

Anastasia Steele
Asystentka Jacka Hyde'a, redaktora naczelnego SIP

Nadawca: Christian Grey
Temat: Co zrobiłem?

Data: 13 czerwca 2011, 10:46
Adresat: Anastasia Steele

Ja tylko chronię to, co należy do mnie.

Mejl, który tak nierozważnie wysłałaś, został usunięty z serwera SIP, tak samo jak moje mejle do Ciebie.

Tak się składa, że Tobie ufam bezgranicznie. To jemu nie ufam.

Christian Grey
Prezes, Grey Enterprises Holdings, Inc.

Sprawdzam, czy w skrzynce nadal mam mejle od niego i stwierdzam, że zniknęły. Wpływy tego człowieka nie znają granic. Jak on to robi? Kogo zna, że jest w stanie dostać się ukradkiem do serwerów SIP i usunąć wiadomości? To zupełnie nie moja liga.

Nadawca: Anastasia Steele
Temat: Dorośnij
Data: 13 czerwca 2011, 10:48
Adresat: Christian Grey

Christianie

Nie musisz mnie chronić przed moim szefem.

Może czegoś by próbował, ale bym mu odmówiła.

Nie możesz się tak wtrącać i wszystkiego kontrolować.

Anastasia Steele
Asystentka Jacka Hyde'a, redaktora naczelnego SIP

Nadawca: Christian Grey
Temat: Odpowiedź brzmi NIE.
Data: 13 czerwca 2011, 10:50
Adresat: Anastasia Steele

Ano,

Miałem okazję widzieć, jak „skuteczna" jesteś
w odpieraniu niechcianych zalotów. Pamiętam, że w taki właśnie sposób miałem przyjemność spędzić z Tobą pierwszą noc. Fotograf
przynajmniej coś do Ciebie czuje. W przeci-
wieństwie do tej kanalii. To notoryczny kobie-
ciarz i będzie próbował Cię uwieść. Zapytaj
go, co się stało z jego poprzednią asystentką,
i z jeszcze poprzednią.

Nie chcę się o to kłócić.

Jeśli chcesz się wybrać do Nowego Jorku, zabiorę Cię tam. Możemy lecieć w najbliższy
weekend. Mam tam apartament.

Christian Grey
Prezes, Grey Enterprises Holdings, Inc.

Och, Christianie! Nie o to chodzi. Ten mężczyzna jest tak cholernie frustrujący. Pewnie, że ma tam apartament. I gdzie jeszcze? No i musiał oczywiście wypomnieć mi José. Czy kiedyś przestanie w końcu to robić? Byłam pijana, na litość boską. Z Jackiem bym się nie upiła.

Kręcę głową. Chyba nie ma sensu kontynuować tej kłótni drogą mejlową. Będę musiała zaczekać do wieczora. Zerkam na zegarek. Jack nie wrócił jeszcze ze spotkania z Jerrym, a ja muszę załatwić sprawę Eleny. Ponownie czytam jej mejl i postanawiam, że najlepiej będzie, jak prześlę go Christianowi. Niech on się tym zajmie, nie ja.

Nadawca: Anastasia Steele
Temat: FW Spotkanie, czyli irytujący bagaż
Data: 13 czerwca 2011, 11:15
Adresat: Christian Grey

Christianie

Gdy Ty byłeś zajęty wtrącaniem się w moje sprawy zawodowe i ratowaniem tyłka z powodu moich nierozważnych listów, otrzymałam od pani Lincoln poniższy mejl. Naprawdę nie mam ochoty się z nią spotykać – a nawet gdybym miała, nie wolno mi opuszczać tego budynku. Nie mam pojęcia, jak udało jej się zdobyć mój adres. Co według Ciebie powinnam zrobić? Oto jej mejl:

Droga Anastasio

Naprawdę chętnie zjadłabym z Tobą lunch. Uważam, że nasza znajomość źle się zaczęła i chcę to naprawić. Masz czas w tym tygodniu?

Elena Lincoln

Anastasia Steele
Asystentka Jacka Hyde'a, redaktora naczelnego SIP

Nadawca: Christian Grey
Temat: Irytujący bagaż
Data: 13 czerwca 2011, 11:23
Adresat: Anastasia Steele

Nie złość się na mnie. Chodzi mi wyłącznie o Twoje dobro.

Nigdy bym sobie nie wybaczył, gdyby coś Ci się stało.

Zajmę się panią Lincoln.

Christian Grey
Prezes, Grey Enterprises Holdings, Inc.

Nadawca: Anastasia Steele
Temat: Na razie
Data: 13 czerwca 2011, 11:32
Adresat: Christian Grey

Czy możemy, proszę, porozmawiać o tym wieczorem?

Próbuję pracować, a Twoje wiadomości mocno mnie rozpraszają.

Anastasia Steele
Asystentka Jacka Hyde'a, redaktora naczelnego SIP

Jack wraca tuż po dwunastej i oznajmia, że do Nowego Jorku leci sam i że nic nie jest w stanie zrobić, aby zmienić politykę zarządu. Zatrzaskuje za sobą drzwi gabinetu, wyraźnie wkurzony. Czemu się tak złości?

W głębi duszy wiem, że jego zamiary nie są do końca uczciwe, ale jestem przekonana, że poradziłabym sobie z nim. Ciekawe, co Christian wie na temat poprzednich asystentek Jacka. Odsuwam od siebie te myśli i zabieram się za pracę. Postanawiam, że spróbuję sprawić, aby Christian zmienił zdanie. Wiem jednak, że szanse na to są marne.

O pierwszej Jack wystawia głowę z gabinetu.

– Ana, czy mogłabyś przynieść mi lunch?

– Pewnie. Na co masz ochotę?

– Żytni chleb z pastrami, bez musztardy. Gdy wrócisz, oddam ci pieniądze.

– Coś do picia?

– Colę. Dzięki.

Chowa się z powrotem w gabinecie, a ja sięgam po portfel.

Jasny gwint. Obiecałam Christianowi, że nigdzie nie wyjdę. Wzdycham. Nie dowie się o tym, zresztą będę się naprawdę spieszyć.

Dalej pada, więc Claire z recepcji pożycza mi swój parasol. Gdy wychodzę z budynku, otulam się marynarką i spod wielkiego parasola rzucam na wszystkie strony ukradkowe spojrzenia. Ani śladu Widmowej Dziewczyny.

Dziarskim krokiem udaję się do znajdujących się na końcu kwartału delikatesów. Mam nadzieję, że nie rzucam się w oczy. Jednak im bliżej jestem delikatesów, tym bardziej jestem pewna, że ktoś mnie śledzi. Nie wiem, czy to tylko moja paranoja, czy rzeczywiście tak jest. Cholera. Mam nadzieję, że to nie uzbrojona Leila.

„To tylko twoja wyobraźnia" – prycha moja podświadomość. „Kto, u licha, miałby chcieć cię zastrzelić?"

Po piętnastu minutach jestem z powrotem – cała i zdrowa. Czuję ulgę. Myślę, że zaczyna mi się udzielać paranoja Christiana.

Zanoszę Jackowi lunch. Podnosi wzrok znad telefonu.

– Dzięki. Skoro nie jedziesz ze mną, chciałbym, żebyś została dłużej w pracy. Musimy przygotować te raporty. Mam nadzieję, że nie miałaś żadnych planów. – Uśmiecha się do mnie ciepło, a ja oblewam się rumieńcem.

– Nie, mogę zostać – odpowiadam z promiennym uśmiechem i uczuciem ściskania w dołku. Nic dobrego z tego nie wyjdzie. Christian się wkurzy, jestem tego pewna.

Gdy wracam do biurka, postanawiam, że nie od razu mu o tym powiem; w przeciwnym razie będzie miał czas, aby się jakoś wtrącić. Siedzę i jem kanapkę z kurczakiem, którą zrobiła dla mnie pani Jones. Pyszna jest.

Gdybym się wprowadziła do Christiana, takie kanapki dostawałabym oczywiście codziennie. Ta myśl jest niepokojąca. Nigdy nie marzyłam o nieprzyzwoitym bogactwie i całej jego otoczce – a jedynie o miłości. O tym, aby znaleźć kogoś, kto mnie pokocha i nie będzie mnie kontrolował na każdym kroku. Dzwoni telefon.

– Gabinet Jacka Hyde'a…

– Dałaś mi słowo, że nigdzie nie wyjdziesz – przerywa mi Christian. Głos ma lodowaty.

Ściska mnie w dołku po raz tysięczny tego dnia. Cholera. Skąd on o tym, u licha, wie?

– Jack wysłał mnie po lunch. Nie mogłam odmówić. Masz mnie pod obserwacją? – Na tę myśl swędzi mnie skóra głowy. Nic dziwnego, że miałam wrażenie, iż ktoś mnie śledzi. Nagle ogarnia mnie gniew.

– Dlatego właśnie nie chciałem, żebyś jechała do pracy – warczy.

– Christian, proszę. Przez ciebie czuję się osaczona.

– Osaczona? – szepcze zaskoczony.

– Tak. Musisz przestać. Wieczorem porozmawiamy. Niestety muszę zostać dłużej, ponieważ nie mogę lecieć do Nowego Jorku.

– Anastasio, nie chcę cię osaczać – mówi cicho.

– Ale to robisz. Muszę wracać do pracy. Później porozmawiamy. – Rozłączam się.

Dopada mnie przygnębienie. Po naszym cudownym weekendzie wróciła rzeczywistość. Jeszcze nigdy nie miałam takiej ochoty uciec. Uciec do jakiejś kryjówki, aby móc spokojnie pomyśleć o tym mężczyźnie – jaki jest i jak z nim postępować. Z jednej strony wiem, że ma zwichniętą psychikę – teraz wyraźnie to widzę – i jest to jednocześnie bolesne i wyczerpujące. Dzięki tym skrawkom informacji, których dostarczył mi na temat swojego życia, rozumiem dlaczego. Niekochane dziecko; potwornie wrogie środowisko; matka, która nie potrafiła go chronić, której on nie potrafił chronić i która umarła na jego oczach.

Wzdrygam się. Mój biedny Szary. Należę do niego, ale nie chcę dać się zamknąć w złotej klatce. Jak mam sprawić, aby to do niego dotarło?

Z ciężkim sercem kładę na kolanach jeden z rękopisów, który mam streścić dla Jacka, i kontynuuję czytanie. Nie przychodzi mi do głowy żadne proste rozwiązanie problemów Christiana ze sprawowaniem kontroli. Później będę musiała z nim porozmawiać.

Po półgodzinie Jack przesyła mi mejlem dokument, który mam zredagować, wygładzić i wydrukować, aby był gotowy na konferencję. Zajmie mi to nie tylko resztę popołudnia, ale i kawał wieczora. Zabieram się do pracy.

Kiedy podnoszę wzrok znad tekstu, jest już po siódmej i redakcja zdążyła opustoszeć. Tylko w gabinecie Jacka pali się jeszcze światło. Prawie skończyłam. Odsyłam Jackowi dokument do sprawdzenia i zerkam do skrzynki. Nic nowego od Christiana, więc zerkam na BlackBerry i w tym samym momencie zaczyna wibrować – to Christian.

– Cześć – mówię cicho.

– Cześć, kiedy skończysz?

– Myślę, że koło wpół do ósmej.

– Spotkamy się na dole.

– Dobrze.

Wydaje się zdenerwowany. Dlaczego? Boi się mojej reakcji?

– Nadal jestem na ciebie zła, ale to wszystko – szepczę. – Mamy dziś o czym rozmawiać.

– Wiem. Do zobaczenia o siódmej trzydzieści.

Z gabinetu wychodzi Jack.

– Muszę kończyć. Do zobaczenia. – Odkładam telefon.

Jack zbliża się do mnie niespiesznie.

– Potrzebuję jeszcze paru poprawek. Odesłałem ci raport.

Gdy otwieram dokument, pochyla się nade mną, tak że ociera ramieniem o moje ramię. Przez przypadek?

Wzdrygam się, ale on udaje, że nic nie widzi. Drugie ramię kładzie na oparciu fotela, dotykając moich pleców. Prostuję się, tak że już się nie opieram.

– Strona szesnasta i dwudziesta trzecia, i to by było na tyle – mruczy, a jego usta dzielą zaledwie centymetry od mego ucha.

Cierpnie mi skóra z powodu jego bliskości, ale postanawiam to zignorować. Drżącymi palcami nanoszę zmiany. Jack nadal się nade mną pochyla, a moje wszystkie zmysły się wyostrzają. To krępujące i rozpraszające, w myślach wołam: odsuń się!

– Należałoby to jeszcze wydrukować. Jutro możesz się tym zająć. Dziękuję, że zostałaś dłużej i mi pomogłaś, Ano. – Głos ma łagodny, jakby przemawiał do rannego zwierzęcia. Czuję ściskanie w brzuchu.

– Uważam, że jestem ci winien chociaż szybkiego drinka. Zasłużyłaś na to. – Wkłada mi za ucho luźne pasmo włosów.

Wzdrygam się, zaciskam zęby i gwałtownie odsuwam głowę. Cholera! Christian miał rację. Nie dotykaj mnie.

– Dziś wieczorem nie mogę. – Ani w żaden inny wieczór, Jack.

– Nawet na krótko?

– Nie mogę. Ale dziękuję za zaproszenie.

Jack przysiada na skraju biurka i marszczy brwi. W mojej głowie rozbrzmiewa sygnał alarmowy. Jestem w redakcji sama. Nie mogę wyjść. Zerkam nerwowo na zegarek. Jeszcze pięć minut i zjawi się Christian.

– Ana, uważam, że świetny z nas team. Przykro mi, że nie udało mi się załatwić ci tego wyjazdu do Nowego Jorku. Bez ciebie to nie będzie to samo.

Jestem tego pewna. Uśmiecham się do niego blado, ponieważ nie przychodzi mi do głowy nic, co mogłabym powiedzieć. I po raz pierwszy dzisiaj czuję odrobinę ulgi, że jednak nie jadę.

– Więc miałaś przyjemny weekend? – pyta gładko.

– Tak, dzięki. – Do czego on zmierza?

– Spotkałaś się z chłopakiem?

– Tak.

– Czym on się zajmuje?

Jest panem twojego tyłka.

– Ma własną firmę.

– To interesujące. A jaka branża?

– Och, zakres jego działań jest naprawdę szeroki.

Jack przekrzywia głowę i nachyla się w moją stronę, naruszając moją osobistą przestrzeń – znowu.

– Jesteś bardzo skryta, Ano.

– Branża telekomunikacyjna, produkcja i rolnictwo.

Jack unosi brwi.

– Tyle rzeczy. Dla kogo pracuje?

– Dla siebie. Skoro nie masz zastrzeżeń do dokumentu, to chciałabym już pójść, dobrze?

Odsuwa się. Moja osobista przestrzeń jest znowu bezpieczna.

– Oczywiście. Przepraszam, nie chciałem cię zatrzymywać – mówi nieszczerze.

– O której godzinie zamykany jest ten budynek?

– Ochrona siedzi tu do jedenastej.

– Świetnie – uśmiecham się. Czuję ulgę, że nie jesteśmy tu sami. Wyłączam komputer, biorę torebkę i wstaję, gotowa do wyjścia.

– Więc go lubisz? Swojego chłopaka?

– Kocham go – odpowiadam, patrząc Jackowi prosto w oczy.

– Rozumiem. – Marszczy brwi i wstaje z biurka. – Jak się nazywa?

Czerwienię się.

– Grey. Christian Grey – mamroczę.

Jackowi opada szczęka.

– Najbogatszy kawaler w Seattle? TEN Christian Grey?

– Tak. Właśnie ten. – Tak, ten Christian Grey, twój przyszły szef, który zje cię na śniadanie, jeśli ponownie naruszysz moją osobistą przestrzeń.

– Tak myślałem, że wygląda znajomo – mówi niechętnie Jack i ponownie marszczy brwi. – Hm, szczęściarz z niego.

Mrugam powiekami. Cóż mam odpowiedzieć na takie stwierdzenie?

– Miłego wieczoru, Ano. – Uśmiecha się blado i nie oglądając się, wraca do gabinetu.

Wzdycham z ulgą. Niewykluczone, że problem sam się rozwiązał. Szary znowu czaruje. Już samo jego nazwisko jest moim talizmanem, dzięki któremu Jack wycofał się z podkulonym ogonem. Pozwalam sobie na triumfujący uśmiech. Widzisz, Christianie? Nawet twoje nazwisko mnie chroni – nie musiałeś wymyślać tej całej szopki z cięciem wydatków. Porządkuję biurko i zerkam na zegarek. Christian pewnie już czeka.

Na mój widok Taylor wyskakuje z audi i otwiera przede mną drzwi. Jeszcze nigdy tak się nie ucieszyłam na jego widok. Wsiadam szybko, uciekając przed deszczem.

Christian siedzi na tylnej kanapie i przygląda mi się nieufnie. Widać, że jest przygotowany na mój gniew.

– Cześć – mówię.

– Cześć – odpowiada ostrożnie. Ujmuje moją dłoń i ściska ją mocno, a moje serce nieco topnieje. Mam w głowie totalny mętlik. Nie zdążyłam jeszcze zdecydować, co mu powiem.

– Nadal jesteś zła? – pyta.

– Nie wiem – odpowiadam cicho.

Podnosi do ust moją dłoń i obsypuje ją delikatnymi pocałunkami.

– To był beznadziejny dzień – mówi.

– To prawda.

Ale po raz pierwszy od wyjścia rano do pracy zaczynam się odprężać. Już samo przebywanie w jego towarzystwie działa na mnie kojąco. Nie ma tu Jacka, kąśliwych mejli ani Eleny. Jesteśmy tylko ja i mój kontrolujący wszystko Szary.

– Teraz, kiedy przyszłaś, jest już lepszy – mruczy.

Siedzimy w milczeniu, gdy Taylor pokonuje wieczorne korki, oboje pogrążeni w myślach. Ale czuję, że Christian powoli się odpręża. Delikatnie, w kojącym rytmie przesuwa kciukiem po moich knykciach.

Taylor wyrzuca nas przed Escalą, a my wbiegamy szybko do budynku. Gdy czekamy na windę, Christian ściska moją dłoń. Spojrzeniem omiata hol.

– Rozumiem, że nie znaleźliście jeszcze Leili?

– Nie. Welch nadal jej szuka – odpowiada z rozdrażnieniem.

Nadjeżdża winda i wchodzimy do środka. Christian zerka na mnie. Z jego twarzy trudno cokolwiek wyczytać. Och, wygląda po prostu bosko – potargane włosy, biała koszula, ciemny garnitur. I nagle już tu jest, nie wiadomo skąd, to uczucie. O rety – pragnienie, pożądanie, elektryczność. Jest tak silne, że powinno tworzyć wokół nas intensywnie niebieską aurę.

– Czujesz to? – pyta bez tchu.

– Tak.

– Och, Ana – jęczy i bierze mnie w ramiona, szukając ustami mych ust. Wczepiam palce w jego włosy, gdy opiera mnie o ścianę windy. – Nie znoszę się z tobą kłócić – dyszy, a jego pocałunki cechuje rozpaczliwa pasja, stanowiąca odzwierciedlenie mojej. W moim ciele eksploduje pożądanie, a całe napięcie dzisiejszego dnia szuka ujścia. Jesteśmy plątaniną języków, oddechów, dłoni, dotyku i słodkich, słodkich doznań. Christian podciąga mi nagle spódnicę, muskając palcami moje udo. – Słodki Jezu, włożyłaś pończochy. – Jęczy z zachwytem, pieszcząc kciukiem skórę nad gumką. – Chcę to zobaczyć – mówi bez tchu i podciąga spódnicę do samej góry.

Robi krok w tył, wciska „Stop" i winda zatrzymuje się między dwudziestym drugim a dwudziestym trzecim piętrem. Oczy ma pociemniałe, usta rozchylone i oddycha równie głośno jak ja. Wpatrujemy się w siebie, nie dotykając się nawzajem. Cieszę się, że za plecami mam ścianę, podtrzymującą mnie, gdy tak pławię się w zmysłowym zachwycie tego pięknego mężczyzny.

– Rozpuść włosy – nakazuje chrapliwie. Pociągam za gumkę, uwalniając włosy, które opadają mi teraz falami na ramiona i piersi. – Rozepnij dwa górne guziki bluzki – szepcze.

Przy nim czuję się taka swawolna. Boleśnie powoli rozpinam po kolei guziki, odsłaniając górną część piersi.

Christian przełyka głośno ślinę.

– Masz pojęcie, jak kusząco teraz wyglądasz?

Z rozmysłem przygryzam wargę i kręcę głową. Zamyka na chwilę oczy, a kiedy je otwiera, płonie w nich ogień. Robi krok w moją stronę i kładzie ręce na ścianie windy, po obu stronach mej twarzy.

Unoszę głowę i napotykam jego spojrzenie, a on pochyla się i pociera nosem o mój nos. To jedyny kontakt między nami. Cała jestem rozpalona. Pragnę go – teraz.

– Myślę, że wiesz. Myślę, że lubisz doprowadzać mnie do szaleństwa.

– A doprowadzam? – pytam szeptem.

– Zdecydowanie, Anastasio. Jesteś syreną, boginią. – Chwyta moją nogę tuż nad kolanem i oplata się nią w pasie, tak że stoję na jednej nodze, opierając się o niego. Gdy przesuwa ustami po mojej szyi, na brzuchu czuję jego twardą, wygłodniałą męskość. Jęczę i zarzucam mu ręce na szyję.

– Zamierzam posiąść cię teraz – dyszy, a ja w odpowiedzi wyginam się w łuk, napierając na niego. Z jego gardła wydobywa się niski jęk. Rozpina rozporek. – Trzymaj się, mała – mruczy i w magiczny sposób w jego palcach pojawia się foliowa paczuszka. Zbliża ją do mych ust, a ja chwytam ją zębami i razem rozrywamy. – Grzeczna dziewczynka. – Odsuwa się minimalnie, żeby nałożyć prezerwatywę. – Boże, nie mogę się doczekać przyszłego tygodnia – warczy. – Mam nadzieję, że nie jesteś specjalnie przywiązana do tych majteczek. – Pociąga za nie mocno, rozrywając cieniutką koronkę. W żyłach pulsuje mi gorąca krew. Ciężko dyszę z pożądania.

Jego słowa są odurzające i dzięki nim zapominam o całym dniu. Jesteśmy tylko on i ja, robimy to, co potrafimy najlepiej. Nie odrywając oczu od mojej twarzy, wchodzi we mnie powoli. Odchylam głowę, zamykam oczy i nastawiam się na odbiór bodźców. Wysuwa się, po czym znowu na mnie napiera, tak powoli, tak słodko. Jęczę.

– Jesteś moja, Anastasio – mruczy mi w szyję.

– Tak. Twoja. Kiedy to do ciebie dotrze? – dyszę.

Wtedy Christian zaczyna się poruszać, naprawdę poruszać. A ja poddaję się jego nieustępliwemu rytmowi, rozkoszując się każdym pchnięciem, jego urywanym oddechem i pożądaniem dorównującym mojemu.

Czuję się silna, pożądana i kochana – kochana przez tego zachwycającego, skomplikowanego mężczyznę, którego kocham całym sercem. Jego pchnięcia stają się coraz szybsze, oddech coraz bardziej urywany, gdy zatraca się we mnie tak, jak ja zatracam się w nim.

– Och, maleńka – jęczy Christian, kąsając moją brodę, gdy ja właśnie dochodzę. Nieruchomieje, po czym szepcze moje imię i osiąga spełnienie.

CAŁUJE MNIE CZULE, a jego oddech powoli się uspokaja. Trzyma mnie opartą o ścianę windy, nasze czoła stykają się ze sobą, a moje ciało jest niczym galareta, słabe, lecz przyjemnie zaspokojone.

– Och, Ana – mruczy. – Tak bardzo cię potrzebuję. – Całuje mnie w czoło.

– A ja ciebie, Christianie.

Stawia mnie na ziemi, opuszcza mi spódnicę i zapina bluzkę, po czym wystukuje na klawiaturze kilka cyfr i winda rusza do góry.

– Taylor będzie się zastanawiał, gdzie się podziewamy. – Uśmiecha się do mnie lubieżnie.

O cholera. Przeczesuję palcami włosy, bezskutecznie próbując je jakoś ujarzmić. W końcu poddaję się i związuję je w kucyk.

– Ujdzie w tłoku – uśmiecha się Christian, po czym zapina rozporek i wkłada prezerwatywę do kieszeni spodni.

I znowu stanowi uosobienie amerykańskiego przedsiębiorcy, a ponieważ jego włosy i tak zawsze wyglądają, jakby dopiero co uprawiał seks, niewielką to robi różnicę. Tyle że teraz się uśmiecha zrelaksowany, a oczy mu błyszczą chłopięcym czarem. Czy wszystkich mężczyzn tak łatwo zadowolić?

Kiedy drzwi się rozsuwają, Taylor już na nas czeka.

– Problem z windą – burczy Christian, gdy wysiadamy. Nie jestem w stanie spojrzeć im w twarz. Przemykam szybko do sypialni Christiana, aby poszukać czystej bielizny.

* * *

KIEDY WRACAM, OKAZUJE się, że Christian zdążył już zdjąć marynarkę i siedzi właśnie przy barze, gawędząc z panią Jones, która uśmiecha się na mój widok. Stawia przed nami dwa talerze. Mhm, pięknie pachnie – *coq au vin*, o ile się nie mylę. Umieram z głodu.

– Smacznego – mówi, po czym zostawia nas samych.

Christian wyjmuje z lodówki białe wino, a kiedy siedzimy i jemy, opowiada mi o tym, jak coraz bliżej jest udoskonalenia telefonu na baterie słoneczne. Jest mocno podekscytowany tym projektem. A więc jednak nie cały dzień miał beznadziejny.

Pytam go o jego nieruchomości. Okazuje się, że ma apartamenty w Nowym Jorku, Aspen i Escali. Tylko tam. Gdy kończymy kolację, wstawiam nasze talerze do zlewu.

– Zostaw je. Gail się tym zajmie – mówi. Odwracam się i patrzę na niego. Christian przygląda mi się uważnie. Czy ja się kiedykolwiek przyzwyczaję do tego, że ktoś po mnie sprząta? – No dobrze, panno Steele, skoro jest pani w znacznie łagodniejszym nastroju, to może porozmawiamy o dzisiejszym dniu?

– Uważam, że to twój nastrój bardziej złagodniał. Chyba dobrze sobie radzę z poskramianiem cię.

– Poskramianiem? – prycha rozbawiony. Kiedy kiwam głową, marszczy brwi, jakby analizował moje słowa.

– Tak. Może tak właśnie jest, Anastasio.

– Miałeś rację w kwestii Jacka. – Poważnieję. Pochylam się nad kuchenną wyspą, badając jego reakcję. Spojrzenie Christiana staje się lodowate.

– Próbował czegoś? – pyta niepokojąco cicho.

Kręcę głową, aby go uspokoić.

– Nie, i nie zrobi tego, Christianie. Powiedziałam mu dzisiaj, że jestem twoją dziewczyną i natychmiast dał sobie spokój.

– Jesteś pewna? Mógłbym zwolnić tego kutasa – syczy.

Wzdycham, ośmielona kieliszkiem wina.

– Naprawdę musisz mi pozwolić samej przezwyciężać trudności. Nie możesz nieustannie mnie chronić. Osaczasz mnie w ten sposób. Nigdy nie rozwinę skrzydeł, jeśli ciągle będziesz się wtrącał. Potrzebuję odrobiny wolności. Mnie do głowy by nie przyszło wtrącać się do twojej pracy.

– Pragnę jedynie twojego bezpieczeństwa, Anastasio. Gdyby coś ci się stało… – urywa.

– Wiem. I rozumiem, dlaczego masz tak wielką potrzebę chronienia mnie. Zresztą kocham to w tobie. Wiem, że jeśli będę cię potrzebować, ty mi pomożesz, tak samo jak ja tobie. Jeśli jednak ma nas czekać wspólna przyszłość, musisz ufać mnie i moim osądom. Zgoda, czasami się pomylę, popełnię błąd, ale muszę się uczyć.

Patrzy na mnie niespokojnie, siedząc na krześle barowym. Podchodzę do niego i staję między jego nogami. Chwytam go za ręce, oplatam wokół siebie i kładę mu dłonie na ramionach.

– Nie możesz się wtrącać do mojej pracy. Tak nie może być. Nie potrzebuję, abyś wkraczał do akcji jako rycerz na białym koniu, ratujący mnie z opresji. Wiem, że pragniesz wszystko kontrolować, i rozumiem dlaczego, ale nie możesz. To cel niemożliwy do osiągnięcia… musisz się nauczyć odpuszczać. – Dotykam palcami jego twarzy, a on patrzy na mnie wielkimi oczami. – A jeśli będziesz w stanie mi to zagwarantować, zamieszkam z tobą – dodaję miękko.

Widzę, że go tym zaskoczyłam.

– Zrobiłabyś to? – pyta szeptem.

– Tak.

– Ale przecież mnie nie znasz. – Marszczy brwi i nagle wydaje się lekko spanikowany, zupełnie jak nie Szary.

– Znam cię wystarczająco dobrze, Christianie. Nie przestraszy mnie nic, co mi powiesz na swój temat. – Delikatnie przesuwam knykciami po jego policzku. Niepokój w jego oczach zmienia się w powątpiewanie. – Tylko odpuść mi trochę, proszę – mówię błagalnie.

– Staram się, Anastasio. Ale nie mogłem stać z boku i pozwolić ci jechać do Nowego Jorku z tą... kanalią. Ma niepokojącą reputację. Żadna z jego asystentek nie pracowała dla niego dłużej niż trzy miesiące. Nie chcę, żeby tak było i w twoim przypadku, mała. – Wzdycha. – Nie chcę, by coś ci się stało. Myśl ta napawa mnie przerażeniem. Nie mogę obiecać, że nie będę się wtrącać, nie, jeśli uznam, że może ci się stać krzywda. – Milknie i bierze głęboki oddech. – Kocham cię, Anastasio. Zrobię, co tylko w mojej mocy, aby cię chronić. Nie wyobrażam sobie życia bez ciebie.

O rany. Moja wewnętrzna bogini, moja podświadomość i ja gapimy się na Szarego zaszokowane.

Dwa proste słowa. Mój cały świat zamiera, po czym zaczyna się obracać na nowej osi; rozkoszuję się tą chwilą, wpatrując się w jego szczere, piękne, szare oczy.

– Ja ciebie też kocham, Christianie. – Po tych słowach pochylam głowę i go całuję.

Wszedłszy niezauważony, Taylor odkasłuje. Christian odsuwa się ode mnie. Wstaje, obejmując mnie w talii.

– Tak? – warczy.

– Pani Lincoln jedzie właśnie windą, proszę pana.

– Co takiego?

Taylor wzrusza przepraszająco ramionami. Christian wzdycha ciężko i kręci głową.

– Cóż, powinno być ciekawie – mruczy z rezygnacją.

Kurwa! Dlaczego to przeklęte babsko nie może zostawić nas w spokoju?

ROZDZIAŁ DWUNASTY

– Rozmawiałeś z nią dzisiaj? – pytam Christiana, gdy czekamy na pojawienie się pani Robinson.

– Tak.

– Co powiedziałeś?

– Że nie masz ochoty się z nią spotykać i że rozumiem powody twojej niechęci. Powiedziałem jej także, że nie podoba mi się fakt działania za moimi plecami. – Z jego twarzy nic się nie da wyczytać.

– A ona co na to?

– Zbyła mnie tak, jak tylko ona potrafi. – Krzywi się lekko.

– Myślisz, że czemu tu przyszła?

– Nie mam pojęcia. – Christian wzrusza ramionami.

Taylor ponownie zjawia się w salonie.

– Pani Lincoln – anonsuje.

No i oto ona… Czemu musi być tak cholernie atrakcyjna? Jest ubrana cała na czarno: obcisłe dżinsy, bluzka podkreślająca jej idealną figurę i aureola jasnych, błyszczących włosów.

Christian przyciąga mnie bliżej siebie.

– Elena – wita się z konsternacją.

Wpatruje się we mnie zaszokowana, nieruchomiejąc. Mruga raz za razem powiekami, w końcu odzyskuje głos.

– Przepraszam. Nie przypuszczałam, że masz towarzystwo, Christianie. Dziś jest poniedziałek – mówi takim tonem, jakby to tłumaczyło jej obecność.

– To moja dziewczyna.

Na jej twarzy powoli wykwita promienny, skierowany do mnie uśmiech. Działa mi na nerwy.

– Oczywiście. Witaj, Anastasio. Nie miałam pojęcia, że tu będziesz. Wiem, że nie chcesz ze mną rozmawiać. Akceptuję to.

– Czyżby? – pytam cicho, patrząc na nią. Zaskakuję tym nas wszystkich.

Marszcząc lekko brwi, wchodzi dalej.

– Tak. Nie przyszłam tutaj, aby spotkać się z tobą. Jak już mówiłam, Christian w tygodniu rzadko ma towarzystwo. – Milczy przez chwilę. – Mam problem i muszę o nim porozmawiać z Christianem.

– Och? – Christian prostuje się. – Napijesz się czegoś?

– Tak, chętnie – odpowiada z wdzięcznością.

Idzie po kieliszek, gdy tymczasem Elena i ja stoimy skrępowane, przyglądając się sobie nawzajem. Bawi się dużym srebrnym pierścionkiem na środkowym palcu, a ja nie wiem, gdzie podziać wzrok. W końcu uśmiecha się do mnie z napięciem, podchodzi do kuchennej wyspy i siada na stołku barowym. Widać, że dobrze zna to mieszkanie i czuje się w nim swobodnie.

Mam zostać? Wyjść? Och, to takie trudne. Moja podświadomość patrzy na tę kobietę gniewnie, robiąc swoją najbardziej niesympatyczną minę harpii.

Tak wiele mam ochotę powiedzieć tej kobiecie – same nieprzyjemne rzeczy. Ale to przyjaciółka Christiana – jego jedyna przyjaciółka – i choć w duchu nią gardzę, staram się zachowywać wobec niej uprzejmie. Postanawiam zostać. Siadam na stołku zwolnionym przez Christiana. On nalewa wszystkim wina i siada między nami przy barze. Nie czuje, jakie to dziwaczne?

– Co się dzieje? – pyta ją.

Elena zerka na mnie nerwowo. Christian bierze mnie za rękę.

– Anastasia jest teraz ze mną – odpowiada na jej milczące pytanie i ściska moją dłoń. Czerwienię się, a moja podświadomość uśmiecha się do niego promiennie, porzucając minę harpii.

Twarz Eleny łagodnieje, jakby cieszyła się w jego imieniu. Naprawdę cieszyła. Och, kompletnie nie rozumiem tej kobiety i w jej obecności jestem skrępowana i podenerwowana.

Bierze głęboki oddech i poprawia się na stołku. Spogląda nerwowo na swoje dłonie i zaczyna szybko przekręcać srebrny pierścionek.

Co się z nią dzieje? To moja obecność tak na nią działa? Ja czuję to samo – nie chcę jej tutaj. Podnosi głowę i patrzy Christianowi prosto w oczy.

– Ktoś mnie szantażuje.

O kuźwa. Tego akurat się nie spodziewałam. Christian sztywnieje. Ktoś dowiedział się o jej upodobaniu do bicia i pieprzenia nieletnich chłopców? Tłumię w sobie odrazę i w mojej głowie pojawia się myśl o wypiciu piwa, którego się nawarzyło. Moja podświadomość klaszcze z zadowoleniem w dłonie.

– Jak? – pyta Christian. W jego głosie wyraźnie słychać przerażenie.

Sięga do dużej markowej torby ze skóry i wyjmuje z niej kartkę papieru. Podaje mu ją.

– Połóż na blacie.

– Nie chcesz tego dotykać?

– Nie. Odciski palców.

– Christianie, wiesz, że nie mogę pójść z tym na policję.

Czemu ja tego słucham? Czy ona pieprzy się z jakimś innym biednym chłopcem?

Rozkłada przed Christianem list, a on nachyla się i czyta.

– Ten ktoś chce tylko pięciu tysięcy dolarów – mówi niemal z roztargnieniem. – Przychodzi ci do głowy, kto to może być? Ktoś ze wspólnoty?

– Nie – odpowiada tym swoim słodkim, łagodnym głosem.

– Linc?

Linc? Kim jest Linc?

– Co? Po tylu latach? Nie sądzę.

– Isaac wie?

– Nie powiedziałam mu.

Kim jest Isaac?

– Uważam, że powinien wiedzieć – mówi Christian.

Elena kręci głową, a ja czuję się nagle intruzem. Nie chcę tego słuchać. Próbuję zabrać Christianowi moją dłoń, ale on zwiększa uścisk i odwraca się w moją stronę.

– O co chodzi? – pyta.

– Jestem zmęczona. Chyba pójdę się położyć.

Patrzy mi prosto w oczy, szukając w nich czego? Potępienia? Akceptacji? Wrogości? Staram się nie okazywać w tej chwili żadnych uczuć.

– Okej – mówi. – Niedługo do ciebie przyjdę.

Puszcza moją dłoń, a ja wstaję. Elena przygląda mi się nieufnie. Odpowiadam jej spokojnym, beznamiętnym spojrzeniem.

– Dobranoc, Anastasio. – Uśmiecha się lekko.

– Dobranoc – mamroczę, po czym odwracam się, aby odejść. Nie zniosę dłużej tego napięcia. Gdy wychodzę, oni podejmują rozmowę.

– Raczej niewiele mogę zrobić w tej kwestii, Eleno – mówi do niej Christian. – Jeśli to kwestia pieniędzy… – Urywa. – Mógłbym kazać Welchowi przeprowadzić małe śledztwo.

– Nie, Christianie, chciałam ci się jedynie zwierzyć.

Kiedy jestem już na korytarzu, słyszę, jak mówi:

– Wyglądasz na bardzo szczęśliwego.

– Bo jestem – odpowiada Christian.

– Zasługujesz na to.

– Chciałbym, aby to była prawda.

– Christian – upomina go.

Zamieram i cała zamieniam się w słuch. To jest silniejsze ode mnie.

– Ona wie, jak źle oceniasz samego siebie? O twoich problemach?

– Zna mnie lepiej niż ktokolwiek inny.

– Ał, to zabolało.

– Taka jest prawda, Eleno. Nie muszę uprawiać z nią żadnych gierek. I mówię serio, zostaw ją w spokoju.

– O co jej chodzi?

– O ciebie… O to, co było między nami. Co robiliśmy. Nie rozumie tego.

– Wyjaśnij jej.

– To przeszłość, Eleno, i czemu miałbym ją obarczać naszą popieprzoną relacją? Jest dobra, słodka i niewinna, i jakimś cudem mnie kocha.

– Do tego nie trzeba cudu, Christianie – beszta go dobrodusznie. – Uwierz w końcu w siebie. Stanowisz naprawdę świetną partię. Mówiłam ci to niezliczoną ilość razy. Ona także wydaje się urocza. Silna. Kobieta, która potrafi ci się postawić.

Nie słyszę odpowiedzi Christiana. A więc jestem silna, tak? Z całą pewnością tak się nie czuję.

– Nie brakuje ci tego? – kontynuuje Elena.

– Czego?

– Pokoju zabaw.

Przestaję oddychać.

– To naprawdę nie twoja cholerna sprawa – warczy Christian.

Och.

– Przepraszam – prycha nieszczerze.

– Myślę, że lepiej będzie, jak już pójdziesz. A następnym razem najpierw zadzwoń.

– Christianie, przepraszam – mówi i tym razem słychać, że mówi szczerze. – Od kiedy jesteś taki wrażliwy?

– Eleno, łączą nas sprawy zawodowe, które nam obojgu przynoszą spore profity. I niech tak zostanie. To, co było między nami, należy do przeszłości. Anastasia to moja przyszłość i absolutnie nie narażę jej na szwank, więc daj sobie spokój z tymi pieprzonymi bzdurami.

Jego przyszłość!

– Rozumiem.

– Przykro mi z powodu twoich kłopotów. Może powinnaś to przeczekać i zmusić szantażystę do odsłonięcia kart. – Ton głosu ma już łagodniejszy.

– Nie chcę cię stracić, Christianie.

– Nie jestem twój, abyś miała mnie tracić – rzuca opryskliwie.

– Nie o to mi chodziło.

– A o co? – Jest obcesowy, zirytowany.

– Słuchaj, nie chcę się z tobą kłócić. Nasza przyjaźń wiele dla mnie znaczy. Będę się trzymać od Anastasii z daleka. Ale gdybyś mnie potrzebował, możesz na mnie liczyć. Zawsze.

– Anastasia uważa, że widzieliśmy się w ubiegłą sobotę. A przecież tylko do mnie zadzwoniłaś. Dlaczego powiedziałaś jej coś innego?

– Chciałam, żeby wiedziała, jak bardzo po jej odejściu byłeś rozbity. Nie chcę, aby cię raniła.

– Ona wie. Powiedziałem jej. Przestań się wtrącać. Naprawdę, zachowujesz się jak matka kwoka. – Mówi to z rezygnacją w głosie, a Elena śmieje się smutno.

– Wiem. Przepraszam. Wiesz, że zależy mi na tobie. Nigdy nie sądziłam, że się w końcu zakochasz, Christianie. Bardzo mnie to raduje. Ale za nic nie chciałabym, żeby cię zraniła.

– Zaryzykuję – odpowiada cierpko. – No dobrze, jesteś pewna, że nie chcesz, aby Welch trochę powęszył?

Wzdycha ciężko.

– W sumie raczej by to nie zaszkodziło.

– Dobrze. Rano do niego zadzwonię.

Słucham ich rozmowy, próbując się w tym wszystkim połapać. Rzeczywiście zachowują się jak starzy przyjaciele. Tylko przyjaciele. A jej na nim zależy – może za bardzo. Cóż, a czy komukolwiek znającemu Christiana mogłoby na nim nie zależeć?

– Dziękuję, Christianie. I przepraszam. Nie chciałam przeszkadzać. Następnym razem zadzwonię.

– Dobrze.

Wychodzi! Cholera! Czmycham do sypialni Christiana i siadam na łóżku. Chwilę później wchodzi Christian.

– Poszła – mówi ostrożnie, badając moją reakcję.

Patrzę na niego, zastanawiając się, w jakie słowa ubrać swoje pytanie.

– Opowiesz mi o niej wszystko? Próbuję zrozumieć, dlaczego uważasz, że ci pomogła. – Waham się przez chwilę. – Nie znoszę jej, Christianie. Uważam, że wyrządziła ci nieopisaną krzywdę. Nie masz żadnych przyjaciół. To ona nie dopuszczała ich do ciebie?

Wzdycha i przeczesuje palcami włosy.

– Czemu, do jasnej cholery, chcesz o niej wiedzieć? Połączył nas wieloletni romans, często tłukła mnie na kwaśne jabłko, a ja pieprzyłem ją na tyle sposobów, że nie jesteś ich sobie nawet w stanie wyobrazić. Cześć pieśni.

Blednę. Kurczę, jest zły – na mnie. Mrugam niepewnie.

– Dlaczego się tak złościsz?

– Bo to całe gówno już dawno należy do przeszłości! – woła, piorunując mnie wzrokiem. Wzdycha z rozdrażnieniem i kręci głową.

Cholera. Opuszczam wzrok na swoje dłonie, splecione na kolanach. Ja chcę jedynie zrozumieć.

Siada obok mnie.

– Co chcesz wiedzieć? – pyta nieufnie.

– Nie musisz mi mówić. Nie chciałam się narzucać.

– Anastasio, to nie tak. Nie lubię rozmawiać o tym wszystkim. Przez wiele lat żyłem otoczony bańką, nic mnie nie dotykało i przed nikim nie musiałem się tłumaczyć. Elena zawsze była moją powiernicą. A teraz moja przeszłość i przyszłość kolidują ze sobą w taki sposób, jaki nigdy nie przyszedłby mi do głowy.

Podnoszę na niego wzrok. Oczy ma ogromne.

– Nigdy nie sądziłem, że będę z kimś w prawdziwym związku, Anastasio. Ty dajesz mi nadzieję i dzięki tobie rozważam wszelkiego rodzaju możliwości. – Urywa.

– Słyszałam – szepczę i z powrotem wbijam wzrok w dłonie.

– Co? Naszą rozmowę?

– Tak.

– No i? – W jego głosie słychać zrezygnowanie.

– Zależy jej na tobie.

– Owszem. I mnie na niej na swój sposób także, ale w żaden sposób nie może się to równać z tym, co czuję do ciebie. Jeśli o to ci właśnie chodzi.

– Nie jestem zazdrosna. – Boli mnie, że mógł tak pomyśleć. A może jestem? Cholera. Może właśnie w tym tkwi problem. – Ty jej nie kochasz – mówię cicho.

Wzdycha ponownie. Jest naprawdę wkurzony.

– Dawno temu sądziłem, że ją kocham – mówi przez zaciśnięte zęby.

Och.

– Kiedy byliśmy w Georgii… powiedziałeś, że jej nie kochasz.

– Zgadza się.

Marszczę brwi.

– Wtedy kochałem ciebie, Anastasio – szepcze. – Jesteś jedyną osobą, na spotkanie którą przeleciałbym pięć tysięcy kilometrów.

Nie rozumiem. Wtedy chciał jeszcze, żebym była jego uległą.

– Uczucie, jakie żywię do ciebie, jest zupełnie inne od tego, jakie żywiłem kiedyś do Eleny – mówi tytułem wyjaśnienia.

– Kiedy to zrozumiałeś?

Wzrusza ramionami.

– Jak na ironię Elena mi to uświadomiła. Namówiła mnie, abym poleciał do Georgii.

Wiedziałam. Wiedziałam już tam, w Savannah.

I jak mam to wszystko rozumieć? Może ona jest po mojej stronie i jedynie się martwi, że go zranię. Ta myśl sprawia mi ból. Za nic na świecie nie chciałabym go zranić. Elena ma rację – on dość już wycierpiał.

Może nie jest taka zła. Kręcę głową. Nie chcę zaakceptować ich relacji. Potępiam ją. Elena to budząca odrazę kobieta, która wykorzystała bezbronnego nastolatka, zabierając mu młodzieńcze lata, bez względu na to, co twierdzi Christian.

– Więc jej pożądałeś? Kiedy byłeś młodszy.

– Tak.

Och.

– Wiele mnie nauczyła. Na przykład wiary w siebie.

Och.

– Ale prała cię także na kwaśne jabłko.

Uśmiecha się czule.

– O tak.

– A tobie się to podobało?

– Wtedy tak.

– Tak bardzo, że zapragnąłeś robić to samo innym?

Spojrzenie mu poważnieje.

– Tak.

– Pomogła ci w tym?

– Tak.

– Była twoją uległą?

– Tak.

A niech to.

– Oczekujesz, że ją polubię? – W moim głosie słychać rozgoryczenie.

– Nie. Choć to akurat bardzo by wszystko ułatwiło – odpowiada ostrożnie. – Naprawdę rozumiem twoją powściągliwość.

– Powściągliwość! Jezu, Christianie, jak byś się czuł, gdyby chodziło o twojego syna?

Mruga, jakby nie docierał do niego sens mojego pytania. Marszczy brwi.

– Nie musiałem z nią być. To był mój wybór, Anastasio – mówi cicho.

W taki sposób nic nie osiągniemy.

– Kto to jest Linc?

– Jej były mąż.

– Drewno Lincolna?

– Właśnie ten – uśmiecha się drwiąco.

– A Isaac?

– Jej obecny uległy.

O nie.

– Ma dwadzieścia kilka lat, Anastasio. Jest dorosły i wyraża na to zgodę – dodaje szybko, właściwie odczytując moją minę.

– Jest w twoim wieku – mówię cicho.

– Słuchaj, Anastasio, ona jest częścią mojej przeszłości. Ty jesteś moją przyszłością. Nie pozwól, proszę, aby stanęła między nami. I jeśli mam być szczery, to nudzi mnie już ten temat. Pójdę trochę popracować. – Wstaje. – Odpuść w końcu. Proszę.

Odpowiadam mu spojrzeniem pełnym zacięcia.

– Och, prawie zapomniałem – dodaje. – Twój samochód dostarczono już dziś. Stoi w garażu. Kluczyki ma Taylor.

Saab?

– Mogę jechać nim jutro do pracy?

– Nie.

– Dlaczego?

– Wiesz dlaczego. I jeszcze jedno. Jeśli zamierzasz opuszczać redakcję, informuj mnie o tym. Sawyer tam był i cię pilnował. Wygląda na to, że nie można ci ufać w tej kwestii.

Patrzy na mnie karcąco, a ja się czuję jak niesforne dziecko. Znowu. Nie chcę się kłócić, ale nie potrafię się powstrzymać:

– Wygląda na to, że tobie także nie można ufać. Mogłeś mi powiedzieć, że Sawyer mnie pilnuje.

– O to też chcesz się kłócić? – warczy.

– Nie sądziłam, że to kłótnia. Wydawało mi się, że się po prostu komunikujemy – burczę z rozdrażnieniem.

Zamyka na chwilę oczy, jakby walczył ze sobą, aby nie wybuchnąć. Przełykam ślinę i patrzę na niego niespokojnie. Różnie może się to skończyć.

– Muszę popracować – mówi cicho, po czym wychodzi z pokoju.

Wypuszczam powietrze. Nie zdawałam sobie wcześniej sprawy, że wstrzymuję oddech. Kładę się na łóżku i wbijam wzrok w sufit.

Czy uda nam się w końcu odbyć normalną rozmowę, która nie zamieni się w pewnym momencie w kłótnię? To takie wyczerpujące.

Po prostu nie znamy się jeszcze zbyt dobrze. Czy ja naprawdę chcę się do niego wprowadzić? Nie wiem nawet, czy powinnam mu teraz zrobić kawę czy herbatę. A może w ogóle nie powinnam przeszkadzać mu w pracy? Nie mam pojęcia, co lubi, a czego nie.

Wyraźnie nudzi go ta cała sprawa z Eleną – ma rację, muszę odpuścić. Cóż, przynajmniej nie oczekuje, że się z nią zaprzyjaźnię, i mam nadzieję, że ona przestanie męczyć mnie o spotkanie.

Wstaję z łóżka i udaję się niespiesznie do okna. Otwieram drzwi na balkon i podchodzę do szklanej barierki. Jej przezroczystość przyprawia mnie o zawrót głowy. Powietrze jest chłodne i świeże.

Spoglądam na migające światła Seattle. Christian w tej swojej fortecy jest tak bardzo od wszystkiego oddalony. Przed nikim nie musi odpowiadać. Powiedział mi, że mnie kocha, a chwilę później zjawiło się to cholerne babsko. Przewracam oczami. Jego życie jest takie skomplikowane. On jest taki skomplikowany.

Z ciężkim westchnieniem i ostatnim spojrzeniem na Seattle, rozciągającym się u mych stóp niczym złoty kobierzec, postanawiam zadzwonić do Raya. Nie rozmawialiśmy już dość długo. Rozmowa jest jak zawsze krótka, dowiaduję się, że u niego wszystko w porządku i że przerwałam mu oglądanie ważnego meczu piłki nożnej.

– Mam nadzieję, że z Christianem wszystko dobrze? – pyta lekko.

– Tak. Świetnie. – Tak jakby, a ja się do niego wprowadzam. Choć jeszcze nie uzgodniliśmy kiedy. – Kocham cię, tato.

– Ja ciebie też, Annie.

Rozłączam się i zerkam na zegarek. Jest dopiero dziesiąta. Z powodu naszej rozmowy czuję się dziwnie pobudzona i niespokojna.

Biorę szybki prysznic i postanawiam włożyć jedną z koszul nocnych wybranych dla mnie przez Caroline Acton z Neimana Marcusa. Christian zawsze utyskuje na moje T-shirty. Są trzy koszule. Decyduję się na jasnoróżową i wkładam ją przez głowę. Materiał prześlizguje się mojej skórze, pieszcząc ją delikatnie. To doskonałej jakości cieniutka satyna. Wyglądam w niej jak gwiazda filmowa z lat trzydziestych. Jest długa, elegancka – i zupełnie nie w moim stylu.

Narzucam na siebie podomkę do kompletu i postanawiam poszukać sobie w bibliotece jakiejś lektury. Mogłabym poczytać na iPadzie, ale w tej akurat chwili mam ochotę czuć w ręce papierową książkę. Nie będę przeszkadzać Christianowi. Może do końca wieczoru odzyska dobry humor.

Biblioteka Christiana mieści tak wiele książek. Przejrzenie wszystkich tytułów będzie trwać całe wieki. Zerkam na stół bilardowy i rumienię się na wspomnienie wczorajszego wieczoru. Uśmiecham się, gdy widzę, że linijka dalej leży na podłodze. Podnoszę ją i uderzam nią w dłoń. Ał! Piecze.

Dlaczego nie mogę znieść dla mojego mężczyzny nieco więcej bólu? Zasmucona odkładam ją na biurko i zabieram się za szukanie przyjemnej lektury.

Większość książek to pierwsze wydania. Jak udało mu się zgromadzić taką kolekcję w tak krótkim czasie? Być może do obowiązków Taylora należy także kupowanie książek. Decyduję się na *Rebekę* Daphne du Maurier. Dawno jej nie czytałam. Uśmiecham się, siadam wygodnie na jednym z miękkich foteli i czytam pierwszy wers:

Dziś w nocy znów śniłam o Manderley...

Budzę się, gdy Christian bierze mnie na ręce.
– Hej – mruczy. – Zasnęłaś. Nie mogłem cię znaleźć.
Zanurza nos w moich włosach. Sennie zarzucam mu
ramiona na szyję i wdycham jego zapach – och, on tak
pięknie pachnie – gdy niesie mnie do sypialni. Kładzie
mnie na łóżku i przykrywa kołdrą.
– Śpij, maleńka – szepcze i muska ustami moje czoło.

Coś MNIE NAGLE budzi. Przez chwilę czuję kompletną
dezorientację. Zerkam nerwowo na koniec łóżka, ale nikogo tam nie ma. Z salonu dobiegają dźwięki fortepianu.
   Która godzina? Spoglądam na budzik – druga w nocy.
Christian w ogóle się nie położył? Wyplątuję nogi z podomki, którą nadal mam na sobie, i zaspana wstaję z łóżka.
   Udaję się do salonu, staję w półmroku i słucham.
Christian jest cały oddany muzyce. Wygląda na bezpiecznego w swojej bańce światła. Utwór, który gra, jest dość
skoczny i wydaje mi się, że gdzieś go już słyszałam. Gra
doprawdy po mistrzowsku. Czemu zawsze tak mnie to
zaskakuje?
   Dzisiejsza scena wygląda jakoś inaczej i dopiero po
chwili dociera do mnie, że wieko instrumentu jest opusz-
czone, dzięki czemu mam doskonały widok na Christiana. Podnosi wzrok i nasze spojrzenia się krzyżują. Jego
szare oczy błyszczą delikatnie w rozmytej poświacie rzu-
canej przez lampkę. Nie przestaje grać, gdy do niego podchodzę. Śledzi mnie wygłodniałym wzrokiem. I gdy staję
przy nim, odrywa palce od klawiszy.
   – Czemu przestałeś grać? To było piękne.
   – Masz pojęcie, jak ponętnie wyglądasz w tej właśnie
chwili? – pyta miękko.

Och.

– Chodź do łóżka – szepczę, a on patrzy na mnie płonącym wzrokiem i wyciąga rękę. Gdy ją ujmuję, pociąga za nią nieoczekiwanie, tak że ląduję na jego kolanach. Mocno mnie obejmuje i muska nosem skórę tuż za uchem, przyprawiając mnie o dreszcze.

– Dlaczego się kłócimy? – pyta cicho, chwytając mnie zębami za ucho.

Serce mi zamiera, po czym zaczyna walić jak młotem, rozprowadzając żar po całym ciele.

– Ponieważ dopiero się poznajemy, a ty jesteś uparty i kłótliwy, i humorzasty, i trudny – wyrzucam z siebie bez tchu, przechylając głowę, aby miał lepszy dostęp do szyi. Przesuwa po niej nosem i czuję, że się uśmiecha.

– Zgadza się, taki właśnie jestem, panno Steele. To cud, że ze mną wytrzymujesz. – Chwyta zębami ucho, a ja jęczę. – Zawsze tak jest? – wzdycha.

– Nie mam pojęcia.

– Ja też. – Pociąga za pasek podomki i poły się rozchylają. Christian przesuwa dłonią po satynowej koszuli, zatrzymując się na piersi. Sutki natychmiast twardnieją pod jego delikatnym dotykiem. Opuszcza dłoń niżej, na talię, a stamtąd na biodro.

– Tak miło mi się ciebie dotyka przez ten materiał, no i wszystko widzę, nawet to. – Pociąga delikatnie za włosy łonowe, a ja głośno łapię powietrze. Drugą ręką przytrzymuje mi głowę i zbliża usta do moich ust, całując łapczywie, niepowstrzymanie, namiętnie. Jęczę w odpowiedzi i muskam palcami jego tak bardzo kochaną twarz. Christian podciąga mi koszulę, drażniąco powoli, aż w końcu dotyka mej nagiej pupy, po czym przesuwa kciukiem po wewnętrznej stronie uda.

Nagle wstaje, zaskakując mnie, i sadza mnie na fortepianie. Stopami dotykam klawiszy, wydobywając z nich fałszywie brzmiące dźwięki. Christian rozsuwa mi kolana, po czym chwyta za dłonie.

– Połóż się – nakazuje, trzymając mi mocno dłonie, a ja się kładę. Nakrywa jest twarda i zimna. Puszcza mnie i rozsuwa mi nogi jeszcze szerzej. Moje stopy wygrywają najwyższe i najniższe dźwięki.

O rany. Wiem, co zamierza zrobić, i to wyczekiwanie… Jęczę głośno, gdy całuje moje kolano, by chwilę później przesuwać się w górę uda. Podciąga materiał koszuli jeszcze wyżej, muskając nim moją uwrażliwioną skórę. Zamykam oczy i całkowicie mu się oddaję, gdy jego usta docierają do złączenia mych ud.

Całuje mnie… tam…. Och… Następnie delikatnie dmucha, a jego język zaczyna zataczać kółka wokół łechtaczki. Rozsuwa mi nogi jeszcze szerzej. Czuję się taka obnażona. Christian przytrzymuje mi nogi tuż nad kolanami, a jego język dręczy mnie, nie dając wytchnienia, ulgi… ułaskawienia. Unoszę mu biodra na spotkanie, dopasowując się do jego rytmu. Jestem zgubiona.

– Och, Christianie, błagam – jęczę.

– O nie, maleńka, jeszcze nie.

Ale ja czuję, że przyspieszam. On także, i nieruchomieje.

– Nie – kwilę.

– To moja zemsta, Ano. Kłóć się ze mną, a ja znajdę jakiś sposób, żeby się odegrać na twoim ciele. – Obsypuje pocałunkami mój brzuch, jego dłonie wędrują w górę ud, głaszcząc, uciskając, kusząc. Językiem zatacza kółka wokół pępka, a jego dłonie – i kciuki… och, te kciuki – docierają do zwieńczenia ud.

– Ach! – wołam, gdy wsuwa we mnie jeden. Drugim powoli mnie pieści, tak dręcząco powoli. Plecy wyginam w łuk, wijąc się pod jego dotykiem. To niemal nie do zniesienia. – Christian! – wołam, z pożądania tracąc nad sobą kontrolę.

Robi mu się mnie żal i przestaje. Podnosi mi stopy z klawiszy i popycha; i nagle przesuwam się po nakrywie fortepianu, ślizgając się na satynie, a on wchodzi za mną i klęka między moimi nogami, aby założyć prezerwatywę. Pochyla się nade mną, a ja dyszę głośno, patrząc na niego wzrokiem oszalałym z pragnienia. I dociera do mnie, że jest nagi. Kiedy zdążył się rozebrać?

Przygląda mi się, a w jego oczach jest zachwyt, zachwyt i miłość, i pożądanie, i to wszystko zapiera mi dech w piersiach.

– Tak bardzo cię pragnę – wyrzuca z siebie i bardzo powoli wchodzi we mnie.

LEŻĘ NA NIM BEZ SIŁ, do cna wykończona. Znacznie wygodniej leżeć na nim niż na twardym fortepianie. Pilnując się, aby nie dotknąć jego klatki piersiowej, opieram o niego policzek i leżę w bezruchu. Christian nie protestuje, a ja słucham jego oddechu, uspokajającego się powoli. Delikatnie gładzi moje włosy.

– Pijasz wieczorem kawę czy herbatę? – pytam sennie.

– A co to za dziwne pytanie?

– Pomyślałam, że przyniosę ci do gabinetu herbatę, ale wtedy dotarło do mnie, że nie wiem, na co miałbyś ochotę.

– Och, rozumiem. Wieczorem woda lub wino. Choć może powinienem spróbować herbaty.

Jego dłoń przesuwa się rytmicznie po moich plecach.

– Naprawdę bardzo mało o sobie wiemy – mruczę.

– To prawda – mówi ze smutkiem.

Siadam i patrzę na niego.

– Co się stało? – pytam.

Christian kręci głową, jakby chciał z niej wyrzucić jakąś nieprzyjemną myśl, po czym unosi rękę i gładzi mój policzek. Jego oczy błyszczą szczerością.

– Kocham cię, Ano Steele.

* * *

O SZÓSTEJ RANO WŁĄCZA się budzik, serwując nam wiadomości drogowe i wyrywając mnie z niepokojącego snu
o jasnowłosych i ciemnowłosych kobietach. Nie pamiętam, o co konkretnie w nim chodziło, i natychmiast wylatuje on z mojej głowy, ponieważ Christian Grey otula
mnie niczym jedwab: jego ręka spoczywa na mojej piersi, a nogę ma przerzuconą przez moje nogi, skutecznie
mnie unieruchamiając. Nadal śpi, mnie natomiast jest za
ciepło, ale ignoruję ten dyskomfort. Ostrożnie wsuwam
palce w jego potargane włosy i wtedy Christian się budzi.
Podnosi na mnie swe szare oczy i uśmiecha się sennie.
O rany... jest uroczy.

– Dzień dobry, moja piękna – mruczy.

– Dzień dobry, mój piękny. – Uśmiecham się do niego. Całuje mnie, odkleja się ode mnie i opiera głowę na
łokciu.

– Dobrze spałaś? – pyta.

– Tak, pomimo nocnego przerywnika.

Jego uśmiech staje się jeszcze szerszy.

– Hmm. Mnie taki przerywnik możesz robić, kiedy
tylko masz ochotę. – Ponownie mnie całuje.

– A ty? Dobrze ci się spało?

– Z tobą zawsze mi się dobrze śpi, Anastasio.

– Żadnych koszmarów?

– Żadnych.

Marszczę brwi i postanawiam zaryzykować.

– A czego one dotyczą?

Uśmiech znika z jego twarzy. Cholera, ja i moja niemądra ciekawość.

– To przebłyski mojego wczesnego dzieciństwa, tak
przynajmniej twierdzi doktor Flynn. Niektóre wyraźne,
inne mniej. – Milknie i przez jego twarz przemyka cień.

W roztargnieniu zaczyna przesuwać palcem po moim obojczyku.

– Budzisz się z płaczem i krzykiem? – Chyba nie udał mi się ten żart.

Patrzy na mnie z konsternacją.

– Nie, Anastasio. Nigdy nie płakałem. O ile dobrze pamiętam. – Marszczy brwi, jakby dotarł do sedna swych wspomnień. O nie, to stanowczo zbyt mroczne miejsce, aby się tam zapuszczać z samego rana.

– Masz jakieś szczęśliwe wspomnienia z dzieciństwa? – pytam szybko, głównie po to, aby odwrócić jego uwagę. Duma przez chwilę, nie odrywając palca od mojej skóry.

– Pamiętam, jak dziwka piekła ciasto. Pamiętam zapach. Chyba tort urodzinowy. Dla mnie. No a potem pojawienie się Mii. Mama martwiła się moją reakcją, ale ja od razu zakochałem się w małej Mii. Moje pierwsze słowo to było „Mia". Pamiętam pierwszą lekcję gry na pianinie. Panna Kathie, moja nauczycielka, była niesamowita. Hodowała także konie. – Uśmiecha się tęsknie.

– Mówiłeś, że twoja mama cię uratowała. Jak?

Wyrywam go tym z zadumy i patrzy na mnie takim wzrokiem, jakbym nie rozumiała tego, co oczywiste.

– Adoptowała mnie – odpowiada z prostotą. – Kiedy zobaczyłem ją po raz pierwszy, sądziłem, że to anioł. Ubrana była na biało, a kiedy mnie badała, była taka delikatna i spokojna. Nigdy tego nie zapomnę. Gdyby odmówiła albo gdyby Carrick odmówił... – Wzrusza ramionami i zerka przez ramię na budzik. – To trochę zbyt poważna rozmowa jak na tak wczesną porę – mruczy.

– Przyrzekłam sobie, że lepiej cię poznam.

– Czyżby, panno Steele? Sądziłem, że chce pani wiedzieć, czy wolę kawę, czy herbatę. – Uśmiecha się lekko drwiąco. – A mnie przychodzi inny sposób na to, aby le-

piej mnie poznać. – Sugestywnie napiera na mnie biodrami.

– Sądziłam, że w tym temacie znam cię już całkiem
dobrze – mówię wyniośle, na co on uśmiecha się szeroko.

– Nie uważam, abym w ten sposób poznał cię kiedykolwiek wystarczająco dobrze – mruczy. – Budzenie
się przy twoim boku ma zdecydowane zalety. – Głos ma
miękki i niesamowicie uwodzicielski.

– Nie musisz wstawać? – pytam chrapliwie. Och…
co on ze mną wyprawia…

– Nie dzisiaj. I mam ochotę znaleźć się w jednym
konkretnym miejscu, panno Steele. – Oczy błyszczą mu
lubieżnie.

– Christian! – zaszokowana, łapię głośno powietrze.

Sekundę później jest już na mnie, przyciskając mnie
do łóżka. Chwyta moje dłonie, kładzie mi je nad głową
i zaczyna całować szyję.

– Och, panno Steele. – Uśmiecha się z ustami przy
mojej skórze, moje ciało zaś przeszywa dreszcz, gdy jego
dłoń wędruje w dół, a potem zaczyna powoli podciągać
satynową koszulę. – Och, cóż ja miałbym ochotę z tobą
zrobić – mruczy.

I tym sposobem poranne wypytywanie dobiega końca.

Pani Jones stawia przede mną naleśniki i bekon, a przed
Christianem omlet i bekon. Siedzimy obok siebie i jemy
śniadanie.

– Kiedy poznam tego twojego trenera, Claude'a? –
pytam.

– To zależy od tego, czy w weekend masz ochotę wybrać się ze mną do Nowego Jorku. Chyba że chcesz się
z nim spotkać wcześnie rano w tygodniu. Poproszę Andreę, aby sprawdziła jego grafik i dam ci znać.

– Andreę?

– Moją asystentkę.

No tak.

– Jedną z twoich wielu blondynek – przekomarzam się.

– Nie jest moja. Pracuje dla mnie. Ty jesteś moja.

– Pracuję dla ciebie – mówię kwaśno.

Uśmiecha się, jakby wyleciało mu to z pamięci.

– Rzeczywiście. – Jego uśmiech jest zaraźliwy.

– Może Claude nauczy mnie kickboxingu – rzucam ostrzegawczo.

– Tak? Abyś zwiększyła swoje szanse w starciu ze mną? – Christian unosi z rozbawieniem brew. – Śmiało, panno Steele.

Nastrój ma zupełnie inny niż wczoraj wieczorem, po wyjściu Eleny. To jest po prostu rozbrajające. Może to przez ten seks… może dzięki niemu jest taki pogodny.

Oglądam się na fortepian, rozkoszując się wspomnieniem zeszłej nocy.

– Uniosłeś z powrotem nakrywę.

– W nocy położyłem, żeby ci nie przeszkadzać. Chyba się nie udało, ale w sumie cieszę się z tego. – Christian uśmiecha się zmysłowo, nabierając na widelec kęs omleta. Pąsowieję i odpowiadam mu takim samym uśmiechem.

O tak… na fortepianie było fajnie.

Pani Jones stawia na blacie papierową torbę z lunchem dla mnie. Odzywają się we mnie wyrzuty sumienia.

– Na później, Ana. Tuńczyk, może być?

– Naturalnie. Dziękuję, pani Jones. – Obdarzam ją nieśmiałym uśmiechem. Ona także uśmiecha się do mnie, po czym wychodzi. Podejrzewam, że chce nam dać odrobinę prywatności.

– Mogę cię o coś zapytać? – Odwracam się do Christiana.

Rozbawienie znika z jego twarzy.

– Oczywiście.

– I nie będziesz się złościł?

– Chodzi o Elenę?

– Nie.

– To nie będę.

– Ale mam jeszcze pytanie dodatkowe.

– Och?

– Związane z nią.

Przewraca oczami.

– O co chodzi? – pyta. Widzę, że jest rozdrażniony.

– Dlaczego tak się złościsz, kiedy pytam cię o nią?

– Szczerze?

Rzucam mu gniewne spojrzenie.

– Sądziłam, że zawsze jesteś ze mną szczery.

– Bardzo się staram.

Mrużę oczy.

– To bardzo wymijająca odpowiedź.

– Zawsze jestem z tobą szczery, Ano. Nie chcę uprawiać żadnych gierek. No, przynajmniej nie tego rodzaju – konkretyzuje.

– A jakiego rodzaju chcesz?

Przechyla głowę i uśmiecha się do mnie znacząco.

– Panno Steele, tak łatwo odwrócić twoją uwagę.

Chichoczę. Ma rację.

– Panie Grey, jest pan człowiekiem bardzo rozpraszającym. – Wpatruję się w jego szare, pełne rozbawienia oczy.

– Mój ulubiony dźwięk to twój śmiech, Anastasio. No dobrze, o co mnie chciałaś zapytać? – pyta lekko i mam wrażenie, że trochę ze mnie drwi. Próbuję się skrzywić, aby okazać mu swoje niezadowolenie, ale lubię żartobliwego Szarego, fajny jest. Uwielbiam nasze poranne żarciki. Marszczę brwi, próbując przypomnieć sobie pytanie.

– Ach tak. Spotykałeś się ze swoimi uległymi tylko podczas weekendów?

– Zgadza się – odpowiada, patrząc na mnie nerwowo.

Uśmiecham się szeroko.

– A więc żadnego seksu w tygodniu.

Śmieje się.

– Och, a więc o to ci chodzi. – Wygląda, jakby mu ulżyło. – A myślisz, że dlaczego w dni powszednie codziennie ćwiczę?

Teraz to już naprawdę się ze mnie śmieje, ale mam to gdzieś. Chce mi się skakać z radości. Kolejny pierwszy raz. Uzbierało się ich już całkiem sporo.

– Wygląda pani na bardzo z siebie zadowoloną, panno Steele.

– Bo jestem, panie Grey.

– Całkiem słusznie. – Uśmiecha się szeroko. – A teraz jedz śniadanie.

Och, apodyktyczny Szary… nigdy zbyt się nie oddala.

Siedzimy na tylnej kanapie audi. Taylor najpierw odwiezie do pracy mnie, a potem Christiana. Sawyer ma baczenie na wszystko.

– Nie mówiłaś przypadkiem, że dzisiaj przyjeżdża brat twojej współlokatorki? – pyta Christian. Z tonu jego głosu nie da się nic wyczytać.

– Och, Ethan. Zapomniałam. Dzięki, że mi przypomniałeś, Christianie. Będę musiała wrócić do mieszkania.

Rzednie mu mina.

– O której?

– Nie jestem pewna, o której ma przyjechać.

– Nie chcę, żebyś chodziła dokądkolwiek sama – oświadcza ostro.

– Wiem – burczę i zwalczam pokusę wywrócenia oczami na Pana Przesadzającego. – Czy Sawyer będzie dzisiaj szpiegował… eee… patrolował? – Zerkam przebiegle na Sawyera i widzę, że koniuszki jego uszu czerwienieją.

– Tak – warczy. Wzrok ma lodowaty.

– Gdybym pojechała saabem, byłoby prościej – marudzę.

– Sawyer będzie miał auto i może cię zawieźć do twojego mieszkania.

– Dobrze. Ethan pewnie skontaktuje się ze mną w ciągu dnia. Dam ci wtedy znać, jak wyglądają moje plany.

Patrzy na mnie, nic nie mówiąc. Och, jakie myśli krążą w jego głowie?

– No dobrze – zgadza się. – Nigdzie nie chodź sama. Rozumiesz?

– Tak, mój drogi – mówię słodko.

Uśmiecha się lekko.

– I może powinnaś używać tylko BlackBerry. Będę ci wysyłał mejle na niego. Tym sposobem mój człowiek z IT nie będzie miał wyjątkowo interesującego ranka, okej? – Ton ma sardoniczny.

– Tak, Christianie. – Nie mogę się oprzeć. Przewracam oczami.

– Panno Steele, przez panią świerzbi mnie ręka.

– Ach, panie Grey, ona ciągle pana świerzbi. I co my z tym zrobimy?

Śmieje się, po czym wyjmuje z kieszeni BlackBerry. Musi mieć włączone wibracje, bo nie słychać sygnału. Marszczy brwi, gdy widzi, kto dzwoni.

– Halo? – rzuca do telefonu, po czym słucha uważnie.

A ja mam szansę podziwiać jego piękną twarz i opadające na czoło włosy. Zaczynam się jednak przysłuchiwać, gdy niedowierzanie w jego głosie zmienia się w rozbawienie.

– Żartujesz… Kiedy ci to powiedział? – Christian chichocze. – Nie, nie przejmuj się. Nie musisz przepraszać. Cieszę się, że istnieje logiczne wytłumaczenie. Ta kwota rzeczywiście była absurdalnie niska... Nie mam wątpliwości, że zdążyłaś już zaplanować stosowną zemstę. Biedny Isaac. – Uśmiecha się. – Dobrze... Pa. – Chowa telefon i zerka na mnie. W jego oczach pojawia się nagle nieufność, ale i ulga.

– Kto to był? – pytam.

– Naprawdę chcesz wiedzieć? – pyta cicho.

I już wiem. Kręcę głową, patrząc przez szybę na szary poranek w Seattle. Czuję przygnębienie. Dlaczego ona nie zostawi go w spokoju?

– Hej. – Sięga po moją dłoń i całuje wszystkie knykcie po kolei, po czym nagle zaczyna ssać mocno mały palec. A potem go lekko przygryza.

Hola! Łapię powietrze i zerkam nerwowo na Taylora i Sawyera, po czym przenoszę spojrzenie na Christiana. Posyła mi leniwy, zmysłowy uśmiech.

– Nie martw się tym, Anastasio – mówi cicho. – Elena to przeszłość.

Po tych słowach całuje wnętrze mojej dłoni, rozsyłając iskierki po całym moim ciele. Zapominam o irytacji.

– DZIEŃ DOBRY, ANA – burczy Jack, gdy zmierzam do swojego biurka. – Ładna sukienka.

Czerwienię się. To część mojej nowej garderoby, którą mam dzięki niezwykle bogatemu chłopakowi. Sukienka jest bez rękawów, bladoniebieska, dopasowana, a do niej włożyłam kremowe sandałki na wysokim obcasie. Christian chyba lubi obcasy. Uśmiecham się lekko na tę myśl, ale szybko przywołuję się do porządku i wypływa mi na twarz obojętny, profesjonalny uśmiech dla przełożonego.

– Dzień dobry, Jack.

Najpierw zamawiam kuriera, który zawiezie do drukarni jego broszurę. Jack wysuwa głowę z gabinetu.

– Mógłbym prosić o kawę, Ana?

– Jasne.

Udaję się do aneksu kuchennego i natykam się tam na Claire z recepcji, która parzy właśnie kawę.

– Hej, Ana – mówi wesoło.

– Cześć, Claire.

Rozmawiamy przez chwilę o jej weekendowym spotkaniu rodzinnym, a potem opowiadam jej o żeglowaniu z Christianem.

– Twój chłopak jest taki przystojny, Ana – mówi, a jej oczy zachodzą mgłą.

Kusi mnie, aby wywrócić oczami.

– Nie wygląda najgorzej. – Uśmiecham się i obie zaczynamy chichotać.

– Nie spieszyłaś się! – warczy Jack, kiedy stawiam mu na biurku kawę.

Och!

– Przepraszam. – Rumienię się, po czym marszczę brwi. Wcale nie trwało to dłużej niż zwykle. O co mu chodzi? Może się czymś denerwuje.

Kręci głową.

– Wybacz, Ana. Nie chciałem na ciebie warczeć, skarbie.

Skarbie?

– Coś się dzieje na szczeblu kierowniczym i nie potrafię rozgryźć co. Miej oczy i uszy szeroko otwarte, okej? Gdybyś coś usłyszała… Wiem, że wy, dziewczęta dużo rozmawiacie.

– Uśmiecha się do mnie, a mnie robi się lekko niedobrze. On nie ma pojęcia, o czym my, „dziewczęta", rozmawiamy. Poza tym ja wiem, co się dzieje. – Dasz mi znać, co?

– Jasne – mamroczę. – Wysłałam broszurę do drukarni. Przed drugą będzie u nas.

– Świetnie. Proszę. – Wręcza mi stos rękopisów. – Wszystkie potrzebują streszczenia pierwszego rozdziału.

– Zajmę się tym.

Z ulgą opuszczam jego gabinet i siadam przy biurku. Och, trudno być osobą, która o wszystkim wie. Co zrobi Jack, gdy informacje dotrą i do niego? Robi mi się zimno. Coś mi mówi, że będzie zły. Zerkam na BlackBerry i uśmiecham się. Jest mejl od Christiana.

Nadawca: Christian Grey
Temat: Wschód słońca
Data: 14 czerwca 2011, 9:23
Adresat: Anastasia Steele

Uwielbiam budzić się z Tobą.

Christian Grey
Kompletnie zadurzony prezes, Grey Enterprises Holdings, Inc.

Na twarzy mam uśmiech od ucha do ucha.

Nadawca: Anastasia Steele
Temat: Zachód słońca
Data: 14 czerwca 2011, 9:35
Adresat: Christian Grey

Drogi Kompletnie Zadurzony

Ja także uwielbiam budzić się przy Tobie. Ale uwielbiam też być z Tobą w łóżku i w windach, i na fortepianach, i stołach bilardowych, i łodziach, i biurkach, i pod prysznicem, i w wannie, i na dziwnych drewnianych krzyżach, i w łóżkach z kolumnami i pościelą z czerwonej satyny, i hangarach na łodzie, i sypialniach z dzieciństwa.

Twoja

Nienasycona xx

Nadawca: Christian Grey
Temat: Mokry komputer
Data: 14 czerwca 2011, 9:37
Adresat: Anastasia Steele

Droga Nienasycona

Właśnie rozlałem kawę na klawiaturę.

Chyba jeszcze nigdy mi się to nie zdarzyło.

Podziwiam kobietę, która koncentruje się na geografii.

Dobrze rozumiem, że pragniesz mnie jedynie dla mego ciała?

Christian Grey
Kompletnie zaszokowany prezes, Grey Enterprises Holdings, Inc.

Nadawca: Anastasia Steele
Temat: Rozchichotana – i także mokra
Data: 14 czerwca 2011, 9:42
Adresat: Christian Grey

Drogi Kompletnie Zaszokowany

Zawsze.

Mam sporo pracy.

Przestań zawracać mi głowę.

Nienasyc. Xx

Nadawca: Christian Grey
Temat: Muszę?
Data: 14 czerwca 2011, 9:50
Adresat: Anastasia Steele

Droga Nienasyc.

Jak zawsze, Twoje życzenie jest dla mnie rozkazem.

To cudownie, że chichoczesz i że jesteś mokra.

Na razie, mała.

x

Christian Grey
Kompletnie zadurzony, zaszokowany i oczaro-
wany prezes, Grey Enterprises Holdings, Inc.

Odkładam BlackBerry i zabieram się za pracę.

* * *

Podczas przerwy na lunch Jack prosi, abym skoczyła
do delikatesów. Dzwonię do Christiana od razu po wyjściu z jego gabinetu.

– Anastasia – odbiera natychmiast. Głos ma ciepły. Jak
to możliwe, że rozpływam się na sam dźwięk jego głosu?

– Christianie, Jack mnie poprosił o przyniesienie mu
lunchu.

– Leniwy drań – warczy.

Ignoruję go i kontynuuję:

– No więc będę musiała wyjść. W sumie mógłbyś dać
mi numer Sawyera, żebym nie musiała ci przeszkadzać.

– Nie przeszkadzasz mi, skarbie.

– Sam jesteś?

– Nie. Sześć osób patrzy teraz na mnie, zastanawiając się z kim, u licha, rozmawiam.

Cholera.

– Poważnie? – pytam spanikowana.

– Tak. Poważnie. Moja dziewczyna. – Słabiej to słyszę, więc pewnie zwrócił się tych osób.

– Wiesz, wszyscy pewnie sądzili, że jesteś gejem.

Śmieje się.

– Pewnie tak.

– Eee… no to kończę. – Jestem pewna, że wyczuwa
moje zakłopotanie spowodowane tym, że mu przerwałam.

– Powiadomię Sawyera. – Znowu się śmieje. – Ethan
kontaktował się już z tobą?

– Jeszcze nie. Pierwszy pan się o tym dowie, panie
Grey.

– To dobrze. Na razie, mała.

– Pa, Christianie. – Uśmiecham się. Za każdym razem, gdy to mówi, ja się uśmiecham… To takie niepasu-
jące do Szarego, ale i pasujące.

* * *

Kiedy chwilę później opuszczam redakcję, Sawyer czeka na schodkach przed budynkiem.

– Panno Steele – wita mnie oficjalnie.

– Sawyer – kiwam w odpowiedzi głową i razem udajemy się do delikatesów.

W jego towarzystwie nie czuję się tak swobodnie jak przy Taylorze. Gdy idziemy, nieustannie przeczesuje wzrokiem ulicę. Tak naprawdę robię się przez to jeszcze bardziej nerwowa i przyłapuję się na tym, że naśladuję jego działanie.

Czy Leila gdzieś tu jest? A może zaraziliśmy się wszyscy paranoją od Christiana? Czy to jedna z jego pięćdziesięciu twarzy? Ileż bym dała za pół godziny szczerej rozmowy z doktorem Flynnem.

Wszystko jest w porządku, pora lunchowa w Seattle – ludzie spieszą się, aby coś zjeść, zrobić zakupy, spotkać się z przyjaciółmi. Patrzę, jak dwie młode kobiety ściskają się na powitanie.

Tęsknię za Kate. Od jej wyjazdu minęły dopiero dwa tygodnie, ale dla mnie to dwa najdłuższe tygodnie w życiu. Tak wiele się wydarzyło – nie uwierzy, kiedy jej opowiem. Cóż, przekażę jej okrojoną wersję, zgodną z warunkami umowy o zachowaniu poufności. Marszczę brwi. Będę musiała porozmawiać o niej z Christianem. Ciekawe, co Kate powie na to wszystko. A może wróci dziś razem z Ethanem? Podekscytowanie wywołane tą myślą szybko znika, bo to mało prawdopodobne. Najpewniej zostanie z Elliotem.

– Gdzie jesteś, kiedy czekasz na kogoś na ulicy? – pytam Sawyera, gdy stajemy w kolejce po lunch. On stoi przede mną, przodem do drzwi, nieustannie monitorując ulicę i każdego, kto wchodzi do delikatesów. Drażni mnie to.

– Siedzę w kafejce dokładnie po przeciwnej stronie ulicy, panno Steele.

– Nie jest to koszmarnie nudne?

– Nie dla mnie, proszę pani. Taka jest właśnie moja praca – odpowiada sztywno.

Czerwienię się.

– Przepraszam, nie chciałam sugerować... – Urywam na widok jego miny pełnej zrozumienia.

– Panno Steele, moim zadaniem jest chronić panią. I to właśnie będę robił.

– A więc ani śladu Leili?

– Nie, proszę pani.

Marszczę brwi.

– Skąd wiesz, jak ona wygląda?

– Widziałem zdjęcie.

– Och, masz je przy sobie?

– Nie, proszę pani. – Klepie się w głowę. – Przechowuję je w pamięci.

Oczywiście. Naprawdę chciałabym zobaczyć zdjęcie Leili, aby przekonać się, jak wyglądała, zanim stała się Widmową Dziewczyną. Ciekawe, czy Christian mi pokaże. Pewnie tak – dla mojego bezpieczeństwa. Układam w głowie plan, a moja podświadomość radośnie klaszcze w dłonie.

Kurier przywozi wydrukowane broszury i ku mojej uldze wyglądają naprawdę dobrze. Zanoszę je do gabinetu Jacka. Oczy mu błyskają; nie wiem, czy to na widok mnie, czy broszur. Wolę wierzyć w to drugie.

– Świetnie się prezentują, Ano. – Kartkuje jedną. – Tak, dobra robota. Spotykasz się dziś wieczorem ze swoim chłopakiem? – Lekko się krzywi, wypowiadając ostatnie słowo.

– Tak. Mieszkamy razem. – To w sumie prawda. Cóż, mieszkamy na chwilę obecną. I oficjalnie zgodziłam się z nim zamieszkać, więc to nie jest kłamstwo. Mam nadzieję, że to go w końcu zniechęci.

– Miałby coś przeciwko, gdybyś wybrała się wieczorem na szybkiego drinka? Aby uczcić twoją ciężką pracę?

– Wieczorem przyjeżdża do Seattle mój przyjaciel i wszyscy wybieramy się na kolację. – I będę zajęta każdego wieczoru, Jack.

– Rozumiem. – Wzdycha z irytacją. – To może po moim powrocie z Nowego Jorku, co? – Unosi wyczekująco brwi, a w jego spojrzeniu czai się dwuznaczność.

O nie. Uśmiecham się niezobowiązująco, powstrzymując się przed wzruszeniem ramionami.

– Chcesz może kawę lub herbatę? – pytam.

– Kawę, proszę. – Głos ma niski i schrypnięty, jakby prosił o coś innego.

Kuźwa. On mi nie odpuści. Teraz to widzę. Och... Co ja mam zrobić?

Po wyjściu z jego gabinetu oddycham głośno z ulgą. Christian ma co do niego rację i trochę mnie to wkurza.

Siadam przy biurku i dzwoni mi BlackBerry. Na wyświetlaczu pokazuje się numer, którego nie znam.

– Ana Steele.

– Cześć, Steele!

– Ethan! Co słychać? – niemal piszczę z radości.

– Cieszę się, że wróciłem. Mam dosyć słońca, rumu i mojej siostry beznadziejnie zakochanej w tym kolesiu. To było piekło, Ana.

– Tak! Morze, piasek, słońce i rum rzeczywiście przypominają piekło opisywane przez Dantego – chichoczę. – Gdzie jesteś?

– Na lotnisku, czekam właśnie na bagaż. A ty co robisz?

– Jestem w pracy. Owszem, pracuję zarobkowo – odpowiadam na jego okrzyk zdziwienia. – Chcesz tu przyjechać po klucze? Później możemy się spotkać w mieszkaniu.

– Świetny pomysł. Zjawię się za trzy kwadranse, może godzinę. Gdzie konkretnie pracujesz?

Podaję mu adres SIP.

– Do zobaczenia, Ethan.

– Na razie, mała – mówi i rozłącza się.

Co? Ethan też? No tak, w końcu spędził tydzień w towarzystwie Elliota. Szybko piszę mejl do Christiana.

Nadawca: Anastasia Steele
Temat: Goście z cieplejszych krajów
Data: 14 czerwca 2011, 14:55
Adresat: Christian Grey

Najdroższy Kompletnie Z&Z

Wrócił Ethan i niedługo zjawi się w redakcji po klucze do mieszkania.

Naprawdę chciałabym dopilnować tego, czy bez problemu się rozgościł.

A może przyjechałbyś po mnie do pracy? Możemy jechać do mieszkania, a potem RAZEM na jakąś kolację?

Ja stawiam?

Twoja
Ana x
Nadal N

Anastasia Steele

Asystentka Jacka Hyde'a, redaktora naczelnego SIP

Nadawca: Christian Grey
Temat: Kolacja na mieście
Data: 14 czerwca 2011, 15:05
Adresat: Anastasia Steele

Twój plan mi odpowiada. Z wyjątkiem tej części o płaceniu!

Ja stawiam.

Będę po Ciebie o szóstej.

x

PS. Dlaczego nie korzystasz z BlackBerry?!!!

Christian Grey
Kompletnie poirytowany prezes, Grey Enterprises Holdings, Inc.

Nadawca: Anastasia Steele
Temat: Apodyktyczność
Data: 14 czerwca 2011, 15:11
Adresat: Christian Grey

Och, nie bądź takim zrzędliwym złośnikiem.

Do zobaczenia o szóstej.

Ana x

Anastasia Steele
Asystentka Jacka Hyde'a, redaktora naczelnego SIP

Nadawca: Christian Grey
Temat: Nieznośne babsko
Data: 14 czerwca 2011, 15:18
Adresat: Anastasia Steele

Zrzędliwy złośnik!

Już ja ci dam zrzędliwego złośnika.

Nie mogę się tego doczekać.

Christian Grey
Kompletnie poirytowany, ale uśmiechający się
z niewiadomego powodu prezes, Grey Enterprises Holdings, Inc.

Nadawca: Anastasia Steele
Temat: Obiecanki cacanki
Data: 14 czerwca 2011, 15:23
Adresat: Christian Grey

Śmiało, panie Grey.

Ja też się nie mogę doczekać :D

Ana x

Anastasia Steele
Asystentka Jacka Hyde'a, redaktora naczelnego SIP

Nie odpisuje, ale nawet się nie dziwię. Wyobrażam sobie, jak narzeka na temat sprzecznych sygnałów, i uśmiecham się na tę myśl. Fantazjuję sobie przez chwilę, co Christian może ze mną zrobić, ale kończy się to tak, że zaczynam się wiercić na fotelu. Moja podświadomość rzuca mi znad okularów spojrzenie pełne dezaprobaty – bierz się do roboty.

Nieco później dzwoni mój telefon. To Claire z recepcji.

– Jest tu całkiem niezłe ciało, które chce się z tobą widzieć, Ana. Musimy wyjść kiedyś razem na drinka, Ana. Już ty wiesz, jak znaleźć fajnych facetów – szepcze konspiracyjnie.

Ethan! Wyjmuję z torebki klucze i idę szybko do holu.

A niech mnie: rozjaśniona słońcem blond czupryna, zabójcza opalenizna i błyszczące orzechowe oczy – to wszystko czeka na mnie na zielonej skórzanej kanapie. Kiedy mnie dostrzega, szczęka mu opada, a on sam zrywa się na równe nogi.

– *Wow*, Ana. – Nachyla się, aby mnie uściskać.

– Dobrze wyglądasz. – Uśmiecham się do niego promiennie.

– Ty wyglądasz... *wow*, inaczej. Nowocześnie, bardziej wyrafinowanie. Co się stało? Zmieniłaś fryzurę? Styl ubierania? Nie wiem, Steele, ale wyglądasz super!

Oblewam się krwistym rumieńcem.

– Och, Ethan. To tylko ciuchy do pracy.

Claire unosi brew i uśmiecha się cierpko.

– Jak urlop?

– Fajny – odpowiada.

– Kiedy wraca Kate?

– Razem z Elliotem przylecą w piątek. Ich związek robi się całkiem poważny. – Ethan przewraca oczami.

– Tęsknię za nią.

– Tak? A jak tam Pan Potentat?

– Pan Potentat? – chichoczę. – No, jest ciekawie. Wieczorem zabiera nas na kolację.

– Ekstra. – Ethan wydaje się autentycznie zadowolony. Uff!

– Proszę – wręczam mu klucze. – Znasz adres?

– Tak. Na razie, mała. – Całuje mnie w policzek.

– Tekst Elliota?

– Aha, lubi się przyczepić do człowieka.

– To prawda. Na razie. – Uśmiecham się do niego, gdy z zielonej kanapy bierze wielką torbę na ramię i wychodzi z budynku.

Kiedy odwracam się, dostrzegam, że z drugiego końca holu obserwuje mnie Jack. Trudno wyczytać cokolwiek z jego twarzy. Uśmiecham się do niego pogodnie i wracam do biurka, cały czas czując na sobie jego wzrok. To mi zaczyna działać na nerwy. Co zrobić? Nie mam pojęcia. Będę musiała zaczekać do powrotu Kate. Ona na pewno coś wymyśli. Ta myśl zdecydowanie poprawia mi humor. Zabieram się za kolejny rękopis.

Za pięć szósta dzwoni mój telefon. To Christian.

– Z tej strony Zrzędliwy Złośnik – mówi, a ja uśmiecham się szeroko. To nadal mój żartobliwy Szary. Moja wewnętrzna bogini klaszcze w dłonie jak mała dziewczynka.

– A z tej strony Nienasycona. Rozumiem, że już czekasz? – pytam sucho.

– W rzeczy samej, panno Steele. Nie mogę się ciebie doczekać. – Głos ma ciepły i uwodzicielski.

– I wzajemnie, panie Grey. Już się zbieram.

Wyłączam komputer i sięgam torbę i kremowy kardigan.

– Wychodzę, Jack! – wołam.

– Okej, Ana. Dzięki za dzisiaj! Miłego wieczoru.

– Nawzajem.

Dlaczego zawsze nie może taki być? Nie rozumiem tego człowieka.

Przy krawężniku czeka audi. Gdy podchodzę, wyskakuje z niego Christian. Zdążył już zdjąć marynarkę i ma na sobie szare spodnie, moje ulubione, które tak apetycznie zwisają mu z bioder. Jak to możliwe, że trafił mi się taki grecki bóg? I uśmiechamy się teraz do siebie jak idioci.

Przez cały dzień zachowywał się jak zakochany chłopak – zakochany we mnie. Ten cudowny, skomplikowany, pełen wad mężczyzna jest zakochany we mnie, a ja w nim. Rozpiera mnie radość i przez chwilę mam wrażenie, jakbym była w stanie podbić cały świat.

– Panno Steele, wygląda pani równie zachwycająco jak rano. – Christian bierze mnie w ramiona i całuje gorąco.

– Pan także, panie Grey.

– Jedźmy po twojego przyjaciela. – Uśmiecha się do mnie i otwiera drzwi.

Taylor wiezie nas do mieszkania, a Christian opowiada mi o swoim dniu – znacznie lepszym niż wczorajszy. Patrzę na niego z uwielbieniem, gdy próbuje mi wyjaśnić zasadę działania jakiegoś przełomowego wynalazku, stworzonego przez Wydział Sozologii na uniwersytecie w Vancouver. Jego słowa niewiele mi mówią, ale urzeka mnie jego pasja i zainteresowanie tematem. Może tak właśnie będzie, lepsze dni i gorsze dni. A jeśli te lepsze będą wyglądać tak jak dziś, to naprawdę nie powinnam narzekać. Christian podaje mi kartkę.

– To są terminy, w jakich Claude jest w tym tygodniu wolny – wyjaśnia.

Och! Ten trener.

Gdy zajeżdżamy pod budynek, wyjmuje z kieszeni BlackBerry.

– Grey – odbiera. – Ros, o co chodzi? – Słucha uważnie.

– Pójdę po Ethana. Za dwie minuty będę z powrotem – mówię do niego bezgłośnie i unoszę dwa palce.

Kiwa głową, wyraźnie zaabsorbowany rozmową. Taylor otwiera mi drzwi, uśmiechając się ciepło. Ja też się uśmiecham; nawet Taylor to czuje. Wciskam guzik domofonu i wołam wesoło:

– Cześć, Ethan, to ja. Wpuść mnie.

Udaję się na górę. Uświadamiam sobie, że nie byłam tu od sobotniego ranka. Mam wrażenie, że od tego czasu minęły całe wieki. Ethan zostawił mi uchylone drzwi. Wchodzę do mieszkania i nie wiem dlaczego, ale natychmiast nieruchomieję. Dopiero po chwili dociera do mnie, że powodem tego jest blada, wymizerowana postać z niewielkim pistoletem w dłoni stojąca obok kuchennej wyspy. Leila. Wpatruje się we mnie beznamiętnie.

ROZDZIAŁ TRZYNASTY

O kurwa.

Wpatruje się we mnie wzrokiem pozbawionym wyrazu. W ręce trzyma broń. Moja podświadomość pada zemdlona i chyba nawet sole trzeźwiące by jej nie pomogły.

Patrzę na Leilę i mrugam, a w mojej głowie rozgrywa się gonitwa myśli. Jak się tu dostała? Gdzie Ethan? Cholera jasna! Gdzie Ethan?

Na moim sercu zaciska się zimna rękawica strachu, a włosy na głowie stają mi dęba z przerażenia. A jeśli zrobiła mu krzywdę? Mój oddech przyspiesza, gdy w żyłach zaczyna buzować adrenalina. „Zachowaj spokój, zachowaj spokój" – powtarzam w myślach niczym mantrę.

Leila przechyla głowę, przyglądając mi się tak, jakbym była eksponatem w gabinecie osobliwości.

Mam wrażenie, że mijają całe wieki, gdy wszystko przetrawiam, tymczasem to zaledwie ułamek sekundy. Wyraz twarzy Leili pozostaje obojętny. Tak jak i poprzednio, wygląda na mocno zaniedbaną. Znów ma na sobie ten za duży trencz i widać, że przydałby jej się prysznic. Włosy ma tłuste i bez połysku, przyklejone do głowy, brązowe oczy zmętniałe.

Postanawiam się odezwać, choć w ustach mi zaschło.

– Cześć. Leila, prawda? – pytam chrapliwie.

Uśmiecha się, ale to raczej niepokojący grymas niż prawdziwy uśmiech.

– Ona mówi – szepcze. Głos ma jednocześnie miękki i zachrypnięty. Dziwne połączenie.

– Tak, mówię. – Rozmawiam z nią łagodnie, jak
z dzieckiem. – Jesteś tu sama? – Gdzie jest Ethan? Serce
wali mi jak młotem na myśl, że stała mu się krzywda.

Minę ma taką, jakby miała zaraz wybuchnąć płaczem – wygląda naprawdę żałośnie.

– Sama – mówi szeptem. – Sama.

I to jedno słowo zawiera takie pokłady smutku, że
serce się kraje. O co jej chodzi? Ja jestem sama? Ona jest
sama? Jest sama, ponieważ zrobiła krzywdę Ethanowi?
Och… nie…

– Co tu robisz? Mogę ci jakoś pomóc? – Mówię to
w sposób spokojny, łagodny, mimo paraliżującego strachu.
Leila marszczy brwi, jakby nie rozumiała moich słów.
Ale nie wykonuje żadnego gwałtownego ruchu. Obieram
inną taktykę, próbując ignorować gęsią skórę. – Napijesz
się herbaty?

Czemu ją pytam, czy chce herbaty? To odpowiedź
Raya na każdą sytuację kryzysową. Jezu, dostałby ataku, gdyby mnie teraz zobaczył. Odezwałby się w nim
instynkt żołnierza i od razu by ją obezwładnił. Pistolet
Leili tak naprawdę nie jest wycelowany we mnie. Niewykluczone, że mogę się poruszyć. Kręci głową i przechyla
ją to na jedną, to na drugą stronę, jakby rozciągała szyję.

Napełniam płuca cennym powietrzem, próbując
uspokoić spanikowany oddech, i ruszam w stronę wyspy.
Leila marszczy brwi, jakby nie do końca pojmowała, co
robię, i obraca się lekko, tak że nadal stoi twarzą do mnie.
Trzęsącymi się dłońmi sięgam po czajnik i napełniam go
wodą z kranu. Nieco się uspokajam. Tak, gdyby chciała
mnie zastrzelić, zapewne już by to zrobiła. Przygląda mi
się z oszołomioną ciekawością. Gdy włączam czajnik, dręczy mnie myśl dotycząca Ethana. Jest ranny? Związany?

– Czy w mieszkaniu jest ktoś jeszcze? – pytam ostrożnie.

Przechyla głowę, a dłonią bez pistoletu ujmuje pasmo swych długich, tłustych włosów i zaczyna się nim bawić. To wyraźnie tik nerwowy i choć trochę jest dekoncentrujący, po raz kolejny uderza mnie, jak bardzo Leila przypomina mnie. Wstrzymuję oddech, czekając na odpowiedź, a niepokój staje się niemal nie do zniesienia.

– Sama. Zupełnie sama – mamrocze. Uspokaja mnie tym. Może jednak Ethana tu nie ma.

– Na pewno nie chcesz kawy czy herbaty?

– Nie chce mi się pić – odpowiada cicho i robi ostrożny krok w moją stronę.

Uczucie ulgi znika. Kurwa! Znowu dopada mnie strach, rozprzestrzeniając się po całym ciele. Pomimo to biorę się w garść, odwracam się i z szafki wyjmuję dwa kubki.

– Co ty masz, czego ja nie mam? – pyta ze śpiewną intonacją dziecka.

– Co masz przez to na myśli, Leilo? – Staram się, aby mój głos był łagodny.

– Pan... pan Grey... pozwala ci mówić do siebie po imieniu.

– Nie jestem jego uległą, Leilo. Eee... Pan uważa, że się nie nadaję, że jestem nieodpowiednia do tej roli.

Przechyla głowę na drugą stronę. To bardzo nienaturalny i drażniący gest.

– Nie-od-po-wied-nia. – Testuje to słowo, sprawdzając, jak brzmi w jej ustach. – Ale Pan jest szczęśliwy. Widziałam go. Śmieje się i uśmiecha. A to rzadkie... bardzo rzadkie.

Och.

– Wyglądasz jak ja. – Ku mojemu zaskoczeniu Leila zmienia taktykę. Jej spojrzenie po raz pierwszy skupia się na mnie. – Pan lubi posłuszne kobiety, które wyglądają jak ty i ja. Inne, wszystkie takie same… wszystkie takie same… a jednak to ty śpisz w jego łóżku. Widziałam.

Cholera! Była wtedy w sypialni. Nie wyobraziłam sobie tego.

– Widziałaś mnie w jego łóżku? – szepczę.

– Nigdy nie spałam w łóżku Pana – mamrocze. Kojarzy mi się ze zjawą. Półczłowiek. Jest taka chudziutka, a choć trzyma broń, nagle ogarnia mnie współczucie wobec niej. Jej palce zaciskają się na pistolecie, a moje oczy nagle się powiększają, grożąc wyskoczeniem z orbit. – Dlaczego Pan lubi nas takie? Coś przychodzi mi do głowy… coś… Pan jest mroczny… Pan to mroczny człowiek, ale kocham go.

Nie, nie, nie. W duchu cała się zjeżam. On nie jest mroczny. To dobry człowiek i nie jest po mrocznej stronie. Przeszedł na jasną, do mnie. A teraz ona próbuje przeciągnąć go z powrotem, twierdząc, że go kocha.

– Leila, chcesz mi oddać ten pistolet? – pytam łagodnie.

Trzyma go mocno, przyciskając do piersi.

– Jest mój. To jedyne, co mi zostało. – Tuli do siebie pistolet. – Żebym mogła dołączyć do swojej miłości.

Cholera! Jakiej miłości – Christiana? Czuję się, jakby kopnęła mnie w brzuch. Wiem, że on zjawi się tu lada chwila, żeby sprawdzić, co mnie zatrzymało. Leila chce go zastrzelić? Ta myśl jest tak potworna, że czuję, jak w moim gardle tworzy się wielka gula, niemal mnie dusząc.

Jak na zawołanie otwierają się drzwi i na progu staje Christian. Za nim Taylor.

Christian zerka na mnie szybko i dostrzegam w jego spojrzeniu ulgę. Ale to uczucie ulgi znika, gdy zauważa Leilę. Nieruchomieje, koncentrując się na niej. Przygląda jej się z intensywnością, jakiej jeszcze u niego nie widziałam, spojrzenie ma dzikie, gniewne i przestraszone.

O nie… o nie.

Leila otwiera szeroko oczy i przez chwilę wygląda tak, jakby wracał jej zdrowy rozsądek. Mruga szybko powiekami, zaciskając dłoń na pistolecie.

Serce zaczyna walić mi tak głośno, że w uszach czuję pulsowanie krwi. Nie, nie, nie!

Mój świat chwieje się, gdy jego los spoczywa rękach tej biednej, zagubionej kobiety. Zastrzeli nas oboje? Tylko Christiana? Ta myśl mnie paraliżuje.

Po chwili, która zdaje się trwać całą wieczność, Leila pochyla lekko głowę, obserwując Christiana spod półprzymkniętych powiek. Minę ma skruszoną.

Christian unosi rękę, sygnalizując Taylorowi, aby ten nie ruszał się z miejsca. Pobladła twarz tego ostatniego zdradza ogromną wściekłość. Jeszcze nigdy nie widziałam go w takim stanie, ale nie rusza się z miejsca, gdy tymczasem Christian i Leila wpatrują się w siebie.

Uświadamiam sobie, że wstrzymuję oddech. Co ona zrobi? Co on zrobi? Ale oni jedynie patrzą na siebie. Spojrzenie Christiana jest pełne jakiegoś nienazwanego uczucia. Może to być litość, strach, sympatia… a może miłość? Nie, błagam, nie miłość!

Dręcząco powoli atmosfera w mieszkaniu ulega zmianie. Rośnie napięcie i wyczuwam ich więź.

Nie! Nagle mam wrażenie, jakbym to ja była intruzem, przeszkadzającym ich wpatrywaniu się w siebie. Jestem podglądaczem, świadkiem intymnej, zakazanej sceny.

Spojrzenie Christiana przybiera na intensywności. Subtelnie zmienia się jego postawa. Wydaje się wyższy, chłodniejszy i bardziej odległy. Rozpoznaję to. Miałam już okazję takiego go widzieć – w pokoju zabaw.

Swędzi mnie skóra na głowie. To jest Christian Pan. Jakże swobodnie czuje się w tej roli. Nie wiem, czy taki już przyszedł na świat, czy też świetnie jej się wyuczył, ale ze ściśniętym sercem i bolącym brzuchem przyglądam się, jak Leila na to reaguje: rozchyla usta, szybciej oddycha, a na policzkach pojawiają się pierwsze oznaki koloru. Nie! Oglądanie czegoś takiego to prawdziwa udręka.

W końcu mówi coś do niej bezgłośnie. Nie wiem co, ale reakcja Leili jest natychmiastowa. Pada na kolana, głowę ma opuszczoną, a pistolet wysuwa się z jej dłoni i leży teraz bezużytecznie na drewnianej podłodze.

Christian podchodzi spokojnie do pistoletu i schyla po niego. Przygląda mu się z nieukrywaną odrazą, po czym wkłada do kieszeni marynarki. Raz jeszcze rzuca spojrzenie na Leilę, która klęczy posłusznie przy kuchennej wyspie.

– Anastasio, idź z Taylorem – nakazuje.

Taylor przekracza próg mieszkania i patrzy na mnie.

– Ethan – szepczę.

– Na dole – odpowiada zwięźle, nie spuszczając wzroku z Leili.

Na dole. Nie tutaj. Ethanowi nic nie jest. Uczucie ulgi jest obezwładniające i przez chwilę mam wrażenie, że zemdleję.

– Anastasio. – W głosie Christiana pobrzmiewa nutka groźby.

Mrugam, patrząc na niego, i nagle staję się niezdolna do ruchu. Nie chcę go zostawić – z nią. Stoi obok Leili klęczącej u jego stóp, nienaturalnie znieruchomiałej. Nie mogę oderwać od nich oczu – od nich razem...

– Na litość boską, Anastasio, choć raz w życiu zrób to, co ci każę, i idź! – Nasze spojrzenia się krzyżują. Oczy ma zimne jak kostki lodu. Jego gniew jest wręcz namacalny.

Złości się na mnie? O nie. Proszę – nie! Czuję się, jakby uderzył mnie w twarz. Mocno. Dlaczego on chce tu z nią zostać?

– Taylor. Zabierz pannę Steele na dół. Natychmiast.

Taylor kiwa głową.

– Dlaczego? – szepczę, nie odrywając wzroku od Christiana.

– Idź. Jedź do domu. – Patrzy na mnie zimnym wzrokiem. – Muszę zostać z Leilą sam.

Chyba próbuje mi coś przekazać, ale zbyt jestem roztrzęsiona tym, co się wydarzyło, i nie mam pewności. Spoglądam na Leilę. Widzę, że na jej ustach pojawia się cień uśmiechu, poza tym jednak jest zupełnie nierucho-ma. Totalnie uległa. Kurwa! Robi mi się lodowato zimno.

Tego właśnie Christian potrzebuje. To właśnie lubi. Nie! Chce mi się wyć.

– Panno Steele. Ana. – Taylor wyciąga do mnie rękę, błagając wzrokiem, abym w końcu ruszyła się z miejsca.

Ja jednak stoję jak skamieniała, oglądając rozgrywa-jące się na moich oczach przedstawienie. Potwierdza ono moje najgorsze obawy: Christian i Leila razem, Pan i jego uległa.

– Taylor – rozkazuje Christian.

Taylor bierze mnie na ręce. Ostatnie, co widzę, gdy opuszczamy mieszkanie, to Christian głaszczący głowę Leili i szepczący coś do niej.

Nie!

Gdy Taylor znosi mnie po schodach, leżę bezwładnie w jego ramionach, próbując ogarnąć to, co się wydarzyło w ciągu ostatnich dziesięciu minut – a może to trwało dłużej? Krócej? Pojęcie czasu jest mi w tej chwili zupełnie obce.

Christian i Leila, Leila i Christian... razem? Co on z nią teraz robi?

– Jezu, Ana! Co tu się, kurwa, dzieje?

Z ulgą widzę, że Ethan przemierza niewielki hol tam i z powrotem, nadal ze swoją dużą torbą. Och, dzięki Bogu, że nic mu nie jest! Kiedy Taylor stawia mnie na ziemi, wręcz rzucam się na Ethana. Zarzucam mu ręce na szyję.

– Ethan! Och, dzięki Bogu! – Ściskam go mocno. Tak bardzo się martwiłam i na krótką chwilę uciekam przed wzbierającą we mnie paniką związaną z tym, co się teraz dzieje na górze.

– Co tu się wyrabia, Ana? Kim jest ten koleś?

– Och, przepraszam, Ethan, to jest Taylor. Pracuje z Christianem. Taylor, to jest Ethan, brat mojej współ- lokatorki.

Witają się skinieniem głowy.

– Ana, co się dzieje na górze? Wyjmowałem z kie- szeni klucze, kiedy ci faceci wyskoczyli nie wiadomo skąd i je zabrali. Jeden z nich to Christian... – Ethan urywa.

– Zjawiłeś się później... Dzięki Bogu.

– Tak. Spotkałem kolegę z Pullman i poszliśmy na szybkie piwo. No więc co się tam dzieje?

– Jest tam pewna kobieta, była dziewczyna Christia- na. W naszym mieszkaniu. Odbiło jej, a Christian... – Głos mi się łamie, a w oczach wzbierają łzy.

– Hej – szepcze Ethan i przytula mnie raz jeszcze. – Ktoś dzwonił na policję?

– Nie, to nie aż tak. – Zaczynam mu szlochać w ko- szulkę. I nie jestem w stanie przestać. Wraz ze łzami schodzi ze mnie napięcie. Ethan przytula mnie mocno, ale wyczuwam, że jest zdeprymowany.

– Ej, Ana, chodźmy na drinka. – Klepie mnie z zaże- nowaniem po plecach.

Nagle ja też czuję zażenowanie i jeśli mam być szcze- ra, wolałabym zostać sama. Ale kiwam głową, przyjmując jego propozycję. Chcę stąd iść, znaleźć się daleko od tego, co się teraz dzieje na górze.

Odwracam się do Taylora.

– Mieszkanie było sprawdzone? – pytam żałośnie, ocierając nos wierzchem dłoni.

– Dziś po południu. – Taylor wzrusza przepraszająco ramionami i podaje mi chusteczkę. – Przykro mi, Ano.

Marszczę brwi. Jezu, ma straszne wyrzuty sumienia. Nie chcę, żeby czuł się jeszcze gorzej.

– Ta kobieta ma niepokojącą umiejętność wymykania się nam – dodaje, krzywiąc się.

– Ethan i ja pójdziemy na szybkiego drinka, a potem do Escali. – Wycieram oczy.

Taylor przestępuje z zakłopotaniem z nogi na nogę.

– Pan Grey chciał, aby wróciła pani do mieszkania – mówi cicho.

– Cóż, teraz już wiemy, gdzie jest Leila. – W moim głosie słychać rozgoryczenie. – Te wszystkie środki bezpieczeństwa nie są więc już potrzebne. Powiedz Christianowi, że później się z nim spotkamy.

Taylor otwiera usta, aby coś powiedzieć, ale rozsądnie je zamyka.

– Chcesz zostawić Taylorowi swoją torbę? – pytam Ethana.

– Nie, dzięki, wezmę ją ze sobą.

Kiwa głową Taylorowi, po czym wyprowadza mnie na zewnątrz. Zbyt późno przypominam sobie, że zostawiłam torebkę na tylnym siedzeniu audi.

– Moja torebka…

– Nie martw się – mówi Ethan. Na jego twarzy maluje się troska. – Ja stawiam.

DECYDUJEMY SIĘ NA bar po drugiej stronie ulicy i siadamy na drewnianych krzesłach pod oknem. Chcę widzieć,

co się dzieje – kto wchodzi i, co ważniejsze, kto wychodzi.
Ethan stawia przede mną piwo.

– Problemy z byłą dziewczyną? – pyta delikatnie.

– To sprawa trochę bardziej skomplikowana – mruczę, nagle czujna. Nie mogę o tym rozmawiać, podpisałam NDA. I po raz pierwszy tego żałuję. Tego oraz faktu,
że Christian ani słowem nie wspomniał o unieważnieniu
umowy.

– Mamy czas – mówi życzliwie Ethan i pociąga spory łyk ze swojej butelki.

– To jego eks, rozstali się kilka lat temu. Zostawiła męża dla jakiegoś faceta. Mniej więcej dwa tygodnie
temu ten facet zginął w wypadku samochodowym, a ona
nachodzi teraz Christiana. – Wzruszam ramionami. Proszę bardzo, w ten sposób nie zdradziłam zbyt wiele.

– Nachodzi go?

– Miała broń.

– O kurwa!

– W sumie do nikogo z niej nie celowała. Myślę, że
zamierzała zrobić krzywdę sobie. Ale dlatego właśnie tak
bardzo się o ciebie martwiłam. Nie wiedziałam, czy jesteś
w mieszkaniu.

– Rozumiem. Z opowieści sprawia wrażenie nie-
zrównoważonej.

– Bo jest niezrównoważona.

– I co Christian teraz z nią robi?

Krew odpływa mi z twarzy, a do gardła podchodzi żółć.

– Nie wiem – szepczę.

Oczy Ethana robią się wielkie jak spodki – w końcu
załapuje, o co chodzi.

W tym właśnie cały problem. Co oni, kurwa, robią?
Mam nadzieję, że rozmawiają. Tylko rozmawiają. Ale jedyne, co mam przed oczami, to jego dłoń czule gładząca
jej włosy.

Jest chora, a Christian troszczy się o nią. Próbuję tak to sobie tłumaczyć. Ale moja podświadomość kręci głową ze smutkiem.

Chodzi o coś więcej. Leila była w stanie sprostać jego potrzebom, a ja nie. Ta myśl mocno mnie przygnębia.

Próbuję się skupić na tym wszystkim, co robiliśmy przez kilka ostatnich dni – o jego wyznaniu miłości, flirtowaniu, żartach. Ale wciąż prześladują mnie słowa Eleny. To prawda, co mówi się o tych, którzy podsłuchują.

„Nie brakuje ci pokoju zabaw?"

W rekordowym czasie wypijam piwo i Ethan zamawia mi jeszcze jedno. Kiepska ze mnie towarzyszka, ale trzeba mu oddać, że zostaje ze mną i próbuje poprawić mi nastrój opowieściami o Barbadosie, wygłupach Kate i Elliota. Niestety, tylko na chwilę odwraca tym moją uwagę.

Myślami, sercem i duszą nadal przebywam w tamtym mieszkaniu z moim Szarym i kobietą, która kiedyś była jego uległą. Kobietą, która uważa, że nadal go kocha. Kobietą, która wygląda jak ja.

Przy trzecim piwie obok audi zatrzymuje się duży cruiser z przyciemnianymi szybami. Wysiada z niego doktor Flynn w towarzystwie kobiety ubranej chyba w jasnoniebieski szpitalny uniform. Dostrzegam, że Taylor wpuszcza ich na klatkę schodową.

– Kto to? – pyta Ethan.

– Doktor Flynn. Christian go zna.

– Jakiej specjalizacji?

– Psychiatra.

– Och.

Ethan rzuca mi spojrzenie pełne współczucia, a mnie robi się beznadziejnie smutno.

– Mogę prosić o coś mocniejszego? – pytam cicho.

– Pewnie. Na co masz ochotę?

– Brandy poproszę.

Ethan kiwa głową i udaje się do baru. Patrzę przez
okno na wejście do budynku. Chwilę później pojawia się
Taylor, wsiada do audi i odjeżdża w kierunku Escali...
Ethan stawia przede mną dużą brandy.

– Dawaj, Steele. Upijmy się.

To chyba najlepsza propozycja, jaką ostatnio usły-
szałam. Stukamy się szklankami, po czym pociągam łyk
bursztynowego płynu. Pieczenie w gardle skutecznie odwraca moją uwagę od paskudnego bólu pożerającego mi
serce.

JEST PÓŹNO I LEKKO kręci mi się w głowie. Ethan upiera
się, aby mnie odprowadzić do Escali, ale nie chce zostać
tam na noc. Zadzwonił do kolegi, z którym wcześniej wy-
skoczył na drinka, i uzgodnił, że prześpi się u niego.

– A więc tutaj mieszka ten potentat – gwiżdże Ethan.

Kiwam głową.

– Na pewno nie chcesz, abym wszedł z tobą? – pyta.

– Nie, muszę się z tym zmierzyć. Albo po prostu iść
spać.

– Zobaczymy się jutro?

– Tak. Dzięki. – Ściskam go na pożegnanie.

– Wszystko będzie dobrze, Steele – szepcze mi do
ucha. Puszcza mnie i patrzy, jak wchodzę do budynku. –
Na razie! – woła.

Posyłam mu blady uśmiech i macham, po czym wciskam guzik przywołujący windę.

W holu apartamentu nie czeka Taylor, co jest raczej
niezwykłe. Otwieram podwójne drzwi i kieruję się do salonu. Christian rozmawia przez telefon, chodząc po pomieszczeniu.

– Jest już – warczy. Piorunuje mnie wzrokiem i rozłącza się. – Gdzie ty się, kurwa, podziewałaś? – pyta, ale
nie rusza w moją stronę.

Jest na mnie zły? Przecież to on spędził Bóg wie ile czasu z tą swoją szurniętą eks, i jeszcze złości się na mnie?

– Piłaś? – pyta oburzony.

– Trochę. – Nie sądziłam, że to aż tak oczywiste.

Przeczesuje palcami włosy.

– Kazałem ci tu wrócić. – Głos ma groźnie cichy. – Jest piętnaście po dziesiątej. Martwiłem się o ciebie.

– Poszłam z Ethanem na drinka, a może i trzy, podczas gdy ty zajmowałeś się swoją eks – syczę. – Nie wiedziałam, jak długo masz zamiar z nią być.

Mruży oczy, robi kilka kroków w moją stronę i zatrzymuje się.

– Dlaczego mówisz to takim tonem?

Wzruszam ramionami i wbijam wzrok w dłonie.

– Ana, co się stało? – I po raz pierwszy słyszę w jego głosie coś innego niż gniew. Co? Strach?

Przełykam ślinę, zastanawiając się, co odpowiedzieć.

– Gdzie Leila? – pytam, podnosząc na niego wzrok.

– W szpitalu psychiatrycznym we Fremont – odpowiada, bacznie mi się przyglądając. – Ana, o co chodzi? – Zbliża się do mnie. – Co się dzieje? – pyta bez tchu.

Kręcę głową.

– Nie jestem odpowiednią kobietą dla ciebie.

– Co takiego? – Jego oczy rozszerzają się z niepokojem. – Dlaczego tak uważasz? Jak coś takiego mogło ci w ogóle przyjść do głowy?

– Nie potrafię dać ci wszystkiego, czego potrzebujesz.

– Jesteś wszystkim, czego potrzebuję.

– Po prostu widząc cię z nią… – urywam.

– Dlaczego mi to robisz? Nie chodzi o ciebie, chodzi o nią. – Ponownie przeczesuje palcami włosy. – W tej chwili jest bardzo chora.

– Ale ja to czułam… to, co was łączyło.

– Słucham? Nie. – Wyciąga do mnie rękę, ale ja robię krok do tyłu. Opuszcza ją, mrugając powiekami. Wygląda na spanikowanego. – Odchodzisz? – szepcze, a oczy ma wielkie ze strachu. – Nie możesz – mówi błagalnie.

– Christianie... ja... – Próbuję zebrać myśli. Co ja próbuję powiedzieć? Potrzebny mi czas, czas, aby to wszystko przetrawić.

– Nie. Nie!

– Ja...

Rozgląda się dziko. Szukając czego? Natchnienia? Boskiej interwencji? Nie wiem.

– Nie możesz odejść. Ano, kocham cię!

– Ja ciebie też kocham, Christianie, ale...

– Nie... nie! – powtarza z rozpaczą i obiema dłońmi chwyta się za głowę.

– Christianie...

– Nie. – Wzrok ma spanikowany i nagle pada przede mną na kolana. Głowę ma opuszczoną, dłonie na udach. Bierze głęboki oddech i nieruchomieje.

Że co?!

– Christianie, co ty robisz?

Wzrok nadal ma wbity w ziemię.

– Christian! Co robisz? – powtarzam piskliwie. Nie rusza się. – Christian, spójrz na mnie! – nakazuję spanikowana.

Bez wahana podnosi głowę i patrzy na mnie spokojnie swymi szarymi oczami – jest niemal pogodny... wyczekujący.

O kurwa... Christian Uległy.

ROZDZIAŁ CZTERNASTY

Christian klęczący u moich stóp, patrzący na mnie spokojnie to najbardziej mrożący krew w żyłach i otrzeźwiający widok, jaki dane mi było oglądać – przebija nawet widok Leili z pistoletem. Lekkie zamroczenie alkoholowe od razu mi mija, a zastępuje je koszmarne poczucie nieuchronności. Z twarzy odpływa mi cała krew.

Nie. Nie, nie może tak być, nie może.

– Christianie, proszę, nie rób tego. Nie chcę tego.

Dalej przygląda mi się beznamiętnie, nie poruszając się, nie odzywając się do mnie ani słowem.

Mój biedny Szary. Serce ściska mi się z bólu. Co ja mu, u licha, zrobiłam? W moich oczach pojawiają się łzy.

– Dlaczego to robisz? Odezwij się do mnie – szepczę.

Mruga.

– A co mam powiedzieć? Co chcesz usłyszeć? – pyta cicho, spokojnie i choć czuję ulgę, że się odezwał, to nie chcę, żeby mówił coś takiego. Nie. Nie!

Po policzkach zaczynają mi płynąć łzy i nagle robi się tego zbyt wiele. Oglądać go w takiej samej uniżonej pozycji jak wcześniej tę żałosną Leilę... Ten silny mężczyzna, który tak naprawdę nadal jest chłopcem, potwornie wykorzystywanym i zaniedbywanym, który czuje się niegodny miłości swej idealnej rodziny i znacznie mniej idealnej dziewczyny... ten widok łamie mi serce.

Współczucie, zagubienie i rozpacz wzbierają mi w sercu. Ale zamierzam walczyć, aby sprowadzić go z powrotem, zamierzam walczyć o mojego Szarego.

Myśl, że mogłabym nad kimś dominować, jest potworna. Myśl o dominowaniu nad Christianem przyprawia mnie o mdłości. Byłabym wtedy taka jak ona – kobieta, która mu to zrobiła.

Wzdrygam się na tę myśl i czuję, jak do gardła podchodzi mi żółć. Nie ma mowy, abym to zrobiła. O nie.

Wyjście jest tylko jedno. Nie odrywając wzroku od jego twarzy, klękam przed nim na twardej podłodze. Wierzchem dłoni ocieram łzy.

Teraz jesteśmy sobie równi. Tylko w tej sposób być może uda mi się go z tego wyciągnąć.

Jego oczy rozszerzają się lekko, gdy wpatruję się w niego, ale poza tym nic w jego wyglądzie nie ulega zmianie.

– Christianie, nie musisz tego robić – mówię błagalnie. – Ja nie zamierzam odejść. Tyle razy ci mówiłam, że nie odejdę. To wszystko, co się wydarzyło… jest przytłaczające. Potrzebuję trochę czasu, aby to przemyśleć… trochę czasu dla siebie. Dlaczego zawsze zakładasz najgorsze? – Serce ponownie mi się ściska, ponieważ znam odpowiedź; tak się dzieje dlatego, że brak mu wiary w siebie, że tak samego siebie nienawidzi.

Przypominają mi się słowa Eleny: „Ona wie, jak negatywny jest twój stosunek do samego siebie? Wie o wszystkich twoich problemach?".

Och, Christianie. Wielka łapa strachu po raz kolejny zaciska się na moim sercu i zaczynam mówić szybko:

– Zamierzałam zaproponować, żebym dziś wieczorem wróciła do siebie. Ty w ogóle nie dajesz mi czasu… czasu, aby wszystko przemyśleć. – Z mojego gardła wydobywa się szloch i Christian minimalnie marszczy brwi.

– Potrzebuję jedynie czasu. Ledwie się znamy, a ten cały bagaż, który dźwigasz... potrzebuję... potrzebuję czasu, aby to przetrawić. A teraz, kiedy Leila jest w... no, nieważne, gdzie jest... w każdym razie nie stanowi już zagrożenia... pomyślałam... pomyślałam... – urywam i wpatruję się w niego. Przygląda mi się uważnie i wydaje mi się, że mnie słucha. – Widząc ciebie z Leilą... – Zamykam oczy na to bolesne wspomnienie. – To był taki szok. Miałam okazję zobaczyć, jak wyglądało twoje życie... i... – Wbijam wzrok w splecione palce. Po policzkach płyną mi łzy. – Chodzi o to, że ja nie jestem wystarczająco dobra dla ciebie. To był wgląd w twoje życie i tak strasznie się boję, że się mną znudzisz i wtedy mnie zostawisz... a ja skończę jak Leila... stanę się cieniem. Ponieważ kocham cię, Christianie, i jeśli ode mnie odejdziesz, zabierzesz ze sobą całe światło. Będę żyć w ciemnościach. Nie chcę odejść. Tylko tak bardzo się boję, że mnie zostawisz...

Gdy wypowiadam te słowa – w nadziei, że mnie słucha – dociera do mnie, w czym tak naprawdę tkwi mój problem. Po prostu nie rozumiem, dlaczego mu się podobam. Nigdy nie mogłam tego zrozumieć.

– Nie rozumiem dlaczego uważasz mnie za atrakcyjną – mówię cicho. – Ty jesteś, no wiesz, ty to ty... a ja... – Wzruszam ramionami i patrzę mu prosto w oczy. – Po prostu tego nie rozumiem. Ty jesteś piękny, seksowny, odnosisz sukcesy, jesteś dobry i troskliwy, a ja nie. I nie jestem w stanie robić tego, co ty lubisz robić. Nie potrafię dać ci tego, czego potrzebujesz. Jak mógłbyś być ze mną szczęśliwy? Jak mogę cię przy sobie utrzymać? – Mój głos nie jest głośniejszy od szeptu, gdy przedstawiam swoje najgorsze obawy. – Nigdy nie rozumiałam, co we mnie widzisz. A kiedy zobaczyłam cię z nią... wszystko się ułożyło w całość. – Pociągam nosem i wycieram go wierzchem dłoni. Christian nie reaguje.

Och, jest taki irytujący. Odezwij się do mnie, do diaska!
– Zamierzasz tak klęczeć przez całą noc? Bo jeśli tak,
to ja także – warczę.

Jego twarz przybiera chyba nieco łagodniejszy wyraz.
Ale pewności nie mam.

Mogłabym wyciągnąć rękę i go dotknąć, ale zdecydowanie nadużyłabym w ten sposób pozycji, w jakiej
mnie postawił. Nie chcę tego, ale nie wiem, czego chce on
ani co próbuje mi powiedzieć.

– Christian, proszę, proszę… odezwij się do mnie –
zaklinam go, wykręcając dłonie. Niewygodnie mi, ale klęczę, patrząc w jego poważne, piękne, szare oczy. I czekam.
I czekam.
I czekam.

– Proszę – błagam raz jeszcze.

Oczy mu nagle ciemnieją i mruga kilka razy.

– Tak bardzo się bałem – szepcze.

Och, dzięki ci, Panie! Moja podświadomość wraca
chwiejnym krokiem na swój fotel i ogarnięta uczuciem
ulgi pociąga spory łyk ginu.

On mówi! Kamień spada mi z serca! Przełykam ślinę, starając się nie dopuścić do tego, aby z moich oczu
ponownie popłynęły łzy.

Jego głos jest cichy i niski.

– Kiedy zobaczyłem przed klatką Ethana, uświadomiłem sobie, że ktoś musiał cię wpuścić do mieszkania.
Razem z Taylorem wyskoczyliśmy z samochodu. Wie-
dzieliśmy, co zastaniemy na górze. I widząc tam ciebie
i ją… w dodatku uzbrojoną… Umarłem chyba z tysiąc
razy, Ano. Ktoś ci zagrażał… spełniły się wszystkie moje
najgorsze obawy. Byłem taki zły, na nią, na ciebie, na Taylora, na siebie. – Potrząsa głową. – Nie wiedziałem, jak
bardzo jest nieprzewidywalna. Nie wiedziałem, co robić.
Nie wiedziałem, jak zareaguje. – Urywa i marszczy brwi.

– I wtedy wysłała mi sygnał; wyglądała na taką skruszoną. I już wiedziałem, co muszę zrobić. – Milknie i patrzy mi w oczy, próbując wybadać moją reakcję.

– Kontynuuj – szepczę.

Przełyka ślinę.

– Widząc ją w takim stanie, wiedząc, że mogę mieć coś wspólnego z jej załamaniem... – Zamyka oczy raz jeszcze. – Zawsze była taka figlarna i pełna życia. – Oddycha chrapliwie, niemal jakby szlochał. Słuchanie tego jest dla mnie torturą, ale klęczę, próbując zrozumieć wszystko, co mówi.

– Mogła zrobić ci krzywdę. I to by była moja wina. – Jego spojrzenie przepełnione jest przerażeniem. Milczy.

– Ale nie zrobiła – szepczę. – I to nie ty ponosisz odpowiedzialność za jej stan, Christianie.

Wtedy przychodzi mi do głowy, że wszystko, co zrobił, było po to, aby zapewnić mi bezpieczeństwo, i Leili być może także, ponieważ zależy mu i na niej. Ale jak bardzo? To pytanie wdziera się nieproszone do moich myśli. Twierdzi, że mnie kocha, a zachował się względem mnie tak surowo, wyrzucając mnie z własnego mieszkania.

– Chciałem jedynie, żebyś stamtąd zniknęła – mówi cicho. To naprawdę niesamowite, jak potrafi czytać mi w myślach. – Chciałem, żebyś nie była już narażona na niebezpieczeństwo, a... Ty. Nie. Chciałaś. Wyjść – syczy przez zaciśnięte zęby i kręci głową. Jego irytacja jest wręcz namacalna. – Anastasio Steele, jesteś najbardziej upartą kobietą, jaką znam. – Zamyka oczy i jeszcze raz kręci z niedowierzaniem głową.

Och, a więc wrócił. Oddycham z ulgą.

Christian otwiera oczy.

– Nie zamierzałaś ode mnie odejść? – pyta.

– Nie!

Zamyka oczy i widać, jak jego całe ciało się odpręża. Kiedy je otwiera, widzę w nich ból i udrękę.

– Myślałem... – urywa. – To ja, Ano. I cały jestem twój. Co muszę zrobić, żeby to w końcu do ciebie dotarło? Że pragnę cię w każdy możliwy sposób. Że kocham cię.

– Ja ciebie też, Christianie, a widząc cię w takim stanie... – Do oczu znowu napływają mi łzy. – Sądziłam, że cię złamałam.

– Złamałaś? Mnie? O nie, Ana. Wprost przeciwnie. – Ujmuje moją dłoń. – Jesteś moim kołem ratunkowym – szepcze i całuje mi knykcie.

Z oczami rozszerzonymi strachem przyciąga delikatnie moją dłoń i kładzie ją sobie na sercu – na terenie zakazanym. Jego oddech przyspiesza. Serce wybija gorączkowy rytm pod moimi palcami. Z zaciśniętymi zębami patrzy mi prosto w oczy.

Och, mój Szary! Pozwala mi się dotknąć. Mam wrażenie, że z moich płuc uleciało całe powietrze. Krew dudni mi w uszach, a bicie mojego serca dopasowuje się rytmem do jego.

Puszcza moją dłoń, pozostawiając ją na swojej piersi. Rozsuwam lekko palce, pod cienkim materiałem koszuli wyczuwając ciepło jego skóry. Wstrzymuje oddech. Nie mogę tego znieść. Chcę zabrać rękę.

– Nie – mówi szybko i ponownie zakrywa moją dłoń swoją, przyciskając do siebie moje palce. – Zostaw.

Ośmielona tymi dwoma słowami, przysuwam się bliżej, tak że stykamy się kolanami, i niepewnie unoszę drugą rękę, żeby Christian zobaczył, co zamierzam zrobić. Oczy mu się rozszerzają, ale mnie nie powstrzymuje.

Delikatnie zaczynam mu rozpinać koszulę. Jedną ręką to wcale nie jest proste. Christian puszcza drugą, abym miała łatwiej. Nie spuszczam wzroku z jego twarzy, gdy rozchylam koszulę, odsłaniając tors.

Przełyka ślinę. Jego oddech przyspiesza, wyczuwam rosnącą panikę. Nie odsuwa się jednak. Nadal jest w trybie uległości? Nie mam pojęcia.

Powinnam to robić? Nie chcę zrobić mu krzywdy, ani fizycznej, ani psychicznej. Unoszę rękę i trzymam ją w powietrzu przed jego klatką piersiową. Wpatruję się w niego... prosząc o pozwolenie. Ledwie zauważalnie przechyla głowę, przygotowując się na mój dotyk. Emanuje z niego napięcie, ale tym razem to nie jest gniew – to strach.

Waham się. Czy naprawdę mogę mu to zrobić?

– Tak – wyrzuca z siebie, po raz kolejny odpowiadając na moje niewypowiedziane na głos pytanie.

Zanurzam opuszki palców w włoskach na klatce piersiowej i lekko przesuwam je wzdłuż mostka. Christian zamyka oczy, krzywiąc się tak, jakby doświadczał nieznośnego bólu. Strasznie jest na to patrzeć, więc natychmiast cofam rękę, ale on szybko ją chwyta i kładzie zdecydowanie na swoim nagim torsie.

– Nie – mówi głosem pełnym udręki. – Muszę.

Powieki ma mocno zaciśnięte. Na pewno cierpi katusze. Ostrożnie pozwalam palcom przesuwać się w stronę serca, zachwycając się dotykiem jego skóry. Ale jednocześnie boję się bardzo, że posunęłam się o krok za daleko.

Otwiera oczy i widzę płonącą szarość.

Jego spojrzenie jest palące, dzikie, intensywne, a oddech przyspieszony.

Nie powstrzymał mnie, więc ponownie przesuwam palcami po jego klatce piersiowej. Christian ciężko dyszy i nie wiem, czy powodem jest strach, czy coś innego.

Od tak dawna pragnę go tam pocałować, że teraz nachylam się i przez chwilę patrzę mu prosto w oczy, dając jasno do zrozumienia, jakie są moje zamiary. Następnie składam delikatny pocałunek nad jego sercem, czując pod ustami ciepłą, słodko pachnącą skórę.

Jego zduszony jęk tak bardzo mnie porusza, że cofam się i przysiadam na piętach, bojąc się tego, co mogę zobaczyć na jego twarzy. Powieki ma mocno zaciśnięte, ale ani drgnie.

– Jeszcze raz – szepcze, a ja nachylam się ku jego klatce piersiowej i tym razem całuję jedną z jego blizn.

Wciąga głośno powietrze, a ja całuję następną... i jeszcze jedną. Jęczy głośno i nagle jego ramiona oplatają moje ciało, dłonie zanurzają się w moich włosach, pociągając za nie boleśnie, tak że moje wargi napotykają jego nieustępliwe usta. I całujemy się, moje palce wczepione w jego włosy.

– Och, Ana – dyszy i przechyla mnie tak, że nagle leżę na podłodze, a on na mnie. Obejmuję dłońmi jego piękną twarz i w tym momencie wyczuwam jego łzy.

On płacze... nie. Nie!

– Christian, proszę, nie płacz. Mówiłam poważnie, że nigdy cię nie zostawię. Naprawdę. Jeśli odniosłeś inne wrażenie, to przepraszam... błagam, wybacz mi. Kocham cię. Zawsze będę cię kochać.

Wisi nade mną, patrząc mi prosto w oczy. Jego twarz jest pełna udręki.

– O co chodzi?

Jego oczy robią się jeszcze większe.

– Co to za sekret, który każe ci sądzić, że ucieknę z krzykiem? – pytam błagalnie drżącym głosem. – Powiedz mi, Christianie, błagam...

Siada, tym razem po turecku, i ja też, tyle że z wyciągniętymi nogami. Przez chwilę się zastanawiam, czy nie moglibyśmy wstać z podłogi. Ale nie chcę przerywać toku jego myśli. Nareszcie mi się zwierzy.

Patrzy na mnie i wygląda tak beznadziejnie smutno. Cholera, nie jest dobrze.

– Ana... – urywa, szukając w głowie odpowiednich słów. Oczy ma pełne cierpienia...

Bierze głęboki oddech i przełyka ślinę.

– Jestem sadystą, Ano. Lubię smagać pejczem szczupłe brunetki, takie jak ty, ponieważ wszystkie wyglądacie jak dziwka-narkomanka, moja biologiczna matka. Jestem pewny, że domyślasz się dlaczego. – Mówi to szybko, jakby od dawna miał w głowie ułożony ten tekst i teraz desperacko pragnął się go pozbyć.

Mój świat zamiera. O nie.

Nie tego się spodziewałam. To coś złego. Bardzo złego. Patrzę na niego, próbując zrozumieć konsekwencje tego, co mi właśnie powiedział. To rzeczywiście tłumaczy, dlaczego wszystkie wyglądamy tak samo.

W mojej głowie pojawia się myśl, że Leila miała rację – „Pan jest mroczny".

Przypomina mi się nasza pierwsza rozmowa o jego upodobaniach, kiedy znajdowaliśmy się w Czerwonym Pokoju Bólu.

– Mówiłeś, że nie jesteś sadystą – szepczę, rozpaczliwie próbując zrozumieć... jakoś go usprawiedliwić.

– Nie, mówiłem, że jestem Panem. Jeśli cię okłamałem, to jedynie przez niedopowiedzenie. Przepraszam. – Wbija wzrok w swoje paznokcie.

Myślę, że jest zawstydzony. Tym, że mnie okłamał? Czy tym, kim jest?

– Kiedy zadałaś mi to pytanie, miałem w głowie zupełnie inny rodzaj relacji między nami – mówi cicho. Po jego oczach widzę, że nadal jest przerażony.

Wtedy w mojej głowie pojawia się potworna myśl. Skoro jest sadystą, to rzeczywiście potrzebuje tych wszystkich pejczy i lasek. O kurwa. Skrywam twarz w dłoniach.

– Więc to prawda – szepczę, podnosząc na niego wzrok. – Nie potrafię dać ci tego, czego potrzebujesz. – Czyli to koniec. To już pewne, że jesteśmy niedobrani. Ziemia zaczyna mi się usuwać spod stóp. Panika chwyta mnie za gardło. To koniec. Nie uda nam się.

Christian marszczy brwi.

– Nie, nie, nie. Ano. Nie. Potrafisz. Naprawdę dajesz mi to, czego potrzebuję. – Dłonie zaciska w pięści. – Proszę, uwierz mi – błaga.

– Nie wiem, w co wierzyć, Christianie. To wszystko jest takie popieprzone – szepczę. Czuję ucisk w gardle, a pod powiekami słone łzy.

Kiedy ponownie podnosi na mnie wzrok, oczy ma wielkie i błyszczące.

– Ana, uwierz mi. Kiedy cię ukarałem, a ty odeszłaś, mój światopogląd uległ zmianie. Nie żartowałem, kiedy mówiłem, że już nigdy więcej nie chcę się tak czuć. – Patrzy na mnie błagalnie. – Kiedy powiedziałaś, że mnie kochasz, to było jak objawienie. Nikt nigdy mi tego nie powiedział i stało się tak, jakbym pozwolił czemuś w sobie odpocząć, a może to ty pozwoliłaś, nie wiem. Doktor Flynn i ja nadal się nad tym zastanawiamy.

Och. W moje serce wlewa się kropla nadziei. Może jednak będzie dobrze. Chcę, żeby tak było. Prawda?

– Co to wszystko oznacza? – pytam szeptem.

– Że tego nie potrzebuję. Nie teraz.

Co takiego?

– Skąd wiesz? Skąd masz taką pewność?

– Po prostu wiem. Myśl, że mógłbym zrobić ci krzywdę... w realny sposób... jest mi wstrętna.

– Nie rozumiem. A co z linijkami i klapsami i całym tym perwersyjnym bzykaniem?

Przeczesuje palcami włosy i już-już ma się uśmiechnąć, ale tylko wzdycha z żalem.

– Mówię o tych naprawdę ostrych zabawach, Anastasio. Powinnaś zobaczyć, co potrafię zrobić z laską czy pejczem.

Otwieram usta, oszołomiona.

– Wolałabym nie.

– Wiem. Gdybyś chciała to robić, fajnie… ale ty nie chcesz, i ja to rozumiem. Nie mogę robić tego wszystkiego z tobą, skoro nie chcesz. Już raz ci mówiłem, to ty dzierżysz władzę. A teraz, odkąd do mnie wróciłaś, w ogóle nie czuję tego wewnętrznego przymusu.

Przez chwilę próbuję to sobie uporządkować w myślach.

– Jednak kiedy się poznaliśmy, to właśnie tego chciałeś, prawda?

– Tak, z całą pewnością.

– Jak ten wewnętrzny przymus mógł po prostu zniknąć, Christianie? Jakbym ja była swoistym panaceum, a ty, z braku lepszego słowa, uzdrowiony? Nie pojmuję tego.

Wzdycha raz jeszcze.

– Nie powiedziałbym „uzdrowiony"… Nie wierzysz mi?

– Po prostu jest to dla mnie… niewiarygodne.

– Gdybyś mnie wtedy nie zostawiła, najpewniej wcale bym tak nie uważał. Twoje odejście to najlepsze, co mogłaś zrobić… dla nas. Dzięki temu dotarło do mnie, jak bardzo cię pragnę, właśnie ciebie, i mówię poważnie, twierdząc, że chcę cię taką, jaka jesteś.

Wpatruję się w niego. Mogę mu uwierzyć? Głowa mnie boli, gdy próbuję to wszystko przetrawić, a w głębi duszy czuję się… odrętwiała.

– Nadal tu jesteś. Sądziłam, że do tego czasu znajdziesz się już za drzwiami – szepcze.

– Dlaczego? Bo mogłabym cię wziąć za czubka, skoro biczujesz i pieprzysz kobiety, które wyglądają jak twoja matka? Co kazało ci tak sądzić? – syczę.

Wzdryga się, słysząc moje ostre słowa.

– Cóż, może nie w takie słowa bym to ubrał, ale tak
– mówi. Oczy ma wielkie i pełne bólu.

Otrzeźwia mnie to i od razu żałuję swojego wybu-
chu. Marszczę brwi, dręczona wyrzutami sumienia.

Och, co ja mam zrobić? Christian wydaje się taki
skruszony, szczery… wygląda jak mój Szary.

Nagle przypomina mi się zdjęcie z jego chłopięcego
pokoju i już wiem, dlaczego tamta kobieta wydała mi się
znajoma. Wyglądała jak on. To musiała być jego biologiczna matka.

Przypomina mi się także jego lekceważenie: „Nikt
ważny…". Ona jest za to wszystko odpowiedzialna… a ja
przypominam ją z wyglądu… Kurwa!

Christian wpatruje się we mnie i wiem, że czeka na
moje kolejne posunięcie. Powiedział, że mnie kocha, ale
ja mam mętlik w głowie.

To wszystko jest takie popieprzone. Kazał mi nie
przejmować się Leilą, ale teraz mam pewność, że ona
była w stanie zaspokajać jego potrzeby. Ta myśl jest nie
do zniesienia.

– Christianie, jestem wykończona. Możemy porozmawiać o tym jutro? Chcę się położyć.

Mruga zdumiony.

– Nie odchodzisz?

– A chcesz tego?

– Nie! Sądziłem, że to zrobisz, kiedy się dowiesz
wszystkiego.

Tyle razy poruszał tę kwestię… a teraz wiem. Cholera. Pan rzeczywiście jest mroczny.

Powinnam odejść? Przyglądam mu się, temu szalo-
nemu mężczyźnie, którego kocham – tak, kocham.

Czy mogę go zostawić? Już raz to zrobiłam i niemal
mnie to złamało… i jego. Kocham go. Pomimo tego, czego się dowiedziałam.

– Nie odchodź ode mnie – szepcze.

– Och, na litość boską, nie! Nie zamierzam odchodzić! – krzyczę. I działa to na mnie katartycznie. Proszę, powiedziałam to. Nie odchodzę.

– Naprawdę?

– Co mogę zrobić, aby dotarło do ciebie, że nie odejdę? Co mam powiedzieć?

Patrzy na mnie, po raz kolejny odsłaniając swój strach i ból. Przełyka ślinę.

– Jest jedna rzecz, którą możesz zrobić.

– Co takiego? – warczę.

– Wyjdź za mnie – szepcze.

Co takiego? Czy on naprawdę właśnie…

Po raz drugi w przeciągu niecałych trzydziestu minut mój świat zamiera.

Wpatruję się w tego mocno poranionego człowieka, którego kocham. Nie mogę uwierzyć w to, co powiedział.

Ślub? Oświadcza mi się? Czy on żartuje? Nie mogę się powstrzymać i chichoczę nerwowo, z niedowierzaniem. Przygryzam wargę, aby ten chichot nie przemienił się w regularny histeryczny śmiech, ale na próżno. Padam na podłogę i poddaję się, śmiejąc się tak, jak jeszcze nigdy, dosłownie wyjąc z oczyszczającego mnie śmiechu.

I przez chwilę przyglądam się tej absurdalnej scenie, jakbym była postronnym obserwatorem: rozchichotana dziewczyna obok pięknego, udręczonego chłopaka. Zasłaniam ręką oczy, gdy śmiech przekształca się w palące łzy. Nie, nie… to dla mnie zbyt wiele.

Gdy mija histeria, Christian delikatnie zabiera mi rękę z twarzy. Odwracam się i patrzę mu prosto w oczy.

Pochyla się nade mną. Usta ma wykrzywione cierpkim rozbawieniem, ale w oczach dostrzegam chyba urazę. O nie.

Wierzchem dłoni ociera delikatnie zabłąkaną łzę.

– Moje oświadczyny panią bawią, panno Steele?

Och, Szary! Unoszę rękę i czule dotykam jego policzka. Boże, tak bardzo kocham tego człowieka.

– Panie Grey... Christianie. Twoje wyczucie czasu jest bez wątpienia... – Brak mi słów.

Uśmiecha się do mnie, ale po oczach widzę, że jest urażony. To na mnie działa otrzeźwiająco.

– Dotknęłaś mnie tym do żywego, Ano. Wyjdziesz za mnie?

Siadam i kładę dłonie na jego kolanach. Patrzę w jego piękną twarz.

– Christianie, poznałam twoją psychiczną eks z pistoletem, zostałam wyrzucona z własnego mieszkania, ty koszmarnie na mnie naskoczyłeś...

Otwiera usta, aby coś wtrącić, ale ja unoszę rękę. Posłusznie zamyka usta.

– Właśnie wyjawiłeś dość szokujące informacje na swój temat, a teraz mnie prosisz, żebym za ciebie wyszła.

Christian wydaje się rozbawiony. Dzięki Bogu.

– Tak, uważam, że to sprawiedliwe i celne podsumowanie obecnej sytuacji – stwierdza cierpko.

Kręcę głową.

– A co z opóźnionym zaspokojeniem?

– Zmieniłem zdanie i teraz jestem zwolennikiem natychmiastowego. Carpe diem, Ana – szepcze.

– Posłuchaj, Christianie, znamy się od dosłownie pięciu minut i znacznie więcej muszę się o tobie dowiedzieć. Zbyt dużo wypiłam, jestem głodna, jestem zmęczona i chcę iść spać. Muszę się zastanowić nad twoimi oświadczynami, tak samo, jak musiałam to zrobić w przypadku tamtej umowy, którą mi dałeś. A poza tym... – zaciskam usta, aby pokazać niezadowolenie, ale także rozluźnić nieco atmosferę – te oświadczyny trudno nazwać romantycznymi.

Przechyla głowę i wygina usta w uśmiechu.

– Jak zawsze celna uwaga, panno Steele. – W jego głosie słychać ulgę. – A więc to nie jest odmowa?

Wzdycham.

– Nie, panie Grey, to nie odmowa, ale także nie akceptacja. Robisz to tylko dlatego, że jesteś przestraszony i mi nie ufasz.

– Nie, robię to dlatego, że w końcu spotkałem kogoś, z kim chcę spędzić resztę życia.

Och. Serce na chwilę mi zamiera. Jak to się dzieje, że w samym środku najbardziej dziwacznych sytuacji on potrafi powiedzieć coś tak romantycznego?

– Nigdy nie sądziłem, że mi się to przydarzy – kontynuuje. W każdym wypowiadanym przez niego słowie słychać szczerość.

Wpatruję się w niego, szukając w głowie odpowiednich słów.

– Mogę to przemyśleć... proszę? I wszystko, co miało dzisiaj miejsce? To, co mi powiedziałeś? Prosiłeś mnie o cierpliwość i wiarę. Cóż, wzajemnie, panie Grey. Ja też tego teraz potrzebuję.

Szuka spojrzeniem mojego wzroku, po czym zakłada mi kosmyk włosów za ucho.

– Jakoś sobie poradzę. – Całuje mnie lekko w usta. – Niezbyt romantycznie, co? – Unosi brwi, a ja kręcę głową. – Serduszka i kwiatki? – pyta miękko. – Kiwam głową, a on się uśmiecha. – Głodna jesteś?

– Tak.

– Nic nie jadłaś. – Jego wzrok staje się zimny.

– Nic nie jadłam. – Przysiadam na piętach i przyglądam mu się beznamiętnie. – Najpierw widziałam, jak mój chłopak zajmuje się swoją byłą uległą, potem zostałam wyrzucona z własnego mieszkania. To skutecznie zmniejszyło mój apetyt. – Patrzę na niego gniewnie i opieram ręce na biodrach.

Christian kręci głową i z gracją wstaje. Och, w końcu zostawimy podłogę. Wyciąga do mnie rękę.

– Zrobię ci coś do jedzenia – mówi.

– A nie mogę się po prostu położyć? – pytam ze znużeniem, ujmując jego dłoń.

Podciąga mnie do góry. Cała zesztywniałam. Christian patrzy na mnie łagodnie.

– Nie, musisz coś zjeść. Chodź. – Wrócił apodyktyczny Christian. Co za ulga.

Prowadzi mnie do aneksu kuchennego, sadza na stołku, a sam podchodzi do lodówki. Zerkam na zegarek. Jest już prawie wpół do dwunastej, a rano muszę wstać do pracy.

– Christianie, właściwie to nie chce mi się jeść.

Umyślnie mnie ignoruje, przekopując się przez zawartość olbrzymiej lodówki.

– Ser? – pyta.

– Nie o tej porze.

– Precle?

– W lodówce? Nie – warczę.

Odwraca się do mnie z szerokim uśmiechem.

– Nie lubisz precli?

– Nie o wpół do dwunastej. Christianie, idę do łóżka. Jeśli masz ochotę, to resztę nocy możesz spędzić na grzebaniu w lodówce. Jestem zmęczona i miałam stanowczo zbyt ciekawy dzień. Dzień, o którym chciałabym zapomnieć.

Zsuwam się ze stołka, a Christian obrzuca mnie gniewnym spojrzeniem, ale w tej akurat chwili mam to gdzieś. Chcę iść do łóżka – jestem wykończona.

– Makaron z serem? – Wyjmuje z lodówki białą miskę przykrytą folią aluminiową. Wygląda tak uroczo.

– Lubisz makaron z serem? – pytam go.

Kiwa entuzjastycznie głową, a moje serce topnieje. Nagle wygląda tak młodo. Kto by pomyślał? Christian Grey lubi dziecięce dania.

– Chcesz trochę? – pyta z nadzieją.

Nie potrafię mu się oprzeć, poza tym rzeczywiście jestem głodna. Kiwam głową i uśmiecham się blado. Odpowiada mi uśmiechem, który zapiera dech w piersi. Zdejmuje z miski folię i wstawia ją do mikrofalówki. Siadam z powrotem na krześle i przyglądam się, jak Christian – mężczyzna, który chce mnie poślubić – porusza się po kuchni ze swobodnym wdziękiem.

– A więc wiesz, jak się obsługuje mikrofalówkę? – przekomarzam się z nim.

– Jeśli coś jest zapakowane, najczęściej potrafię coś z tym zrobić. To z prawdziwym jedzeniem mam problem.

Nie mogę uwierzyć, że to ten sam człowiek, który pół godziny temu klęczał przede mną na podłodze. Jest zmienny jak zawsze. Na blacie kładzie podkładki, talerze i sztućce.

– Bardzo już późno – burczę.

– Nie jedź jutro do pracy.

– Muszę. Mój szef wylatuje do Nowego Jorku.

Christian marszczy brwi.

– Chcesz się tam wybrać w weekend?

– Sprawdzałam prognozę pogody i zanosi się na deszcz – odpowiadam, kręcąc głową.

– Och, a na co masz ochotę?

Brzdęknięcie mikrofalówki sygnalizuje, że nasza kolacja jest już gorąca.

– Na razie chcę żyć z dnia na dzień. Te wszystkie wydarzenia są... męczące. – Unoszę brew, co on celowo ignoruje.

Stawia na blacie białą miskę i siada obok mnie. Wydaje się pogrążony w myślach. Rozkładam makaron na talerze. Bachnie bosko i aż mi cieknie ślinka. Umieram z głodu.

– Przepraszam za Leilę – mówi cicho.

– Dlaczego przepraszasz? – Mhm, ten makaron smakuje równie dobrze, jak pachnie. Mój żołądek burczy z wdzięcznością.

– Zastając ją w swoim mieszkaniu, musiałaś przeżyć prawdziwy szok. Taylor osobiście je wcześniej sprawdził. Jest niepocieszony.

– Nie obwiniam Taylora.

– Ja też nie. Szukał cię.

– Naprawdę? Dlaczego?

– Nie wiedziałem, gdzie się podziewasz. Zostawiłaś torebkę, telefon. Gdzie byłaś? – pyta. Głos ma łagodny, ale wiem, że to pozory.

– Poszliśmy z Ethanem do baru po drugiej stronie ulicy. Żebym mogła widzieć, co się dzieje.

– Rozumiem. – Atmosfera uległa minimalnej zmianie. Już nie jest tak lekka.

Cóż… każdy kij ma dwa końce. Zajmijmy się teraz tobą, Szary. Udając nonszalancję, pragnąc zaspokoić płonącą ciekawość, ale jednocześnie obawiając się odpowiedzi, pytam:

– No więc co robiłeś w mieszkaniu z Leilą?

Podnoszę na niego wzrok, a on zamiera z widelcem w połowie drogi do ust. O nie, nie jest dobrze.

– Naprawdę chcesz wiedzieć?

Ściska mnie w żołądku i odechciewa mi się jeść.

– Tak – szepczę. Naprawdę chcę? Moja podświadomość rzuciła na podłogę pustą butelkę ginu, a teraz prostuje się na fotelu i patrzy na mnie z przerażeniem.

Christian zaciska usta i widać, że się waha.

– Rozmawialiśmy, a potem ją wykąpałem. – Głos ma schrypnięty i kontynuuje szybko, kiedy nic nie odpowiadam: – I ubrałem ją w twoje rzeczy. Mam nadzieję, że nie masz mi tego za złe. Ale była brudna.

O kuźwa. Wykąpał ją?

To kompletnie niestosowne. Zaszokowana wbijam wzrok w niedojedzony makaron. Na jego widok robi mi się niedobrze.

„Spróbuj to jakoś usprawiedliwić" – radzi mi podświadomość. Ta spokojna, rozsądna część mego mózgu wie, że zrobił to dlatego, iż Leila była brudna, ale to dla mnie za trudne. Nie jestem w stanie tego znieść.

Nagle mam ochotę się rozpłakać. I nie chodzi o kobiece łzy, spływające malowniczo po policzkach, ale o szloch i wycie do księżyca. Oddycham głęboko, aby to w sobie zwalczyć, ale za to w gardle tworzy mi się nieprzyjemna gula.

– To wszystko, co mogłem zrobić, Ana – mówi miękko.

– Nadal coś do niej czujesz?

– Nie! – odpowiada zbulwersowany i zamyka oczy. Odwracam się i znowu wbijam wzrok w przyprawiające mnie o mdłości jedzenie.

– Gdy zobaczyłem ją w takim stanie, tak inną, tak załamaną... Przejmuję się nią, jak człowiek drugim człowiekiem. – Wzrusza ramionami, jakby otrząsał się z nieprzyjemnego wspomnienia. I co, spodziewa się z mojej strony współczucia? – Ana, spójrz na mnie.

Nie mogę. Wiem, że jeśli to zrobię, wybuchnę płaczem. To po prostu zbyt wiele. Jestem niczym przelewający się zbiornik z benzyną – zapełniony, taki, w którym nie ma już ani odrobiny miejsca. Zapalę się i eksploduję, a wtedy zrobi się naprawdę nieprzyjemnie. Jezu!

Christian, zajmujący się swoją dawną uległą w taki intymny sposób – ten obraz nie daje mi spokoju. Kąpał ją, do cholery – nagą. Moim ciałem wstrząsa gwałtowny, bolesny dreszcz.

– Ana.

– Co?

– Przestań. To nic nie znaczy. Przypominało opiekowanie się dzieckiem, biednym, zagubionym dzieckiem – mówi cicho.

A co on, do diaska, wie o opiece nad dzieckiem? Z tą kobietą łączyła go silna, perwersyjna relacja seksualna.

Och, to boli. Biorę głęboki, uspokajający oddech. A może Christian ma na myśli siebie. To on jest zagubionym dzieckiem. To ma już więcej sensu... a może nie ma go w ogóle. Och, to takie strasznie popieprzone. Nagle ogarnia mnie przeraźliwe zmęczenie. Potrzebny mi sen.

– Ana?

Wstaję, wyrzucam resztę jedzenia do kosza i wstawiam talerz do zlewu.

– Ana, proszę.

Odwracam się na pięcie w jego stronę.

– Po prostu przestań, Christianie! Skończ z tym „Ana, proszę"! – krzyczę na niego, a po policzkach zaczynają mi płynąć łzy. – Mam na dzisiaj dość tego całego gówna. Idę spać. Jestem zmęczona i rozstrojona. Daj mi spokój.

Praktycznie biegiem opuszczam salon. Do sypialni zabieram wspomnienie jego zaszokowanej miny. Fajnie wiedzieć, że ja go także potrafię zaszokować. Rozbieram się w ekspresowym tempie, z szuflady wyciągam jeden z jego T-shirtów i idę do łazienki.

Przyglądam się swemu odbiciu w lustrze, ledwie rozpoznając tę wymizerowaną megierę z zaczerwienionymi oczami i plamami na policzkach. Tego już za wiele. Osuwam się na podłogę i nie będąc w stanie dłużej się powstrzymywać, w końcu wybucham głośnym szlochem, a łzy płyną po mych policzkach nieprzerwanym strumieniem.

ROZDZIAŁ PIĘTNASTY

– Hej – mówi łagodnie Christian i bierze mnie w ramiona. – Ana, proszę, nie płacz – błaga. Siedzi na podłodze w łazience, trzymając mnie na kolanach. Tulę się do niego mocno i płaczę mu w szyję. Delikatnie gładzi mi plecy, włosy. – Przepraszam, skarbie – szepcze, a ja zanoszę się jeszcze większym szlochem.

Siedzimy tak przez całą wieczność. W końcu, kiedy nie jestem już w stanie nawet płakać, Christian wstaje powoli, trzymając mnie w objęciach, i zanosi do pokoju, gdzie kładzie na łóżku. Po chwili leży już przy mnie i gasi światło. Bierze mnie w ramiona i mocno przytula, a ja w końcu odpływam w niespokojny sen.

Budzę się nagle. Kręci mi się w głowie i jest mi za ciepło. Christian oplata moje ciało niczym bluszcz. Mruczy coś przez sen, gdy wysuwam się z jego ramion, ale się nie budzi. Siadam i zerkam na zegarek. Trzecia w nocy. Chce mi się pić. Potrzebuję też czegoś od bólu głowy. Opuszczam nogi na podłogę i udaję się do kuchni.

W lodówce znajduję karton soku pomarańczowego i nalewam sobie szklankę. Mhm… pyszny. Od razu lepiej się czuję. Otwieram po kolei szafki w poszukiwaniu środków przeciwbólowych i w końcu natrafiam na plastikowe pudełko z lekarstwami. Łykam dwa paracetamole i nalewam sobie jeszcze jedną szklankę soku.

Podchodzę niespiesznie do wielkiej szklanej ściany i przyglądam się śpiącemu Seattle. Światła migają pod zamkiem Christiana, a może powinnam rzec – fortecą? Opieram czoło o chłodną szybę – co za ulga. Tak wiele muszę przemyśleć po wszystkich wczorajszych rewelacjach. Odwracam się tyłem i ześlizguję na podłogę. Salon jest pogrążony w ciemnościach, jedynie aneks kuchenny oświetlają trzy lampki nad wyspą.

Mogłabym tutaj mieszkać, jako żona Christiana? Po wszystkim, co tu robił? Z całą historią, jaka się wiąże z tym miejscem?

Ślub. To niemal niewiarygodne i zupełnie nieoczekiwane. No ale w końcu wszystko związane z Christianem jest nieoczekiwane. Moje usta wykrzywiają się z powodu ironii tej sytuacji. Christian Grey, oczekuj nieoczekiwanego – popieprzony na pięćdziesiąt sposobów.

Mój uśmiech blednie. Wyglądam jak jego matka. To mnie mocno rani. Wszystkie wyglądamy jak jego mama.

Jak, u licha, mam sobie poradzić z wyjawieniem tego sekretu? Nic dziwnego, że nie chciał mi powiedzieć. Ale przecież nie może zbyt dobrze pamiętać swojej matki. Raz jeszcze się zastanawiam, czy nie powinnam porozmawiać z doktorem Flynnem. Czy Christian by mi pozwolił? Może on pomógłby mi to wszystko poukładać.

Kręcę głową. Jestem potwornie zmęczona, ale podoba mi się spokój obecny w salonie i znajdujące się w nim przepiękne dzieła sztuki – zimne i surowe, ale na swój sposób piękne, nawet w ciemności, i z pewnością warte majątek. Mogłabym tutaj mieszkać? Na dobre i na złe? W zdrowiu i chorobie? Zamykam oczy, opieram głowę o szybę i biorę głęboki, oczyszczający oddech.

Ten nocny spokój przerywa nagle potworny krzyk. Wszystkie włoski stają mi dęba. Christian! O kurwa – co się dzieje? Zrywam się na równe nogi i z sercem dudniącym jak młotem biegnę do sypialni.

Zapalam lampkę nocną. Christian rzuca się na łóżku, wijąc się w udręce. Nie! Ponownie krzyczy, a ten upiorny dźwięk na nowo przeszywa moje ciało.

Cholera – koszmar senny!

– Christian! – Pochylam się nad nim, chwytam za ramiona i potrząsam. Otwiera oczy. Wzrok ma oszalały i szybko rozgląda się po pustym pokoju, a dopiero potem koncentruje się na mnie.

– Odeszłaś ode mnie, odeszłaś – mamrocze. Jego spojrzenie staje się oskarżycielskie i wygląda na tak zagubionego, że ściska mi się serce. Biedny Szary.

– Jestem tu. – Siadam obok niego. – Jestem – mówię łagodnie, starając się go jakoś uspokoić. Unoszę rękę i dotykam dłonią jego policzka.

– Ale cię nie było – szepcze gorączkowo. Wzrok nadal ma dziki i przerażony, ale chyba się powoli uspokaja.

– Poszłam do kuchni, żeby się czegoś napić.

Zamyka oczy i dłońmi przeciera twarz. Kiedy je znowu otwiera, widać w nich bezbrzeżny smutek.

– Jesteś tu. Och, dzięki Bogu. – Chwyta mnie mocno i przyciąga do siebie.

– Ja tylko poszłam się napić – mruczę.

Och, intensywność jego strachu... czuję to. T-shirt ma cały mokry od potu i gdy tuli mnie mocno, czuję szybkie bicie serca. Wpatruje się we mnie, jakby się upewniał, że naprawdę tu jestem. Delikatnie głaszczę go po włosach, a potem po policzku.

– Christian, proszę. Jestem tutaj. Nigdzie się nie wybieram – mówię uspokajająco.

– Och, Ana.

Chwyta mnie za brodę, a chwilę później jego usta lądują na moich. Zalewa go fala pożądania i nieoczekiwanie moje ciało reaguje – tak bardzo jesteśmy ze sobą sprzężeni. Jego wargi są na mym uchu, szyi, po czym wracają do ust. Pociąga delikatnie zębami za dolną wargę, a jego dłoń wędruje od biodra do piersi, podciągając mi T-shirt. Pieszcząc mnie, przesuwając dłonią po wszystkich pagórkach i zagłębieniach mego ciała, wyzwala we mnie znajomą reakcję, a jego dotyk przyprawia mnie o dreszcz. Jęczę, gdy obejmuje dłonią pierś, a palce zaciska na brodawce.

– Pragnę cię – szepcze.

– Jestem twoja. Tylko twoja, Christianie.

Jęczy i raz jeszcze wraca do mych ust i całuje mnie mocno, namiętnie, z desperacją, jakiej jeszcze u niego nie widziałam. Chwytam za dół jego koszulki i podciągam ją, a on pomaga mi zdjąć ją przez głowę. Klęka między moimi nogami, pospiesznie podnosi mnie z posłania i ściąga mi T-shirt.

Oczy ma poważne, pełne mrocznych sekretów, obnażone. Całuje mnie i raz jeszcze osuwamy się na łóżko. Udo ma między moimi nogami, tak że częściowo na mnie leży. Na biodrze czuję przez materiał bokserek jego wzwód. Pragnie mnie, ale akurat w tej chwili wracają do mnie jego wcześniejsze słowa – to, co powiedział o swojej matce. Dla mojego libido to niczym kubeł zimnej wody. Kurwa. Nie dam rady. Nie teraz.

– Christian… Przestań. Nie mogę – szepczę gorączkowo do jego ust, odpychając go od siebie.

– Co? Co się stało? – mruczy i zaczyna całować mnie w szyję, po czym przesuwa po niej samym czubkiem języka. Och…

– Nie, proszę. Nie mogę, nie teraz. Potrzebuję trochę czasu, proszę.

– Och, Ana, nie myśl o tym za dużo – szepcze, przygryzając mi ucho.

– Ach! – Czuję to aż w lędźwiach. Ciało mnie zdradza. To takie dezorientujące.

– Ja jestem taki sam, Ano. Kocham cię i potrzebuję. Dotknij mnie. Proszę. – Pociera nosem o mój nos. Jego ciche, płynące prosto z serca błaganie bardzo mnie porusza. Dotknąć go. Dotknąć go, gdy się kochamy. O rety.

Patrzy na mnie i w słabym świetle nocnej lampki widzę, że czeka na moją decyzję.

Ostrożnie kładę dłoń na włoskach nad mostkiem. Christian robi głośny wdech i mocno zaciska powieki, jakby cierpiał, ale tym razem nie zabieram dłoni. Przesuwam ją do ramion, czując pod palcami drżenie jego ciała. Jęczy, a ja przyciągam go do siebie i obie ręce kładę na jego plecach, tam gdzie go jeszcze nie dotykałam. Jego zduszony jęk podnieca mnie jak nic innego.

Chowa głowę na mojej szyi, całując, ssąc i przygryzając, po czym przesuwa usta do moich ust i rozchyla je językiem. Jego dłonie raz jeszcze wędrują po moim ciele. Usta zsuwają się niżej… niżej… do piersi, a moje dłonie pozostają na jego plecach, lekko jeszcze wilgotnych po nocnym koszmarze. Jego usta zamykają się na brodawce, pociągając i ssąc, a ona rośnie, witając go niecierpliwie.

Jęczę i przesuwam paznokciami po jego plecach. Wciąga gwałtownie powietrze i wydaje z siebie zduszony jęk.

– Och, Ana – zachłystuje się i jest to na wpół krzyk, na wpół jęk. Dociera do mego serca, ale także niżej, zaciskając wszystkie mięśnie podbrzusza. Och, zrobiłabym dla niego wszystko! Dyszę ciężko i nasze oddechy dopasowują się do siebie.

Dłoń Christiana wędruje niżej, po brzuchu, do mojej kobiecości – muska mnie palcami, by po chwili zanurzyć je we mnie. Jęczę, gdy zatacza nimi kółka i wypycham biodra, witając jego dotyk.

– Ana – dyszy ciężko. Nagle puszcza mnie i siada; zdejmuje bokserki i ze stolika nocnego bierze foliową paczuszkę. Wzrok mu płonie, gdy podaje mi prezerwatywę. – Chcesz to zrobić? Nadal możesz powiedzieć nie. Zawsze możesz to zrobić – mruczy.

– Nie pozwól mi się zastanawiać, Christianie. Ja także cię pragnę.

Rozrywam folię zębami, gdy on klęczy między moimi nogami, i drżącymi palcami nasuwam prezerwatywę.

– Spokojnie. Bo jeszcze pozbawisz mnie męskości, Ana.

Zdumiewa mnie, co mój dotyk potrafi zrobić z tym mężczyzną. Nachyla się nade mną i wszystkie moje wątpliwości zsuwają się na najdalszy mroczny koniec mojej świadomości. Jestem odurzona tym mężczyzną, moim mężczyzną, moim Szarym. Niespodziewanie zmienia pozycję, tak że teraz siedzę na nim.

– Ty… ty mnie weź – mruczy, a oczy mu płoną.

Powoli, och, tak bardzo powoli osuwam się na niego. Christian odchyla głowę, zamyka oczy i z jego gardła wydostaje się niski jęk. Chwytam jego dłonie i zaczynam się poruszać, rozkoszując się pełnią jego oddania, jego reakcją. Czuję się jak bogini. Pochylam się i całuję jego brodę i przesuwam zębami po zaroście. Smakuje pysznie. Chwyta mnie za biodra i spowalnia mój rytm.

– Ana, dotknij mnie… proszę.

Och. Opieram obie dłonie na jego klatce piersiowej. A on krzyczy, niemal szlocha, a potem wchodzi we mnie głęboko.

Jęczę cichutko i przesuwam delikatnie paznokciami po jego skórze, między włoskami, a po chwili znowu znajduję się pod nim.

– Wystarczy. Wystarczy, proszę – jęczy.

Ujmuję jego twarz, czując wilgoć na policzkach, i przyciągam jego usta do moich. Jęczy i porusza się we mnie, raz za razem, ale ja nie doznaję spełnienia. Głowę mam zbyt ciężką od problemów.

– No dalej, Ana – ponagla.

– Nie.

– Tak – warczy. Zmienia minimalnie pozycję i zaczyna zataczać kręgi biodrami.

Jezu... aaach!

– Dalej, mała, potrzebuję tego. Oddaj mi się.

I eksploduję, moje ciało jest niewolnikiem jego ciała, i oplatam się wokół niego jak winorośl, a on woła moje imię i szczytuje, po czym opada, całym ciężarem wbijając mnie w materac.

TULĘ CHRISTIANA W RAMIONACH; jego głowa spoczywa na mojej piersi, gdy tak leżymy wyczerpani po seksie. Przeczesuję palcami jego włosy i słucham, jak oddech mu się uspokaja.

– Nigdy mnie nie zostawiaj – szepcze, a ja wywracam oczami, doskonale wiedząc, że mnie nie widzi.

– Wiem, że wywracasz teraz oczami – mruczy i słyszę w jego głosie cień humoru.

– Dobrze mnie znasz.

– Chciałbym poznać cię lepiej.

– I vice versa, Grey. Czego dotyczył twój koszmar senny?

– Tego, co zawsze.

– Opowiedz mi.

Przełyka ślinę i cały się spina, po czym wzdycha.

– Mam jakieś trzy lata i alfons dziwki jest znowu wkurzony. Pali i pali, papierosa za papierosem, i nie może znaleźć popielniczki. – Urywa, a do mego serca zakrada się podstępny chłód. – Bolało – kontynuuje. – To właśnie ból pamiętam. Przez to miewam te koszmary. Przez to i fakt, że ona nie zrobiła nic, aby go powstrzymać.

O nie. To jest nie do zniesienia. Tulę go do siebie jeszcze mocniej i próbuję wziąć się w garść. Jak można traktować w taki sposób małe dziecko? Christian podnosi głowę i przeszywa mnie intensywnym szarym spojrzeniem.

– Ty nie jesteś taka jak ona. Nigdy tak nawet nie myśl. Proszę.

Mrugam powiekami. Naprawdę dobrze to słyszeć. Ponownie kładzie głowę na mojej piersi i zaskakuje mnie tym, że mówi dalej.

– Czasami w snach ona leży na podłodze. A ja myślę, że śpi. Ale się nie rusza. Nigdy się nie rusza. A ja jestem głodny. Naprawdę głodny.

O cholera.

– Rozlega się głośny hałas i on znowu tam jest i tak mocno mnie bije, przeklinając dziwkę. Jego pierwsza reakcja to zawsze pięści albo pas.

– Dlatego właśnie nie lubisz być dotykany?

Zamyka oczy i mocniej się do mnie przytula.

– To skomplikowane – mówi cicho. Wsuwa nos między piersi i oddycha głęboko, próbując odwrócić moją uwagę.

– Powiedz mi.

Wzdycha.

– Ona mnie nie kochała. Ja siebie nie kochałem. Jedyny dotyk, jaki znałem to... ból. Stąd to się wywodzi. Flynn potrafi wyjaśnić to lepiej niż ja.

– Mogę spotkać się z Flynnem?

Unosi głowę, aby na mnie spojrzeć.

– Masz parę pytań do niego?

– Żeby tylko parę.

Całuje mnie, a potem przygląda mi się przez chwilę.

– Tak wiele dla mnie znaczysz, Ana. Naprawdę chcę, żebyś została moją żoną. Wtedy możemy się lepiej poznać. Mogę się tobą opiekować. Ty możesz opiekować się mną. Możemy mieć dzieci, jeśli chcesz. Rzucę ci do stóp cały świat, Anastasio. Pragnę ciebie, ciała i duszy, na zawsze. Proszę, pomyśl o tym.

– Pomyślę, Christianie. Pomyślę – zapewniam go, po raz kolejny doznając szoku. Dzieci? Jezu. – Jednak naprawdę chciałabym porozmawiać z doktorem Flynnem, jeśli nie masz nic przeciwko.

– Dla ciebie wszystko, maleńka. Wszystko. Kiedy chciałabyś się z nim spotkać?

– Im szybciej, tym lepiej.

– Dobrze. Rano nas umówię. – Zerka na zegarek. – Późno już. Powinniśmy pójść spać. – Gasi lampkę nocną i przyciąga mnie do siebie.

Ja też zerkam na budzik. Cholera, trzecia czterdzieści pięć.

Leżymy na łyżeczki i Christian wtula nos w moją szyję.

– Kocham cię, Ano Steele, i chcę mieć cię blisko, zawsze – szepcze i całuje mnie w szyję. – A teraz śpij już.

Zamykam oczy.

Niechętnie podnoszę ciężkie powieki. Pokój wypełnia jasne światło. Jęczę. Czuję się otumaniona, odłączona od ciężkich jak ołów kończyn. Christian oplata mnie niczym bluszcz. Jak zwykle jest mi za ciepło. Myślę, że jest najwyżej piąta; budzik jeszcze nie dzwonił. Wyplątuję się z objęć Christiana i przekręcam na drugi bok. Mruczy przez sen coś niezrozumiałego. Spoglądam na budzik. Ósma czterdzieści pięć.

Cholera, spóźnię się do pracy. Kurwa. Wyskakuję z łóżka i pędzę do łazienki. Cztery minuty później wychodzę spod prysznica.

Christian siedzi na łóżku i obserwuje z nieskrywanym rozbawieniem, ale i pewną dozą nieufności, jak jednocześnie wycieram się i zbieram ubrania. Może czeka na moją reakcję na wczorajsze wydarzenia. Teraz jednak nie mam na to czasu.

Zerkam na przyniesione z garderoby ubrania: czarne spodnie, czarna koszula – trochę w stylu pani R., ale nie mam czasu, żeby wybrać coś innego. W ekspresowym tempie wkładam czarne majtki i stanik, świadoma tego, że on obserwuje mój każdy krok. To… wytrąca mnie z równowagi.

– Świetnie wyglądasz – mruczy Christian. – Możesz zadzwonić i powiedzieć, że jesteś chora. – Posyła mi ten swój rozbrajający, przekrzywiony, zmysłowy uśmiech. Och, ta perspektywa jest mocno kusząca. Moja wewnętrzna bogini prowokacyjnie wydyma usta.

– Nie, Christianie, nie mogę. Nie jestem megalomańskim prezesem ze ślicznym uśmiechem, który może sobie przychodzić i wychodzić, o której mu się tylko podoba.

– Zdecydowanie najbardziej lubię wchodzić. – Uśmiecha się znacząco, wlewając do niego jeszcze więcej erotyzmu.

– Christian! – besztam go. Rzucam w niego ręcznikiem, a on się śmieje.

– Śliczny uśmiech, co?

– Tak. Przecież wiesz, jak na mnie działasz. – Zakładam zegarek.

– Czyżby? – mruga niewinnie.

– Owszem. Tak samo, jak na inne kobiety. Przyglądanie się, jak wszystkie niemal mdleją z zachwytu na twój widok, staje się mocno męczące.

– Naprawdę? – Unosi z rozbawieniem brew.

– Nie zgrywaj mi tu niewiniątka, Grey, to do ciebie nie pasuje – burczę, związując włosy w kucyk i wkładając czarne szpilki. Okej, nie jest tak źle.

Kiedy pochylam się, aby dać mu buziaka na pożegnanie, chwyta mnie i pociąga na łóżko, po czym uśmiecha się od ucha do ucha. O rety. Jest taki piękny – figlarne błyski w oczach, potargane włosy, oślepiający uśmiech. I jest w nastroju do żartów.

Ja, niewyspana, nie doszłam jeszcze do siebie po tych wszystkich wczorajszych rewelacjach, gdy tymczasem on jest wesoły jak skowronek i tak cholernie seksowny. Och, irytujący Szary.

– Czym mogę cię skusić, żebyś została? – pyta miękko, a moje serce zaczyna ostro przyspieszać. Ten mężczyzna to uosobienie pokusy.

– Nie możesz – warczę, próbując siąść. – Puść mnie.

Robi nadąsaną minę, a ja się poddaję. Uśmiecham się szeroko i przesuwam opuszkami palców po jego idealnie wykrojonych ustach – mój Szary. Tak bardzo go kocham, razem z jego wszystkimi odchyłami i skrzywieniami. Jeszcze nie zaczęłam przetrawiać wczorajszych wydarzeń, a proszę, co czuję.

Całuję go, ciesząc się, że umyłam zęby. On oddaje mi pocałunek, po czym pomaga wstać. Brak mi tchu i kręci mi się w głowie.

– Taylor cię zawiezie. Tak będzie szybciej niż szukać miejsca do zaparkowania. Czeka przed budynkiem – mówi Christian. Wygląda, jakby czuł ulgę. Martwi się moją poranną reakcją? Przecież zeszła noc udowodniła, że nie zamierzam odejść.

– Dobrze. Dziękuję – mamroczę, rozczarowana tym, że już nie leżę na łóżku, skonsternowana jego wahaniem i nieco poirytowana faktem, że znowu nie przejadę się swoim saabem. Ale ma oczywiście rację, z Taylorem będzie szybciej.

– Miłego leniwego poranka, panie Grey. Chciałabym móc zostać, właściciel firmy, w której pracuję, nie byłby zadowolony, gdyby jego pracownicy nie zjawiali się w pracy, lecz uprawiali gorący seks. – Biorę do ręki torebkę.

– Osobiście, panno Steele, nie mam wątpliwości, że byłby zadowolony. Możliwe nawet, że nalegałby na to.

– Czemu jeszcze jesteś w łóżku? To nie w twoim stylu.

Splata dłonie za głową i posyła mi szeroki uśmiech.

– Ponieważ mogę, panno Steele.

Kręcę głową.

– Na razie, mały. – Posyłam mu całusa i znikam za drzwiami.

TAYLOR CZEKA NA MNIE i chyba domyśla się, że jestem spóźniona, ponieważ pędzi jak szaleniec, zatrzymując się przed redakcją kwadrans po dziewiątej. Czuję wdzięczność – wdzięczność, że żyję – gdyż chwilami rzeczywiście się bałam. I wdzięczność za to, że nie spóźniłam się jakoś potwornie – tylko piętnaście minut.

– Dziękuję ci, Taylor – mamroczę, blada na twarzy. Pamiętam, jak Christian mówił, że on jeździł czołgami; w NASCAR może także jeździ.

– Ana. – Kiwa głową na pożegnanie, a ja pędzę w stronę drzwi.

Gdy otwieram drzwi do recepcji, uświadamiam sobie, że Taylor chyba w końcu dał sobie spokój z tą panną Steele. Na tę myśl uśmiecham się.

Claire śmieje się do mnie, gdy pędzę w stronę biurka.

– Ana! – woła mnie Jack. – Chodź do mnie.

Cholera.

– Która jest według ciebie godzina? – warczy.

– Przepraszam. Zaspałam. – Oblewam się krwistym rumieńcem.

– Lepiej niech to się nie powtórzy. Zrób mi kawę, a potem mam dla ciebie parę listów do napisania. Biegiem! – krzyczy, a ja się wzdrygam.

Czemu jest taki zły? O co mu chodzi? Co ja zrobiłam? Idę szybko do kuchni, żeby zaparzyć mu kawę. Może powinnam jednak zostać w domu. Mogłabym teraz... cóż, robić coś przyjemnego z Christianem albo jeść z nim śniadanie, albo po prostu rozmawiać – to byłaby nowość.

Kiedy przynoszę mu do gabinetu kawę, Jack wręcza mi arkusz papieru – jest zapisany mocno niewyraźnym pismem odręcznym.

– Wstukaj to do komputera, przynieś mi do podpisania, a potem skopiuj i prześlij do wszystkich naszych autorów.

– Tak, Jack.

Nie podnosi głowy, gdy wychodzę. Rany, ale jest wkurzony.

Z uczuciem ulgi siadam w końcu przy biurku. Upijam łyk herbaty, czekając, aż włączy mi się komputer. Sprawdzam mejle.

Nadawca: Christian Grey
Temat: Tęsknię
Data: 15 czerwca 2011, 9:05
Adresat: Anastasia Steele

Korzystaj, proszę, z BlackBerry.

x

Christian Grey
Prezes, Grey Enterprises Holdings, Inc.

Nadawca: Anastasia Steele
Temat: No i dobrze

Data: 15 czerwca 2011, 9:27
Adresat: Christian Grey

Mój szef jest wściekły.

Za swoje spóźnienie winię Ciebie i Twoje...
błazenady.

Powinieneś się wstydzić.

Anastasia Steele
Asystentka Jacka Hyde'a, redaktora naczelnego SIP

Nadawca: Christian Grey
Temat: Że niby co?
Data: 15 czerwca 2011, 9:32
Adresat: Anastasia Steele

Nie musisz chodzić do pracy, Anastasio.

Nie masz pojęcia, jak bardzo jestem zbulwersowany swoimi błazenadami.

Ale lubię być powodem Twego spóźnienia ;)

Proszę, używaj BlackBerry.

Och, i jeszcze wyjdź za mnie.

Christian Grey
Prezes, Grey Enterprises Holdings, Inc.

Nadawca: Anastasia Steele
Temat: Zarabianie na życie
Data: 15 czerwca 2011, 9:35
Adresat: Christian Grey

Wiem, że masz skłonność do naprzykrzania się, ale poskrom ją.

Muszę porozmawiać z Twoim psychiatrą.

Dopiero wtedy dam Ci odpowiedź.

Nie mam nic przeciwko życiu w grzechu.

Anastasia Steele
Asystentka Jacka Hyde'a, redaktora naczelnego SIP

Nadawca: Christian Grey
Temat: BLACKBERRY
Data: 15 czerwca 2011, 9:40
Adresat: Anastasia Steele

Anastasio, jeśli masz zamiar zacząć dyskusję na temat doktora Flynna, KORZYSTAJ Z BLACK-BERRY.

To nie jest prośba.

Christian Grey
Wkurzony prezes, Grey Enterprises Holdings, Inc.

O cholera. Teraz i on jest na mnie zły. Cóż, niech się wkurza. Wyjmuję z torebki BlackBerry i przyglądam mu się sceptycznie. Gdy to robię, zaczyna dzwonić. Czy ten człowiek nie da mi spokoju?

– Tak? – warczę.

– Ana, cześć…

– José! Co słychać? – Och, jak dobrze słyszeć jego głos.

– Wszystko dobrze, Ana. Słuchaj, nadal spotykasz się z tym Greyem?

– Eee… tak… A dlaczego? – O co mu chodzi?

– Cóż, kupił wszystkie twoje zdjęcia i pomyślałem, że mógłbym je dostarczyć do Seattle. Wystawa kończy się w czwartek, więc może przyjechałbym w piątek wieczorem i je podrzucił. I może wyskoczylibyśmy na drinka czy coś w tym rodzaju. Prawdę mówiąc, miałem nadzieję, że mnie także przenocujesz.

– José, super. Jestem pewna, że da się tak zrobić. Porozmawiam z Christianem i oddzwonię, dobrze?

– Jasne, będę czekać na telefon. Pa, Ana.

– Pa.

Jasny gwint. Nie widziałam się z José ani nie rozmawiałam z nim od tamtej wystawy. Nawet nie zapytałam, jak się udała i czy sprzedał także inne zdjęcia. Ale ze mnie przyjaciółka.

Mogłabym więc spędzić piątkowy wieczór w towarzystwie José. Co na to Christian? Uświadamiam sobie, że przygryzam wargę tak mocno, że aż boli. Och, ten człowiek ma podwójną moralność. On może – wzdrygam się na tę myśl – kąpać swoją porąbaną byłą kochankę, ale ja najpewniej będę musiała wysłuchać setki nieprzyjemnych komentarzy, nim wyskoczę na drinka z José.

– Ana! – Jack wyrywa mnie nagle z tych rozmyślań. Nadal jest wkurzony? – Gdzie ten list?

– Eee… już się robi. – Cholera. Co go ugryzło?

W ekspresowym tempie wystukuję tekst, drukuję i nerwowo zanoszę mu wydruk do gabinetu.

– Proszę bardzo.

Kładę go na biurku i odwracam się, aby wyjść. Jack przebiega krytycznym wzrokiem po tekście.

– Nie wiem, co tu jeszcze robisz, ale płacę ci za pracę – warczy.

– Jestem tego świadoma, Jack – mamroczę przepraszająco. Czuję, że policzki robią mi się różowe.

– Tu jest pełno błędów. Napisz to jeszcze raz.

Zaczyna mi przypominać kogoś znajomego, ale niegrzeczność Christiana jestem w stanie tolerować. Jack zaczyna mnie wkurwiać.

– I zrób mi jeszcze jedną kawę.

– Przepraszam – szepczę i szybko opuszczam gabinet.

W mordę jeża. Ten facet jest nie do zniesienia. Siadam przy biurku, szybko poprawiam list – a konkretnie dwa błędy – i przed wydrukowaniem sprawdzam go raz jeszcze. Teraz jest idealny. Robię mu jeszcze jedną kawę, przewracaniem oczami, dając Claire znać, że mam kłopoty. Biorę głęboki oddech i ponownie wchodzę do gabinetu.

– Lepiej – burczy niechętnie i składa na liście swój podpis. – Skseruj go, zachowaj oryginał i wyślij wszystkim autorom. Zrozumiano?

– Tak. – Nie jestem idiotką. – Jack, czy coś się stało?

Podnosi na mnie wzrok. Niebieskie oczy ciemnieją, gdy omiata spojrzeniem moje ciało. Mrozi mi tym krew w żyłach.

– Nie. – Jego odpowiedź jest krótka, niegrzeczna i lekceważąca.

Stoję tam przez chwilę jak jakaś idiotka, po czym wycofuję się z gabinetu. Być on także cierpi na zaburzenia osobowości. Że też muszę trafiać na takich ludzi.

Podchodzę do kopiarki, w której oczywiście zaklesz-
czyła się kartka – a kiedy w końcu to naprawiam, okazuje
się, że jest za mało papieru. To zdecydowanie nie mój dzień.

Kiedy w końcu wracam z kopertami do biurka,
dzwoni BlackBerry. Przez szklaną ścianę widzę, że Jack
rozmawia przez telefon. Odbieram – to Ethan.

– Cześć, Ana. Jak tam wczorajszy wieczór?

Wczorajszy wieczór. Przed moimi oczami przesuwa
się szybko ciąg obrazów – Christian na kolanach, jego
wyznanie, oświadczyny, makaron z serem, mój szloch,
jego koszmar senny, seks, dotykanie go...

– Eee... dobrze – mamroczę bez przekonania.

Ethan milczy przez chwilę, ale decyduje się nie ciągnąć tematu.

– To super. Mogę przyjechać po klucze?

– Jasne.

– Będę za jakieś pół godziny. Znajdziesz czas na kawę?

– Nie dzisiaj. Spóźniłam się do pracy, a mój szef zachowuje się jak rozjuszony niedźwiedź z bolącą głową
i kijem w tyłku.

– Brzmi to paskudnie.

– Bo jest paskudne – chichoczę.

Ethan śmieje się i mój nastrój ulega minimalnej po-
prawie.

– No dobrze. To do zobaczenia za pół godziny. – Po
tych słowach rozłącza się.

Podnoszę wzrok na Jacka i widzę, że mi się przygląda. O cholera. Umyślnie go ignoruję i wracam do wkła-
dania listów do kopert.

Pół godziny później dzwoni mój telefon. To Claire.

– Znowu tu jest, w recepcji. Ten jasnowłosy bóg.

Tak miło spotkać się z Ethanem i na chwilę oderwać
się od wczorajszych wydarzeń i wkurzonego szefa. Niestety, szybko się żegna.

– Zobaczymy się dziś wieczorem? – pyta.

– Pewnie zostanę na noc u Christiana. – Rumienię się.

– Nieźle cię wzięło – stwierdza dobrotliwie.

Wzruszam ramionami. Uświadamiam sobie, że nie tylko wzięło mnie nieźle, ale na całe życie. I zdumiewający jest fakt, że Christian czuje to samo. Ethan ściska mnie na pożegnanie.

– Na razie, Ana.

Wracam do biurka, zmagając się z tym, co sobie uświadomiłam. Och, cóż bym dała za jeden spokojny dzień w pojedynkę na przemyślenie wszystkiego.

– Gdzie byłaś? – Nagle staje nade mną Jack.

– Musiałam coś załatwić w recepcji. – Naprawdę działa mi na nerwy.

– Chcę lunch. To, co zwykle – oświadcza i wraca do swojego gabinetu.

Dlaczego nie zostałam w domu z Christianem? Moja wewnętrzna bogini krzyżuje ręce na piersi i zasznurowuje usta; ona także chce znać odpowiedź na to pytanie. Biorę torebkę, BlackBerry i idę do wyjścia. Sprawdzam po drodze wiadomości.

Nadawca: Christian Grey
Temat: Tęsknię
Data: 15 czerwca 2011, 9:06
Adresat: Anastasia Steele

Moje łóżko jest za duże bez Ciebie.

Wygląda na to, że jednak będę musiał jechać do pracy.

Nawet megalomańscy prezesi muszą coś robić.

x

Christian Grey
Kręcący młynka palcami prezes, Grey Enterprises Holdings, Inc.

Nadawca: Christian Grey
Temat: Rozwaga
Data: 15 czerwca 2011, 9:50
Adresat: Anastasia Steele

Odwaga winna iść w parze z rozwagą.

Proszę, bądź rozważna… twoje służbowe mejle są monitorowane.

ILE RAZY MUSZĘ CI TO POWTARZAĆ?

Tak. Krzykliwie kapitaliki, jak je nazywasz. KO-
RZYSTAJ Z BLACKBERRY.

Doktor Flynn może się z nami spotkać jutro
wieczorem.

x

Christian Grey
Nadal wkurzony prezes, Grey Enterprises
Holdings, Inc.

I jeszcze jeden mejl… O nie.

Nadawca: Christian Grey
Temat: Tak się nie robi
Data: 15 czerwca 2011, 12:15
Adresat: Anastasia Steele

Nie odpisałaś mi.

Proszę, powiedz, że wszystko w porządku.

Wiesz, jak bardzo się martwię.

Wyślę Taylora, aby to sprawdził!

x

Christian Grey
Zbytnio się przejmujący prezes, Grey Enterprises Holdings, Inc.

Wywracam oczami i dzwonię do niego. Nie chcę, żeby się martwił.

– Telefon pana Christiana Greya, z tej strony Andrea Parker.

Och. Tak zaskoczył mnie fakt, że to nie Christian odbiera, że zatrzymuję się na ulicy w pół kroku, a młody mężczyzna za mną burczy gniewnie pod nosem, bo nie wpada na mnie tylko cudem. Staję pod zieloną markizą delikatesów.

– Halo, w czym mogę pomóc?

– Przepraszam… eee… liczyłam na to, że porozmawiam z Christianem…

– Pan Grey jest w tej chwili na spotkaniu. Czy mam coś przekazać?

– Może mu pani powiedzieć, że dzwoniła Ana?

– Ana? To znaczy Anastasia Steele?

– Eee… tak. – Jej pytanie wprawia mnie w zakłopotanie.

– Proszę chwileczkę zaczekać, panno Steele.

Wytężam słuch, gdy odkłada telefon, ale niczego nie słyszę. Kilka sekund później słyszę głos Christiana:

– Nic ci nie jest?

– Oczywiście, że nie.

Oddycha z ulgą.

– Christianie, dlaczego miałby mi coś być? – szepczę uspokajająco.

– Zazwyczaj tak szybko odpisujesz mi na mejle. Po tym wszystkim, co ci wczoraj powiedziałem, po prostu martwiłem się – mówi cicho, a potem odsuwa telefon i mówi do kogoś w pracy: – Nie, Andrea. Każ im zaczekać.

Nie słyszę odpowiedzi Andrei.

– Nie. Mają czekać i już. – Och, jak dobrze znam ten surowy ton.

– Christianie, jesteś zajęty. Zadzwoniłam po to tylko, by dać ci znać, że wszystko w porządku. Naprawdę. Po prostu jestem dziś mocno zajęta, a Jack strzela z bicza. Eee… to znaczy… – Czerwienię się i milknę.

Christian przez chwilę się nie odzywa.

– Strzela z bicza, tak? Cóż, swego czasu nazwałbym go szczęściarzem. – On i to jego cierpkie poczucie humoru. – Nie pozwól, by na ciebie wsiadł, mała.

– Christian! – besztam go i wiem, że się uśmiecha.

– Po prostu miej na niego oko, to wszystko. Słuchaj, cieszę się, że nic ci nie jest. O której mam po ciebie przyjechać?

– Napiszę ci w mejlu.

– Wysłanym z BlackBerry – uzupełnia surowo.

– Tak, proszę pana – odwarkuję.

– Na razie, mała.

– Pa...

Nadal tam jest.

– Rozłącz się – śmieję się.

Wzdycha głośno.

– Żałuję, że nie zostałaś dzisiaj w domu.

– Ja też. Ale jestem zajęta. Rozłączaj się.

– Ty się rozłącz. – Och, żartobliwy Christian. Kocham żartobliwego Christiana. Hmm... Kocham Christiana, koniec, kropka.

– Już to przerabialiśmy.

– Przygryzasz wargę.

Kurczę, ma rację. Skąd wie?

– Widzisz? Uważasz, że cię nie znam, Anastasio. Ale znam cię lepiej, niż ci się wydaje – mruczy uwodzicielsko, a mnie robi się słabo i wilgotno.

– Christianie, porozmawiamy później. W tym momencie naprawdę także żałuję, że nie zostałam rano w domu.

– Będę czekać na pani mejl, panno Steele.

– Miłego dnia, panie Grey.

Rozłączam się i opieram o chłodną, twardą szybę wystawy delikatesów. O rety, nawet przez telefon ma nade mną władzę. Potrząsam głową, aby wyrzucić z niej wszystkie myśli poświęcone Greyowi, po czym wchodzę do delikatesów, przygnębiona myślami poświęconymi Jackowi.

Kiedy wracam, minę ma gniewną.

– Mogę iść teraz na lunch? – pytam z wahaniem.

– Skoro musisz – warczy. – Czterdzieści pięć minut. Kwadrans krócej za poranne spóźnienie.

– Jack, mogę cię o coś zapytać?

– Co takiego?

– Wydajesz się dzisiaj jakiś dziwny. Zrobiłam coś, czym cię uraziłam?

Mruga kilka razy.

– Nie mam teraz nastroju na wyliczanie wszystkich twoich przewinień. Jestem zajęty. – Wraca do wpatrywania się w monitor, tym samym mnie odprawiając.

Co ja takiego zrobiłam?

Odwracam się i opuszczam gabinet. Przez chwilę mam wrażenie, że zaraz się rozpłaczę. Dlaczego nagle tak mocno mnie znielubił? Przez moją głowę przemyka bardzo nieprzyjemna myśl, ale ją ignoruję. Nie potrzebuję teraz tego problemu – mam dość własnych.

Udaję się do pobliskiego Starbucksa, zamawiam latte i siadam koło okna. Wyjmuję z torebki iPoda i wkładam do uszu słuchawki. Na chybił trafił wybieram jakąś piosenkę i wciskam „repeat". W tej chwili potrzebna mi jest muzyka.

Christian sadysta. Christian uległy. Christian niedający się dotykać. Jego kompleks Edypa. Christian kąpiący Leilę. Jęczę i zamykam oczy, prześladowana tym ostatnim obrazem.

Czy naprawdę mogę poślubić tego mężczyznę? To człowiek skomplikowany i trudny, ale w głębi duszy wiem, że pomimo wszystkich jego problemów nie chcę go zostawiać. Nie dałabym rady. Kocham go. To byłoby jak odcięcie sobie ręki.

Jeszcze nigdy nie czułam się tak pełna życia. Odkąd się poznaliśmy, doświadczyłam tylu najprzeróżniejszych uczuć i nowych doznań. Z Szarym nie ma szans na nudę.

Patrząc wstecz na swoje życie przed Christianem, mam wrażenie, jakby wszystko było czarno-białe, jak na zdjęciach José. Teraz mój cały świat jest w bogatych, jaskrawych, nasyconych barwach. Nadal jestem Ikarem lecącym zbyt blisko słońca. Lecącym z Christianem – kto potrafi się oprzeć mężczyźnie, który potrafi latać?

Czy mogę się go wyrzec? Chcę tego? Mam wrażenie, że włączył jakiś przycisk i rozświetlił mnie od środka.

Tyle się przy nim uczę. W ciągu tych kilku ostatnich tygodni odkryłam na swój temat więcej niż kiedykolwiek wcześniej. Poznałam swoje ciało, granice bezwzględne, granice względne, swoją tolerancję, cierpliwość, współczucie i zdolność do kochania.

I niczym grom z jasnego nieba uderza mnie myśl: on tego właśnie ode mnie potrzebuje, to mu się należy – bezwarunkowa miłość. Nie otrzymał jej nigdy od dziwki-narkomanki – właśnie tego mu trzeba. Czy potrafię go darzyć taką bezwarunkową miłością? Czy potrafię zaakceptować go takim, jaki jest, bez względu na to, czego dowiedziałam się wczoraj wieczorem?

Wiem, że jest mocno poraniony, ale nie sądzę, aby to było nie do naprawienia. Wzdycham, przypominając sobie słowa Taylora: „To dobry człowiek, panno Steele".

Przez cały czas oglądam dowody jego dobroci – pracę charytatywną, etykę zawodową, hojność – a jednak on tego nie widzi. Uważa, że nie jest godzien miłości. Zważywszy na jego przeszłość i upodobania, podejrzewam, że czuje do siebie nienawiść – dlatego jest taki niedostępny. Czy uda mi się to obejść?

Powiedział kiedyś, że absolutnie nie jestem w stanie pojąć głębi jego deprawacji. Cóż, teraz już ją znam i wiedząc, jak wyglądały pierwsze lata jego życia, nawet mnie to nie dziwi… choć szokiem było usłyszenie tego z jego ust. Przynajmniej mi powiedział – i teraz wydaje się z tego cieszyć. Wiem już wszystko.

Czy to deprecjonuje jego miłość do mnie? Nie sądzę. Nigdy dotąd nie czuł czegoś takiego i ja też nie. Oboje przebyliśmy długą drogę.

W moich oczach wzbierają piekące łzy, kiedy wspominam upadek ostatniego muru – Christian pozwolił mi się dotknąć. I potrzeba było do tego Leili i tego jej całego szaleństwa.

Może powinnam jej podziękować. Nie bulwersuje mnie już tak bardzo fakt, że Christian ją wykąpał. Ciekawe, w co ją ubrał. Mam nadzieję, że nie w śliwkową sukienkę. Lubiłam ją.

A więc czy potrafię bezwarunkowo kochać tego mężczyznę, razem ze wszystkimi jego problemami? Bo on na pewno na to zasługuje. Sporo przed nim nauki; musi nauczyć się empatii i sprawowania mniejszej kontroli nad wszystkimi aspektami życia. Mówi, że już nie czuje potrzeby, aby sprawiać mi fizyczny ból; niewykluczone, że doktor Flynn zdoła rzucić na to nieco światła.

Generalnie to właśnie martwi mnie najbardziej – że potrzebuje tego i zawsze znajdował podobnie myślące kobiety, które też tego potrzebują. Marszczę brwi. Tak, potrzebna mi otucha i zapewnienie. Chcę być dla tego mężczyzny wszystkim, jego alfą i omegą, a także wszystkim pomiędzy, ponieważ on jest wszystkim dla mnie.

Mam nadzieję, że Flynn zna odpowiedzi i podzieli się nimi ze mną. A wtedy może powiem „tak". Może Christian i ja znajdziemy blisko słońca swój własny skrawek nieba.

Wyglądam na ruchliwą ulicę. Pani Grey – kto by pomyślał. Zerkam na zegarek. Cholera! Zrywam się z krzesła i pędzę do drzwi. Siedziałam tu całą godzinę. Jak to możliwe, że czas minął tak szybko? Jack wpadnie w szał!

PRZEMYKAM SIĘ CHYŁKIEM do biurka. Na szczęście gabinet Jacka jest pusty. Chyba mi się upiekło. Niewidzącym wzrokiem wpatruję się w monitor, próbując przestawić się na tryb roboczy.

– Gdzie byłaś?

Podskakuję. Za mną stoi Jack.

– W piwnicy. Robiłam ksero – kłamię.

Jack zaciska usta w cienką, bezwzględną linię.

– O szóstej trzydzieści wyjeżdżam na lotnisko. Chcę, żebyś została do tej godziny.

– Dobrze. – Uśmiecham się najmilej, jak umiem.

– Wydrukuj mi plan podróży i skseruj dziesięć razy. I zapakuj broszury. I przynieś mi kawę! – warczy i idzie do siebie.

Oddycham z ulgą i gdy znika za drzwiami, pokazuję mu język. Drań.

O CZWARTEJ DZWONI CLAIRE z recepcji.

– Dzwoni do ciebie Mia Grey.

Mia? Mam nadzieję, że nie chce wybrać się na zakupy.

– Cześć, Mia!

– Ana, cześć. Co słychać? – Jej podekscytowanie jest przytłaczające.

– Wszystko dobrze. Mocno dziś jestem zajęta. A u ciebie?

– Strasznie mi się nudzi! Muszę sobie znaleźć coś do roboty, więc organizuję przyjęcie urodzinowe dla Christiana.

Urodziny Christiana? Jezu, nie miałam pojęcia.

– Kiedy?

– Wiedziałam. Wiedziałam, że ci nie powie. W sobotę. Mama i tata chcą wydać uroczystą kolację. Więc oficjalnie cię zapraszam.

– Och, super. Dzięki.

– Dzwoniłam już do Christiana i mu o tym powiedziałam, i to on dał mi twój numer.

– Fajnie. – W mojej głowie rozgrywa się gorączkowa gonitwa myśli. Co, u licha, dam Christianowi w prezencie? Co się kupuje mężczyźnie, który ma wszystko?

– A może w przyszłym tygodniu wyskoczyłybyśmy razem na lunch?

– Pewnie. Co byś powiedziała na jutro? Mój szef wylatuje do Nowego Jorku.

– Och, z największą przyjemnością. O której?
– Dwunasta czterdzieści pięć?
– Oczywiście. No to do jutra, Ana.
– Do jutra. – Rozłączam się.
Christian. Urodziny. Co ja mam mu, do diaska, spre-
zentować?

Nadawca: Anastasia Steele
Temat: Podeszły wiek
Data: 15 czerwca 2011, 16:11
Adresat: Christian Grey

Drogi Panie Grey

Kiedy konkretnie zamierzałeś mi powiedzieć?

Co mam kupić mojemu staruszkowi na urodziny?

Być może nowe baterie do aparatu słuchowe-
go?

A x

Anastasia Steele
Asystentka Jacka Hyde'a, redaktora naczelnego SIP

Nadawca: Christian Grey
Temat: Staruszek
Data: 15 czerwca 2011, 16:20
Adresat: Anastasia Steele

Proszę nie kpić z ludzi w podeszłym wieku.

Cieszę się, że żyjesz i kąsasz.

I że Mia się z Tobą skontaktowała.

Baterie zawsze mogą się przydać.

Nie lubię świętować urodzin.

x

Christian Grey
Głuchy jak pień prezes, Grey Enterprises Holdings, Inc.

Nadawca: Anastasia Steele
Temat: Hmmm
Data: 15 czerwca 2011, 16:24
Adresat: Christian Grey

Drogi Panie Grey

Wyobrażam sobie, jak wydymasz wargi, pisząc ostatnie zdanie.

To na mnie mocno działa.

A xox

Anastasia Steele
Asystentka Jacka Hyde'a, redaktora naczelnego SIP

Nadawca: Christian Grey
Temat: Wywracanie oczami
Data: 15 czerwca 2011, 16:29
Adresat: Anastasia Steele

Panno Steele

CZY MOŻESZ W KOŃCU KORZYSTAĆ Z BLACK-
BERRY?

x

Christian Grey
Prezes ze świerzbiącą ręką, Grey Enterprises
Holdings, Inc.

Przewracam oczami. Czemu jest taki przeczulony na
punkcie mejli?

Nadawca: Anastasia Steele
Temat: Natchnienie
Data: 15 czerwca 2011, 16:33
Adresat: Christian Grey

Drogi Panie Grey

Ach… te Twoje świerzbiące ręce nie potrafią
zbyt długo leżeć w bezruchu, prawda?

Ciekawe, co by powiedział na to doktor Flynn?

Ale już wiem, co dam Ci na urodziny – i mam
nadzieję, że będę dzięki temu obolała...

;)

Ax

Nadawca: Christian Grey
Temat: Dusznica
Data: 15 czerwca 2011, 16:38
Adresat: Anastasia Steele

Panno Steele

Moje serce chyba nie wytrzyma kolejnego takiego mejla, nie mówiąc o moich spodniach.

Zachowuj się.

x

Christian Grey
Prezes, Grey Enterprises Holdings, Inc.

Nadawca: Anastasia Steele
Temat: Próbuję
Data: 15 czerwca 2011, 16:42
Adresat: Christian Grey

Christianie

Próbuję pracować dla bardzo irytującego szefa.

Przestań mi, proszę, zawracać głowę i też mnie nie irytuj.

Przez Twój ostatni mejl prawie eksplodowałam.

x

PS. Możesz po mnie przyjechać o 18:30?

Nadawca: Christian Grey
Temat: Oczywiście
Data: 15 czerwca 2011, 16:47
Adresat: Anastasia Steele

Nic nie sprawiłoby mi większej przyjemności.

Choć, jeśli mam być szczery, do głowy przychodzi mi mnóstwo rzeczy, które sprawiłyby mi większą przyjemność, i wszystkie związane są z Twoją osobą.

x

Christian Grey
Prezes, Grey Enterprises Holdings, Inc.

Rumienię się, czytając jego odpowiedź, i kręcę głową. Mejlowe przekomarzanie się jest jak najbardziej na miejscu, ale tak naprawdę potrzebna nam rozmowa. Być może po wizycie u Flynna. Odkładam BlackBerry i wracam do zadań powierzonych mi przez Jacka.

* * *

Piętnaście po szóstej redakcja jest pusta. Wszystko Jackowi przygotowałam. Zamówiłam taksówkę na lotnisko i muszę mu jedynie przekazać dokumenty. Zerkam nerwowo przez szklaną ścianę, ale on nadal jest pogrążony w rozmowie telefonicznej, a nie chcę mu przeszkadzać – zwłaszcza gdy jest w takim nastroju.

Gdy czekam, aż skończy, uświadamiam sobie, że przez cały dzień nic nie jadłam. Cholera, Szary nie przyjmie tego dobrze. Szybko przemykam do kuchni, aby sprawdzić, czy nie zostały jakieś ciastka.

Gdy otwieram nasz wspólny słoik z ciasteczkami, w drzwiach kuchni zjawia się nieoczekiwanie Jack.

Och. Co on tu robi?

Wpatruje się we mnie.

– Cóż, Ano, myślę, że to odpowiednia pora na omówienie twoich przewinień. – Wchodzi do środka i zamyka za sobą drzwi, a mnie natychmiast zasycha w ustach, a w głowie rozbrzmiewa głośny dzwonek alarmowy.

O kurwa.

Jego usta wykrzywiają się w groteskowym uśmiechu, a oczy błyszczą niczym ciemny kobalt.

– Nareszcie mam cię tylko dla siebie – mówi i powoli oblizuje dolną wargę.

Co takiego?

– No dobrze… będziesz grzeczną dziewczynką i wysłuchasz uważnie tego, co mam do powiedzenia?

ROZDZIAŁ SZESNASTY

Oczy Jacka stają się niemal granatowe. Uśmiecha się szyderczo, pożądliwym spojrzeniem przesuwając po moim ciele. Dopada mnie strach. O co chodzi? Czego on chce? Choć w ustach mam sucho, znajduję w sobie odwagę, aby wypowiedzieć kilka słów, gdyż w mojej głowie niczym mantra powtarza się zdanie z zajęć samoobrony: „Rozmawiaj z nim".

– Jack, to chyba nie jest najlepsza pora. Za dziesięć minut podjedzie twoja taksówka, no i muszę ci przekazać całą dokumentację. – Mówię cicho, ale chrapliwie. Głos mnie zdradza.

Uśmiecha się – to despotyczny uśmiech mówiący „pieprz się", który w końcu dociera do jego oczu. Błyszczą w ostrym świetle wiszącej nad nami jarzeniówki w tym ponurym, pozbawionym okien pomieszczeniu. Stawia krok w moją stronę, nie odrywając wzroku od mojej twarzy. Rozszerzają mu się źrenice – granat zastępowany czernią. O nie. Mój strach przybiera na sile.

– Musiałem się kłócić z Elizabeth, aby dać ci tę pracę… – Stawia jeszcze jeden krok, a ja cofam się i opieram plecami o obskurne szafki. „Rozmawiaj z nim. Rozmawiaj z nim. Rozmawiaj z nim".

– Jack, o co konkretnie ci chodzi? Jeśli chcesz dać wyraz swemu niezadowoleniu, to może powinniśmy zaangażować w to kogoś z kadr. Na przykład razem z Elizabeth podczas bardziej formalnego spotkania.

Gdzie są pracownicy ochrony? Przebywają jeszcze w budynku?

– Nie potrzebujemy nikogo z kadr, żeby sobie z tym poradzić, Ana. – Uśmiecha się drwiąco. – Kiedy cię zatrudniałem, sądziłem, że będziesz ciężko pracować. Sądziłem, że masz potencjał. Ale teraz już nie wiem. Zrobiłaś się roztargniona i niedbała. I tak sobie pomyślałem... czy to twój chłopak ma na ciebie taki zły wpływ? – Słowo „chłopak" wypowiada z lodowatą pogardą. – Postanowiłem sprawdzić twoje konto pocztowe, aby się przekonać, czy mam rację. I wiesz, czego się dowiedziałem, Ano? Wiesz, co okazało się dziwne? Jedyne osobiste mejle, jakie wysyłałaś ze swego konta, były do twojego ważniackiego chłopaka. – Czyni pauzę, badając moją reakcję. – I tak się zacząłem zastanawiać... gdzie są mejle od niego? Nie ma żadnych. Nada. Nic. Więc co się dzieje, Ana? Jak to możliwe, że jego mejli do ciebie nie ma w naszym systemie? Jesteś szpiegiem, wysłanym tutaj przez organizację Greya? Tak właśnie jest?

Rany boskie, mejle. O nie.

– Jack, o czym ty mówisz? – Próbuję udawać zdumienie i chyba mi się udaje. Ta rozmowa nie idzie zgodnie z planem i ani trochę nie ufam temu człowiekowi. Jest zły, wybuchowy i kompletnie nieprzewidywalny. – Przed chwilą powiedziałeś, że musiałeś przekonywać Elizabeth, abyście mnie zatrudnili. Więc jak mogłabym być szpiegiem? Zdecyduj się.

– Ale to Grey spierdolił ten wyjazd do Nowego Jorku, prawda?

Jasna cholera.

– Jak mu się to udało, Ana? Czym zajmuje się twój nadziany chłopak z Ivy League?

Z mojej twarzy odpływa cała krew i chyba zaraz zemdleję.

– Nie wiem, o czym mówisz, Jack – szepczę. – Zaraz
przyjedzie twoja taksówka. Mam iść po twoje rzeczy? –
Och, proszę, daj mi odejść. Skończ z tym.
Jacka wyraźnie cieszy moje zakłopotanie.
– I on uważa, że przystawiałbym się do ciebie? –
Uśmiecha się drwiąco. – Cóż, chcę, żebyś się nad czymś
zastanowiła podczas mojego wyjazdu. Dałem ci tę pracę
i oczekuję od ciebie choć odrobiny wdzięczności. Właściwie mam do niej pełne prawo. Musiałem walczyć o ciebie. Elizabeth chciała kogoś z lepszymi kwalifikacjami,
ale ja… ja zobaczyłem coś w tobie. Musimy więc zawrzeć
umowę. Taką, która przyniesie mi jakieś korzyści. Rozumiesz, o czym mówię, Ana?
Kurwa!
– Jeśli chcesz, uznaj to za doprecyzowanie twoich
obowiązków służbowych. I jeśli będę dzięki tobie zadowolony, nie będę dalej zgłębiał tematu twojego chłopaka ani tego, w jaki sposób pociąga za sznurki, uruchamia
kontakty czy wymusza przysługi od swoich koleżków,
pochlebców z Ivy League.
Opada mi szczęka. On mnie szantażuje. Chce seksu! I co mogę powiedzieć? Przejęcie wydawnictwa przez
Christiana zostanie ujawnione dopiero za trzy tygodnie.
Nie mogę w to uwierzyć. Seks – ze mną!
Jack podchodzi jeszcze bliżej, tak że stoi tuż przede
mną, patrząc mi w oczy. Czuję duszący słodki zapach
jego wody kolońskiej i chyba też alkohol w jego oddechu.
Cholera, on pił… kiedy?
– Jesteś taką sztywną podpuszczalską, wiesz, Ana –
syczy przez zaciśnięte zęby.
Co takiego? Podpuszczalska… Ja?
– Jack, nie mam pojęcia, o czym mówisz – szepczę,
czując w ciele buzowanie adrenaliny. Czekam na odpo-
wiedni moment, aby wykonać swój ruch. Ray będzie ze

mnie dumny. Ray mnie nauczył, co trzeba robić. Ray zna zasady samoobrony. Jeśli Jack mnie dotknie – jeśli choć zbliży się bardzo – znokautuję go. Oddycham płytko. Nie mogę zemdleć, nie mogę zemdleć.

– Spójrz na siebie. – Obrzuca mnie lubieżnym spojrzeniem. – Jesteś taka podniecona, widzę to. Wodzisz mnie na pokuszenie. Tak naprawdę też tego pragniesz. Wiem to.

Ten człowiek cierpi na urojenia. Mój strach osiąga najwyższy stopień, grożąc przejęciem nade mną kontroli.

– Nie, Jack. Nigdy nie wodziłam cię na pokuszenie.

– Ależ tak, ty poduszczalska suko. Potrafię odczytywać sygnały. – Unosi rękę i delikatnie dotyka wierzchem dłoni mego policzka, a potem brody. Palcem wskazującym przesuwa mi po szyi, a mnie serce podchodzi do gardła. Dociera do górnego guzika czarnej koszuli i łapie mnie za pierś. – Pragniesz mnie. Przyznaj to, Ana.

Nie przerywając kontaktu wzrokowego i koncentrując się na tym, co muszę zrobić – a nie na uczuciu odrazy i strachu – delikatnie kładę swoją dłoń na jego dłoni. Uśmiecha się triumfalnie. Chwytam go za mały palec i wykręcam go mocno, ciągnąc do dołu.

– Aaaa! – krzyczy z bólu i zaskoczenia, kiedy zaś traci równowagę, jednym szybkim ruchem kopię go kolanem w krocze. Odsuwam się na bok, a on pada z jękiem na podłogę, trzymając się za krocze.

– Nigdy więcej nie waż się mnie dotykać – warczę. – Plan podróży i broszury leżą spakowane na moim biurku. Ja teraz wychodzę. Miłej podróży. A na przyszłość sam sobie rób tę cholerną kawę.

– Ty pieprzona dziwko! – na pół krzyczy, na pół jęczy, ale ja jestem już za drzwiami.

Pędzę do biurka, chwytam marynarkę i torbę i opuszczam redakcję, ignorując dobiegające z kuchni jęki i wyzwiska. Wypadam z budynku i zatrzymuję się na chwilę, gdy w moją twarz uderza chłodne powietrze. Oddycham głęboko i próbuję wziąć się w garść. Ale przez cały dzień nic nie jadłam i kiedy poziom adrenaliny powoli opada, nogi się pode mną uginają i osuwam się na ziemię.

To, co rozgrywa się potem, przypomina film w zwolnionym tempie: Christian i Taylor, obaj w ciemnych garniturach i białych koszulach, wyskakują ze stojącego na krawężniku samochodu i biegną w moją stronę. Christian pada na kolana, a ja mam w głowie tylko jedną myśl: „On tu jest. Mój kochany tu jest".

– Ana, Ana! Co się stało? – Sadza mnie sobie na kolanach i przesuwa szybko dłońmi po moich ramionach, sprawdzając, czy nic sobie nie uszkodziłam. Ujmuje moją twarz i patrzy mi prosto w oczy. Jego spojrzenie jest pełne troski i strachu. Opieram się o niego, nagle ogarnięta uczuciem ulgi i zmęczenia. Och, ramiona Christiana. Nie chcę być teraz w żadnym innym miejscu.

– Ana. – Potrząsa mną delikatnie. – Co się stało? Jesteś chora?

Kręcę głową, gdy dociera do mnie, że muszę się zacząć komunikować.

– Jack – szepczę i bardziej wyczuwam, niż widzę szybkie spojrzenie, które Christian posyła Taylorowi. A ten szybko wchodzi do budynku.

– Kurwa! – Christian tuli mnie mocno. – Co ten złamas ci zrobił?

I nagle z mojego gardła zaczyna wydobywać się chichot. Przypomina mi się szok na twarzy Jacka, gdy go chwyciłam za palec.

– Raczej co ja zrobiłam jemu. – Chichoczę i nie mogę przestać.

– Ano! – Christian ponownie mną potrząsa i milknę. – Dotknął cię?

– Tylko raz.

Jego mięśnie natychmiast się napinają, gdy dopada go wściekłość. Wstaje szybko – zaskakująco szybko – nie wypuszczając mnie z objęć. Jest wkurzony. Nie!

– Gdzie jest ten skurwiel?

Z budynku dochodzą zduszone krzyki. Christian stawia mnie na chodniku.

– Możesz stać?

Kiwam głową.

– Nie wchodź do środka. Nie rób tego, Christianie. – Nagle wraca strach, strach przed tym, co Christian zrobi Jackowi.

– Wsiadaj do samochodu – warczy do mnie.

– Christian, nie. – Chwytam go za ramię.

– Wsiadaj do tego cholernego samochodu, Ano. – Strząsa moją rękę.

– Nie! Proszę! Zostań. Nie zostawiaj mnie samej. – Uciekam się do małego wybiegu.

Kipiąc z wściekłości, Christian przeczesuje palcami włosy i patrzy na mnie gniewnie. Widać, że walczy ze sobą. Krzyki w budynku stają się głośniejsze, po czym cichną.

O nie. Co Taylor zrobił?

Christian wyjmuje BlackBerry.

– On ma moje mejle.

– Co takiego?

– Moje mejle do ciebie. Chciał wiedzieć, gdzie się podziały twoje mejle do mnie. Próbował mnie szantażować.

Spojrzenie Christiana jest mordercze.

O cholera.

– Kurwa mać! – wyrzuca z siebie i mruży oczy, patrząc na mnie. Wciska w BlackBerry jakiś klawisz.

O nie. Mam kłopoty. Do kogo dzwoni?

– Barney. Tu Grey. Musisz się dostać do głównego serwera SIP i usunąć wszystkie mejle Anastasii Steele do mnie. Następnie wejdź do osobistych plików Jacka Hyde'a i sprawdź, czy nie ma tam tych mejli. Jeśli są, usuń je... Tak, wszystkie. Natychmiast. Daj mi znać, gdy już to zrobisz.

Rozłącza się, po czym wystukuje kolejny numer.

– Roach. Z tej strony Grey. Hyde, chcę się go pozbyć. Teraz. W tej chwili. Zadzwoń do ochrony. Ma natychmiast zabrać swoje rzeczy, inaczej jutro z samego rana zlikwiduję to wydawnictwo. Masz już przecież powód, aby wręczyć mu wymówienie. Rozumiesz? – Słucha przez chwilę, po czym rozłącza się, wyraźnie zadowolony. – BlackBerry – syczy do mnie przez zaciśnięte zęby.

– Proszę, nie złość się na mnie.

– W tej chwili jestem na ciebie taki zły – warczy i raz jeszcze przeczesuje palcami włosy. – Wsiadam do auta.

– Christian, proszę...

– Wsiadaj do tego pieprzonego auta, Anastasio, inaczej sam cię tam wsadzę – grozi, a oczy płoną mu wściekle.

– Nie rób niczego głupiego, błagam cię.

– GŁUPIEGO! – wybucha. – Mówiłem ci, żebyś, kurwa, korzystała z BlackBerry. Więc nie mów mi o głupim zachowaniu. Wsiadaj do tego pierdolonego samochodu, Anastasia, NATYCHMIAST! – warczy, a mnie oblatuje strach. To jest Bardzo Zły Christian. Jeszcze go nie widziałam tak wściekłego. Ledwie nad sobą panuje.

– Dobrze – burczę ugodowo. – Ale proszę, bądź ostrożny.

Zaciskając usta w cienką linię, pokazuje gniewnie na samochód.

Jezu, rozumiem przecież.

– Bądź ostrożny. Nie chcę, by coś ci się stało. To by mnie zabiło – mówię cicho. Mruga szybko powiekami i nieruchomieje, po czym bierze głęboki oddech.

– Będę. – Wzrok mu łagodnieje.

Och, dzięki Bogu. Wwierca we mnie swoje spojrzenie, gdy idę do samochodu, otwieram drzwi od strony
pasażera i wsiadam. Dopiero wtedy znika w budynku,
a mnie serce podchodzi do gardła. Co on zamierza zrobić?
Siedzę i czekam. I czekam. Pięć minut, które zdają
się trwać całą wieczność. Przed audi zajeżdża taksówka
Jacka. Dziesięć minut. Piętnaście. Jezu, co oni tam robią,
no i co z Taylorem? To czekanie jest prawdziwą męką.

Dwadzieścia minut później z budynku wyłania się
Jack, piastujący w objęciach kartonowe pudło. Za nim
idzie ochroniarz. Gdzie był wcześniej? Za nimi wychodzą Christian i Taylor. Jack wygląda okropnie. Kieruje się
prosto do taksówki, a ja się cieszę, że audi ma przyciem-
niane szyby i że mnie dzięki temu nie widać. Taksówka odjeżdża – zapewne nie na lotnisko – gdy Christian
i Taylor docierają do audi.

Christian otwiera drzwi od strony kierowcy i wsiada,
pewnie dlatego, że ja siedzę z przodu, Taylor zaś siada za
mną. Żaden z nich nie odzywa się ani słowem, gdy Christian uruchamia silnik i odbija od krawężnika. Zerkam na
niego ukradkiem. Usta ma zaciśnięte, ale sprawia wrażenie
nieobecnego duchem. Dzwoni telefon w samochodzie.

– Grey – warczy Christian.

– Panie Grey, z tej strony Barney.

– Barney, używam zestawu głośnomówiącego,
a w aucie znajdują się inne osoby.

– Wszystko załatwione, proszę pana. Ale muszę porozmawiać z panem o tym, co jeszcze znalazłem w komputerze pana Hyde'a.

– Zadzwonię do ciebie, kiedy dojadę na miejsce.
I dziękuję, Barney.

– Nie ma sprawy, panie Grey.

Barney rozłącza się. Sądząc po głosie, jest znacznie
młodszy, niż się spodziewałam.

Co jeszcze jest w komputerze Jacka?

– Odzywasz się do mnie? – pytam cicho.

Christian zerka na mnie, po czym patrzy znowu przed siebie i widzę, że nadal jest wściekły.

– Nie – mamrocze chmurnie.

Och, a więc to tak... jakie to dziecinne. Niewidzącym wzrokiem patrzę na drogę. Może powinnam go prosić, aby podrzucił mnie do mojego mieszkania; tym sposobem mógłby „nie odzywać się" do mnie i oszczędzić nam obojgu nieuchronnej kłótni. Wiem jednak, że nie chcę zostawiać go dzisiaj samego, nie po tym, co stało się wczoraj.

W końcu podjeżdżamy pod Escalę i Christian wysiada. Przechodzi na moją stronę i otwiera mi drzwi.

– Chodź – mówi do mnie, gdy tymczasem Taylor siada za kierownicą. Ujmuję jego dłoń i idę za nim do windy.

– Christianie, dlaczego jesteś na mnie taki zły? – szepczę, gdy czekamy.

– Wiesz dlaczego – burczy. Wchodzimy do windy i wciska kod swego piętra. – Boże, gdyby coś ci się stało, on by już teraz nie żył. – Ton głosu Christiana mrozi mi krew w żyłach. Drzwi zamykają się. – Zniszczę mu karierę, żeby ta żałosna imitacja mężczyzny nie mogła już więcej wykorzystywać młodych kobiet. – Kręci głową. – Jezus, Ana! – Chwyta mnie nagle i przyciska do ściany w rogu windy.

Jego palce wczepiają się w moje włosy, gdy unosi mi głowę, a chwilę później jego usta opadają na moje i całuje mnie z desperacją. Nie wiem czemu, ale zaskakuje mnie tym. Czuję jego ulgę, jego pragnienie i resztki gniewu, gdy jego język bierze w posiadanie moje usta. Przerywa pocałunek i patrzy na mnie, opierając się o mnie tak, że nie jestem w stanie się ruszyć. Brak mi tchu. Wpatruję się w tę piękną twarz naznaczoną determinacją i pozbawioną choćby śladu wesołości.

– Gdyby coś ci się stało... Gdyby cię skrzywdził... – Czuję, jak jego ciało przebiega dreszcz. – BlackBerry – nakazuje cicho. – Od teraz. Zrozumiano?

Kiwam głową i przełykam ślinę, nie będąc w stanie oderwać wzroku od jego ponurego, urzekającego spojrzenia.

Christian prostuje się, tym samym mnie uwalniając, a winda się zatrzymuje.

– Mówił, że kopnęłaś go w jaja. – W głosie Christiana pobrzmiewa nutka podziwu i już wiem, że mi się upiekło.

– Tak – szepczę, dochodząc jeszcze do siebie po intensywności jego pocałunku.

– To dobrze.

– Ray to były wojskowy. Dobrze mnie wyszkolił.

– Bardzo mnie to cieszy. – Po czym dodaje, unosząc brwi: – Będę musiał o tym pamiętać. – Bierze mnie za rękę i wyprowadza z windy. Oddycham z ulgą. Najgorsze chyba minęło. – Muszę zadzwonić do Barneya. To nie potrwa długo.

Znika w gabinecie, pozostawiając mnie w wielkim salonie. Pani Jones kończy właśnie szykować obiad. Muszę się czymś zająć.

– Mogę pomóc? – pytam.

Śmieje się.

– Nie, Ano. Napijesz się czegoś? Wyglądasz na wykończoną.

– Poproszę kieliszek wina.

– Białego?

– Chętnie.

Przysiadam na krześle barowym, a ona wręcza mi kieliszek schłodzonego trunku. Nie wiem, co to za wino, ale

jest pyszne i od razu koi moje zszargane nerwy. O czym
to ja dzisiaj myślałam? O tym, że od poznania Christiana
żyję pełnią życia. I jak bardzo to życie jest ekscytujące.
Jezu, czy chociaż kilka dni nie mogłoby być nudnych?

A gdybym w ogóle nie poznała Christiana? Siedzia-
łabym teraz w swoim mieszkaniu, opowiadała wszystko Ethanowi, wytrącona z równowagi tym incydentem
z Jackiem, wiedząc, że w piątek znowu będę musiała spotkać się z tą kanalią. A tak wygląda na to, że już nigdy
nie będę musiała go oglądać. Tylko dla kogo będę teraz
pracować? Marszczę brwi. O tym nie pomyślałam. Kurde,
czy ja w ogóle mam jeszcze pracę?

– Dobry wieczór, Gail – mówi Christian, wchodząc
do salonu. Podchodzi do lodówki i nalewa sobie kieliszek
wina.

– Dobry wieczór, panie Grey. Kolacja za dziesięć
minut?

– Oczywiście.

Christian unosi kieliszek.

– Za byłych wojskowych, którzy świetnie szkolą
swoje córki – mówi i spojrzenie mu łagodnieje.

– Na zdrowie – mruczę, unosząc kieliszek.

– Co się stało?

– Nie wiem, czy nadal mam pracę.

Przechyla głowę.

– A chcesz mieć?

– Oczywiście.

– No to masz.

Proste. Widzicie? To pan mojego wszechświata.
Przewracam oczami, a on uśmiecha się do mnie.

PANI JONES ROBI świetnego kurczaka z jarzynami w cie-
ście. Zostawiła nas, abyśmy mogli się raczyć owocami jej
pracy, a ja czuję się znacznie lepiej, gdy w końcu coś wrzu-

cam na ruszt. Siedzimy przy barze śniadaniowym i choć próbuję go podejść na wszystkie sposoby, Christian nie chce mi zdradzić, co Barney znalazł w komputerze Jacka. W końcu porzucam ten temat i postanawiam zamiast tego poruszyć drażliwą kwestię zbliżającej się wizyty José.

– Dzwonił José – mówię nonszalancko.

– Och? – Christian odwraca się w moją stronę.

– Chce dostarczyć ci w piątek zdjęcia.

– Osobista dostawa. Jakież to z jego strony uczynne – mruczy.

– Chce gdzieś wyjść. Na drinka. Ze mną.

– Rozumiem.

– A Kate i Elliot powinni już wrócić do tego czasu – dodaję szybko.

Christian odkłada widelec i mierzy mnie bacznym spojrzeniem.

– O co konkretnie mnie prosisz?

Cała się zjeżam.

– Ja cię o nic nie proszę. Informuję cię o swoich planach na piątek. Słuchaj, chcę spotkać się z José, a on chce zostać na noc. Albo przenocuje tutaj, albo w moim mieszkaniu, ale to drugie oznacza, że ja także powinnam tam być.

Oczy Christiana robią się wielkie. Wygląda na osłupiałego.

– On się do ciebie przystawiał.

– Christian, to było kilka tygodni temu. On był pijany, ja byłam pijana, ty uratowałeś sytuację, to się więcej nie powtórzy. To nie jest Jack, na litość boską.

– Ethan tam jest. On może mu dotrzymać towarzystwa.

– José chce się spotkać ze mną, nie z Ethanem.

Posyła mi gniewne spojrzenie.

– To tylko przyjaciel.

– Nie podoba mi się to.

No i co z tego? Jezu, ależ on bywa irytujący. Biorę głęboki oddech.

– To mój przyjaciel, Christianie. Nie widziałam się z nim od wystawy. A i wtedy bardzo krótko ze sobą rozmawialiśmy. Wiem, że ty nie masz przyjaciół, nie licząc tej paskudnej kobiety, ale ja nie suszę ci głowy o to, że się z nią widujesz – warczę. Zaszokowany Christian mruga powiekami. – Chcę się z nim spotkać. Ostatnimi czasy fatalna jest ze mnie przyjaciółka. – Moja podświadomość jest niespokojna. „Czy ty tupiesz nogą? Natychmiast przestań!"

Szare oczy patrzą na mnie uważnie.

– Czy tak właśnie myślisz? – pyta cicho.

– Myślę o czym?

– O Elenie. Wolałabyś, żebym się z nią nie spotykał?

– Oczywiście. Wolałabym, żebyś się z nią nie spotykał.

– Czemu mi tego nie powiedziałaś?

– Bo nie mam takiego prawa. Twierdzisz, że to tylko twoja przyjaciółka. – Rozdrażniona wzruszam ramionami. On naprawdę tego nie rozumie. Jak to się stało, że rozmowa zeszła na jej temat? Nawet myśleć o niej nie chcę. Próbuję wrócić do kwestii José. – Tak samo ty nie masz prawa mówić mi, czy mam się spotykać z José, czy nie. Nie rozumiesz tego?

Christian patrzy na mnie skonsternowany.

– Może przenocować tutaj – mruczy. – Będę go miał na oku. – Wydaje się nadąsany.

Alleluja!

– Dziękuję ci! No wiesz, skoro ja też mam tu mieszkać… – urywam. Christian kiwa głową. Wie, co mu próbuję powiedzieć. – Nie w tym przecież rzecz, że brak ci wolnych pokoi. – Uśmiecham się drwiąco.

Kąciki jego ust unoszą się powoli.

– Czy pani sobie ze mnie drwi, panno Steele?

– Zdecydowanie, panie Grey.

Wstaję na wypadek, gdy miała go zaświerzbić ręka, zabieram nasze talerze i wkładam je do zmywarki.

– Gail to zrobi.

– Już posprzątane. – Patrzę na niego. Przygląda mi się bacznie.

– Trochę muszę teraz popracować – mówi przepraszająco.

– W porządku. Znajdę sobie jakieś zajęcie.

– Chodź tutaj. – Głos ma miękki i uwodzicielski, spojrzenie gorące. Bez chwili wahania robię, co mi każe i zarzucam mu ramiona na szyję. Obejmuje mnie mocno.

– Dobrze się czujesz? – szepcze mi we włosy.

– Jak to?

– Po tym, co ci zrobił tamten kutas? Po tym, co się wydarzyło wczoraj? – dodaje cicho, z powagą.

Patrzę w jego ciemne, poważne oczy. Czy dobrze się czuję?

– Tak – szepczę.

Jeszcze mocniej tuli mnie do siebie, a ja czuję się bezpieczna i kochana. Błogie uczucie. Zamykam oczy i delektuję się tym, że znajduję się w jego ramionach. Kocham tego mężczyznę. Kocham jego odurzający zapach, jego siłę, jego zmienność.

– Nie kłóćmy się – mruczy. Całuje moje włosy i oddycha głęboko. – Pachniesz jak zawsze bosko, Ana.

– Ty także – szepczę i całuję go w szyję.

Niestety w końcu mnie puszcza.

– Nie powinno mi to zająć więcej niż dwie godziny.

PRZECHADZAM SIĘ BEZ celu po apartamencie. Christian jeszcze pracuje. Wzięłam prysznic, włożyłam spodnie od dresu i własny T-shirt i nudzi mi się. Nie mam dziś ochoty czytać. Jeśli siedzę w bezruchu, przypomina mi się Jack i jego dotyk.

Zaglądam do mojej dawnej sypialni, pokoju uległych. José może tu spać – spodoba mu się widok. Jest
kwadrans po ósmej i słońce już się chowa za linią horyzontu. Światła miasta migają pode mną. Tak, José się tu
spodoba. Ciekawe, gdzie Christian powiesi jego fotografie. Wolałabym, żeby nie wieszał ich nigdzie. Nie bardzo
lubię na siebie patrzeć.

Chwilę później przyłapuję się na tym, że stoję przed
drzwiami pokoju zabaw. Nie zastanawiając się nad tym,
co robię, przekręcam gałkę. Christian zazwyczaj zamyka
ten pokój, ale teraz, o dziwo, drzwi się otwierają. Czując
się jak dziecko, które poszło na wagary do zakazanego
lasu, wchodzę do środka. Ciemno. Włączam przycisk
i pokój natychmiast spowija łagodna poświata. Takim go
właśnie zapamiętam. Pomieszczenie jak matczyne łono.

W mojej głowie pojawiają się wspomnienia ostatniego razu, gdy tu byłam. Pas… Krzywię się. Teraz razem z innymi wisi niewinnie na wieszaku przy drzwiach.
Z wahaniem przebiegam palcami po pasach, pejczach,
rózgach i szpicrutach. O tym właśnie muszę porozmawiać z doktorem Flynnem. Czy ktoś o takich upodobaniach może po prostu dać sobie z nimi spokój? To się wydaje mało prawdopodobne. Podchodzę powoli do łóżka
i siadam na czerwonej satynowej pościeli, rozglądając się.

Obok mnie stoi ława, nad nią różnego rodzaju laski.
Aż tyle? Nie wystarczy jedna? Cóż, im mniej wiem w tej
kwestii, tym lepiej. I duży stół. Nigdy tego nie próbowa-
liśmy, to znaczy tego, co Christian ma w zwyczaju z nim
robić. Mój wzrok pada na kanapę i siadam na niej. To normalna kanapa, nic w niej nadzwyczajnego, a przynajmniej
ja tego nie dostrzegam. Oglądam się i dostrzegam muze-
alną komodę. Moja ciekawość rośnie. Co on tam trzyma?

Gdy otwieram górną szufladę, czuję, jak mocno wali
mi serce. Czemu się tak denerwuję? Czuję się, jakbym ro-

biła coś zakazanego, jakbym wtargnęła na czyjś teren, co oczywiście czynię. Ale skoro chce się ze mną ożenić, cóż...

O w mordę jeża, a co to takiego? W szufladzie leżą poukładane różnego rodzaju urządzenia i dziwaczne przedmioty. Nie mam pojęcia, czym są ani do czego służą. Biorę do ręki jeden z nich. Ma kształt pocisku z taką jakby rączką. Hmm... co, u licha, się z tym robi? Chociaż chyba coś mi przychodzi do głowy. Są w czterech rozmiarach! Robi mi się gorąco i podnoszę wzrok.

W drzwiach stoi Christian, przyglądając mi się. Wyraz twarzy ma nieodgadniony. Od jak dawna tu jest? Czuję się, jakby mnie przyłapał z ręką w słoju z ciasteczkami.

– Cześć. – Uśmiecham się nerwowo i wiem, że jestem blada jak ściana.

– Co robisz? – pyta łagodnie, ale w jego głosie kryje się coś jeszcze.

O cholera. Jest zły? Oblewam się rumieńcem.

– Eee... nudziło mi się i byłam ciekawa – mamroczę, zażenowana tym, że mnie tu zastał. Mówił, że zejdzie mu ze dwie godziny.

– To bardzo niebezpieczne połączenie. – W zamyśleniu przesuwa palcem wskazującym po dolnej wardze, nie odrywając ode mnie wzroku.

Przełykam ślinę.

Powoli wchodzi do pokoju i cicho zamyka za sobą drzwi. Oczy ma pełne szarego ognia. O rety. Opiera się swobodnie o komodę, ale według mnie pozory mylą. Moja wewnętrzna bogini nie wie, czy mam się bać, czy wręcz przeciwnie.

– A więc co konkretnie panią ciekawi, panno Steele? Niewykluczone, że zdołałbym zaspokoić tę ciekawość.

– Drzwi były otwarte... Ja... – Wpatruję się w Christiana, wstrzymując oddech, jak zawsze niepewna jego reakcji ani tego, co powinnam powiedzieć. Oczy ma pociemniałe. Wydaje mi się, że jest rozbawiony, ale trudno stwierdzić. Opiera łokcie o komodę, a brodę na splecionych dłoniach.

– Byłem tu dzisiaj, zastanawiając się, co z tym wszystkim zrobić. Widocznie zapomniałem zamknąć drzwi na klucz. – Marszczy brwi, jakby pozostawienie otwartych drzwi stanowiło jakieś straszne przewinienie.

– Och?

– Ale teraz ty tu jesteś, ciekawska jak zawsze.

– Nie gniewasz się? – szepczę niemal bez tchu.

Przechyla głowę i uśmiecha się lekko.

– Czemu miałbym się gniewać?

– Czuję się, jakbym wtargnęła na czyjś teren... a ty zawsze się na mnie gniewasz.

Christian ponownie marszczy brwi.

– Owszem, jesteś na moim terenie, ale nie gniewam się. Mam nadzieję, że pewnego dnia zamieszkasz tu ze mną, a to wszystko – pokazuje jedną ręką na pokój – będzie także twoje.

Mój pokój zabaw...?

– Dlatego właśnie przyszedłem tu dzisiaj. Próbowałem zdecydować, co zrobić. – Stuka się palcem wskazującym w usta. – Czy naprawdę przez cały czas gniewam się na ciebie? Rano tak nie było.

Och, to prawda. Uśmiecham się na to wspomnienie, które odwraca moją uwagę od tego, co stanie się z pokojem zabaw. Dziś rano Christian był taki radosny i żartobliwy.

– Byłeś wesoły. Lubię wesołego Christiana.

– Czyżby? – Unosi brew, jego piękne usta układają się w uśmiech, nieśmiały uśmiech. *Wow*!

– Co to takiego? – podnoszę to srebrne coś w kształcie pocisku.

– Panna Steele, jak zawsze spragniona informacji. To zatyczka analna – mówi łagodnie.

– Och...

– Kupiona dla ciebie.

Że niby co?

– Dla mnie?

Kiwa powoli głową. Minę ma teraz poważną i czujną. Marszczę brwi.

– Kupujesz nowe... eee... zabawki... dla każdej uległej?

– Niektóre. Tak.

– Zatyczki analne?

– Tak.

Okej... Przełykam ślinę. Zatyczka analna. To twardy metal – na pewno jest niewygodna? Pamiętam naszą rozmowę o zabawkach erotycznych i granicach bezwzględnych. Wtedy powiedziałam chyba, że spróbuję. Teraz, kiedy to rzeczywiście widzę, nie wiem, czy mam ochotę próbować. Jeszcze raz oglądam zatyczkę i odkładam ją do szuflady.

– A to? – Wyjmuję długi, czarny, gumowy przedmiot wykonany ze stopniowo się zmniejszających, złączonych ze sobą kulek. W sumie jest ich osiem.

– Kulki analne – odpowiada Christian, przyglądając mi się uważnie.

Och! Oglądam je z fascynacją i przerażeniem. Wszystkie te kulki, we mnie... tam! Nie miałam pojęcia.

– Potrafią zdziałać cuda, jeśli wyciągnie się je w trakcie orgazmu – dodaje rzeczowo.

– To dla mnie? – pytam szeptem.

– Dla ciebie. – Kiwa powoli głową.

– To szuflada tyłkowa.

– Można tak powiedzieć. – Uśmiecha się z lekką wyższością.

Zamykam ją szybko, czując, że robię się czerwona jak burak.

– Nie podoba ci się szuflada tyłkowa? – pyta niewinnie, wyraźnie rozbawiony. Wzruszam ramionami, próbując ukryć szok.

– Jej zawartość nie zajmuje pierwszego miejsca w liście do Mikołaja – odpowiadam nonszalancko. Otwieram niepewnie drugą szufladę.

– W drugiej szufladzie znajdziesz całe mnóstwo wibratorów.

Zamykam ją szybko.

– A w następnej? – szepczę, tym razem blada z zażenowania.

– Coś bardziej interesującego.

Och! Z wahaniem wysuwam szufladę, nie odrywając wzroku od jego pięknej, zadowolonej z siebie twarzy. Leży w niej cała kolekcja metalowych różności i klamerek. Klamerki! Biorę do ręki coś metalowego, co wygląda jak klipsy.

– Klamerka na genitalia – wyjaśnia Christian. Wstaje i podchodzi do mnie. Odkładam to natychmiast i wybieram coś bardziej delikatnego: dwa małe klipsy na łańcuszku. – Niektóre mają sprawiać ból, ale większość jest dla przyjemności – mówi cicho.

– Co to takiego?

– Klamerki na sutki. Tu akurat do jednego i drugiego.

– Do obu? Sutków?

Christian uśmiecha się znacząco.

– Cóż, to są dwie klamerki, skarbie. Tak, na oba sutki, ale nie to miałem na myśli. Sprawiają zarówno przyjemność, jak i ból.

Och. Wyjmuje mi je z ręki.

– Wysuń mały palec.

Robię, co mi każe, a on przytwierdza do niego jedną klamerkę. Zacisk nie jest jakoś szczególnie mocny.

– Doznanie jest mocno intensywne, ale największy ból i przyjemność odczuwa się podczas ich zdejmowania.

Zdejmuję klamerkę. Hmm, to mogłoby być fajne.

– Nawet mi się podobają – mruczę, a Christian uśmiecha się.

– Naprawdę, panno Steele? Chyba to widać.

Kiwam nieśmiało głową i odkładam klamerki do szuflady. Christian bierze do ręki dwie inne.

– Te są regulowane. – Podaje mi je, żebym się mogła przyjrzeć.

– Regulowane?

– Można zaciskać je mocno… albo nie. Zależnie od nastroju.

Jak on to robi, że jego słowa wydają się tak bardzo erotyczne? Przełykam ślinę i chcąc odwrócić jego uwagę, wyjmuję narzędzie, które wygląda jak kolczasta foremka do ciasteczek.

– To? – Marszczę brwi. Ciasteczek to się w tym pokoju z pewnością nie piecze.

– To kółko Wartenberga.

– Po co?

Bierze je ode mnie.

– Podaj mi dłoń.

Unoszę lewą dłoń, a on ujmuje ją delikatnie, przesuwając kciukiem po knykciach. Przebiega mnie dreszcz. Jego skóra na mojej, zawsze mnie to podnieca. Przesuwa kółkiem po mojej dłoni.

– Ał! – Ząbki wbijają się w moją skórę. Ale trudno to nazwać bólem, właściwie czuję łaskotanie.

– Wyobraź to sobie na piersiach – mruczy zmysłowo Christian.

Och! Oblewam się rumieńcem i zabieram dłoń. Oddech i bicie serca mam przyspieszone.

– Jest cienka granica między przyjemnością a bólem, Anastasio – mówi miękko, odkładając kółko do szuflady.

– Klamerki? – szepczę.

– Sporo można zrobić przy użyciu klamerki. – Oczy mu płoną.

Opieram się o szufladę, zamykając ją.

– To wszystko? – Christian wygląda na rozbawionego.

– Nie… – Otwieram czwartą szufladę i moim oczom ukazują się skóra i paski. Pociągam za jeden z pasków… jest przytwierdzony do piłki.

– Knebel. Aby cię uciszyć – wyjaśnia.

– Granica względna – mówię cicho.

– Pamiętam. Ale da się z tym oddychać. Zęby zaciska się na piłce. – Bierze ją ode mnie.

– Sam też ich używałeś? – pytam.

Nieruchomieje.

– Tak.

– Aby nie słychać było twoich krzyków?

Zamyka oczy, chyba z irytacją.

– Nie, nie o to w tym chodzi.

Och?

– Chodzi o kontrolę, Anastasio. Jak bardzo byś się czuła bezradna, gdybyś była związana i nie mogła mówić? Jakim zaufaniem musiałabyś mnie darzyć, wiedząc, że mam nad tobą taką władzę? Że zamiast twoich słów muszę słuchać twego ciała i twoich reakcji? Dzięki temu jesteś ode mnie uzależniona, a ja mam nad tobą kontrolę.

Przełykam ślinę.

– Mówisz to tak, jakby ci tego brakowało.

– To coś, na czym się znam – burczy. Oczy ma wielkie i poważne, a atmosfera między nami uległa zmianie, jakbyśmy siedzieli w konfesjonale.

– Masz nade mną władzę. Wiesz o tym – szepczę.

– Naprawdę? Przez ciebie czuję się… bezradny.

– Nie! – Och, mój Szary… – Dlaczego?

– Ponieważ jesteś jedyną mi znaną osobą, która jest w stanie naprawdę mnie zranić. – Unosi rękę i odgarnia mi za ucho kosmyk włosów.

– Och, Christianie… to działa w obie strony. Gdybyś mnie chciał… – Wzdrygam się, wbijając wzrok w splecione palce. W tym właśnie się kryje mój lęk. Czy gdyby nie był taki… poraniony, pragnąłby mnie? Kręcę głową. Muszę się starać tak nie myśleć. – Ostatnie, czego bym chciała, to cię zranić. Kocham cię – mówię cicho i dotykam palcami jego policzków.

Wtula twarz w moje dłonie, wrzuca knebel do szuflady i obejmuje mnie w talii. Przyciąga mnie do siebie.

– Skończyliśmy już tę prezentację? – pyta uwodzicielsko. Jego dłoń przesuwa się po moich plecach, docierając aż do karku.

– A dlaczego? Co chciałeś robić?

Całuje mnie delikatnie, ja zaś cała się topię w jego ramionach.

– Ana, prawie cię dzisiaj zaatakowano. – Głos ma łagodny, lecz czai się w nim nieufność.

– No i? – pytam, delektując się dotykiem jego dłoni i jego bliskością.

Patrzy na mnie gniewnie.

– Co masz na myśli przez to „no i"?

– Christianie, nic mi nie jest.

Jeszcze mocniej mnie obejmuje.

– Kiedy pomyślę, co mogło się stać… – wyrzuca z siebie, chowając twarz w moich włosach.

– Kiedy dotrze do ciebie, że jestem silniejsza, niż by się mogło wydawać? – szepczę mu uspokajająco w szyję, wdychając jego nieziemski zapach. Nie ma nic lepszego na tym świecie niż przebywanie w ramionach Christiana.

– Wiem, że jesteś silna – mówi cicho. Całuje moje włosy, a potem, ku memu rozczarowaniu, puszcza mnie. Och?

Schylam się i z otwartej szuflady wyjmuję następny przedmiot. Kilka kajdanek przytwierdzonych do deski.

– To – mówi Christian, a oczy mu ciemnieją – jest rozpórka z ogranicznikami do kostek i nadgarstków.

– Jak to działa? – pytam, autentycznie zaintrygowana.

– Mam ci pokazać? – pyta zaskoczony, zamykając na chwilę oczy.

– Tak, poproszę o prezentację. Lubię być związywana – szepczę, a moja wewnętrzna bogini wykonuje skok o tyczce i ląduje na swoim szezlongu.

– Och, Ana – mówi chicho. Nagle wygląda, jakby odczuwał ogromny ból.

– Co takiego?

– Nie tutaj.

– To znaczy?

– Chcę cię w swoim łóżku, nie tutaj. Chodź. – Bierze rozpórkę, drugą ręką chwyta moją dłoń i wyprowadza mnie szybko z pokoju.

Czemu stąd wychodzimy? Oglądam się.

– Czemu nie tam?

Christian zatrzymuje się na schodach i podnosi na mnie wzrok. Minę ma poważną.

– Ano, może i jesteś gotowa na to, aby tam wrócić, ale ja nie. Kiedy byliśmy tam po raz ostatni, odeszłaś ode mnie. Kiedy to w końcu do ciebie dotrze? – Marszczy brwi i puszcza mnie, gestykulując wolną ręką. – Cały mój światopogląd radykalnie się wtedy zmienił. Mówiłem ci to. Nie mówiłem ci za to... – Urywa i przeczesuje palcami włosy, szukając odpowiednich słów. – Jestem jak leczący się alkoholik, okej? To jedyne porównanie, jakie przychodzi mi do głowy. Przymus zniknął, ale nie chcę wystawiać się na pokusę. Nie chcę zrobić ci krzywdy.

Wygląda na tak skruszonego, że w tej samej chwili przeszywa mnie ostry, dręczący ból. Co ja zrobiłam temu mężczyźnie? Poprawiłam jego życie? Był szczęśliwy, zanim mnie poznał, prawda?

– Nie mogę znieść myśli o zrobieniu ci krzywdy, ponieważ cię kocham – dodaje, wpatrując się we mnie. W jego spojrzeniu jest sto procent szczerości, jak u małego chłopca, wygłaszającego bardzo prostą prawdę. Uwielbiam go najbardziej na świecie. Naprawdę kocham go bezwarunkowo.

Rzucam się na niego tak szybko, że upuszcza na ziemię to, co trzyma, aby mnie złapać. Ujmuję w dłonie jego twarz i przyciągam jego usta do swoich, rozkoszując się jego zaskoczeniem, gdy wciskam mu język do ust. Stoję jeden stopień nad nim – znajdujemy się na tym samym poziomie i czuję euforyczny przypływ siły. Całuję go namiętnie, palce wplatam mu we włosy, pragnę go dotknąć, wszędzie, ale się powstrzymuję, znając jego strach. Ale i tak w mym ciele budzi się pożądanie, gorące i duszne. Christian jęczy i chwyta mnie za ramiona, odpychając od siebie.

– Chcesz, żebym cię zerżnął na schodach? – wyrzuca z siebie. Oddech ma urywany. – Bo jeszcze chwila, a tak właśnie zrobię.

– Tak – mruczę i jestem pewna, że moje spojrzenie jest równie mroczne jak jego.

– Nie, chcę cię w swoim łóżku. – Przerzuca mnie sobie przez ramię, a ja piszczę głośno. Klepie mnie mocno w pupę, więc piszczę raz jeszcze. Gdy schodzi po schodach, schyla się, aby podnieść upuszczoną rozpórkę.

Kiedy przechodzimy przez korytarz, z pomieszczenia gospodarczego wychodzi akurat pani Jones. Uśmiecha się do nas, a ja macham jej przepraszająco ręką. Christian chyba jej nawet nie zauważył.

W sypialni stawia mnie i rzuca rozpórkę na łóżko.

– Nie uważam, abyś zrobił mi krzywdę – mówię bez tchu.

– Ja też tak nie uważam. – Ujmuje moją twarz w dłonie i całuje mnie, długo i mocno, na nowo wzniecając we mnie ogień pożądania. – Tak bardzo cię pragnę – szepcze zdyszany. – Jesteś tego pewna, po dzisiejszym dniu?

– Tak. Ja także cię pragnę. Chcę cię rozebrać. – Nie mogę się doczekać, kiedy go dotknę.

Jego oczy stają się wielkie i przez sekundę chyba się waha.

– Dobrze – mówi ostrożnie.

Sięgam do drugiego guzika przy jego koszuli i słyszę, jak łapie głośno oddech.

– Nie dotknę cię, jeśli nie będziesz tego chciał – szepczę.

– Nie – odpowiada szybko. – Zrób to. Wszystko w porządku.

Delikatnie odpinam guzik i przechodzę do następnego. Oczy Christiana są wielkie i błyszczące, usta uchylone, oddech płytki. Jest taki piękny, nawet gdy się boi... dlatego, że się boi. Rozpinam trzeci guzik i moim oczom ukazują się pierwsze włoski na jego piersi.

– Chcę cię tam pocałować – mówię cicho.

– Pocałować?

– Tak.

Oddycha szybko, gdy rozpinam kolejny guzik i bardzo powoli nachylam się, nie kryjąc swoich zamiarów. Wstrzymuje oddech, ale stoi bez ruchu, gdy składam delikatny pocałunek pośród miękkich, odsłoniętych włosków. Rozpinam ostatni guzik i podnoszę głowę. Christian wpatruje się we mnie i na jego twarzy widnieje wyraz satysfakcji, spokoju... i zaskoczenia.

– Jest już łatwiej, prawda? – pytam go szeptem.

Kiwa głową, a ja powoli zsuwam koszulę z jego ramion i pozwalam jej upaść na podłogę.

– Co ty mi robisz, Ano? – mruczy. – Ale cokolwiek to jest, nie przestawaj.

Po tych słowach bierze mnie w ramiona i pociągając za włosy, odchyla mi głowę tak, aby mieć swobodny dostęp do szyi. Przesuwa ustami po mojej brodzie, kąsając delikatnie. Jęczę. Och, tak bardzo pragnę tego mężczyzny. Moje palce biegną ku paskowi spodni, rozpinają guzik i pociągają za suwak.

– Och, maleńka – wyrzuca z siebie i całuje mnie za uchem. Czuję jego wzwód, twardy i duży, napierający na mnie. Pragnę poczuć go w ustach. Odsuwam się i padam na kolana.

Pociągam mocno za spodnie i bokserki, aż jego męskość wyskakuje na wolność. Nim Christian zdąży mnie powstrzymać, biorę go do ust i ssę mocno, rozkoszując się jego zaszokowanym zdumieniem. Patrzy na mnie, obserwując mój każdy ruch, a oczy ma niemal czarne. O rety. Ssę jeszcze mocniej. Zamyka oczy i oddaje się tej błogiej, zmysłowej przyjemności. Wiem, co mu robię, i jest to hedonistyczne, wyzwoleńcze i seksowne jak diabli. Mam nad nim pełną władzę.

– Kurwa – syczy i delikatnie przytrzymuje mi głowę, wysuwając biodra do przodu, tak że mam go w ustach jeszcze głębiej. O tak, pragnę tego i mój język wiruje wokół niego, raz za razem…

– Ana. – Próbuje się cofnąć.

O nie, nie tak szybko, panie Grey. Mam na pana ochotę. Trzymam go mocno za biodra, podwajając wysiłki, i czuję, że jest blisko.

– Proszę – dyszy. – Zaraz dojdę, Ana – jęczy.

Świetnie. Moja wewnętrzna bogini odrzuca w ekstazie głowę, a Christian dochodzi, głośno i mokro, prosto w moje usta.

Otwiera szare oczy, a ja uśmiecham się do niego, oblizując wargi. Odpowiada mi szelmowskim, zmysłowym uśmiechem.

– Och, a więc tak się pani bawi, panno Steele? – Pochyla się, bierze mnie pod pachy i podciąga. Nagle jego usta znajdują się na moich. Jęczy. – Czuję siebie. Ty smakujesz lepiej – mruczy mi do ust. Ściąga ze mnie T-shirt i rzuca go na podłogę, następnie bierze mnie na ręce i kładzie na łóżku. Chwyta za skraj spodni i pociąga tak mocno, że w jednej chwili jestem naga. Leżąca na jego łóżku. Czekająca. Spragniona. Powoli pozbywa się reszty ubrań, nie odrywając ode mnie wzroku.

– Piękna z ciebie kobieta, Anastasio – stwierdza z uznaniem.

Hmm… Kokieteryjnie przechylam głowę i uśmiecham się promiennie.

– A z ciebie piękny mężczyzna, Christianie, i fantastycznie smakujesz.

Uśmiecha się wesoło i sięga po rozpórkę. Chwyta mnie za prawą kostkę, szybko ją na niej przypina i mocno zaciska pasek, ale nie za mocno. Wsuwając mały palec pomiędzy metal a kostkę sprawdza, ile mam miejsca. Nie spuszcza wzroku z mojej twarzy; nie musi patrzeć na to, co robi. Hmm… ma wprawę.

– Będziemy się musieli przekonać, jak pani smakuje. O ile dobrze pamiętam, to rzadki, wyjątkowy smak, panno Steele.

Och.

To samo robi z drugą nogą. Teraz moje kostki dzieli mniej więcej pół metra.

– W rozpórkach dobre jest to, że się rozsuwają – mruczy. Naciska coś, po czym pcha, tak że moje nogi jeszcze bardziej się od siebie oddalają. Och, na prawie metr. Otwieram usta i biorę głęboki oddech. Ależ to jest podniecające. Cała płonę, niespokojna i spragniona.

Christian oblizuje dolną wargę.

– Och, trochę się teraz pobawimy, Anastasio. – Chwyta rozpórkę i obraca ją tak, że przekręcam się na brzuch. Bardzo mnie to zaskakuje. – Widzisz, co mogę ci zrobić? – Przekręca ją nagle raz jeszcze, tak że znowu leżę na plecach, patrząc na niego bez tchu. – Te drugie kajdanki są do nadgarstków. Zastanowię się nad tym. Zależy, czy będziesz się dobrze zachowywać.

– A czy ja kiedykolwiek zachowałam się źle?

– Przychodzi mi do głowy kilka okazji – mówi miękko, przebiegając palcami po podeszwach mych stóp. To łaskocze, ale rozpórka unieruchamia mnie, choć próbuję się wywinąć jego palcom. – Po pierwsze twój BlackBerry.

Łapię głośno powietrze.

– Co zamierzasz mi zrobić?

– Och, nigdy nie ujawniam swoich planów. – Uśmiecha się figlarnie.

Wow. Jest tak oszałamiająco seksowny, że aż mi zapiera dech w piersi. Wchodzi na łóżko i klęka pomiędzy moimi nogami, cudownie nagi. A ja jestem zdana na jego łaskę.

Palcami obu dłoni przesuwa w górę wewnętrznej części mych nóg, powoli, pewnie, zataczając małe kółka. I ani na chwilę nie przerywa kontaktu wzrokowego.

– Oczekiwanie, na tym to właśnie polega, Ano. Co ja ci zrobię? – Łagodnie wypowiadane słowa docierają bezpośrednio do najgłębiej położonej, najbardziej mrocznej części mnie. Wiję się na łóżku i jęczę. Jego palce kontynuują powolny spacer w górę mych nóg, przechodząc pod kolanami. Mimowolnie chcę zacisnąć uda, ale nie jestem w stanie.

– Pamiętaj, jeśli coś ci się nie spodoba, po prostu każ mi przestać.

Pochyla głowę i obsypuje pocałunkami mój brzuch, gdy tymczasem jego dłonie wędrują po wewnętrznych częściach ud, dotykając i drażniąc.

– Och, błagam, Christianie.

– Och, panno Steele. Właśnie miałem okazję się przekonać, że bywasz bezlitosna w swych miłosnych atakach. Uważam, że powinienem ci się zrewanżować.

Moje palce zaciskają się na narzucie, gdy poddaję się Christianowi. Jego usta zmierzają powoli coraz niżej, palce coraz wyżej, aż do wrażliwego i bezbronnego zwieńczenia mych ud. Jęczę, gdy wsuwa we mnie palce, i wypycham biodra mu na spotkanie. Christian jęczy w odpowiedzi.

– Nieustannie mnie zadziwiasz, Anastasio. Jesteś taka wilgotna – mruczy z ustami w miejscu, gdzie włoski łonowe łączą się z brzuchem. Wydaję głośny jęk, gdy jego usta odnajdują moją kobiecość.

Przypuszcza powolny i zmysłowy atak, jego język obraca się i wiruje, gdy tymczasem palce poruszają się w moim wnętrzu. Ponieważ nie jestem w stanie zacisnąć nóg ani nimi ruszyć, to wszystko jest intensywne, mocno intensywne. Wyginam plecy w łuk, poznając te nowe odczucia.

– Och, Christian – wołam.

– Wiem, maleńka – szepcze i aby mi nieco ulżyć, dmucha delikatnie na najbardziej wrażliwą część mego ciała.

– Aaach! Błagam.

– Wypowiedz moje imię – nakazuje.

– Christian – wołam, ledwie poznając swój głos; jest taki wysoki i pełen pożądania.

– Jeszcze raz – mówi bez tchu.

– Christian, Christian, Christian Grey – wołam głośno.

– Jesteś moja. – Głos ma miękki i poważny i wystarcza jeszcze jeden ruch językiem, a ja szczytuję spektakularnie, ponieważ zaś nogi mam szeroko rozstawione, orgazm trwa i trwa, i trwa.

Ledwie dociera do mnie fakt, że Christian przewrócił mnie na brzuch.

– Spróbujemy tego, maleńka. Jeśli ci się nie spodoba albo będzie ci zbyt niewygodnie, natychmiast przestaniemy.

Słucham? Prawdę mówiąc, nie jestem jeszcze w stanie zebrać myśli. Siedzę na kolanach Christiana. Jak do tego doszło?

Pochyl się, skarbie – mruczy mi do ucha. Głową i klatką piersiową opieram się na łóżku.

W oszołomieniu robię, co mi każe. Pociąga mi ręce do tyłu i przypina do rozpórki, obok kostek. Och... Kolana mam zgięte, pupę w powietrzu, totalnie bezbronna i cała jego.

– Ana, tak ślicznie wyglądasz. – W jego głosie słychać zachwyt. Rozrywa foliową paczuszkę. Przesuwa palcami wzdłuż moich pleców, zatrzymując się nad pośladkami. – Kiedy będziesz gotowa, tego też pragnę spróbować. – Łapię głośno oddech i cała się spinam, gdy jego palec delikatnie mnie gładzi. – Nie dzisiaj, słodka Ano, ale pewnego dnia... Pragnę cię w każdy możliwy sposób. Chcę posiąść każdy centymetr twojego ciała. Jesteś moja.

Myślę o zatyczce analnej i wszystko się we mnie zaciska. Palce Christiana przesuwają się niżej, w stronę znajomego terytorium.

Chwilę później wbija się we mnie.

– Aach! Delikatnie! – wołam, a on nieruchomieje.

– Wszystko dobrze?

– Delikatnie... muszę się do tego przyzwyczaić.

Wycofuje się ze mnie powoli, po czym wraca, tym razem delikatnie wypełniając mnie sobą, rozciągając, drugi raz, trzeci.

– Tak, dobrze. Już jest dobrze – mruczę, delektując się tym doznaniem.

Christian jęczy i lekko przyspiesza. Poruszając się, poruszając, niestrudzenie... do przodu, do tyłu, wypełniając mnie... i to jest naprawdę niesamowite. Czerpię radość ze swojej bezradności, radość z poddania się temu mężczyźnie i świadomości, że może zatracić się we mnie tak, jak tego pragnie. Potrafię to zrobić. Zabiera mnie ze sobą do tych mrocznych miejsc, miejsc, o których istnieniu nie miałam pojęcia, i razem wypełniamy je oślepiającym światłem. O tak... jaskrawym, oślepiającym światłem.

I wtedy to się dzieje – odnajduję słodkie, słodkie spełnienie, gdy znowu szczytuję, głośno, wołając jego imię. A on nieruchomieje, wlewając we mnie swe serce i duszę.

– Ana! – woła i pada obok mnie.

SPRAWNIE MNIE UWALNIA i pociera kostki, potem nadgarstki i wreszcie wolną, bierze mnie w ramiona. Odpływam wycieńczona.

Kiedy ponownie wypływam na powierzchnię, leżę przy nim skulona, a on wpatruje się we mnie. Nie mam pojęcia, która jest godzina.

– Bez końca mógłbym patrzeć, jak śpisz, Ana – mruczy i całuje mnie w czoło.

Uśmiecham się i przeciągam sennie.

– Nigdy ci nie pozwolę odejść – mówi cicho i obejmuje mnie mocno.

Hmm.

– A ja nigdy nie będę chciała odejść. Nie pozwól mi na to – mamroczę sennie. Powieki mam tak ciężkie, że nie chcą się unieść.

– Potrzebuję cię – szepcze, ale jego głos to odległa, ulotna część mego snu. Potrzebuje mnie... potrzebuje... a kiedy wreszcie osuwam się w ciemność, widzę małego chłopca z szarymi oczami i potarganymi miedzianymi włosami, uśmiechającego się do mnie nieśmiało.

ROZDZIAŁ SIEDEMNASTY

H mm.
      Budzę się powoli, czując na szyi, jak Christian trąca mnie nosem.
  – Dzień dobry, maleńka – szepcze i przygryza mi lekko ucho.

  Otwieram oczy i szybko znowu je zamykam. Pokój skąpany jest w jasnym świetle poranka, a Christian delikatnie pieści moją pierś. Przesuwa rękę w dół i chwyta moje biodro. Leży za mną, tuląc mnie mocno.

  Przeciągam się, rozkoszując się jego dotykiem, i czuję na pupie jego wzwód. O rety. Pobudka w stylu Christiana Greya.

  – Cieszysz się na mój widok – mamroczę sennie, gdy jego dłoń prześlizguje się po mym brzuchu, by sekundę później dotrzeć do najwrażliwszej części ciała.

  – Budzenie się przy pani boku, panno Steele, ma swoje zalety – przekomarza się i delikatnie mnie obraca, tak że leżę teraz na plecach. – Dobrze spałaś? – pyta, gdy tymczasem jego palce kontynuują zmysłowe tortury. Uśmiecha się do mnie promiennie, a mnie ten uśmiech zapiera dech w piersi.

  Moje biodra zaczynają się kołysać w rytm tańca, rozpoczętego przez jego palce. Całuje mnie grzecznie w usta, po czym obsypuje pocałunkami szyję. Jęczę. Jest delikatny, a jego dotyk lekki i niebiański. Wprawne palce przesuwają się niżej i powoli wsuwa jeden we mnie.

– Och, Ana – mruczy z zachwytem w moją szyję. – Zawsze jesteś gotowa.

Jego usta przesuwają się powoli w dół, aż w końcu docierają do piersi. Chwyta zębami najpierw jedną brodawkę, potem drugą, och, tak delikatnie, a one słodko reagują, twardniejąc i wydłużając się.

Jęczę, on zaś unosi głowę i posyła mi spojrzenie pełne ognia.

– Chcę cię teraz. – Sięga do stolika nocnego, po czym kładzie się na mnie, opierając ciężar ciała na łokciach, i rozsuwa kolanem moje uda. Klęka i rozrywa foliową paczuszkę. – Nie mogę się doczekać soboty – mówi, a w jego oczach lśni zmysłowe zadowolenie.

– Twojego przyjęcia? – pytam bez tchu.

– Nie. Wtedy przestanę używać tego cholerstwa.

Chichoczę.

Uśmiecha się do mnie, zakładając prezerwatywę.

– Śmieje się pani, panno Steele?

– Nie. – Bez powodzenia próbuję zachować powagę.

– Teraz nie czas na śmiech. – Kręci karcąco głową. Głos ma niski, surowy, ale jego spojrzenie... o matko... jest jednocześnie lodowate i gorące jak lawa.

Oddech więźnie mi w gardle.

– Myślałam, że lubisz, jak się śmieję – szepczę ochryple, wpatrując się w mroczne głębie szarych oczu.

– Nie teraz. Na wszystko jest czas i miejsce. Muszę cię powstrzymać i chyba wiem jak – oświadcza groźnie i przykrywa me ciało swoim.

– Co zjesz na śniadanie, Ana?

– Wystarczą mi jakieś płatki. Dziękuję, pani Jones.

Czerwienię się, zajmując obok Christiana miejsce przy barze śniadaniowym. Kiedy ostatni raz widziałam panią Jones, bezceremonialnie niesiono mnie do sypialni.

– Ślicznie wyglądasz – mówi ciepło Christian.

Mam na sobie szarą ołówkową spódnicę i bluzkę z szarego jedwabiu.

– Ty także – uśmiecham się do niego nieśmiało. Włożył dziś jasnoniebieską koszulę i dżinsy i wygląda przystojnie i świeżo, jak zawsze.

– Powinniśmy ci kupić jeszcze kilka spódnic – stwierdza rzeczowo. – Prawdę mówiąc, chętnie zabrałbym cię na zakupy.

Hmm... zakupy. Nie znoszę ich. Ale z Christianem może nie będzie tak źle. Uznaję, że najlepszą formą obrony jest zmiana tematu.

– Ciekawe, co dzisiaj będzie w pracy.

– Będą musieli kimś zastąpić sukinsyna. – Christian marszczy brwi i krzywi się, jakby właśnie wdepnął w coś wyjątkowo nieprzyjemnego.

– Mam nadzieję, że moim nowym szefem będzie kobieta.

– Dlaczego?

– Wtedy raczej nie będziesz miał obiekcji co do wspólnych wyjazdów – mówię żartobliwie.

Kąciki ust mu drgają. Zabiera się za omlet.

– Co cię tak śmieszy? – pytam.

– Ty. Zjadaj te swoje płatki co do jednego, skoro tylko to masz na śniadanie.

Apodyktyczny jak zawsze. Zasznurowuję usta, ale posłusznie nabieram pierwszą łyżkę.

– KLUCZYK WKŁADA SIĘ tutaj. – Christian pokazuje stacyjkę pod dźwignią zmiany biegów.

– Dziwne miejsce – burczę.

Ale zachwyca mnie każdy najdrobniejszy szczegół i jak dziecko podskakuję na wygodnym skórzanym siedzeniu. Christian w końcu pozwala mi jechać moim autem.

Przygląda mi się ze spokojem, ale w jego oczach czai się wesołość.

– Ekscytujesz się tym, prawda? – pyta.

Kiwam głową, uśmiechając się jak idiotka.

– Czujesz ten zapach nowego samochodu? Jest nawet lepszy niż Auto Uległych... eee... audi – dodaję szybko, rumieniąc się.

– Auto Uległych, tak? Jak pani coś czasem nazwie, panno Steele. – Opiera się wygodnie i udaje dezaprobatę, ale mnie nie nabierze. Wiem, że dobrze się bawi. – No dobrze, jedźmy już. – Macha ręką w stronę wyjazdu z garażu.

Klaszczę w dłonie, przekręcam kluczyk i silnik budzi się do życia. Dźwignię zmiany biegów ustawiam na „D", zwalniam hamulec i saab wysuwa się gładko z miejsca parkingowego. Taylor zapala silnik w audi, a kiedy szlaban się podnosi, wyjeżdża za nami na ulicę.

– Możemy włączyć radio? – pytam, gdy stajemy przy pierwszym znaku „stop".

– Chcę, żebyś była skoncentrowana – odpowiada ostro.

– Christianie, proszę, potrafię jeździć, słuchając muzyki. – Wywracam oczami.

Przez chwilę robi gniewną minę, ale w końcu wyciąga rękę i włącza radio.

– Możesz tu słuchać płyt CD, MP3, a także iPoda – burczy.

Nagle wnętrze samochodu wypełniają głośne dźwięki utworu The Police. Christian ścisza muzykę. Hmm... *King of Pain*.

– Twój hymn – mówię żartobliwie i natychmiast żałuję swych słów, gdy jego usta zaciskają się w cienką linię. O nie. – Mam gdzieś ten album – kontynuuję pospiesznie, chcąc odwrócić jego uwagę. Hmm... gdzieś w mieszkaniu, w którym spędziłam bardzo mało czasu.

Ciekawe, co u Ethana. Zadzwonię dziś do niego. Nie będę mieć zbyt dużo pracy.

Rośnie we mnie niepokój. Co mnie czeka po przyjeździe do redakcji? Wszyscy wiedzą o Jacku? O udziale Christiana? Nadal mam pracę? A jeśli nie, to co ja zrobię?

„Wyjdź za tego miliardera, Ana!" Moja podświadomość znowu ironizuje. Ignoruję ją, tę pazerną zdzirę.

– Hej, Panno Mądralo. Wracaj. – Gdy zatrzymuję się na kolejnych światłach, Christian przywołuje mnie do teraźniejszości. – Jesteś nieobecna duchem. Skoncentruj się, Ano – beszta mnie. – Do wypadków dochodzi wtedy, kiedy przestajesz się koncentrować.

Och, na litość boską – nagle przypominają mi się czasy, gdy Ray uczył mnie prowadzić. Niepotrzebny mi drugi ojciec. Mąż, być może, perwersyjny mąż. Hmm.

– Myślałam o pracy.

– Skarbie, nic się nie martw. Zaufaj mi. – Uśmiecha się.

– Nie wtrącaj się, proszę, chcę to zrobić sama. Christian, proszę. To dla mnie ważne – mówię najdelikatniej, jak umiem. Nie chcę się kłócić. Jego usta po raz kolejny zaciskają się w upartą linię. – Nie kłóćmy się. Mieliśmy taki cudowny poranek. A wczorajszy wieczór był… – brak mi słów, wczorajszy wieczór był… – … boski.

Nic nie mówi. Zerkam na niego i widzę, że ma zamknięte oczy.

– Tak. Boski – mówi cicho. – Mówiłem wtedy poważnie.

– Ale co?

– Nie pozwolę ci odejść.

– Nie chcę odchodzić.

Uśmiecha się i jest to ten nowy, nieśmiały uśmiech, pokonujący wszystkie przeszkody.

– To dobrze – mówi z prostotą i wyraźnie się odpręża.

Znajduję miejsce parkingowe pół przecznicy od redakcji.

– Odprowadzę cię. Taylor mnie stamtąd zabierze –
proponuje Christian. Nie bez problemu wysiadam z samochodu, ograniczana wąską spódnicą, gdy tymczasem
mój miły robi to z gracją i swobodą. Hmm... ktoś, kto
nie znosi, by go dotykać, nie może się czuć tak swobodnie
w swoim ciele. Marszczę brwi.

– Nie zapomnij, że o siódmej jesteśmy umówieni
z Flynnem – mówi, wyciągając do mnie rękę. Zamykam
pilotem drzwi i podaję mu dłoń.

– Nie zapomnę. Sporządzę dla niego listę pytań.

– Pytań? Dotyczących mnie?

Kiwam głową.

– Ja mogę odpowiedzieć na te wszystkie pytania. –
Wydaje się urażony.

Uśmiecham się do niego.

– Tak, ale ja chcę poznać opinię tego bezstronnego,
drogiego szarlatana.

Nagle bierze mnie w ramiona i przytrzymuje mi dłonie za plecami.

– To dobry pomysł? – pyta. Głos ma niski i chrapliwy. W jego oczach czai się niepokój. Serce mi się ściska.

– Jeśli nie chcesz, to tego nie zrobię. – Przyglądam
mu się, mrugając, pragnąc przegnać jego niepokój. Szarp-
nięciem uwalniam jedną rękę i czule dotykam jego policzka. – Czym się tak martwisz? – pytam miękko.

– Że odejdziesz.

– Christianie, ile razy mam ci powtarzać, że nigdzie
się nie wybieram? Już mi powiedziałeś najgorsze. Nie
mam zamiaru cię zostawić.

– Wobec tego dlaczego nie dałaś mi odpowiedzi?

– Odpowiedzi? – pytam nieszczerze.

– Dobrze wiesz, o czym mówię, Anastasio.

Wzdycham.

– Chcę się dowiedzieć, czy jestem dla ciebie dość dobra. To wszystko.

– A nie wystarczy ci moje zdanie? – pyta z rozdrażnieniem. Puszcza mnie.

– Christianie, to wszystko wydarzyło się tak szybko. I sam przyznałeś, że jesteś popieprzony na pięćdziesiąt sposobów. Nie potrafię dać ci tego, czego potrzebujesz – mówię cicho. – To po prostu nie dla mnie. Ale przez to czuję, że się nie nadaję, zwłaszcza po tym, jak zobaczyłam cię z Leilą. Kto wie, czy pewnego dnia nie spotkasz kogoś, kto lubi robić to co ty? I może wtedy, no wiesz… może się zakochasz? W kobiecie, która będzie lepsza w zaspokajaniu twoich potrzeb. – Na myśl o Christianie z inną robi mi się niedobrze. Wbijam wzrok w zaciśnięte dłonie.

– Znałem wiele kobiet, które lubią robić to co ja. Żadna z nich nie spodobała mi się tak bardzo jak ty. Z żadną nie łączyła mnie więź emocjonalna. Tylko i wyłącznie z tobą, Ano.

– Dlatego, że żadnej z nich nie dałeś szansy. Zbyt długo przebywałeś zamknięty w swojej twierdzy. Porozmawiamy o tym później, dobrze? Teraz muszę iść do pracy. Może doktor Flynn powie nam coś mądrego. – To stanowczo zbyt poważna rozmowa jak na ósmą pięćdziesiąt rano i Christian choć raz się ze mną zgadza. Kiwa głową, ale jego spojrzenie pozostaje nieufne.

– Chodź – mówi, wyciągając rękę.

NA BIURKU CZEKA NA MNIE liścik. Mam się natychmiast stawić w gabinecie Elizabeth. Serce podchodzi mi do gardła. Och, a więc to koniec. Zostanę zwolniona.

– Anastasia. – Elizabeth uśmiecha się życzliwie, gestem pokazując, abym usiadła na krześle przed jej biurkiem. Siadam i patrzę na nią wyczekująco, mając nadzieję, że nie sły-

szy walenia mego serca. Przygładza swe gęste czarne włosy
i patrzy na mnie z powagą. – Mam raczej smutne wieści.

Smutne! O nie.

– Wezwałam cię tutaj, aby cię poinformować, że dość
nieoczekiwanie z redakcji odszedł Jack.

Czerwienię się. Dla mnie to nie jest smutna wiadomość. Powinnam jej powiedzieć, że o tym wiem?

– To pospiesznie odejście spowodowało, że mamy
teraz wakat. I chcielibyśmy, abyś to ty przejęła jego obowiązki, do czasu, aż znajdziemy kogoś na jego miejsce.

Co takiego? Czuję, jak krew odpływa mi z twarzy. Ja?

– Ale pracuję tu dopiero nieco ponad tydzień.

– Tak, Anastasio, to prawda, ale Jack zawsze wierzył
w twoje umiejętności. Pokładał w tobie wielkie nadzieje.

Przestaję oddychać. Nadzieje dotyczyły rozłożenia
dla niego nóg.

– Oto szczegółowa lista obowiązków wiążących się
z tym stanowiskiem. Przejrzyj ją uważnie. Jeszcze dziś ją
omówimy.

– Ale…

– Proszę, wiem, że to nieoczkiwane, ale nawiązałaś
już kontakty z kluczowymi autorami Jacka. Twoje uwagi
dotyczące pierwszych rozdziałów nie uszły uwadze innych redaktorów. Bystra jesteś, Anastasio. Wszyscy uwa-
żamy, że dasz sobie radę.

– Dobrze. – To jest kompletnie nierzeczywiste.

– Przemyśl to. A tymczasem możesz zająć gabinet Jacka.

Wstaje i wyciąga rękę. Ściskam ją, kompletnie oszołomiona.

– Cieszę się, że go nie ma – szepcze i przez jej twarz
przemyka cień. O cholera. Co on jej zrobił?

Gdy wracam do swojego biurka, wyjmuję z torebki
BlackBerry i dzwonię do Christiana.

Odbiera po drugim sygnale.

– Anastasio, wszystko w porządku? – pyta z troską w głosie.

– Zaproponowano mi właśnie stanowisko Jacka, to znaczy tymczasowo – wyrzucam z siebie.

– Żartujesz – szepcze zaszokowany.

– Maczałeś w tym palce? – Mówię to ostrzej, niż zamierzałam.

– Nie, absolutnie. To znaczy, z całym szacunkiem, Anastasio, ale pracujesz tam dopiero nieco ponad tydzień, i wcale nie mówię tego nieżyczliwie.

– Wiem. – Marszczę brwi. – Podobno Jack bardzo mnie cenił.

– No nie? – Christian wzdycha. – Cóż, skarbie, skoro inni uważają, że temu podołasz, to ja także jestem tego pewny. Moje gratulacje. Być może po spotkaniu z Flynnem powinniśmy jakoś to uczcić.

– Hmm. Jesteś pewny, że nie masz z tym nic wspólnego?

Przez chwilę milczy, a potem mówi groźnie:

– Wątpisz w moje słowo? Mocno mnie to gniewa.

Przełykam ślinę. Rany, strasznie szybko się irytuje.

– Przepraszam – bąkam.

– Jeśli będziesz czegoś potrzebować, daj mi znać. I Anastasio…

– Tak?

– Używaj BlackBerry – dodaje cierpko.

– Dobrze.

Nie rozłącza się, ale bierze głęboki oddech.

– Mówię poważnie. Zawsze ci pomogę, jeśli będziesz mnie potrzebować. – Jego słowa są łagodniejsze, pojednawcze. Och, on i te jego zmienne nastroje…

– Okej – mówię cicho. – No to kończę. Muszę się przenieść do gabinetu Jacka.

– Gdybyś mnie potrzebowała. Mówię poważnie.

– Wiem. Dziękuję, Christianie. Kocham cię.

Wyczuwam jego uśmiech. Już się na mnie nie gniewa.

– Ja ciebie też, maleńka.

Och, czy kiedykolwiek mi się znudzi słuchanie tych słów?

– Odezwę się później.

– Na razie, mała.

Odkładam telefon i zerkam na gabinet Jacka. Mój gabinet. A niech mnie – Anastasia Steele, p.o. redaktora naczelnego. Kto by pomyślał? Powinnam poprosić o podwyżkę.

Co by pomyślał Jack, gdyby wiedział? Wzdrygam się na tę myśl i przez chwilę zastanawiam się, jak spędza dzisiejszy ranek. Naturalnie nie w Nowym Jorku. Wchodzę niespiesznie do swego nowego gabinetu, siadam przy biurku i zabieram się za czytanie listy obowiązków.

O dwunastej trzydzieści dzwoni do mnie Elizabeth.

– Ana, o pierwszej masz się stawić w sali konferencyjnej. Będą tam Jerry Roach i Kay Bestie, no wiesz, prezes i wiceprezes firmy. W zebraniu wezmą też udział wszyscy wydawcy.

Cholera!

– Muszę coś przygotować?

– Nie, to tylko nieformalne zebranie, które odbywa się raz w miesiącu. Razem zjemy lunch.

– Dobrze.

Jasny gwint! Zerkam na listę autorów Jacka. Tak, mniej więcej ich już znam. Mam pięć rękopisów, których wydanie zostało już ustalone, plus dwa dodatkowe, z całą pewnością nadające się do publikacji. Biorę głęboki oddech – nie mogę uwierzyć, że to już pora lunchu. Sygnał kalendarza w telefonie daje mi znać o spotkaniu.

O nie – Mia! W tym całym podekscytowaniu zupełnie wyleciał mi z głowy nasz lunch. Gorączkowo szukam w BlackBerry jej numeru.

Dzwoni telefon na biurku.

– To on, jest w recepcji – szepcze Claire.

– Kto? – Przez ułamek sekundy myślę, że może Christian.

– Jasnowłosy bóg.

– Ethan?

Och, czego on może chcieć? Natychmiast dopadają mnie wyrzuty sumienia, że do niego nie zadzwoniłam.

Gdy zjawiam się w recepcji, Ethan, ubrany w niebieską koszulę w kratkę, biały T-shirt i dżinsy, obdarza mnie promiennym uśmiechem.

– Wow! Gorąca z ciebie laska, Steele – mówi, kiwając z uznaniem głową. Ściska mnie szybko na powitanie.

– Wszystko w porządku? – pytam.

Marszczy brwi.

– Jak najbardziej, Ana. Chciałem cię jedynie zobaczyć. Dawno się nie odzywałaś i chciałem sprawdzić, jak Pan Potentat cię traktuje.

Czerwienię się i wbrew sobie uśmiecham się.

– Okej! – wykrzykuje Ethan, unosząc ręce. – Ten tajemniczy uśmiech wszystko mi mówi. Nie chcę więcej wiedzieć. Wpadłem z nadzieją, że porwę cię na lunch. Zapisałem się na wrześniowy kurs psychologii. Przyda mi się do dyplomu.

– Och, Ethan, tyle się wydarzyło. Długo by opowiadać, ale akurat teraz nie mogę. Mam zebranie. – Do głowy wpada mi pewien pomysł. – Czy mogłabym cię prosić o ogromną, ale taką naprawdę ogromną przysługę? – Składam błagalnie ręce.

– Jasne – odpowiada, zdeprymowany moim proszącym tonem.

– Miałam zjeść dzisiaj lunch z siostrą Christiana i Elliota, ale nie mogę się do niej dodzwonić, a to zebranie wypadło naprawdę nieoczekiwanie. Zabierzesz ją na lunch? Proszę?

– Nie mam ochoty niańczyć jakiegoś bachora.

– Błagam, Ethan. – Posyłam mu moje najbardziej proszące spojrzenie. Przewraca oczami i już wiem, że mi ulegnie.

– Ugotujesz mi coś? – burczy.

– Pewnie, co tylko chcesz i kiedy tylko chcesz.

– No więc gdzie ona jest?

– Ma zjawić się tutaj.

I jak na komendę rozlega się jej głos.

– Ana! – woła od drzwi.

Oboje się odwracamy i oto ona: wysoka, o apetycznie zaokrąglonych kształtach, z czarnymi włosami obciętymi na pazia, w zielonej krótkiej sukience i szpilkach z paseczkami wokół szczupłych kostek. Wygląda zabójczo.

– Bachor? – szepcze Ethan, gapiąc się na nią.

– Tak. Bachor, którego trzeba poniańczyć – też szepczę. – Cześć, Mia. – Ściskam ją na powitanie, a ona dość otwarcie wpatruje się w Ethana. – Mia, to Ethan, brat Kate.

Ethan kiwa głową i unosi z zaskoczeniem brwi. Mia mruga kilka razy i podaje mu dłoń.

– Miło cię poznać – mamrocze grzecznie Ethan, a Mia znowu mruga, choć raz nic nie mówiąc. Oblewa się rumieńcem.

O kurczę. Pierwszy raz widzę, jak się czerwieni.

– Nie dam rady wyskoczyć na lunch – mówię nieprzekonująco. – Ethan zgodził się zjeść go z tobą zamiast mnie. Może tak być? A my odbijemy to sobie innym razem, dobrze?

– Jasne – odpowiada cicho. Milcząca Mia, a to nowość.

– No to my już idziemy. Na razie, Ana – mówi Ethan, podając Mii ramię. Przyjmuje je z nieśmiałym uśmiechem.

– Pa, Ana. – Odwraca się i wypowiada bezgłośnie: – O. Mój. Boże! – I mruga do mnie.

Podoba jej się! Macham im na pożegnanie. Ciekawe, jakie jest nastawienie Christiana do chodzącej na randki siostry. Ta myśl napawa mnie lekkim niepokojem. No ale przecież ona jest w moim wieku, więc nie może mieć nic przeciwko, prawda?

„No ale to jest Christian". Wróciła moja ironiczna podświadomość w kardiganie i z nobliwą torebką przewieszoną przez zgięte ramię. Odsuwam od siebie ten obraz. Mia jest dorosła, a Christian potrafi zachowywać się rozsądnie, prawda? Wracam do gabinetu Jacka... eee... mojego gabinetu, aby się przygotować do zebrania.

Gdy wracam z niego, jest już wpół do czwartej. Nie było źle. Otrzymałam nawet pozwolenie na przyjęcie do druku dwóch rękopisów, które zgłosiłam. Aż mi się kręci w głowie z tego wszystkiego.

Na biurku zastaję olbrzymi wiklinowy kosz pełen białych i jasnoróżowych róż. Pachną po prostu nieziemsko. Uśmiecham się, biorąc do ręki bilecik. Wiem, kto je przysłał.

> *Gratuluję, panno Steele!*
> *I osiągnęłaś to zupełnie sama!*
> *Bez pomocy żadnego megalomańskiego prezesa.*
> *Buziaki*
> *Christian*

Biorę do ręki BlackBerry, aby wysłać mejl.

Nadawca: Anastasia Steele
Temat: Megaloman...
Data: 16 czerwca 2011, 15:43
Adresat: Christian Grey

… to mój ulubiony typ prezesa. Dziękuję Ci za śliczne kwiaty. Dostarczono je w dużym wiklinowym koszu, przywołującym na myśl pikniki.

x

Nadawca: Christian Grey
Temat: Świeże powietrze
Data: 16 czerwca 2011, 15:55
Adresat: Anastasia Steele

Ulubiony, co? Doktor Flynn mógłby mieć na ten temat coś do powiedzenia.

Masz ochotę wybrać się na piknik?

Moglibyśmy się zabawić na świeżym powietrzu, Anastasio…

Jak Ci mija dzień, skarbie?

Christian Grey
Prezes, Grey Enterprises Holdings, Inc.

O rety. Rumienię się, czytając jego odpowiedź.

Nadawca: Anastasia Steele
Temat: Szalone tempo
Data: 16 czerwca 2011, 16:00
Adresat: Christian Grey

Dzień minął nie wiadomo kiedy. Praktycznie nie miałam czasu, aby pomyśleć o czymś innym niż praca. Chyba sobie poradzę! Więcej opowiem Ci w domu. Świeże powietrze brzmi... interesująco.

Kocham Cię.

A x

PS. Nie martw się doktorem Flynnem.

Dzwoni telefon na biurku. To Claire z recepcji, chcąca się dowiedzieć, kto mi przysłał kwiaty i co się stało z Jackiem. Zaszyta w gabinecie, w ogóle nie miałam dziś czasu na plotki. Odpowiadam jej szybko, że kwiaty są od mojego chłopaka i że na temat odejścia Jacka wiem bardzo mało. BlackBerry sygnalizuje odebranie kolejnego mejla od Christiana.

Nadawca: Christian Grey
Temat: Spróbuję...
Data: 16 czerwca 2011, 16:09
Adresat: Anastasia Steele

... się nie martwić.

Na razie mała, x

Christian Grey
Prezes, Grey Enterprises Holdings, Inc.

O wpół do szóstej sprzątam na biurku. Nie mogę uwierzyć, jak szybko minął ten dzień. Muszę wrócić do Escali i przygotować się na spotkanie z doktorem Flynnem. Nie miałam nawet czasu, aby się zastanowić nad pytaniami. Być może dzisiaj to będzie takie spotkanie zapoznawcze i Christian pozwoli mi przyjść jeszcze raz. Odsuwam od siebie tę myśl, gdy szybkim krokiem opuszczam redakcję, machając po drodze Claire.

Muszę także pomyśleć o urodzinach Christiana. Wiem, co mu podaruję. Chciałabym mu to wręczyć dzisiaj, przed spotkaniem z Flynnem, ale jak? Niedaleko miejsca, gdzie zostawiłam samochód, jest niewielki sklepik ze świecidełkami dla turystów. Spływa na mnie natchnienie i wchodzę do środka.

Gdy PÓŁ GODZINY później zjawiam się w salonie, Christian stoi przed szklaną ścianą i rozmawia przez telefon. Odwraca się, uśmiecha do mnie i szybko kończy rozmowę.

– Ros, to świetnie. Przekaż Barneyowi, że dalej to już my pociągniemy... Do widzenia.

Podchodzi do mnie, stojącej nieśmiało w wejściu. Zdążył się przebrać w biały T-shirt i dżinsy i znowu wygląda jak niegrzeczny chłopak.

– Dobry wieczór, panno Steele – mruczy i nachyla się, aby mnie pocałować. – Gratuluję awansu. – Mocno mnie obejmuje. Ślicznie pachnie.

– Brałeś prysznic.

– Byłem na treningu z Claude'em.

– Och.

– Dwa razy udało mi się skopać mu tyłek. – Christian promienieje, bardzo z siebie zadowolony. Jego uśmiech jest zaraźliwy.

– To nie zdarza się często?

– Nie. I stąd ta satysfakcja. Głodna jesteś?

Kręcę głową, a Christian marszczy natychmiast brwi.

– Denerwuję się. Doktorem Flynnem.

– Ja też. Jak ci minął dzień? – Puszcza mnie, a ja streszczam mu, co się działo. Słucha mnie uważnie.

– Och, powinnam ci powiedzieć coś jeszcze – dodaję.

– Miałam zjeść dzisiaj lunch z Mią.

Unosi zaskoczony brwi.

– Nie mówiłaś mi o tym.

– Wiem, zapomniałam. Nie dałam rady z powodu zebrania, więc zamiast mnie na lunch zabrał ją Ethan.

Twarz mu pochmurnieje.

– Rozumiem. Przestań przygryzać wargę.

– Pójdę się odświeżyć – mówię, zmieniając temat i wychodząc, nim zdąży dodać coś więcej.

GABINET DOKTORA FLYNNA mieści się niedaleko apartamentu Christiana. Pewnie się to przydaje w jakichś nagłych przypadkach.

– Z Escali do gabinetu najczęściej biegnę, taki dodatkowy trening – mówi Christian, parkując mojego saaba. – Świetne auto. – Uśmiecha się do mnie.

– Też tak uważam. Christianie... ja... – przyglądam mu się niespokojnie.

– Co się stało, Ana?

– Proszę. – Wyjmuję z torby niewielkie czarne pudełeczko. – To ode mnie na urodziny. Chciałam dać ci to teraz, ale tylko jeśli mi obiecasz, że otworzysz dopiero w sobotę, dobrze?

Mruga zaskoczony i przełyka ślinę.

– Dobrze – mówi ostrożnie.

Biorę głęboki oddech i wręczam mu pudełeczko, ignorując jego zdeprymowaną minę. Potrząsa nim i słychać grzechotanie. Marszczy brwi. Wiem, że strasznie chce się dowiedzieć, co się tam kryje. Wtedy uśmiecha się szeroko, a w jego oczach błyszczy młodzieńcze, beztroskie podekscytowanie. O rany... wygląda młodo i tak pięknie.

– Możesz otworzyć dopiero w sobotę – rzucam ostrzegawczo.

– Rozumiem – odpowiada. – Czemu dałaś mi to teraz? – Wsuwa pudełeczko do wewnętrznej kieszeni niebieskiej marynarki w prążki, blisko serca.

Uśmiecham się lekko drwiąco.

– Ponieważ mogę, panie Grey.

– Ależ panno Steele, ukradła mi pani moją kwestię.

Do okazałego gabinetu doktora Flynna wpuszcza nas energiczna i przyjacielska recepcjonistka. Wita Christiana ciepło, nieco zbyt ciepło jak na mój gust – jest w takim wieku, że mogłaby być jego matką – a on mówi do niej po imieniu.

Gabinet został urządzony gustownie i z prostotą: jasnozielone ściany, dwie ciemnozielone kanapy, a naprzeciwko nich dwa skórzane fotele. Panuje tu atmosfera klubu dżentelmenów. Doktor Flynn siedzi za biurkiem na końcu pomieszczenia.

Gdy wchodzimy, wstaje i rusza nam na powitanie. Ma na sobie czarne spodnie i jasnoniebieską, rozpiętą pod szyją koszulę. Jego bystre niebieskie oczy zdają się dostrzegać każdy szczegół.

– Christian. – Uśmiecha się przyjaźnie.

– John. – Wymieniają uścisk dłoni. – Pamiętasz Anastasię?

– Jak mógłbym zapomnieć? Anastasio, witaj.

– Ana, proszę – mamroczę, gdy ściska mi dłoń. Uwielbiam jego brytyjski akcent.

– Ana – mówi miło, kierując nas ku kanapom.

Siadam na jednej z nich, kładąc rękę na oparciu, a Christian siada na drugiej, ustawionej pod kątem prostym do mojej. Dzieli nas mały stolik z prostą lampą. Zauważam, że obok lampy leży pudełko chusteczek.

Nie tego się spodziewałam. Oczami wyobraźni widziałam surowe białe pomieszczenie z czarną skórzaną kozetką.

Wyglądający na rozluźnionego doktor Flynn zasiada w jednym z dużych foteli i bierze do ręki skórzaną podkładkę do pisania. Christian zakłada nogę na nogę i opiera rękę o oparcie kanapy. Drugą ręką odnajduje moją i ściska ją uspokajająco.

– Christian poprosił, abyś towarzyszyła mu podczas jednej z naszych sesji – zaczyna łagodnie doktor Flynn. – Musisz jedynie wiedzieć, że traktujemy te sesje z absolutną dyskrecją…

Unoszę brew, a on urywa w pół słowa.

– Och… eee… podpisałam NDA – mówię cicho, zakłopotana tym, że umilkł. Obaj wbijają we mnie wzrok, a Christian puszcza moją dłoń.

– Umowę o zachowaniu poufności? – Doktor Flynn marszczy brwi i posyła Christianowi pytające spojrzenie. Christian wzrusza ramionami.

– Wszystkie związki z kobietami zaczynasz od NDA? – pyta go doktor Flynn.

– Te kontraktowe owszem.

Usta doktora lekko drżą.

– A miałeś z kobietami relacje innego typu? – pyta wyraźnie już ubawiony.

– Nie – odpowiada Christian, także nie najpoważniejszym tonem.

– Tak też myślałem. – Doktor Flynn kieruje uwagę ponownie na mnie. – Cóż, wobec tego nie musimy się przejmować kwestią dyskrecji, ale czy mogę zasugerować, abyście w pewnym momencie omówili tę kwestię? Z tego, co mi wiadomo, nie łączy was już tego rodzaju relacja kontraktowa.

– Oby to był inny rodzaj kontraktu – mówi miękko Christian, zerkając na mnie.

Oblewam się rumieńcem, a doktor Flynn mruży oczy.

– Ana. Będziesz musiała mi wybaczyć, ale prawdo-podobnie wiem o tobie znacznie więcej, niż ci się wydaje. Christian okazał się bardzo wylewny.

Zerkam nerwowo na Christiana. Co on mu naopo-wiadał?

– NDA? – kontynuuje. – To cię musiało zaszokować.

– Och, myślę, że NDA blednie w porównaniu z naj-nowszymi wyznaniami Christiana – odpowiadam z wa-haniem. Wiem, że sprawiam wrażenie zdenerwowanej.

– Jestem tego pewny. – Doktor Flynn uśmiecha się do mnie życzliwie. – No więc, Christianie, o czym byście chcieli porozmawiać?

Christian wzrusza ramionami niczym opryskliwy nastolatek.

– Anastasia chciała tego spotkania. Ją powinieneś o to spytać.

Na twarzy doktora Flynna po raz kolejny pojawia się zaskoczenie. Przygląda mi się bacznie.

Jasna cholera. To upokarzające. Wbijam wzrok w dłonie.

– Czułabyś się swobodniej, gdyby Christian zostawił nas na chwilę samych?

Moje spojrzenie biegnie ku Christianowi i widzę, że patrzy na mnie wyczekująco.

– Tak – szepczę.

Christian marszczy brwi i otwiera usta, ale szybko je zamyka i z gracją wstaje z kanapy.

– Będę w poczekalni – rzuca, po czym zaciska usta.

O nie.

– Dziękuję, Christianie – mówi spokojnie doktor Flynn.

Christian posyła mi długie, pytające spojrzenie, po czym wychodzi – ale nie trzaska drzwiami. Uff. Natychmiast się odprężam.

– Onieśmiela cię?

– Tak. Ale już nie tak bardzo jak kiedyś. – Czuję się nielojalna, ale to przecież prawda.

– To mnie nie zaskakuje, Ano. Jak mógłbym ci pomóc?

Wpatruję się w splecione dłonie. O co mogę zapytać?

– Doktorze Flynn, to mój pierwszy związek, a Christian jest... cóż, to Christian. I wiele się wydarzyło w ciągu minionego tygodnia. Nie miałam okazji przemyśleć tego wszystkiego na spokojnie.

– Co musisz przemyśleć?

Podnoszę na niego wzrok. Głowę ma przekrzywioną i przygląda mi się chyba ze współczuciem.

– Cóż... Christian twierdzi, że chętnie wyrzeknie się... eee... – Jąkam się, a potem milknę. Nie sądziłam, że ta rozmowa okaże się aż tak trudna.

Doktor Flynn wzdycha.

– Ano, przez ten bardzo krótki czas, gdy się znacie, mój pacjent poczynił większe postępy niż przez dwa lata sesji ze mną. Masz na niego niesamowity wpływ. Na pewno to widzisz.

– On na mnie ma także niesamowity wpływ. Po prostu nie wiem, czy będę mu wystarczać. Czy zaspokoję jego potrzeby – szepczę.

– To właśnie chcesz ode mnie usłyszeć? Słowa otuchy?

Kiwam głową.

– Potrzeby się zmieniają – odpowiada z prostotą. – Christian znalazł się w sytuacji, w której dotychczasowe metody działania okazują się niewystarczające. Krótko mówiąc, zmusiłaś go do konfrontacji z niektórymi z jego demonów i przeanalizowania wszystkiego na nowo.

Mrugam, patrząc na niego. Dokładnie to samo powiedział mi Christian.

– Tak, jego demony – mówię cicho.

– Nie rozwodzimy się na ich temat; to przeszłość. Christian zna swoje demony, ja także je znam i jestem pewny, że ty również. Znacznie bardziej interesuje mnie przyszłość i doprowadzenie Christiana do miejsca, w którym pragnie się znaleźć.

Marszczę brwi.

– Techniczne określenie to TKSR, czyli Terapia Krótkoterminowa Skoncentrowana na Rozwiązaniu. Krótko mówiąc, skupiamy się na celu. Koncentrujemy się na tym, gdzie Christian chce się znaleźć i jak ma tam dotrzeć. To podejście dialektyczne. Nie ma sensu bić się w piersi z powodu przeszłości, tym wszystkim zajmował się każdy lekarz, psycholog i psychiatra, do którego chodził Christian. Wiemy, dlaczego jest taki, jak jest, ale to przyszłość jest ważna. Gdzie Christian siebie widzi, gdzie chce się znaleźć. Dopiero twoje odejście od niego sprawiło, że poważnie podszedł do tej formy terapii. Wie, że jego celem jest pełen miłości związek z tobą. To takie proste i nad tym właśnie teraz pracujemy. Oczywiście natrafiamy na przeszkody, weźmy choćby jego haptofobię.

Jego co?

– Przepraszam. Mam na myśli jego paniczny lęk przed dotykiem. – Kręci głową, jakby ganił samego siebie. – Który na pewno miałaś okazję poznać.

Oblewam się rumieńcem i kiwam głową. Ach, to.

– Żywi chorobliwy wstręt do samego siebie. Z pewnością nie jest to dla ciebie zaskoczeniem. No i jeszcze parasomnia... eee... nocne koszmary dla laika.

Mrugam, próbując przyswoić te wszystkie długie słowa. Wiem o tym wszystkim. Ale Flynn nie wspomniał ani słowem o tym, co stanowi moje główne zmartwienie.

– Ale on jest sadystą. Posiada więc potrzeby, których nie jestem w stanie zaspokoić.

Doktor Flynn przewraca oczami i zaciska usta w cienką linię.

– Obecnie to nie jest już nawet termin z zakresu psychiatrii. Nie mam pojęcia, ile razy mu to powtarzałem. Od lat dziewięćdziesiątych nie klasyfikuje się tego nawet jako parafilię.

Znowu nie bardzo rozumiem. Uśmiecha się do mnie życzliwie.

– To mnie szczególnie mierzi. – Kręci głową. – Christian w każdej sytuacji zakłada najgorsze. To część jego odrazy do samego siebie. Istnieje oczywiście coś takiego jak sadyzm seksualny, ale to nie jest choroba, lecz wybór stylu życia. I jeśli dochodzi do niego w bezpiecznym związku dwojga wyrażających na to zgodę osób, wtedy problem w ogóle nie istnieje. Z tego, co mi wiadomo, Christian wszystkie swoje relacje BDSM opierał na tej właśnie zasadzie. Ty jesteś pierwszą kochanką, która zaprotestowała, więc nie chce tego robić.

Kochanką!

– Ale z pewnością nie jest to takie proste.

– A dlaczego nie? – Doktor Flynn wzrusza dobrodusznie ramionami.

– Cóż… powody, dla których to robi.

– Ana, i o to właśnie chodzi. W kategoriach terapii skoncentrowanej na rozwiązaniu to jest takie proste. Christian chce być z tobą. Aby to zrobić, musi zrezygnować z bardziej ekstremalnych aspektów tego rodzaju relacji. Bądź co bądź to, o co go prosisz, wcale nie jest niedorzeczne, prawda?

Rumienię się. Nie, nie jest. Jest?

– Nie sądzę. Ale martwię się, że on tak uważa.

– Christian zdaje sobie z tego sprawę i zachowuje się w stosowny do tego sposób. Nie jest szaleńcem. – Doktor Flynn wzdycha. – Krótko mówiąc, on nie jest sadystą, Ano. Jest pełnym gniewu, przerażonym, inteligentnym młodym człowiekiem, który przy narodzinach otrzymał fatalnie rozdane karty. Wszyscy możemy rozdzierać szaty i do śmierci analizować kto, jak i dlaczego, albo Christian może zostawić to za sobą i podjąć decyzję, że chce żyć. Znalazł coś, co przez kilka lat się sprawdzało, ale odkąd cię poznał, tak już nie jest. W rezultacie zmienił się jego sposób działania. Ty i ja musimy uszanować jego wybór i zapewnić mu nasze wsparcie.

Wpatruję się w niego.

– To są moje słowa otuchy?

– Innych ci nie dam, Ano. W życiu nie ma żadnych gwarancji. – Uśmiecha się. – I to jest moja zawodowa opinia.

Ja także uśmiecham się blado. Te lekarskie żarty...

– Ale on postrzega siebie jako zdrowiejącego alkoholika.

– Christian zawsze będzie myślał o sobie jak najgorzej. Jak już mówiłem, to część jego wstrętu do samego siebie. To część jego natury, tak już ma. Oczywiście niepokoi się tą zmianą swego życia. Potencjalnie wystawia się na całe mnóstwo emocjonalnego bólu, który miał okazję poczuć, kiedy go zostawiłaś. To naturalne, że się boi. – Doktor Flynn czyni pauzę. – Nie jest moim zamiarem podkreślanie roli, jaką odgrywasz w tym jego nagłym nawróceniu. Ale taka jest prawda. Christian nie znalazłby się w tym miejscu, gdyby nie poznał ciebie. Osobiście nie uważam, aby alkoholik stanowił odpowiednią analogię, ale skoro na razie się sprawdza, to chyba powinniśmy uwierzyć mu na słowo.

Uwierzyć Christianowi na słowo. Marszczę brwi na tę myśl.

– Pod względem emocjonalnym Christian to dorastający chłopak, Ano. Ten etap życia zupełnie go ominął.

Całą energię przelał w osiągnięcie sukcesu w sferze biznesu, co mu się nadzwyczaj udało. Ale emocjonalnie ma jeszcze sporo do nadrobienia.

– Więc jak mam mu pomóc?

Doktor Flynn śmieje się.

– Rób po prostu dalej to samo. – Uśmiecha się do mnie szeroko. – Christian jest zadurzony w tobie po uszy. Aż miło na niego patrzeć.

Oblewam się rumieńcem, a moja wewnętrzna bogini skacze z radości. Coś mi jednak nie daje spokoju.

– Mogę zapytać jeszcze o jedno?

– Oczywiście.

Biorę głęboki oddech.

– Obawiam się, że gdyby nie był taki rozchwiany, nie chciałby być… ze mną.

Unosi ze zdumieniem brwi.

– W tych słowach widać bardzo negatywne nastawienie do siebie samej, Ana. I jeśli mam być szczery, więcej to mówi na temat ciebie niż Christiana. Nie może się oczywiście równać z jego wstrętem do samego siebie, niemniej jednak jestem zaskoczony.

– Cóż, proszę spojrzeć na niego… a potem na mnie.

Doktor Flynn marszczy brwi.

– Patrzę. I widzę atrakcyjnego młodego mężczyznę i atrakcyjną młodą kobietę. Ana, dlaczego nie uważasz siebie za atrakcyjną?

O nie… Nie chcę się teraz skupiać na sobie. Wbijam wzrok w dłonie. Rozlega się głośne pukanie do drzwi, a ja aż podskakuję. Do gabinetu wraca Christian, patrząc gniewnie na nas oboje. Rumienię się i rzucam szybkie spojrzenie doktorowi Flynnowi, który uśmiecha się łagodnie do Christiana.

– Witamy ponownie, Christianie – mówi.

– Myślę, że czas dobiegł końca, John.

– Prawie. Dołącz do nas.

Christian siada, tym razem obok mnie, i zaborczym gestem kładzie rękę na moim kolanie. Nie uchodzi to uwadze doktora Flynna.

– Miałaś jeszcze jakieś pytania, Ano? – pyta z wyraźną troską. Cholera... Nie powinnam była pytać go o tamto. Kręcę głową.

– Christianie?

– Nie dzisiaj, John.

Flynn kiwa głową.

– Byłoby dobrze, gdybyście raz jeszcze zjawili się oboje. Jestem przekonany, że Ana będzie mieć więcej pytań.

Christian kiwa niechętnie głową.

Czerwienię się. Cholera... on chce drążyć ten temat. Christian przygląda mi się z uwagą.

– W porządku? – pyta łagodnie.

Uśmiecham się i kiwam głową. Tak, dzięki dobremu doktorowi z Anglii uwierzymy mu na słowo.

Christian ściska mi dłoń i odwraca się do Flynna.

– Co z nią? – pyta cicho.

Ze mną?

– Jakoś się pozbiera – odpowiada uspokajająco.

– To dobrze. Informuj mnie o postępach.

– Oczywiście.

Jasny gwint. Rozmawiają o Leili.

– Powinniśmy pójść gdzieś świętować twój awans? – pyta Christian, patrząc na mnie znacząco.

Kiwam nieśmiało głową, a on wstaje.

Żegnamy się szybko z doktorem Flynnem i wychodzimy z wręcz niestosownym pośpiechem.

Na ulicy odwraca się do mnie.

– Jak poszło? – pyta niespokojnie.

– Dobrze.

Przygląda mi się podejrzliwie. Przechylam głowę.

– Panie Grey, proszę tak na mnie nie patrzeć. Zgodnie z zaleceniami lekarza mam zamiar wierzyć ci na słowo.

– A co to ma znaczyć?

– Przekonasz się.

Krzywi się i mruży oczy.

– Wsiadaj do auta – nakazuje, otwierając drzwi od strony pasażera.

Och, zmiana tematu. Odzywa się mój BlackBerry. Wyjmuję aparat z torby.

O cholera, José!

– Cześć!

– Ana, cześć…

Patrzę na Szarego, który mierzy mnie podejrzliwym wzrokiem. „José" – mówię do niego bezgłośnie. Minę ma obojętną, ale wzrok staje się lodowaty. Sądzi, że tego nie widzę?

– Przepraszam, że nie oddzwoniłam. Chodzi ci o jutro? – pytam José, ale patrzę na Christiana.

– Tak, słuchaj, rozmawiałem z jakimś kolesiem u Greya, więc znam adres, i powinienem się zjawić pomiędzy piątą a szóstą… potem jestem wolny.

Och.

– Cóż, obecnie pomieszkuję u Christiana i jeśli chcesz, to możesz u niego przenocować.

Christian zaciska usta w cienką linię. Hmm – ale z niego gospodarz.

José przez chwilę milczy, przyswajając wiadomości. Wzdrygam się. Nie miałam okazji porozmawiać z nim o Christianie.

– Okej – mówi wreszcie. – Ten związek z Greyem to coś poważnego?

Odwracam się i przechodzę na drugi koniec chodnika.

– Tak.

– Jak bardzo?

Przewracam oczami. Dlaczego Christian musi akurat tego słuchać?

– Bardzo.

– Jest teraz obok ciebie? Dlatego mówisz monosylabami?

– Tak.

– Okej. Więc masz jutro wieczorem wychodne?

– Oczywiście, że tak. – Mam taką nadzieję. Odruchowo krzyżuję palce.

– No to gdzie się spotkamy?

– Możesz przyjechać po mnie do pracy – proponuję.

– W porządku.

– Wyślę ci esemesem adres.

– O której?

– O szóstej?

– Jasne. No to do zobaczenia, Ana. Już się nie mogę doczekać. Stęskniłem się.

Uśmiecham się.

– Super. Do zobaczenia. – Rozłączam się i odwracam.

Christian opiera się o maskę i przygląda mi się uważnie. Z jego twarzy trudno cokolwiek wyczytać.

– Co u twojego przyjaciela? – pyta chłodno.

– Wszystko dobrze. Przyjedzie po mnie do pracy i chyba wyskoczymy na drinka. Masz ochotę wybrać się z nami?

Waha się.

– Nie sądzisz, że będzie czegoś próbował?

– Nie! – odpowiadam z irytacją, ale powstrzymuję się przed wywróceniem oczami.

– W porządku. – Christian unosi ręce w geście poddania. – Wyjdź sobie razem ze swoim przyjacielem, a my zobaczymy się później.

Spodziewałam się kłótni, więc jego ustąpienie zbija mnie z pantałyku.

– Widzisz? Potrafię być rozsądny. – Uśmiecha się drwiąco.

No, jeszcze się przekonamy.

– Mogę prowadzić?

Christian mruga, zaskoczony moją prośbą.

– Wolałbym nie.

– A dlaczego?

– Ponieważ nie lubię być pasażerem.

– Rano jakoś wytrzymałeś, no i zgadzasz się, aby woził cię Taylor.

– Bezgranicznie ufam Taylorowi jako kierowcy.

– Ale mnie nie? – Kładę dłonie na biodrach. – Naprawdę, twoja chęć sprawowania nad wszystkim kontroli nie zna granic. Jeżdżę samochodem, odkąd skończyłam piętnaście lat.

Wzrusza ramionami, jakby nie miało to żadnego znaczenia. Och – on jest taki irytujący! Uwierzyć mu na słowo? Cóż, mam to gdzieś.

– Czy to mój samochód? – pytam ostro.

Marszczy brwi.

– Oczywiście, że tak.

– W takim razie poproszę kluczyki. Jechałam nim dwa razy, i to tylko do pracy i z powrotem. A teraz ty chcesz mnie pozbawić przyjemności. – Wydymam wargi.

Christian walczy ze sobą, aby się nie uśmiechnąć.

– Ale ty nie wiesz, dokąd jedziemy.

– Jestem pewna, że mnie pan oświeci, panie Grey. Jak na razie świetnie panu idzie.

Patrzy na mnie zdumiony, po czym uśmiecha się tym swoim nowym nieśmiałym uśmiechem, którym kompletnie mnie rozbraja.

– Świetnie mi idzie, co? – mruczy.

Policzki mi czerwienieją.

– Generalnie tak.

– Cóż, skoro tak. – Podaje mi kluczyki, podchodzi do drzwi od strony kierowcy i otwiera je przede mną.

– Teraz w lewo – nakazuje Christian i kierujemy się na północ w stronę I-5. – Cholera, delikatnie, Ana. – Chwyta się deski rozdzielczej.

Och, na litość boską. Wywracam oczami, ale nie odwracam się, aby na niego spojrzeć. Z głośników sączy się głos Vana Morrisona.

– Zwolnij!

– Przecież zwolniłam!

Christian wzdycha.

– Co powiedział Flynn? – Słyszę w jego głosie niepokój.

– Już ci mówiłam. Że powinnam wierzyć ci na słowo.

– Może jednak powinnam była pozwolić mu prowadzić. Wtedy mogłabym go obserwować. Prawdę mówiąc... Włączam kierunkowskaz.

– Co robisz? – warczy.

– Pozwalam ci prowadzić.

– Czemu?

– Żeby móc na ciebie patrzeć.

Śmieje się.

– Nie, nie. Chciałaś prowadzić. Więc prowadź, a ja będę na ciebie patrzył.

Rzucam mu gniewne spojrzenie.

– Patrz na drogę! – krzyczy.

Krew we mnie wrze. Proszę bardzo! Tuż przed światłami zjeżdżam na chodnik i wysiadam z samochodu, trzaskając głośno drzwiami. Staję na chodniku, krzyżuję ramiona na piersi i patrzę na niego wkurzona. Wysiada z samochodu.

– Co robisz? – pyta zirytowany.

– Nie. Co ty robisz?

– Tu nie wolno parkować.

– Wiem.

– Więc czemu to zrobiłaś?

– Bo miałam dość twoich warczących rozkazów. Albo siadasz za kółkiem, albo koniec z uwagami!

– Anastasio, wsiadaj do samochodu, nim wlepią nam mandat.

– Nie.

Mruga zaskoczony, po czym przeczesuje palcami włosy. Wygląda tak komicznie, że nie mogę się nie uśmiechnąć. Marszczy brwi.

– No co? – warczy raz jeszcze.

– Ty.

– Och, Anastasio! Jesteś najbardziej frustrującym babskiem na tej planecie. – Wyrzuca ręce w górę. – W porządku, poprowadzę.

Chwytam go za marynarkę i przyciągam do siebie.

– Nie, to ty jesteś najbardziej frustrującym facetem na tej planecie.

Patrzy na mnie pociemniałymi oczami, po czym obejmuje mnie w talii i mocno przytula.

– Może w takim razie jesteśmy dla siebie stworzeni – mówi miękko i wącha mi włosy. Zarzucam mu ręce na szyję i zamykam oczy. Po raz pierwszy od rana czuję, jak się odprężam.

– Och… Ana, Ana, Ana – mówi bez tchu z ustami w moich włosach.

Stoimy tak w bezruchu, ciesząc się chwilą niespodziewanego spokoju na ulicy. Puszcza mnie i otwiera drzwi. Wsiadam i patrzę, jak obchodzi samochód.

Po chwili włącza się do ruchu, z roztargnieniem nucąc razem z Vanem Morrisonem.

Ooo. Pierwszy raz słyszę, jak śpiewa. Marszczę brwi. Ma piękny głos – oczywiście. Hmm… a on słyszał mój śpiew?

„Nie poprosiłby cię o rękę, gdyby słyszał!" Moja pod-świadomość ma ręce skrzyżowane na piersi, a na szyi nosi apaszkę Burberry. Piosenka dobiega końca i Christian uśmiecha się szeroko.

– Wiesz, gdybyśmy dostali mandat, to ten samochód jest na twoje nazwisko.

– Cóż, wobec tego dobrze, że dostałam awans; stać mnie na mandat – odpowiadam zadowolona, przyglądając się jego profilowi. Drżą mu kąciki ust. Gdy wjeżdżamy na I-5, w głośnikach rozbrzmiewa kolejny kawałek Vana Morrisona.

– Dokąd jedziemy?

– Niespodzianka. Co jeszcze mówił Flynn?

Wzdycham.

– Coś o TTKRRS czy jakoś tak.

– TKSR. Ostatni rodzaj terapii – mamrocze.

– Próbowałeś innych?

Christian prycha.

– Maleńka, przerobiłem dosłownie wszystko. Kognitywność, Freuda, funkcjonalizm, Gestalt, behawioryzm… Wymień jakąś nazwę, a na pewno tego próbowałem – mówi tonem zdradzającym rozgoryczenie.

– Myślisz, że to najnowsze podejście pomoże?

– Co powiedział Flynn?

– Żeby nie rozpamiętywać twojej przeszłości. Skupiać się na przyszłości, na tym, gdzie pragniesz się znaleźć.

Christian kiwa głową, ale jednocześnie wzrusza ramionami.

– Co jeszcze? – nie daje za wygraną.

– Mówił o twoim strachu przed dotykiem, choć nazwał to jakoś inaczej. I o twoich koszmarach sennych, i wstręcie do samego siebie. – Przyglądam mu się. Wydaje się zamyślony i przygryza paznokieć kciuka. Zerka na mnie z ukosa.

– Proszę patrzeć na drogę, panie Grey – besztam go, unosząc brwi.

Wygląda na rozbawionego i ciut zirytowanego.

– Rozmawialiście i rozmawialiście, Anastasio. Co jeszcze ci powiedział?

Przełykam ślinę.

– Nie uważa, żebyś był sadystą – szepczę.

– Naprawdę? – pyta cicho Christian i marszczy brwi. Atmosfera w samochodzie spada na łeb, na szyję.

– Twierdzi, że nie ma w psychiatrii takiego określenia. Już od lat dziewięćdziesiątych – mamroczę, szybko próbując uratować nastrój między nami.

Christian pochmurnieje. Powoli wypuszcza ustami powietrze.

– Flynn i ja mamy w tej kwestii odmienne zdanie – mówi cicho.

– Powiedział, że zawsze myślisz o sobie jak najgorzej. Wiem, że to prawda. Wspomniał także o sadyzmie seksualnym, ale mówił, że to wybór stylu życia, a nie stan psychiatryczny. Może o tym właśnie myślisz.

Zerka na mnie raz jeszcze, zaciskając usta.

– A więc jedna rozmowa z porządnym lekarzem i stałaś się ekspertem – oświadcza lodowato.

O rany… Wzdycham.

– Skoro nie chcesz słuchać, co mam do powiedzenia, to mnie nie pytaj – mówię cicho.

Nie chcę się kłócić. Poza tym ma rację – co ja wiem o jego problemach? Czy w ogóle chcę wiedzieć? Mogę wymienić istotne punkty – obsesja na punkcie sprawowania kontroli, zaborczość, zazdrość, nadopiekuńczość – i doskonale wiem, skąd się to wszystko wzięło. Potrafię nawet zrozumieć fakt, że nie lubi być dotykany – widziałam w końcu blizny. A doktor Flynn mówił…

– Chcę wiedzieć, o czym rozmawialiście – przerywa moje myśli, gdy zjeżdża z autostrady, kierując się na zachód w stronę chowającego się za horyzontem słońca.

– Nazwał mnie twoją kochanką.

– Naprawdę? – Ton ma pojednawczy. – Cóż, potrafi nazwać rzeczy po imieniu. Uważam, że to właściwe określenie. A ty nie?

– Swoje uległe uważałeś za kochanki?

Christian raz jeszcze marszczy brwi, ale tym razem dlatego, że się zastanawia. Skręca i znowu jedziemy w kierunku północnym. Ale dokąd?

– Nie. Były moimi partnerkami seksualnymi – mówi ostrożnie. – Ty jesteś moją jedyną kochanką. I chcę, żebyś była kimś więcej.

Och… a więc znowu pojawia się to magiczne słowo. Uśmiecham się i gratuluję sobie w duchu, starając się nie okazywać zbyt wielkiej radości.

– Wiem – szepczę, mocno się starając ukryć podekscytowanie. – Potrzebuję po prostu trochę czasu, Christianie. Aby uporządkować sobie w głowie wydarzenia kilku ostatnich dni.

Chwilę później światła, na których się zatrzymaliśmy, zmieniają się na zielone. Kiwa głową i pogłaśnia muzykę. Rozmowa skończona.

Nadal śpiewa Van Morrison – tym razem z większym optymizmem – o tym, że jest idealna noc na księżycowy taniec. Spoglądam przez szybę na sosny i świerki, skąpane w złotym świetle zachodzącego słońca. Drogę przecinają ich długie cienie. Christian skręca w prawo i kierujemy się na zachód ku Zatoce.

– Gdzie jedziemy? – pytam ponownie. Dostrzegam nazwę ulicy: 9th Ave NW. Czuję konsternację.

– Niespodzianka – odpowiada i uśmiecha się tajemniczo.

ROZDZIAŁ OSIEMNASTY

Christian mija jednopiętrowe, zadbane domki z sidingiem, gdzie dzieci grają na podwórkach w koszykówkę albo jeżdżą na rowerach i biegają po ulicy. Okolica wygląda na zamożną i dużo tu zieleni. Jedziemy kogoś odwiedzić? Kogo?

Kilka minut później skręcamy ostro w lewo i stajemy przed bogato zdobioną metalową bramą i niemal dwumetrowym murem z piaskowca. Christian opuszcza szybę, wystukuje na klawiaturze jakiś numer i brama się otwiera.

Zerka na mnie i widzę, że wyraz jego twarzy uległ zmianie. Wydaje się niepewny, wręcz zdenerwowany.

– Co to jest? – pytam, nie potrafiąc ukryć niepokoju.

– Pewien pomysł – odpowiada cicho, gdy saab mija bramę.

Jedziemy wysadzaną drzewami drogą, szeroką na tyle, by minęły się dwa samochody. Po jednej stronie znajduje się teren gęsto porośnięty drzewami, zaś po drugiej duża łąka zarośnięta trawą i polnymi kwiatami – wieczorny wietrzyk tworzy na trawie delikatne fale, a zachodzące słońce ozłaca kwiaty. Jest tu ślicznie, niezwykle spokojnie i nagle wyobrażam sobie, jak leżę na trawie i wpatruję się w błękitne letnie niebo. Myśl ta jest tak kusząca, że z jakiegoś dziwnego powodu ogarnia mnie tęsknota za domem. Naprawdę dziwne.

Droga zatacza łuk i otwiera się na szeroki podjazd przed imponującym domem w stylu śródziemnomorskim, zbudowanym z jasnoróżowego piaskowca. Jest bardzo okazały. We wszystkich pomieszczeniach pali się światło. Przed garażem dla czterech samochodów stoi eleganckie czarne bmw, ale Christian zatrzymuje się przed portykiem.

Hmm... Ciekawe, kto tu mieszka. Dlaczego tu przyjechaliśmy?

Rzuca mi niespokojne spojrzenie i gasi silnik.

– Zachowasz otwartość umysłu? – pyta.

Marszczę brwi.

– Christianie, potrzebuję jej od dnia, w którym poznałam ciebie.

Uśmiecha się sardonicznie i kiwa głową.

– Celna uwaga, panno Steele. Chodźmy.

Otwierają się drzwi z ciemnego drewna i w progu staje szatynka z sympatycznym uśmiechem, ubrana w eleganckie spodnium w kolorze lila. Cieszę się, że przebrałam się w nową granatową sukienkę, aby zrobić wrażenie na doktorze Flynnie. Okej, może i nie mam takich zabójczych szpilek jak ona, ale przynajmniej nie jestem w dżinsach.

– Panie Grey. – Uśmiecha się ciepło i wymieniają uścisk dłoni.

– Panno Kelly – mówi grzecznie.

Kobieta uśmiecha się do mnie i wyciąga rękę. Mojej uwadze nie uchodzi jej lekki rumieniec.

– Olga Kelly – mówi pogodnie.

– Ana Steele.

Kim jest ta kobieta? Odsuwa się i gestem zaprasza nas do środka. I wtedy doznaję szoku. Ponieważ dom jest pusty – kompletnie pusty. Znajdujemy się w dużym holu. Ściany są bladożółte i widać na nich ślady po obrazach. Pozostały jedynie staromodne kryształowe kinkiety. Podłogi wykonano z ciemnego drewna. Po obu stronach znajdują się zamknięte drzwi, ale Christian nie daje mi czasu na przyswojenie tego, co się dzieje.

– Chodź – mówi.

Bierze mnie za rękę i prowadzi do dużego westybulu. Element dominujący stanowią szerokie, kręcone schody z bogato zdobioną żelazną balustradą. Nie zatrzymuje się. Wchodzimy do salonu, w którym nie ma nic z wyjątkiem dużego, wyblakłego złotego dywanu – największego, jaki w życiu widziałam. Och, i jeszcze czterech kryształowych żyrandoli.

Zamiary Christiana stają się jasne, gdy przez otwarte drzwi balkonowe wychodzimy na duży kamienny taras. Pod nami znajduje się wypielęgnowany trawnik wielkości połowy boiska do piłki nożnej, a za nim... *wow...* to dopiero widok.

Panorama zapiera po prostu dech w piersiach: zmierzch nad Zatoką. W oddali widać wyspę Bainbridge, a jeszcze dalej zachodzące słońce chowa się powoli, zalewając Olimpijski Park Narodowy krwistą czerwienią i gorejącą pomarańczą. Na błękitnym niebie cynober miesza się z opalem i akwamaryną, by kawałek dalej połączyć się z fioletowymi postrzępionymi chmurami. To najdoskonalsza symfonia natury, odgrywana na niebie i odbijająca się w spokojnych wodach Zatoki. Jestem zachwycona tym widokiem: wpatruję się w niego pożądliwym wzrokiem, próbując przyswoić takie piękno.

Uświadamiam sobie, że z zachwytu wstrzymuję oddech i że Christian nadal trzyma mnie za rękę. Gdy niechętnie odrywam wzrok od panoramy, stwierdzam, że przygląda mi się niespokojnie.

– Przywiozłeś mnie tutaj, abyśmy podziwiali widok? – szepczę.

Z powagą kiwa głową.

– Jest zachwycający, Christianie. Dziękuję ci – mówię cicho, pozwalając mym oczom dalej się nim cieszyć. Puszcza moją dłoń.

– A co byś powiedziała, gdybyś go miała oglądać do końca życia? – pyta bez tchu.

Co takiego? Odwracam się i patrzę na niego zdumiona.

– Zawsze chciałem mieszkać na wybrzeżu. Żegluję po Zatoce, patrząc z zazdrością na te domy. Ten akurat dopiero niedawno wystawiono na sprzedaż. Chcę go kupić, zburzyć i wybudować nowy dom, dla nas – szepcze, a oczy płoną mu nadzieją i marzeniami.

O mamusiu. Jakoś udaje mi się nie osunąć z wrażenia na ziemię. Mieszkać tutaj! W tym niebie! Do końca życia…

– To tylko taki pomysł – dodaje ostrożnie.

Oglądam się na dom. Ile jest wart? Pewnie co najmniej pięć milionów? Nie mam pojęcia. O cholera.

– Dlaczego chcesz go zburzyć? – pytam, odwracając się z powrotem do niego. Christianowi rzednie mina. O nie.

– Chciałbym wybudować dom przyjazny środowisku, wykorzystując najnowsze technologie ekologiczne. Elliot mógłby się tym zająć.

Jeszcze raz się oglądam. Panna Olga Kelly stoi na końcu przy wejściu. To, oczywiście, pośredniczka w handlu nieruchomościami. Zauważam, że pomieszczenie jest nie tylko ogromne, ale i wysokie, trochę jak salon w Escali. U góry widzę coś w rodzaju balkonu – to pewnie podest na piętrze. Jest tu duży kominek i cała ściana z oknami wychodzącymi na taras. Ten dom ma swój stylowy urok.

– Możemy rozejrzeć się po wnętrzach?

Mruga zaskoczony.

– Jasne. – Wzrusza ramionami.

Kiedy wchodzimy do środka, twarz panny Kelly rozświetla się jak lampki na choince. Ochoczo zabiera nas na wycieczkę.

Dom jest olbrzymi: tysiąc sto metrów kwadratowych na sześciu akrach ziemi. Oprócz głównego salonu jest tu kuchnia i pokój dzienny, pokój muzyczny, biblioteka, gabinet i, ku memu zdumieniu, kryty basen i siłownia z przylegającą do niej sauną. W piwnicy znajdujemy salę kinową – Jezu! – i pokój gier. Hmm... w co byśmy mogli tam grać?

Panna Kelly zwraca naszą uwagę na różnego rodzaju udogodnienia, ale generalnie dom jest piękny i widać, że należał do szczęśliwej rodziny. Teraz jest nieco zapuszczony, ale temu akurat łatwo zaradzić.

Gdy wchodzimy za panną Kelly imponującymi schodami na piętro, ledwie jestem w stanie powściągnąć podekscytowanie. Ten dom ma wszystko, o czym tylko można sobie zamarzyć.

– A tego domu nie dałoby się uczynić bardziej ekologicznym i samowystarczalnym?

Christian patrzy na mnie z konsternacją.

– Musiałbym zapytać Elliota. To on się na tym wszystkim zna.

Panna Kelly prowadzi nas do głównej sypialni, z której wychodzi się na balkon z równie spektakularnym widokiem. Całymi dniami mogłabym siedzieć na łóżku i obserwować żaglówki i zmieniającą się pogodę.

Na piętrze znajduje się pięć dodatkowych sypialni. Dzieci! Szybko odsuwam od siebie tę myśl. I tak mam już zbyt wiele do przemyślenia. Panna Kelly informuje właśnie Christiana, że teren jest wystarczająco duży, by wybudować stajnię i padok. Konie! W mojej głowie pojawiają się przerażające obrazy z tych kilku lekcji jazdy konnej, które były moim udziałem, ale Christian chyba jej nie słucha.

– Padok byłby tam, gdzie teraz jest łąka? – pytam.

– Tak – odpowiada dziarsko panna Kelly.

Dla mnie łąka wygląda na miejsce, gdzie można leżeć w wysokiej trawie i urządzać pikniki, a nie miejsce zabaw jakiegoś czworonożnego demona.

Gdy wracamy na dół, panna Kelly znika dyskretnie, a Christian prowadzi mnie raz jeszcze na taras. Słońce zdążyło już zajść i po drugiej stronie Zatoki migają światła miasteczek Półwyspu Olimpijskiego.

Christian bierze mnie w ramiona, unosi brodę i patrzy mi prosto w oczy.

– Sporo do przemyślenia? – pyta z nieodgadnionym wyrazem twarzy.

Kiwam głową.

– Chciałem sprawdzić, czy ci się podoba, nim to kupię.

– Widok?

– Tak.

– Uwielbiam ten widok i podoba mi się dom.

– Naprawdę?

Uśmiecham się nieśmiało.

– Christianie, kupiłeś mnie tą łąką.

Uśmiecha się od ucha do ucha, a sekundę później jego usta opadają na moje.

Gdy wracamy do Seattle, nastrój Christiana jest zdecydowanie lepszy.

– Więc zamierzasz to kupić? – pytam.

– Tak.

– Escalę wystawisz na sprzedaż?

Marszczy brwi.

– A niby czemu?

– Aby zapłacić za… – urywam. No tak. Rumienię się.

Uśmiecha się lekko drwiąco.

– Uwierz, stać mnie na ten dom.

– Lubisz być bogaty?

– Tak. Pokaż mi kogoś, kto nie lubi – odpowiada chmurnie.

Okej, porzućmy więc ten temat.

– Anastasio, jeśli powiesz „tak", ty też będziesz musiała się nauczyć być bogatą – mówi łagodnie.

– Bogactwo to nie jest coś, do czego zawsze dążyłam, Christianie.

– Wiem. Kocham to w tobie. No ale też nigdy nie byłaś głodna.

Jego słowa działają na mnie otrzeźwiająco.

– Dokąd jedziemy? – pytam dziarsko, zmieniając temat. Christian się odpręża.

– Świętować.

Och!

– Co świętować? Zakup domu?

– Już zapomniałaś? Twoje nowe stanowisko.

– No tak. – Uśmiecham się. To niewiarygodne, ale rzeczywiście zapomniałam.

– Gdzie?

– Wysoko w moim klubie.

– Twoim klubie?

– Tak. Jednym z wielu.

Mile High Club mieści się na siedemdziesiątym szóstym piętrze Columbia Tower, jeszcze wyżej niż apartament Christiana. To bardzo modny przybytek, a z jego okien rozciąga się niesamowity widok na Seattle.

– Cristal, proszę pani? – Gdy siedzę na stołku barowym, Christian podaje mi kieliszek schłodzonego szampana.

– Ależ dziękuję, panie Grey. – I trzepoczę rzęsami.

– Czy pani ze mną flirtuje, panno Steele?

– Tak, panie Grey. I co zamierza pan z tym zrobić?

– Już ja coś wymyślę – odpowiada niskim głosem. – Chodź, jest już nasz stolik.

Gdy ruszamy w jego stronę, Christian mnie zatrzymuje, kładąc dłoń na mym łokciu.

– Idź i zdejmij majtki – szepcze.

Och? Wzdłuż kręgosłupa przebiega mi rozkoszny dreszcz.

– Idź – nakazuje cicho.

Słucham? Christian się nie uśmiecha; jest śmiertelnie poważny. A ja czuję, jak zaciskają się wszystkie moje mięśnie poniżej talii. Podaję mu swój kieliszek, odwracam się na pięcie i udaję się do toalety.

Cholera. Co on zamierza zrobić? Być może ten klub nazwano tak nie bez kozery.

Toalety stanowią uosobienie nowoczesnego designu – ciemne drewno, czarny granit i strategicznie umiejscowione halogeny. Wchodzę do kabiny i pozbywam się bielizny. I raz jeszcze cieszę się, że po pracy przebrałam się w granatową sukienkę. Uznałam ją za odpowiedni strój na spotkanie z doktorem Flynnem – nie spodziewałam się, że wieczór potoczy się w tak nieoczekiwanym kierunku.

Już jestem podniecona. Dlaczego ten mężczyzna ma na mnie aż taki wpływ? Nieco żałuję tego, jak łatwo ulegam jego czarowi. Wiem, że teraz nie spędzimy wieczoru na omawianiu wszystkich naszych problemów i niedawnych wydarzeń... ale jak mogę mu się oprzeć?

Przeglądam się w lustrze: oczy mam błyszczące, a policzki zaróżowione z podniecenia. W nosie mam problemy.

Biorę głęboki oddech i wracam na salę. A co, przecież nie po raz pierwszy nie mam na sobie bielizny. Moja wewnętrzna bogini wystrojona jest w różowe pierzaste boa, brylanty i seksowne szpilki.

Kiedy podchodzę do stolika, Christian wstaje grzecznie, a wyraz twarzy ma nieodgadniony. Jak zawsze sprawia wrażenie spokojnego i opanowanego. Ale ja, oczywiście, wiem, jaka jest prawda.

– Siądź koło mnie – mówi i tak właśnie robię. – Złożyłem już zamówienie w twoim imieniu. Mam nadzieję, że nie masz mi tego za złe.

Podaje mi kieliszek z szampanem, przyglądając mi się bacznie, a mnie krew zaczyna wrzeć. Christian kładzie dłonie na udach. Spinam się i lekko rozchylam nogi.

Zjawia się kelner z półmiskiem ostryg na kruszonym lodzie. Ostrygi. Przypomina mi się nasza kolacja w prywatnej sali w Heathmanie. Omawialiśmy wtedy jego umowę. O rany. Sporo się od tamtego czasu zmieniło.

– Z tego, co pamiętam, ostatnim razem ostrygi ci smakowały. – Jego głos jest niski, uwodzicielski.

– To był jedyny raz, kiedy je jadłam. – Zdradza mnie głos.

– Och, panno Steele, kiedy się pani nauczy?

Bierze z półmiska jedną ostrygę i podnosi z uda drugą ręką. Zamieram, ale on sięga po plasterek cytryny.

– Nauczy czego? – pytam. Jezu, ale mi wali serce.

Długimi, wprawnymi palcami delikatnie wyciska cytrynę nad ostrygą.

– Jedz – rozkazuje, zbliżając muszlę do mych ust. Rozchylam usta, a on delikatnie ją kładzie na dolnej wardze. – Odchyl powoli głowę – mruczy. Robię, co mi każe, i ostryga ześlizguje mi się do gardła.

Christian także się częstuje, po czym podaje mi drugą. Kontynuujemy to, aż z półmiska znika wszystkie dwanaście ostryg. Przez cały ten czas w ogóle mnie nie dotyka. Doprowadza mnie tym do szaleństwa.

– Nadal smakują ci ostrygi? – pyta, gdy przełykam ostatnią.

Kiwam zarumieniona głową. Tak bardzo jestem spragniona jego dotyku.

– To dobrze.

Poprawiam się na krześle. Czemu jest tu tak gorąco? Ponownie kładzie dłoń na swoim udzie. Teraz. Błagam. Dotknij mnie. Moja wewnętrzna bogini, mająca na sobie wyłącznie majtki, klęczy i składa ręce jak do modlitwy. Christian przesuwa dłonią po udzie, unosi ją, po czym kładzie z powrotem.

Kelner dolewa nam szampana i zabiera talerze. Chwilę później wraca z naszym daniem głównym: strzępielem – nie wierzę – serwowanym ze szparagami, ziemniakami sauté i sosem holenderskim.

– Pańskie ulubione danie, panie Grey?

– Zdecydowanie, panno Steele. Choć wydaje mi się, że w Heathmanie to był pstrąg. – Przesuwa dłonią po udzie. Mój oddech przyspiesza, ale Christian nadal mnie nie dotyka. To takie frustrujące. Próbuję się skoncentrować na rozmowie.

– Pamiętam, że wtedy siedzieliśmy w prywatnej sali i omawialiśmy warunki umowy.

– Piękne czasy – mówi, uśmiechając się znacząco. – Tym razem mam nadzieję, że uda mi się cię przelecieć. – Bierze do ręki nóż.

Och!

Wkłada do ust kęs ryby. Robi to celowo.

– Nie licz na to – burczę nadąsana, a on posyła mi rozbawione spojrzenie. – A skoro mowa u umowach… – dodaję – co z NDA?

– Podrzyj ją – mówi zwięźle.

– Co takiego? Naprawdę?

– Tak.

– Jesteś pewny, że nie pobiegnę z tym wszystkim do „Seattle Times"? – przekomarzam się.

Śmieje się. To taki cudowny dźwięk. Wygląda wtedy tak młodo.

– Nie. Ufam ci. Zamierzam uwierzyć ci na słowo.

Och. Uśmiecham się do niego nieśmiało.

– I vice versa – mówię bez tchu.

W jego oczach pojawia się błysk.

– Bardzo się cieszę, że jesteś w sukience – mruczy. I proszę bardzo: mnie od razu przeszywa dreszcz pożądania.

– Dlaczego mnie w takim razie nie dotykasz? – syczę.

– Tęsknisz za moim dotykiem? – pyta, uśmiechając się szeroko. Śmieszy go to... Drań.

– Tak – warczę.

– Jedz.

– Nie zamierzasz mnie dotknąć, prawda?

– Nie. – Kręci głową.

Słucham? Głośno łapię powietrze.

– Wyobraź sobie tylko, co będziesz czuć, kiedy dotrzemy do domu – szepcze. – Już się nie mogę doczekać.

– Jeśli wybuchnę tutaj, na siedemdziesiątym szóstym piętrze, to będzie twoja wina – warczę przez zaciśnięte zęby.

– Och, Anastasio. Znajdziemy jakiś sposób na to, aby ci ulżyć – mówi, uśmiechając się do mnie lubieżnie.

Gotując się ze złości, zabieram się za strzępiela, a moja wewnętrzna bogini mruży oczy, układając chytry plan. My też się możemy w to pobawić. Podstawy poznałam podczas naszej kolacji w Heathmanie. Wkładam do ust kawałek ryby. Jest przepyszna. Zamykam oczy, delektując się smakiem. Kiedy je otwieram, rozpoczynam proces uwiedzenia Christiana Greya. Bardzo powoli podciągam sukienkę, odsłaniając sporą część ud.

Christian zamiera, z widelcem w połowie drogi do ust.

Dotknij mnie.

Po chwili wraca do jedzenia. Biorę kolejny kęs strzępiela, ignorując go. Następnie odkładam nóż i przesuwam palcami po wewnętrznej części uda, lekko stukając skórę opuszkami. Nawet na mnie to działa, zwłaszcza, że tak jestem spragniona jego dotyku. Christian nieruchomieje raz jeszcze.

– Wiem, co robisz. – Głos ma niski i chrapliwy.

– Wiem, że pan wie, panie Grey – odpowiadam miękko. – I o to właśnie chodzi. – Biorę jednego szparaga, rzucam Christianowi spojrzenie spod rzęs, po czym zanurzam go w sosie, obracając w nim jego czubek.

– Nie odwróci pani tej sytuacji na moją niekorzyść, panno Steele. – Uśmiechając się drwiąco, wyciąga rękę i zabiera mi szparaga. I znowu udaje mu się w ogóle mnie nie dotknąć. O nie, to wcale nie idzie zgodnie z planem.

– Otwórz usta – nakazuje.

Przegrywam tę walkę. Widzę, że wzrok mu płonie. Uchylam delikatnie usta i przesuwam językiem po dolnej wardze. Christian uśmiecha się, a jego oczy stają się jeszcze ciemniejsze.

– Szerzej – mówi. Usta ma rozchylone, tak że dostrzegam jego język. Jęczę w duchu i przygryzam dolną wargę, po czym robię, co mi każe.

Słyszę, jak wciąga powietrze – a więc nie jest zupełnie nieczuły. To dobrze, w końcu moje działania przynoszą efekty.

Nie odrywając od niego wzroku, biorę do ust szparaga i ssę go lekko… delikatnie… sam koniuszek. Ten sos holenderski jest przepyszny. Gryzę, jęcząc cichutko.

Christian zamyka oczy. Tak! Kiedy je otwiera, źrenice ma rozszerzone. Moja reakcja jest natychmiastowa. Jęczę i wyciągam rękę, aby dotknąć jego uda. Ku memu zdziwieniu drugą ręką chwyta mnie za nadgarstek.

– O nie, tak się nie zachowujemy, panno Steele – mruczy cicho. Zbliża moją dłoń do ust, delikatnie całuje mi knykcie, a ja się wiję. Nareszcie! Proszę o więcej. – Nie dotykaj – beszta mnie i puszcza dłoń. To takie frustrujące!

– Nie grasz fair – burczę.

– Wiem.

Podnosi kieliszek z szampanem, aby wznieść toast. Robię to samo.

– Gratulacje z okazji awansu, panno Steele. – Stukamy się kieliszkami.

– Tak, to dość nieoczekiwane – mówię.

Marszczy brwi, jakby przez głowę przemknęła mu jakaś mało przyjemna myśl.

– Jedz – nakazuje. – Nie pojedziemy do domu, dopóki nie skończysz jeść. I wtedy dopiero będziemy naprawdę świętować.

– Nie jestem głodna.

Kręci głową, wyraźnie z siebie zadowolony, ale jednocześnie mruży oczy.

– Jedz, inaczej przełożę cię przez kolano i zapewnimy rozrywkę innym gościom.

Nie ośmieliłby się! On i ta jego świerzbiąca ręka. Zaciskam usta i patrzę na niego gniewnie. Bierze z talerza łodygę szparagu, zanurza czubek w sosie.

– Zjedz to. – Głos ma niski i uwodzicielski.

Ochoczo spełniam jego polecenie.

– Naprawdę za mało zjadłaś. Ważysz mniej, niż kiedy się poznaliśmy – mówi łagodnie.

Nie chcę rozmawiać o mojej wadze; prawda jest taka, że podobam się sobie taka szczupła. Przełykam kawałki szparaga.

– Chcę jechać w końcu do domu i się z tobą kochać – burczę.

Christian uśmiecha się.

– Ja też, i tak właśnie będzie. Jedz.

Niechętnie biorę do ręki sztućce. No kurczę, a przecież zdjęłam majtki i w ogóle. Czuję się jak dziecko, które nie dostało obiecanego cukierka.

Wypytuje mnie o Ethana. Okazuje się, że Christian robi interesy z ojcem Kate i Ethana. Hmm... jaki ten świat mały. Czuję ulgę, że nie wspomina ani słowem o doktorze Flynnie czy o domu, gdyż nie jest mi łatwo skupić się na rozmowie. Chcę do domu.

Przy stoliku panuje aura zmysłowego wyczekiwania. On jest w tym taki dobry. W zmuszaniu mnie do czekania. Kładzie rękę na udzie, tak blisko mojego, ale nadal mnie nie dotyka.

Drań! W końcu kończę jeść i odkładam sztućce.

– Grzeczna dziewczynka – mruczy i w tych dwóch słowach zawarte jest tyle obietnicy.

– Co teraz? – pytam. Och, ależ ja mam ochotę na tego mężczyznę.

– Teraz? Wychodzimy. Z tego, co mi wiadomo, ma pani względem mnie pewne oczekiwania, panno Steele. Którym zamierzam sprostać najlepiej, jak potrafię.

Ha!

– Najlepiej... jak... potra... fisz? – dukam.

Uśmiecha się i wstaje.

– Nie musimy zapłacić? – pytam bez tchu.

Przechyla głowę.

– Jestem tu członkiem. Dopiszą kolację do mojego rachunku. Anastasio, ty przodem.

Wstaję z krzesła, świadoma tego, że nie mam bielizny. Przygląda mi się takim wzrokiem, jakby mnie rozbierał, a ja rozkoszuję się tą zmysłową oceną. Czuję się taka seksowna – ten piękny mężczyzna pożąda właśnie mnie. Czy zawsze tak mnie to będzie podniecać? Celowo zatrzymuję się przed nim i wygładzam sukienkę na biodrach.

– Nie mogę się doczekać powrotu do domu – szepcze mi do ucha, ale nadal mnie nie dotyka.

Gdy czekamy na windę, dołączają do nas dwie pary w średnim wieku. Po otwarciu drzwi Christian bierze mnie za łokieć i wprowadza na koniec kabiny. Otaczają nas lustra z przydymionego szkła. Gdy wchodzą dwie pozostałe pary, jeden z mężczyzn, ubrany w niezbyt twarzowy brązowy garnitur, wita się z Christianem.

– Grey. – Kiwa uprzejmie głową. Christian czyni to samo, ale się nie odzywa.

Pary stoją przed nami, przodem do drzwi windy. Widać, że się znają – panie głośno gawędzą, ożywione po kolacji. Chyba wszyscy są ciut wstawieni.

Gdy drzwi się zamykają, Christian kuca, aby zawiązać sznurówkę. Dziwne, bo wcale się nie rozwiązały. Dyskretnie kładzie mi dłoń na kostce, zaskakując mnie tym, a kiedy wstaje, jego dłoń przesuwa się w górę po mojej nodze. Muszę się pilnować, by nie krzyknąć z zaskoczenia, gdy jego dłoń dociera do pośladków. Christian staje za mną.

O rety. Wpatruję się w strojących przed nami ludzi. Nie mają pojęcia, co my robimy. Christian obejmuje mnie wolną ręką w talii i przyciąga do siebie. A jego palce przystępują do eksploracji. O mamusiu… tutaj? Winda rusza gładko w dół, zatrzymując się na pięćdziesiątym trzecim piętrze, aby zabrać jeszcze jedną parę, ale zupełnie nie zwracam na to uwagi. Skupiam się na każdym najmniejszym ruchu, wykonywanym przez palce Christiana. Zataczaniu kółek… teraz przesuwaniu się do przodu… poszukiwaniu…

Zduszam jęk, kiedy docierają do celu.

– Zawsze taka gotowa, panno Steele – szepcze, wsuwając we mnie palec. Łapię głośno oddech. Jak on może to robić, w obecności tych wszystkich ludzi?

– Nie ruszaj się i bądź cicho – ostrzega mnie szeptem.

Cała jestem czerwona, spragniona, uwięziona w windzie z siedmioma osobami, z których sześć pozostaje nieświadomych tego, co dzieje się w kącie. Jego palec wsuwa się i wysuwa, raz po raz. Mój oddech... Jezu, to żenujące. Chcę mu kazać przestać... i kontynuować... i przestać. Opieram się o niego, wyczuwając na biodrze jego wzwód.

Zatrzymujemy się na czterdziestym czwartym piętrze. Och... jak długo potrwają te męczarnie? Wkłada... wyjmuje... wkłada... wyjmuje... Delikatnie ocieram się o jego uparty palec. Po tym całym czasie, kiedy mnie nie dotykał, on wybiera windę! Czuję się przez to taka... rozpustna.

– Ćśś – szepcze mi do ucha, najwyraźniej nie przejmując się tym, że dołączyły do nas dwie kolejne osoby. W windzie robi się tłoczno. Christian jeszcze bardziej nas wycofuje, do samego kąta, i dalej mnie torturuje. Nos ma zanurzony w moich włosach. Jestem pewna, że wyglądamy jak młoda zakochana para, tuląca się w kącie. Gdyby ktoś oczywiście miał się obejrzeć i sprawdzić, co robimy... A on wsuwa we mnie drugi palec.

Kurwa! Jęczę i cieszę się, że panie przed nami dalej trajkoczą, skutecznie mnie zagłuszając.

Och, Christianie, co ty ze mną wyprawiasz?! Opieram głowę o jego klatkę piersiową, zamykam oczy i poddaję się jego nieustępliwym palcom.

– Nie dochodź – szepcze. – Chcę tego na później.

W końcu winda zatrzymuje się na parterze. Drzwi rozsuwają się z głośnym brzęknięciem i niemal natychmiast pasażerowie zaczynają wychodzić. Christian powoli wysuwa ze mnie palce i całuje mnie w głowę. Oglądam się na niego, a on uśmiecha się, po czym kiwa głową panu w brązowym garniturze, opuszczającemu z żoną windę. Ledwie zwracam na to uwagę, koncentrując się na zachowaniu pozycji pionowej. Jezu, ależ się czuję obolała. Christian puszcza mnie, a ja odwracam się i patrzę na niego. Wydaje się taki spokojny i opanowany. Hmm.. To takie nie fair.

– Gotowa? – pyta. Oczy mu błyszczą szelmowsko, gdy wsuwa do ust najpierw palec wskazujący, później środkowy, i ssie je. – Cóż za smak, panno Steele – szepcze, a ja doznaję niemal konwulsji.

– Nie mogę uwierzyć, że to zrobiłeś – mamroczę.

– Zaskoczona byłaby pani tym, co potrafię robić, panno Steele – mówi. Zakłada mi za ucho kosmyk włosów, a lekki uśmiech zdradza jego rozbawienie. – Chcę cię zawieźć do domu, ale możliwe, że uda nam się dojść tylko do samochodu. – Uśmiecha się szeroko, biorąc mnie za rękę i wyprowadzając z windy.

Co takiego? Seks w samochodzie? Nie możemy zrobić tego po prostu tutaj, w holu, na tej chłodnej marmurowej posadzce?

– Chodź.

– Nigdy nie uprawiałam seksu w samochodzie – mówię.

Christian zatrzymuje się w pół kroku i piorunuje mnie wzrokiem.

– Bardzo mnie to cieszy. Muszę powiedzieć, że byłbym mocno zaskoczony, nie wspominając o tym, że wściekły, gdyby było inaczej.

Czerwienię się. No tak, tylko z nim uprawiałam seks.

– Nie to miałam na myśli.

– A co? – Ton jego głosu jest nieoczekiwanie ostry.

– Christianie, to tylko takie powiedzenie.

– Słynne powiedzenie, „Nigdy nie uprawiałam seksu w samochodzie". Tak, wszyscy je znają.

O co mu chodzi?

– Christianie, powiedziałam to bez zastanowienia. Na litość boską, ty właśnie… eee… zrobiłeś mi to w windzie pełnej ludzi. Nie myślę jeszcze jasno.

Unosi brwi.

– Co ja ci zrobiłem? – pyta wyzywająco.

Posyłam mu gniewne spojrzenie. Chce, żebym to powiedziała.

– Podniecileś mnie, i to bardzo. A teraz zabierz mnie
do domu i zerżnij.

Otwiera usta, po czym śmieje się zaskoczony. I wygląda tak młodo i beztrosko. Och, słyszeć jego śmiech.
Uwielbiam go, ponieważ jest taki rzadki.

– Jest pani urodzoną romantyczką, panno Steele. –
Bierze mnie za rękę i wychodzimy z budynku.

– Więc chcesz seksu w samochodzie – mówi Christian,
przekręcając kluczyk w stacyjce.

– Szczerze? Wystarczyłaby mi podłoga w holu.

– Uwierz mi, Ano, mnie też. Ale nie mam ochoty zostać o tej porze aresztowanym, a nie chciałem cię bzyknąć
w toalecie. Cóż, nie dzisiaj.

Co?!

– To znaczy istniała taka możliwość?

– O tak.

– Wracamy.

Znowu się śmieje. Jego śmiech jest zaraźliwy i chwilę
później chichoczemy oboje. Christian kładzie mi rękę na
kolanie i gładzi delikatnie smukłymi palcami. Przestaję
się śmiać.

– Cierpliwości, Anastasio – mówi cicho i włącza się
do ruchu.

Parkuje saaba w garażu Escali i gasi silnik. Nagle atmosfera między nami ulega zmianie. Patrzę na niego wyczekująco, próbując opanować palpitacje serca. Christian
siedzi odwrócony w moją stronę, opierając się plecami
o drzwi, z łokciem wspartym na kierownicy.

Kciukiem i palcem wskazującym pociąga za dolną
wargę. Jego usta są takie rozpraszające. Pragnę poczuć je

na sobie. Przygląda mi się uważnie ciemnoszarymi oczami. W ustach robi mi się sucho. Na jego twarzy powoli pojawia się seksowny uśmiech.

– Będziemy się pieprzyć w samochodzie wtedy, kiedy tak zdecyduję. Na razie chcę cię posuwać na każdej dostępnej powierzchni w apartamencie.

Moja wewnętrzna bogini robi cztery arabeski i *pas de basque*.

– Tak. – Jezu, ależ jestem zdesperowana.

Nachyla się nieznacznie w moją stronę. Zamykam oczy, czekając na pocałunek, myśląc, że w końcu... Ale nic się nie dzieje. Po kilku niekończących się sekundach otwieram oczy i widzę, że mi się przygląda. Nim zdążę cokolwiek powiedzieć, rzuca:

– Jeśli cię teraz pocałuję, nie dotrzemy do mieszkania. Chodź.

Och! Cóż za frustrujący człowiek.

Raz jeszcze czekamy na windę, a moje ciało wibruje wyczekująco. Christian trzyma mnie za rękę, przesuwając kciukiem rytmicznie po knykciach, a każdy jego ruch odbija się echem w moim wnętrzu. Och, tak bardzo pragnę czuć jego dłonie na całym ciele. Wystarczająco długo mnie dręczy.

– No więc co się stało z natychmiastowym zaspokojeniem? – pytam.

– Nie w każdej sytuacji ma ono zastosowanie, Anastasio.

– Od kiedy?

– Od dzisiejszego wieczoru.

– Dlaczego tak mnie dręczysz?

– Wet za wet, panno Steele.

– A niby jak ja dręczę ciebie?

– Chyba wiesz jak.

Podnoszę na niego wzrok. Trudno odczytać cokolwiek z jego twarzy. Chce poznać moją odpowiedź... o to właśnie chodzi.

– Ja także jestem za opóźnionym zaspokojeniem – szepczę, uśmiechając się nieśmiało.

Pociąga mnie mocno za rękę i nieoczekiwanie ląduję w jego ramionach. Pociąga mnie delikatnie za włosy, odchylając mi głowę.

– Co mogę zrobić, żebyś się zgodziła? – pyta żarliwie, po raz kolejny zbijając mnie z tropu. Mrugam, widząc jego poważną, desperacką minę.

– Daj mi trochę czasu... proszę – mówię cicho. Jęczy i w końcu mnie całuje, długo i mocno. A potem wchodzimy do windy i jesteśmy już tylko dłońmi i ustami, i językami, i palcami, i włosami. Pożądanie buzuje w moim ciele, pozbawiając mnie wszelkiego rozsądku. Christian popycha mnie na ścianę, przyszpilając do niej biodrami.

– Jestem twój – szepcze. – Mój los jest w twoich rękach, Ana.

Jego słowa są odurzające i w swoim rozgorączkowaniu mam ochotę zedrzeć z niego ubranie. Pociągam za marynarkę, a kiedy winda zatrzymuje się na naszym piętrze, wypadamy razem do holu.

Christian przyciska mnie do ściany obok windy. Marynarka spada na podłogę, a jego dłonie wędrują w górę mej nogi. I ani na chwilę nie przestaje mnie całować. Podciąga mi sukienkę.

– Pierwsza powierzchnia tutaj – dyszy i nagle mnie podnosi. – Opleć mnie nogami.

Robię, co mi każe, a on odwraca się i powoli mnie kładzie na stole w holu, tak że sam stoi między moimi nogami. Akurat dziś brak na stole wazonu z kwiatami. Christian sięga do kieszeni, wyjmuje foliową paczuszkę, daje mi ją i rozpina rozporek.

– Masz pojęcie, jak bardzo mnie podniecasz?

– Co? – dyszę. – Nie... ja...

– Oczywiście, że masz – mruczy. – Przez cały czas.

– Wyrywa mi z ręki foliową paczuszkę. Och, to wszystko dzieje się tak szybko, ale po tym długim, dręczącym wieczorze bardzo go pragnę, tu i teraz. Patrzy na mnie, gdy zakłada prezerwatywę, po czym wsuwa ręce pod moje uda, jeszcze bardziej je rozchylając. – Miej oczy otwarte. Chcę cię widzieć – szepcze, a potem we mnie wchodzi.

Próbuję, naprawdę próbuję, ale doznanie jest tak niewiarygodnie wspaniałe. To, na co czekałam przez cały wieczór. Jęczę i wyginam plecy w łuk.

– Otwórz! – warczy, a jego pchnięcia stają się tak głębokie, że aż krzyczę.

Otwieram oczy, a on patrzy na mnie z góry. Powoli się wycofuje, po czym wchodzi we mnie raz jeszcze. Usta lekko rozchyla, ale milczy. Widząc jego podniecenie, jego reakcję na mnie, rozpromieniam się od środka, a w uszach dudni mi krew. Jego szare oczy wwiercają się w moje. Przyspiesza, a ja rozkoszuję się tym, obserwując go – jego namiętność, jego miłość – gdy razem rozpadamy się na kawałki.

Krzyczę, gdy eksploduję wokół niego.

– Tak, Ana! – Opada na mnie i składa głowę na moich piersiach. Nogami nadal oplatam go w pasie i pod cierpliwym, matczynym wzrokiem Madonny z obrazu tulę do siebie jego głowę i walczę o oddech.

Unosi głowę, aby na mnie spojrzeć.

– Jeszcze z tobą nie skończyłem – mruczy, po czym mnie całuje.

Leżę naga w łóżku Christiana, z głową na jego klatce piersiowej. Ciężko dyszę. O mamusiu, czy on choć czasem traci siły? Właśnie przebiega palcami po moich plecach.

– Zaspokojona, panno Steele?

Mruczę coś w odpowiedzi. Nie mam siły mówić. Unoszę głowę, patrzę na niego i pławię się w jego ciepłym, czułym spojrzeniu. Powoli przechylam głowę i ją opuszczam, aby wiedział, że zamierzam pocałować go w klatkę piersiową.

Od razu się spina, a ja składam lekki jak piórko pocałunek wśród włosków, wdychając wyjątkowy zapach Christiana, zmieszany z potem i seksem. Jest odurzający. Przewraca się na bok, tak że leżę teraz obok niego, i przygląda mi się.

– Czy wszyscy mają taki seks? Dziwię się, że ludzie w ogóle wychodzą z domu – mówię, ogarnięta nagłą nieśmiałością.

Christian uśmiecha się.

– Nie mogę mówić za wszystkich, ale z tobą jest cholernie wyjątkowy, Anastasio. – Całuje mnie.

– To dlatego, że pan jest cholernie wyjątkowy, panie Grey. – Uśmiecham się i dotykam jego twarzy. Mruga i nagle sprawia wrażenie zagubionego.

– Już późno. Chodźmy spać – mówi. Całuje mnie, po czym przyciąga mnie do siebie, tak że leżymy na łyżeczki.

– Nie lubisz komplementów.

– Śpij już, Anastasio.

Hmm… Ale on jest cholernie wyjątkowy. Jezu… czemu to do niego nie dociera?

– Bardzo spodobał mi się dom – mruczę.

Przez chwilę nic nie mówi, ale wyczuwam, że się uśmiecha.

– Kocham cię. Śpij już.

I zapadam w sen, bezpieczna w jego ramionach, śniąc o zachodach słońca i tarasach, i szerokich schodach… i o małym, miedzianowłosym chłopcu biegającym po łące, śmiejącym się w głos.

* * *

– MUSZĘ LECIEĆ, MAŁA. – Całuje mnie tuż pod uchem.

Otwieram oczy; jest ranek. Christian, ubrany, świeży i pachnący, pochyla się nade mną.

– Która godzina? – O nie... nie chcę się spóźnić.

– Bez paniki. Mam dziś wcześnie zebranie. – Pociera nosem o mój nos.

– Ładnie pachniesz – mruczę, przeciągając się pod nim. Jestem przyjemnie obolała po naszych wczorajszych zabawach. Zarzucam mu ręce na szyję.

– Nie idź.

Przechyla głowę i unosi brew.

– Panno Steele, czy pani próbuje odwieść uczciwego człowieka od pójścia do pracy?

Kiwam sennie głową, a on obdarza mnie tym nowym nieśmiałym uśmiechem.

– Mocno kusisz, ale muszę iść. – Całuje mnie i wstaje. Ma na sobie naprawdę elegancki granatowy garnitur, białą koszulę i granatowy krawat. Prezes w każdym calu... seksowny prezes. – Na razie, mała – żegna się i wychodzi.

Zerkam na budzik i widzę, że jest już siódma. Wygląda na to, że nie słyszałam, jak dzwonił. Cóż, pora wstawać.

POD PRYSZNICEM SPŁYWA na mnie natchnienie. Przyszedł mi do głowy jeszcze jeden prezent urodzinowy dla Christiana. Tak trudno jest kupić coś komuś, kto ma wszystko. Główny prezent już mu dałam, no i mam jeszcze jeden, kupiony w sklepie dla turystów, jednak ten akurat tak naprawdę będzie dla mnie. Wychodzę zadowolona spod prysznica. Muszę go jedynie przygotować.

W garderobie wybieram ciemnoczerwoną obcisłą sukienkę z kwadratowym, niezbyt głębokim wycięciem. Tak, do pracy będzie w sam raz.

A teraz prezent dla Christiana. Zaglądam do jego szuflad, szukając krawatów. W dolnej szufladzie znajduję wypłowiałe, podarte dżinsy, te, które nosi w pokoju zabaw – te, w których tak seksownie wygląda. Gładzę je delikatnie całą dłonią. Och, ależ miękki materiał.

Pod nimi znajduję duże, czarne, płaskie pudełko. Natychmiast budzi się we mnie ciekawość. Co tam jest? Wpatruję się w nie, mając wrażenie, jakbym znowu wkraczała na cudzy teren. Biorę go do ręki i potrząsam. Jest ciężkie, jakby w się w nim kryły papiery czy dokumenty. Nie potrafię się oprzeć i zdejmuję wieko – i szybko je znowu nakładam. O kurwa – fotografie z Czerwonego Pokoju. Zaszokowana przysiadam na piętach, próbując wyrzucić z pamięci to, co zobaczyłam. Po co otworzyłam to pudełko? Dlaczego on je trzyma?

Wzdrygam się. Moja podświadomość patrzy na mnie gniewnie – „To było przed tobą. Zapomnij o nich".

Ma rację. Kiedy wstaję, dostrzegam, że krawaty wiszą na końcu drążka z ubraniami. Znajduję swój ulubiony i szybko wychodzę.

Te zdjęcia są PA – Przed Aną. Moja podświadomość kiwa zadowolona głową, ale idę na śniadanie z ciężkim sercem. Pani Jones wita mnie ciepłym uśmiechem, po czym marszczy brwi.

– Wszystko w porządku? – pyta z troską.

– Tak – odpowiadam, myślami błądząc gdzie indziej.

– Ma pani klucz do… eee, pokoju zabaw?

Wygląda na zaskoczoną.

– Tak, oczywiście. – Odpina od paska niewielki pęk kluczy. – Co zjesz dziś na śniadanie? – pyta, podając mi klucze.

– Tylko płatki. Zaraz wracam.

Teraz mam bardziej ambiwalentny stosunek do tego prezentu, ale tylko dlatego, że odkryłam tamte zdjęcia. „Nic się nie zmieniło!" – warczy ponownie moja podświadomość. A moja wewnętrzna bogini wtrąca, że zdjęcie, które widziałam, było mocno podniecające. W duchu gromię ją wzrokiem. Owszem było – nawet za bardzo.

Co jeszcze ukrywa Christian? Szybko przeglądam zawartość muzealnej komody, zabieram to, czego potrzebuję, i zamykam drzwi na klucz. Lepiej, żeby José nie trafił przypadkiem do tego pokoju!

Oddaję klucze pani Jones i siadam, aby zjeść śniadanie. Przed oczami tańczy mi tamto zdjęcie z pudełka. Ciekawe kogo przedstawia? Może Leilę?

W DRODZE DO PRACY ZASTANAWIAM się, czy powiedzieć Christianowi o znalezieniu zdjęć. „Nie!" – krzyczy moja podświadomość z tą swoją miną z *Krzyku*. Uznaję, że ma najpewniej rację.

GDY SIADAM PRZY biurku, odzywa się BlackBerry.

Nadawca: Christian Grey
Temat: Powierzchnie
Data: 17 czerwca 2011, 8:59
Adresat: Anastasia Steele

Wyliczyłem, że zostało nam jeszcze co najmniej trzydzieści powierzchni. Już się nie mogę doczekać ich wszystkich i każdej z osobna. No a potem mamy podłogi, ściany – i nie zapominajmy o balkonie.

Potem przyjdzie pora na mój gabinet...

Tęsknię. x

Christian Grey
Priapiczny prezes, Grey Enterprises Holdings,
Inc.

Na widok jego mejla uśmiecham się i wszystkie moje
wcześniejsze obiekcje znikają. To mnie teraz pragnie.
Zalewają mnie wspomnienia wczorajszych sekskapad...
winda, hol, łóżko. Priapiczny – doskonałe określenie.
Ciekawe, jaki jest kobiecy odpowiednik tego słowa?

Nadawca: Anastasia Steele
Temat: Romantyzm?
Data: 17 czerwca 2011, 9:03
Adresat: Christian Grey

Panie Grey

Myśli Pan jednotorowo.

Brakowało mi Ciebie przy śniadaniu.

Ale pani Jones okazała się niezwykle uczynna.

A x

Nadawca: Christian Grey
Temat: Zaintrygowany
Data: 17 czerwca 2011, 9:07
Adresat: Anastasia Steele

A czego dotyczyła uczynność pani Jones?

Co Pani knuje, panno Steele?

Christian Grey
Zaciekawiony prezes, Grey Enterprises Holdings, Inc.

Skąd on wie?

Nadawca: Anastasia Steele
Temat: Stukanie w nos
Data: 17 czerwca 2011, 9:10
Adresat: Christian Grey

Poczekaj, a się przekonasz – to niespodzianka.

Muszę teraz popracować… pozwól mi.

Kocham Cię.

A x

Nadawca: Christian Grey
Temat: Frustracja
Data: 17 czerwca 2011, 9:12
Adresat: Anastasia Steele

Nie znoszę, kiedy coś przede mną ukrywasz.

Christian Grey
Prezes, Grey Enterprises Holdings, Inc.

Wpatruję się w niewielki ekran BlackBerry. Gwałtowność jego reakcji mnie zaskakuje. Dlaczego on taki jest? Przecież to nie ja przechowuję erotyczne zdjęcia swoich byłych.

Nadawca: Anastasia Steele
Temat: Przyjemność
Data: 17 czerwca 2011, 9:14
Adresat: Christian Grey

To na Twoje urodziny.

Jeszcze jedna niespodzianka.

Nie bądź taki drażliwy.

A x

Nie odpowiada natychmiast, a mnie wołają na zebranie, więc nie zastanawiam się już nad tym.

KIEDY ZERKAM NA BLACKBERRY, przerażona uświadamiam sobie, że jest już czwarta. Jak to możliwe, że dzień minął tak szybko? Nadal brak wiadomości od Christiana. Postanawiam wysłać mu jeszcze jeden mejl.

Nadawca: Anastasia Steele
Temat: Cześć
Data: 17 czerwca 2011, 16:03
Adresat: Christian Grey

Nie rozmawiasz ze mną?

Nie zapomnij, że wybieram się na drinka z José
i że zostanie on dzisiaj u nas na noc.

Jeśli jednak będziesz chciał do nas dołączyć,
daj mi znać.

A x

Nie odpowiada i czuję ukłucie niepokoju. Mam nadzieję, że wszystko w porządku. Dzwonię do niego na komórkę, ale włącza się poczta głosowa: „Grey, zostaw wiadomość".
– Cześć... eee... to ja. Ana. Wszystko w porządku? Zadzwoń do mnie – dukam. Jeszcze nigdy nie musiałam mu się nagrywać. Gdy się rozłączam, czerwienię się. „Oczywiście, że będzie widział, że to ty, idiotko!" Moja podświadomość przewraca oczami. Kusi mnie, żeby zadzwonić do jego asystentki, Andrei, ale uznaję, że to lekka przesada. Niechętnie wracam do pracy.

DZWONI MÓJ TELEFON, a serce podchodzi mi do gardła. Christian! Ale nie – to Kate, moja najlepsza przyjaciółka, nareszcie!
– Ana! – woła.
– Kate! Wróciłaś? Tęskniłam za tobą.
– Ja za tobą też. Mam ci tyle do opowiedzenia. Jesteśmy na Sea-Tac, ja i mój mężczyzna. – Chichocze zupełnie nie w stylu Katherine Kavanagh.
– Fajnie. Ja tobie też mam dużo do opowiedzenia.
– Zobaczymy się w mieszkaniu?
– Spotykam się dzisiaj z José. Przyłącz się do nas.
– José przyjechał? Pewnie. Napisz mi gdzie.

– Okej – uśmiecham się.

– Wszystko dobrze, Ana?

– Tak.

– Nadal z Christianem?

– Tak.

– Super. Na razie!

– Tak. Na razie, mała. – Uśmiecham się szeroko, gdy Kate się rozłącza.

Kate wróciła. Jak ja jej opowiem wszystko, co się wydarzyło? Powinnam to sobie zapisać, żeby niczego nie zapomnieć.

Godzinę później dzwoni mój służbowy telefon. Christian? Nie, to Claire.

– Powinnaś zobaczyć, kto pyta o ciebie w recepcji. Jak to możliwe, że znasz tych wszystkich gorących facetów, Ana?

To pewnie José. Zerkam na zegarek. Jest piąta pięćdziesiąt pięć. Ogarnia mnie podekscytowanie. Nie widzieliśmy się całe wieki.

– Ana, *wow*! Świetnie wyglądasz. Tak dorośle. – Uśmiecha się do mnie szeroko.

Tylko dlatego, że mam na sobie elegancką sukienkę... Jezu!

Ściska mnie mocno.

– I wysoka – dodaje ze zdumieniem.

– To przez te szpilki, José. Ty też całkiem nieźle wyglądasz.

Ma na sobie dżinsy, czarny T-shirt i flanelową koszulę w czarno-białą kratkę.

– Pójdę po swoje rzeczy i możemy iść.

– Super. Zaczekam tu na ciebie.

* * *

BIORĘ OD BARMANA DWA piwa Rolling Rock i wracam do naszego stolika.

– Bez problemu dotarłeś do mieszkania Christiana?

– Tak. Nie byłem w środku. Dostarczyłem zdjęcia do windy dla personelu. Wziął je jakiś Taylor. Niezłe miejsce.

– To prawda. Poczekaj, aż zobaczysz je w środku.

– Nie mogę się doczekać. *Salud*, Ana. Seattle ci służy.

Rumienię się, gdy stukamy się butelkami. To nie Seattle, a Christian.

– *Salud*. Opowiedz mi o swojej wystawie. Jak się udała?

Rozpromienia się i zaczyna opowiadać. Nie sprzedały się tylko trzy zdjęcia, dzięki czemu spłacił studencki kredyt i jeszcze trochę mu zostało.

– I dostałem zlecenie od Komisji Turystycznej Portland na krajobrazy. Fajnie, co? – kończy z dumą.

– Och, José, to cudownie. Nie koliduje to jednak z twoimi studiami?

– Nie. Teraz, kiedy wyjechałyście wy i jeszcze trzech chłopaków, z którymi często gdzieś wychodziłem, mam więcej czasu.

– Żadnej gorącej laski, która dotrzymywałaby ci towarzystwa? Kiedy ostatnio się widzieliśmy, co najmniej kilka spijało każde słowo z twych ust. – Unoszę brew.

– Nie, Ana. Żadna z nich nie jest dla mnie wystarczająco kobieca.

– Och, jasne. José Rodriguez, pożeracz niewieścich serc – chichoczę.

– Hej, nie jest ze mną tak źle, Steele. – Wydaje się nieco urażony.

– Tak sobie tylko żartuję.

– No a co u Greya? – pyta. Ton głosu mu się zmienia, staje się chłodniejszy.

– W porządku – mamroczę.

– Poważna sprawa, co?

– Tak, poważna.

– Nie jest dla ciebie trochę za stary?

– Och, José. Wiesz, co mówi moja mama: urodziłam się stara.

Uśmiecha się cierpko.

– Co u twojej mamy? – No i tym sposobem opuszczamy niebezpieczną strefę.

– Ana!

Odwracam się, a tam Kate z Ethanem. Wygląda oszałamiająco: rozjaśnione słońcem włosy, złota opalenizna i biały promienny uśmiech. I jest taka zgrabna w białej bluzeczce i obcisłych białych dżinsach. Przyciąga spojrzenia wszystkich mężczyzn. Zrywam się z krzesła, aby ją uściskać. Och, jak bardzo tęskniłam za tą kobietą!

Odsuwa mnie od siebie na odległość ramienia i obrzuca bacznym spojrzeniem. Rumienię się.

– Schudłaś. Mocno. I wyglądasz inaczej. Dorośle. Co tu się dzieje? – pyta niczym matka kwoka. – Fajną masz sukienkę. Pasuje ci.

– Dużo się wydarzyło od twojego wyjazdu. Później ci opowiem, kiedy będziemy same. – Jeszcze nie jestem gotowa na Inkwizycję Katherine Kavanagh.

Przygląda mi się podejrzliwie.

– Wszystko dobrze? – pyta miękko.

– Tak – uśmiecham się, choć byłabym szczęśliwsza, wiedząc, gdzie jest teraz Christian.

– Super.

– Cześć, Ethan. – Uśmiecham się do niego, a on ściska mnie na powitanie.

– Cześć, Ana – szepcze mi do ucha.

José patrzy na niego krzywo.

– Jak tam lunch z Mią? – pytam.

– Interesujący – odpowiada enigmatycznie.

Och?

– Ethan, znasz José?

– Mieliśmy okazję się poznać – burczy José i wymieniają uścisk dłoni.

– Tak, u Kate w Vancouver – mówi Ethan, uśmiechając się do niego grzecznie. – No dobrze, kto ma ochotę na piwo?

UDAJĘ SIĘ DO TOALETY. Wysyłam Christianowi esemesa z nazwą pubu, w którym jesteśmy; być może do nas dołączy. Nie mam żadnych nieodebranych połączeń i żadnych mejli. To nie w jego stylu.

– Co tam, Ana? – pyta José, gdy wracam do stolika.

– Nie mogę się dodzwonić do Christiana. Mam nadzieję, że nic mu nie jest.

– Na pewno. Jeszcze jedno piwo?

– Jasne.

Kate nachyla się ku mnie.

– Ethan mówił, że w mieszkaniu była jakaś szalona eks z bronią?

– Cóż… tak. – Wzruszam przepraszająco ramionami. O rany, musimy to przerabiać właśnie teraz?

– Ana, co się, u licha, dzieje? – Kate urywa nagle i wyjmuje z torebki telefon. – Cześć, kotku – mówi do aparatu. Kotku! Marszczy brwi i patrzy na mnie. – Jasne. To Elliot… chce z tobą mówić.

– Ana. – Głos Elliota jest tak cichy, że włosy natychmiast stają mi dęba.

– Co się stało?

– Chodzi o Christiana. Nie wrócił z Portland.

– Słucham? Co masz przez to na myśli?

– Jego helikopter zaginął.

– Charlie Tango? – szepczę, a z twarzy odpływa mi cała krew. – Nie!

ROZDZIAŁ DZIEWIĘTNASTY

Wpatruję się jak urzeczona w płomienie. Tańczą w kominku w mieszkaniu Christiana.
I choć płynie od nich gorąco, a ja siedzę otulona kocem, jest mi zimno. Przeraźliwie zimno.
Jestem świadoma ściszonych głosów, wielu ściszonych głosów. Ale są w tle, dalekie buczenie. Nie słyszę
słów. Jedyne, co słyszę, jedyne, na czym jestem w stanie
się skupić, to syk gazu w kominku.

Moje myśli biegną do domu, który oglądaliśmy
wczoraj, i do dużych kominków – prawdziwych kominków, w których pali się drewnem. Chciałabym się kochać
z Christianem przed prawdziwym ogniem. Chciałabym
się kochać z Christianem przed tym ogniem. Tak, byłoby fajnie. Na pewno wymyśliłby coś, aby utkwiło to nam
w pamięci, jak wszystkie razy, kiedy się kochaliśmy. Nawet te razy, kiedy się tylko pieprzyliśmy. Tak, one także są
godne zapamiętania. Gdzie on jest?

Płomienie kołyszą się i strzelają, a ja wpatruję się
w nie jak urzeczona. Skupiam się wyłącznie na ich pięknie. Są urzekające.

„Anastasio, urzekłaś mnie".

Powiedział to, gdy po raz pierwszy spał ze mną
w moim łóżku. O nie…

Otulam się ciasno kocem. Mój świat się rozpada.
Pełzająca pustka we mnie zatacza coraz szersze kręgi.
Charlie Tango zaginął.

– Ana. Proszę. – Do rzeczywistości sprowadza mnie łagodny głos pani Jones. Podaje mi kubek z herbatą. Biorę go od niej z wdzięcznością trzęsącymi się dłońmi.

– Dziękuję – szepczę. Głos mam ochrypły od niewypłakanych łez, a w gardle dużą gulę.

Mia siedzi naprzeciwko mnie, na olbrzymiej kanapie w kształcie litery U, trzymając się za ręce z Grace. Patrzą na mnie, a ich kochane twarze pełne są bólu i niepokoju. Grace wygląda starzej – matka martwiąca się o syna. Nie jestem im w stanie zaoferować krzepiącego uśmiechu, nawet jednej łzy – nie ma we mnie nic, jedynie powiększająca się pustka. Zerkam na Elliota, José i Ethana, którzy stoją wokół baru śniadaniowego, poważni, i rozmawiają cicho. Za nimi w kuchni krząta się pani Jones.

Kate jest w pokoju telewizyjnym, monitorując wiadomości lokalne. Słyszę ciche gdakanie wielkiego telewizora. Nie dam rady ponownie obejrzeć wiadomości – CHRISTIAN GREY ZAGINĄŁ – i jego pięknej twarzy w telewizji.

Tak sobie myślę, że jeszcze nigdy nie widziałam tutaj tylu ludzi. Zagubionych, niespokojnych ludzi w domu mojego Szarego. Co on by o tym pomyślał?

Gdzieś tam Taylor i Carrick rozmawiają z policją, która dozuje informacje, ale to wszystko pozbawione jest sensu. Fakt jest taki, że Christian zaginął. Nie ma z nim kontaktu od ośmiu godzin. Nic, ani słowa. Poszukiwania zostały wstrzymane – tyle akurat wiem. Jest już za ciemno. I nie wiemy, gdzie on jest. Może być ranny, głodny, albo i gorzej. Nie!

Wznoszę do Boga kolejną bezgłośną modlitwę. „Błagam, niech Christianowi nic nie jest. Błagam, niech Christianowi nic nie jest". Powtarzam to w głowie raz za razem – moja mantra, moja lina ratunkowa, coś konkretnego, czego mogę się trzymać. Nie dopuszczam do siebie myśli o najgorszym. O nie. Zawsze jest nadzieja.

„Jesteś moją liną ratunkową".

Prześladują mnie słowa Christiana. Tak, zawsze jest nadzieja. Nie wolno mi poddać się rozpaczy.

„Jestem gorącym zwolennikiem natychmiastowego zaspokojenia. Carpe diem, Ana".

Dlaczego ja tego nie robiłam?

„Robię to dlatego, że w końcu poznałem kogoś, z kim chcę spędzić resztę życia".

Zamykam oczy w cichej modlitwie, kołysząc się delikatnie. „Błagam, niech reszta jego życia nie będzie taka krótka. Błagam, błagam". Nie mieliśmy wystarczająco czasu... potrzebujemy więcej. Tyle nam się udało zrobić przez te ostatnie tygodnie, tak daleko zajść. To nie może być koniec. Wszystkie nasze czułe momenty: szminka, kiedy kochał się ze mną po raz pierwszy w hotelu Olympic, na kolanach oddając mi siebie i w końcu pozwalając mi się dotykać.

„Jestem taki sam, Ana. Kocham cię i potrzebuję. Dotknij mnie. Proszę".

Och, tak bardzo go kocham. Bez niego będę niczym, najwyżej cieniem – zgaśnie całe światło. Nie, nie, nie... mój biedny Christian.

„To ja, Ano. Cały ja... i jestem cały twój. Co muszę zrobić, żeby to w końcu do ciebie dotarło? Żebyś zobaczyła, że pragnę cię tak mocno, jak tylko się da. Że cię kocham".

A ja ciebie, mój Szary.

Otwieram oczy i znowu wbijam niewidzące spojrzenie w ogień, a przez moją głowę przemykają wspomnienia wspólnie spędzonego czasu: jego chłopięca radość, kiedy żeglowaliśmy i lecieliśmy szybowcem; jego dobre maniery, wyrafinowanie i zmysłowość podczas balu maskowego; tańczenie, o tak, tańczenie tutaj, w mieszkaniu do piosenki Sinatry; jego spokojna, niespokojna nadzieja wczoraj w domu; i tamten zapierający dech w piersiach widok.

„Rzucę ci do stóp cały świat, Anastasio. Pragnę cię, twojego ciała i duszy, na zawsze".

Och, błagam, niech nic mu się nie stanie. On nie może odejść. To centrum mojego wszechświata.

Z mojego gardła wydobywa się mimowolny szloch i przykładam dłoń do ust. Nie. Muszę być silna.

Przy moim boku zjawia się nagle José. A może jest tu już jakiś czas? Nie mam pojęcia.

– Chcesz zadzwonić do mamy albo taty? – pyta łagodnie.

Nie! Kręcę głową i ściskam jego dłoń. Nie jestem w stanie mówić. Delikatny uścisk jego dłoni nie zapewnia mi żadnej pociechy.

Och, mama. Warga mi drży na myśl o mojej mamie. Powinnam do niej zadzwonić? Nie. Nie byłabym w stanie udźwignąć jej reakcji. Może do Raya; on by to przyjął spokojniej – nigdy nie daje się ponieść emocjom, nawet kiedy Marinersi przegrywają.

Grace wstaje z kanapy i podchodzi do chłopców. Natomiast Mia siada przy mnie i bierze mnie za drugą rękę.

– On wróci – mówi lekko drżącym głosem. Oczy ma duże i zaczerwienione, twarz bladą jak ściana.

Podnoszę wzrok na Ethana, który przygląda się Mii i Elliotowi, przytulającemu w tej chwili Grace. Zerkam na zegarek. Jest już po jedenastej i powoli zbliża się północ. Cholerny czas! Z każdą mijającą godziną pustka we mnie staje się coraz większa, pożerając mnie, dławiąc. Wiem, że w głębi duszy przygotowuję się na najgorsze. Zamykam oczy i zmawiam kolejną milczącą modlitwę, ściskając dłonie Mii i José.

Gdy otwieram oczy, ponownie wbijam wzrok w płomienie. Widzę jego nieśmiały uśmiech – mój ulubiony ze wszystkich jego min, kawałek prawdziwego Christiana, mojego prawdziwego Christiana. Kryje się w nim tak wiele osób: kontroler, prezes, prześladowca, bóg seksu, Pan, a jednocześnie to chłopiec ze swoimi zabawkami. Uśmiecham się. Jego samochód, katamaran, samolot, śmigłowiec... mój zagubiony chłopiec, teraz rzeczywiście zagubiony. Mój uśmiech blednie i przeszywa mnie ból. Przypomina mi się, jak pod prysznicem zmywał ślady po szmince.

„Jestem nikim, Anastasio. Jestem skorupą człowieka. Nie mam serca".

Gula w moim gardle staje się jeszcze większa. Och, Christianie, masz, masz serce, i należy ono do mnie. Chcę je wielbić po wsze czasy. Mimo że jest taki skomplikowany i trudny, kocham go. Zawsze będę go kochać. Nigdy nie będzie nikogo innego. Nigdy.

Pamiętam, jak siedziałam w Starbucksie i rozważałam wszystkie za i przeciw. Wszystkie argumenty przeciw, nawet te zdjęcia, które znalazłam dziś rano, teraz stają się bez znaczenia. Liczy się tylko on i to, czy wróci. „Och, proszę, Panie, pozwól mu wrócić, błagam, niech mu się nic nie stanie. Będę chodzić do kościoła... zrobię wszystko". Och, jeśli go odzyskam, będę się cieszyć każdym dniem. W mojej głowie jeszcze raz rozbrzmiewa jego głos: „Carpe diem, Ana".

Wpatruję się w ogień, w liżące się nawzajem płomienie. I wtedy powietrze przeszywa pisk Grace i wszystko wygląda jak film puszczany w zwolnionym tempie.

– Christian!

Odwracam głowę i widzę, jak Grace pędzi przez salon ku wejściu, w którym stoi oszołomiony Christian. Ma na sobie tylko koszulę i spodnie od garnituru, a w rękach trzyma granatową marynarkę, buty i skarpetki. Jest zmęczony, brudny i taki piękny.

O cholera... Christian. Żywy. Wpatruję się w niego oniemiała, zastanawiając się, czy to nie halucynacje.

Na jego twarzy maluje się kompletna dezorientacja. Kładzie marynarkę i buty na podłodze, a ułamek sekundy później Grace zarzuca mu ręce na szyję i całuje w policzek.

– Mamo?

– Myślałam, że już cię nigdy nie zobaczę – szepcze Grace.

– Mamo, jestem tu. – Słyszę w jego głosie zdumienie.

– Umarłam dziś tysiąc razy. – Jej cichy głos odbija się echem w mojej głowie. Zaczyna szlochać, nie będąc w stanie dłużej powstrzymywać łez. Christian marszczy brwi, przerażony albo może skrępowany, a po chwili mocno ją obejmuje i tuli do siebie.

– Och, Christianie – szlocha mu w szyję.

A on jej nie odpycha. Tuli ją jedynie, kołysząc lekko, uspokajając. W moich oczach wzbierają gorące łzy. Z korytarza dobiega krzyk Carricka:

– On żyje! Jesteś tu! – Wybiega z gabinetu Taylora, ściskając w dłoni telefon komórkowy, i obejmuje ich oboje, przymykając oczy z ulgą.

– Tata?

Mia piszczy coś niezrozumiałego, po czym zrywa się z sofy i biegnie, aby dołączyć do rodziców, także ich wszystkich obejmując.

W końcu po policzkach zaczynają mi płynąć strumienie łez. On tu jest, cały i zdrowy. Ale nie jestem w stanie wykonać żadnego ruchu.

Carrick pierwszy się odsuwa, ocierając oczy i klepiąc Christiana w ramię. Później puszcza ich Mia, a na końcu odsuwa się Grace.

– Przepraszam – mówi cicho.

– Hej, mamo, nic się nie dzieje. – Na twarzy Christiana nadal widnieje konsternacja.

– Gdzie byłeś? Co się stało? – woła Grace i skrywa twarz w dłoniach.

– Mamo – mruczy Christian. Ponownie bierze ją w ramiona i całuje w czubek głowy. – Jestem tu. Nic mi nie jest. Po prostu cholernie dużo czasu zajęła mi podróż powrotna z Portland. O co chodzi z tym komitetem powitalnym? – Podnosi głowę i omiata spojrzeniem salon, aż dociera do mnie.

Mruga i zerka szybko na José, który puszcza moją dłoń. Zaciska usta. Upajam się jego widokiem i zalewa mnie fala ulgi. I czuję przeraźliwe zmęczenie. Łzy nie chcą przestać płynąć. Christian ponownie przenosi uwagę na matkę.

– Mamo, jestem cały i zdrowy. Co się stało? – mówi uspokajająco.

Grace obiema dłońmi obejmuje jego twarz.

– Christianie, zaginąłeś. Twój plan lotu… nie doleciałeś do Seattle. Dlaczego się z nami nie skontaktowałeś?

Christian unosi ze zdumieniem brwi.

– Nie sądziłem, że to aż tak długo potrwa.

– Czemu nie zadzwoniłeś?

– Rozładował mi się telefon.

– Nie poszukałeś żadnego automatu?

– To długa historia.

– Och, Christianie! Nie waż się zrobić mi coś takiego raz jeszcze! Rozumiesz? – Grace prawie krzyczy.

– Dobrze, mamo. – Ociera kciukami jej łzy i jeszcze raz do siebie przytula. Potem ją puszcza, aby uściskać Mię, która uderza go mocno w klatkę piersiową.

– Strasznie się martwiliśmy! – wyrzuca z siebie. Ona także policzki ma mokre od łez.

– Nic mi nie jest, na litość boską – burczy Christian.
Gdy krok w jego stronę robi Elliot, Christian prze-
kazuję Mię Carrickowi, który jedną ręką obejmuje już
żonę. Drugą przyciąga do siebie córkę. Elliot wymienia
z Christianem krótki uścisk, a potem mocno go klepie
w plecy.

– Dobrze cię widzieć – mówi głośno Elliot. Trochę
szorstko, próbując ukryć targające nim emocje.

Po mojej twarzy spływają łzy i widzę to: bezwarunkową miłość. Cały salon jest w niej skąpany.

Popatrz, Christianie, ci wszyscy ludzie cię kochają!
Może teraz zaczniesz w to wierzyć.

Kate stoi za mną – najwyraźniej przyszła tu z sali telewizyjnej – i delikatnie gładzi moje włosy.

– Naprawdę nic mu nie jest, Ana – mruczy uspokajająco.

– Przywitam się teraz z moją dziewczyną – mówi
Christian rodzicom. Oboje kiwają głowami, uśmiechają
się i robią mu przejście.

Idzie w moją stronę, szare oczy błyszczące i nadal
pełne konsternacji. Jakoś znajduję w sobie siłę, by wstać
i rzucić się w jego otwarte ramiona.

– Christian! – szlocham.

– Ćśś – mówi i tuli mnie mocno, skrywając twarz
w moich włosach i oddychając głęboko. Unoszę ku niemu mokrą od łez twarz, a on całuje mnie lekko. – Cześć
– mruczy.

– Cześć – odszeptuję.

– Tęskniłaś?

– Troszkę.

Uśmiecha się.

– Widzę. – I delikatnie ociera łzy, które uparcie płyną z moich oczu.

– Myślałam… Myślałam… – zachłystuję się.

– Widzę. Ćss… wróciłem. Wróciłem… – szepcze
i jeszcze raz niewinnie całuje.

– Nic ci nie jest? – pytam, puszczając go i dotykając
jego klatki piersiowej, ramion, pasa upewniam się, że jest
tutaj, stoi przede mną. Że wrócił. Stoi nieruchomo i jedynie przygląda mi się uważnie.

– Nic mi nie jest. Nigdzie się nie wybieram.

– Och, dzięki Bogu. – Obejmuję go mocno w talii,
a on tuli mnie mocno do siebie. – Jesteś głodny? Chce ci
się pić?

– Tak.

Chcę iść do kuchni, aby mu coś przynieść, nie puszcza mnie jednak. Obejmuje mnie ramieniem i wyciąga
rękę do José.

– Panie Grey – mówi spokojnie José.

Christian prycha.

– Christian, proszę – mówi.

– Christian, witaj. Cieszę się, że nic ci się nie stało…
i, eee… dzięki, że mogę tu przenocować.

– Nie ma sprawy. – Christian mruży oczy, ale jego
uwagę odwraca pani Jones, która nagle zjawia się przy
jego boku.

Dopiero teraz zauważam, że nie wygląda tak elegancko jak zawsze. Ma rozpuszczone włosy, szare leggin-
sy i dużą szarą bluzę z napisem WSU COUGARS. Wygląda
o wiele lat młodziej.

– Mogę coś panu przynieść, panie Grey? – Ociera
chusteczką oczy.

Christian uśmiecha się do niej miło.

– Piwo, Gail, Budvar, i coś do jedzenia.

– Ja przyniosę – mówię, chcąc zrobić coś dla mojego
mężczyzny.

– Nie. Nie odchodź – mówi miękko, mocno mnie
obejmując.

Podchodzą do nas Ethan i Kate. Christian ściska dłoń Ethana, Kate zaś cmoka w policzek. Wraca pani Jones z butelką piwa i szklanką. Bierze butelkę, ale za szklankę dziękuje. Pani Jones uśmiecha się i wraca do kuchni.

– Dziwię się, że nie chcesz czegoś mocniejszego – burczy Elliot. – No więc co, do jasnej cholery, się stało? Dowiedziałem się o tym, kiedy tata zadzwonił z informacją, że helikopter zaginął.

– Elliot! – beszta go Grace.

– Śmigłowiec – warczy Christian, poprawiając Elliota, który uśmiecha się od ucha do ucha. Podejrzewam, że to taki rodzinny żart. – Siądźmy i wam opowiem. – Christian pociąga mnie na kanapę i wszyscy siadają. Bierze duży łyk piwa. Dostrzega czającego się w drzwiach Taylora i kiwa głową. Taylor odpowiada tym samym.

– Twoja córka?

– Wszystko w porządku. Fałszywy alarm, proszę pana.

– To dobrze. – Christian uśmiecha się.

Córka? Co się stało córce Taylora?

– Cieszę się, że pan wrócił. Na dzisiaj to wszystko?

– Musimy odebrać śmigłowiec.

Taylor kiwa głową.

– Teraz? Czy może być rano?

– Chyba rano, Taylor.

– Dobrze, panie Grey. Coś jeszcze?

Christian kręci głową i unosi butelkę. Taylor obdarza go rzadkim uśmiechem – chyba jeszcze rzadszym niż uśmiech Christiana – i wychodzi, zapewne do gabinetu albo do swojego pokoju.

– Christianie, co się stało? – pyta ostro Carrick.

Okazuje się, że leciał Charlie Tango razem z Ros, swoją zastępczynią, aby załatwić sprawę dotacji na uczelni w Vancouver. Jestem taka oszołomiona, że ledwie nadążam. Trzymam jedynie rękę Christiana i wpatruję się w jego wypielęgnowane paznokcie, długie palce, knykcie, zegarek – Omegę z trzema małymi tarczami.

– Ros nigdy nie widziała Góry Świętej Heleny, więc z Portland lecieliśmy nieco okrężną drogą. Podobno jakiś czas temu zniesiono tymczasowe ograniczenia związane z lotami, więc zaryzykowałem. I dobrze, że tak zrobiłem. Lecieliśmy nisko, jakieś siedemdziesiąt metrów nad ziemią, kiedy uruchomił się alarm. Pojawił się ogień w ogonie i nie miałem wyjścia, musiałem odciąć całą elektronikę i lądować. – Kręci głową. – Posadziłem Charliego nad jeziorem Silver i jakoś udało mi się ugasić ogień.

– Ogień? Oba silniki? – Carrick jest przerażony.

– Aha.

– Cholera! Ale ja myślałem...

– Wiem – przerywa mu Christian. – Czystym przypadkiem lecieliśmy tak nisko – mówi cicho. Wzdrygam się. Puszcza moją dłoń i obejmuje ramieniem. – Zimno? – pyta.

Kręcę głową.

– Jak ugasiłeś ogień? – pyta Kate. Budzi się w niej instynkt Carli Bernstein.

– Gaśnica. Musimy je mieć, prawo tak nakazuje – odpowiada spokojnie Christian.

W mojej głowie pojawiają się jego słowa: „Każdego dnia dziękuję opatrzności boskiej, że to ty przyjechałaś zrobić ze mną wywiad, a nie Katherine Kavanagh".

– Dlaczego nie zadzwoniłeś ani nie użyłeś radia? – pyta Grace.

Christian kręci głową.

– Bez elektroniki radio nie działało. A wolałem niczego nie włączać z powodu zagrożenia pożarem. Działał GPS na BlackBerry, udało nam się więc dotrzeć do naj-

bliższej drogi. Trwało to cztery godziny. Ros była w szpilkach. – Christian zaciska usta w cienką linię. – Komórki
nie miały zasięgu. Pierwsza padła bateria Ros. Moja niedługo później.

O w mordę. Spinam się i Christian bierze mnię na
kolana.

– Jak więc udało się wam wrócić do Seattle? – pyta
Grace, lekko mrugając, zapewne na widok nas dwojga.
Oblewam się rumieńcem.

– Stanęliśmy na stopa i podliczyliśmy nasze zasoby.
Razem mieliśmy sześćset dolarów i uznaliśmy, że zapro-
ponujemy to komuś za podwiezienie, ale zatrzymał się
kierowca tira i zgodził się nas zabrać. Nie wziął od nas ani
centa i jeszcze podzielił się z nami kanapkami. – Christian
kręci głową na to wspomnienie. – Trwało to całe wieki.
Nie miał komórki, dziwne, ale prawdziwe. Nie miałem
pojęcia… – Urywa, wpatrując się w swoją rodzinę.

– Że będziemy się martwić? – pyta drwiąco Grace. –
Och, Christianie! – beszta go. – Odchodziliśmy od zmy-
słów z niepokoju!

– Pojawiłeś się w wiadomościach, bracie.

Christian wywraca oczami.

– Taa. Domyśliłem się tego, kiedy na dole spotkałem
kilku fotografów. Przepraszam, mamo, powinienem był
poprosić kierowcę, aby się zatrzymał, i zadzwonić. Ale
chciałem jak najszybciej wrócić do domu. – Zerka na José.

Och, to dlatego, że José się tu zatrzymał. Marszczę
brwi na tę myśl. Jezu, a ja się tak martwiłam.

Grace kręci głową.

– Cieszę się po prostu, że wróciłeś w jednym kawałku, synu.

Zaczynam się odprężać i opieram głowę na jego
piersi. Pachnie świeżym powietrzem, trochę potem, żelem pod prysznic – generalnie Christianem, najwspanial-

szym zapachem świata. Z moich oczu ponownie zaczynają płynąć łzy – łzy wdzięczności.

– Oba silniki? – pyta raz jeszcze Carrick, marszcząc z niedowierzaniem brwi.

– Na to wygląda. – Christian wzrusza ramionami i gładzi mnie po plecach. – Hej – szepcze. Wsuwa mi palec pod brodę i unosi głowę. – Przestań płakać.

Ocieram nos wierzchem dłoni w najbardziej niekobiecy sposób.

– Przestań znikać. – Pociągam nosem, a on uśmiecha się lekko.

– Awaria elektroniki... dziwne, prawda? – powtarza Carrick.

– Tak, mnie też to przeszło przez myśl, tato. Ale w tej akurat chwili jedyne, na co mam ochotę, to iść do łóżka, a o wszystkim innym pomyślę jutro.

– Więc media wiedzą, że Christian Grey odnalazł się cały i zdrowy? – pyta Kate.

– Tak. Andrea i moi piarowcy zajmą się mediami. Ros do niej zadzwoniła.

– Tak, Andrea dzwoniła do mnie, by dać mi znać, że żyjesz – uśmiecha się Carrick.

– Muszę dać tej kobiecie podwyżkę. Jest przecież późno.

– Myślę, panie i panowie, że mój kochany brat musi iść teraz spać, żeby rano ładnie wyglądać – wtrąca Elliot.

Christian krzywi się do niego.

– Cary, mój syn jest bezpieczny. Teraz możesz mnie zabrać do domu. – Grace patrzy z uczuciem na męża.

Cary?

– Tak, przyda nam się trochę snu – odpowiada Carrick, uśmiechając się do niej.

– Zostańcie tutaj – proponuje Christian.

– Nie, kochanie, chcę jechać do domu. Teraz, kiedy już wiem, że jesteś bezpieczny.

Christian sadza mnie niechętnie na kanapie i wstaje. Grace raz jeszcze go przytula.

– Tak bardzo się martwiłam, skarbie – szepcze.

– Już wszystko dobrze, mamo.

Przygląda mu się uważnie.

– Tak. Wydaje mi się, że tak – mówi powoli, zerkając na mnie. Uśmiecha się, a ja oblewam się rumieńcem.

Odprowadzamy Carricka i Grace do holu. Mia i Ethan dyskutują o czymś zawzięcie, ale nie słyszę o czym.

Mia uśmiecha się do niego nieśmiało, ale on kręci głową. Nagle krzyżuje ręce na piersi i odwraca się na pięcie. On pociera ręką czoło, wyraźnie sfrustrowany.

– Mamo, tato, zaczekajcie na mnie! – woła nadąsana Mia. Być może jest równie zmienna jak jej brat.

Kate ściska mnie mocno.

– Coś mi mówi, że gdy ja wygrzewałam się na Barbadosie, działo się tu sporo poważnych rzeczy. To oczywiste, że szalejecie za sobą. Cieszę się, że nic mu się nie stało. I nie chodzi mi tylko o niego, ale i o ciebie, Ana.

– Dziękuję, Kate – szepczę.

– Taa. Kto by pomyślał, że znajdziemy miłość w tym samym czasie, no nie? – Uśmiecha się szeroko.

Wow. A więc w końcu się przyznała.

– I że to będą bracia! – chichoczę.

– Może skończymy jako szwagierki – żartuje.

Spinam się cała, po czym karcę się w duchu, gdyż Kate robi krok w tył i mierzy mnie tym swoim bacznym wzrokiem. Czerwienię się. Kurczę, powinnam jej powiedzieć, że poprosił mnie o rękę?

– Chodź, skarbie! – woła ją Elliot z windy.

– Pogadamy jutro, Ana. Musisz być wykończona.

Czuję ulgę.

– Jasne. Ty też, Kate. W końcu przeleciałaś dzisiaj taki kawał drogi.

Ściskamy się raz jeszcze, po czym ona i Elliot wcho- dzą za Greyami do windy. Ethan ściska dłoń Christiana i przytula się do mnie na pożegnanie. Wygląda na stra- pionego, ale wchodzi razem z nimi do windy.

Kiedy wracamy z holu, na korytarzu czeka José.

– To ja już pójdę... Zostawię was samych – mówi.

Policzki robią mi się czerwone. Czemu jest tak nie- zręcznie?

– Wiesz, gdzie masz iść? – pyta go Christian.

José kiwa głową.

– Tak, gospodyni...

– Pani Jones – podpowiadam.

– Tak, pani Jones, pokazała mi już pokój. Fajne mieszkanie, Christian.

– Dziękuję – odpowiada grzecznie, stając obok mnie. Obejmuje mnie i całuje w głowę. – Zjem to, co mi przy- gotowała pani Jones. Dobranoc, José. – Christian udaje się z powrotem do salonu, pozostawiając nas na korytarzu.

Wow! Sama z José.

– No to dobrej nocy. – Nagle wygląda na zakłopotanego.

– Dobranoc, José. I dzięki, że zostałeś.

– Nie ma sprawy, Ana. Za każdym razem, gdy twój bogaty, nadęty chłopak zaginie, możesz na mnie liczyć.

– José! – besztam go.

– Żartuję. Nie wkurzaj się. Wyjeżdżam wcześnie rano. Do zobaczenia, co? Brakuje mi ciebie.

– Jasne. Mam nadzieję, że niedługo. Przepraszam, że dzisiejszy wieczór był taki... do dupy – mówię przepra- szająco.

Uśmiecha się.

– Do dupy. – Ściska mnie. – Poważnie, Ana, cieszę się, że jesteś szczęśliwa, ale pamiętaj, że zawsze możesz na mnie liczyć.

– Dziękuję.

Posyła mi smutny, słodko-gorzki uśmiech, a potem idzie na górę.

Odwracam się w stronę salonu. Christian stoi obok kanapy i przygląda mi się z nieodgadnionym wyrazem twarzy. W końcu jesteśmy sami.

– Nadal mu na tobie zależy – mówi cicho.

– A pan skąd może to wiedzieć, panie Grey?

– Rozpoznaję objawy, panno Steele. Ja cierpię na tę samą przypadłość.

– Myślałam, że już cię nigdy nie zobaczę – szepczę. Proszę, wypowiedziałam te słowa. Moje najgorsze obawy spakowane w jedno krótkie zdanie.

– Nie było tak źle, jak się mogło wydawać.

Podnoszę z podłogi marynarkę i buty i podchodzę do niego.

– Ja to wezmę – szepcze, sięgając po marynarkę.

Christian patrzy na mnie tak, jakbym była powodem, dla którego warto żyć. Wrócił, naprawdę. Bierze mnie w ramiona i mocno tuli.

– Christianie. – I łzy zaczynają płynąć od nowa.

– Ćśś – mówi uspokajająco, całując moje włosy. – Wiesz… podczas tych kilku sekund autentycznego przerażenia, zanim wylądowałem, wszystkie moje myśli związane były z tobą. Jesteś moim talizmanem, Ana.

– Myślałam, że cię straciłam – mówię bez tchu. Stoimy, tuląc się do siebie, nawzajem się uspokajając. Dociera do mnie, że nadal trzymam jego buty. Upuszczam je na podłogę.

– Weź ze mną prysznic – szepcze.

– Dobrze.

Unosi moją brodę.

– Wiesz, nawet zalana łzami jesteś śliczna. – Pochyla głowę i całuje mnie delikatnie. – A twoje usta są takie miękkie. – Całuje mnie raz jeszcze, tym razem mocniej.

O rety… i pomyśleć, że mogłam to stracić… nie… Przestaję myśleć i poddaję się jego pocałunkowi.

– Muszę odłożyć marynarkę – mruczy.

– Rzuć ją – szepczę mu do ust.

– Nie mogę.

Odsuwam się i patrzę na niego z konsternacją. Uśmiecha się znacząco.

– Dlatego. – Z kieszonki na piersi wyjmuje niewielkie pudełko, w którym znajduje się mój prezent. Przerzuca marynarkę o oparcie kanapy, a na niej kładzie pudełeczko.

„Carpe diem, Ana"– dopinguje mnie moja podświadomość. Cóż, jest już po północy, więc formalnie rzecz biorąc, ma już urodziny.

– Otwórz je – szepczę, a serce zaczyna mi walić jak młotem.

– Miałem nadzieję, że to powiesz – mówi cicho. – Doprowadzało mnie to do szaleństwa.

Uśmiecham się psotnie. Kręci mi się w głowie. Posyła mi ten swój nieśmiały uśmiech, a ja zachwycam się jego rozbawioną, ale i zaintrygowaną miną. Sprawnie otwiera pudełeczko. Marszczy brwi, gdy wyjmuje mały, kwadratowy breloczek do kluczy z obrazkiem wykonanym z tycich pikseli, które migają niczym ekran LED. Układają się w linię dachów Seattle, a przez środek biegnie słowo SEATTLE.

Przygląda się temu przez chwilę, po czym przenosi skonsternowane spojrzenie na mnie.

– Przekręć to – szepczę, wstrzymując oddech.

Tak robi i natychmiast patrzy na mnie, a w jego oczach tańczą zdumienie i radość. Rozchyla z niedowierzaniem usta.

Na breloczku migocze słowo TAK.

– Wszystkiego najlepszego z okazji urodzin.

ROZDZIAŁ DWUDZIESTY

– Wyjdziesz za mnie? – szepcze z niedowierzaniem.

Kiwam nerwowo głową, dziwiąc się lekko jego reakcji – reakcji mężczyzny, którego utraty się bałam.

– Powiedz to – mówi łagodnie, lecz w jego oczach
płonie ogień.

– Tak, wyjdę za ciebie.

I nagle chwyta mnie w ramiona i obraca dokoła, zupełnie nie w stylu Szarego. Śmieje się, młody i beztroski,
pełen radosnego uniesienia. Porywa mnie jego zaraźliwy
śmiech: jestem oszołomioną, niemądrą dziewczyną, za-
durzoną w swoim facecie po uszy. Christian stawia mnie
na ziemi i całuje. Mocno. Dłońmi obejmuje mi twarz, język ma uparty, przekonujący... podniecający.

– Och, Ana – dyszy mi do ust, a mnie ogarnia euforia.

Christian mnie kocha, nie mam co do tego wątpliwości, i rozkoszuję się jego smakiem. A bałam się, że już nigdy go nie zobaczę. Jego radość jest ewidentna – błyszczące oczy, młodzieńczy uśmiech – a ulga niemal namacalna.

– Myślałam, że cię straciłam – szepczę, oszołomiona
jego pocałunkiem.

– Maleńka, potrzeba czegoś więcej niż uszkodzonej
sto trzydziestki piątki, aby oddzielić mnie od ciebie.

– Sto trzydziestki piątki?

– Charlie Tango. To Eurocopter EC135, najbez-
pieczniejszy w swojej klasie. – Przez jego twarz przebiega
cień. Czego mi nie mówi? Nim zdążę go o to zapytać,

nieruchomieje i patrzy na mnie, marszcząc brwi, i przez chwilę mam wrażenie, że sam mi powie. – Zaraz. Dałaś mi to przed wizytą u Flynna – mówi, unosząc breloczek. Wygląda na niemal przerażonego.

Kiwam głową, zachowując poważną minę.

Opada mu szczęka.

Wzruszam przepraszająco ramionami.

– Chciałam, żebyś wiedział, że cokolwiek by powiedział Flynn, mnie nie robi to żadnej różnicy.

Christian mruga z niedowierzaniem.

– Więc przez cały wczorajszy wieczór, kiedy błagałem cię o odpowiedź, miałem ją już? – Jest skonsternowany. Ponownie kiwam głową, próbując wybadać jego reakcję. Wpatruje się we mnie oszołomiony, ale po chwili mruży oczy, a jego usta wykrzywiają się w ironicznym uśmiechu. – A tyle się martwiłem – szepcze złowróżbnie. Uśmiecham się do niego promiennie i raz jeszcze wzruszam ramionami. – Och, nie próbuj ze mną tych swoich sztuczek, panno Steele. W tej chwili to najchętniej bym... – Przeczesuje palcami włosy, po czym kręci głową i zmienia taktykę. – Nie mogę uwierzyć, że tak mnie trzymałaś w niepewności. – Jego szept jest pełen niedowierzania. Wyraz jego twarzy ulega subtelnej zmianie, oczy błyszczą mu łobuzersko, usta wygina w zmysłowym uśmiechu.

Przez moje ciało przebiega dreszcz.

– Uważam, że należy się jakaś rekompensata, panno Steele – mówi miękko.

Rekompensata? O cholera! Wiem, że to zabawa, ale i tak robię ostrożny krok w tył.

Uśmiecha się szeroko?

– To taka gra? – szepcze. – Ponieważ i tak cię złapię. I przygryzasz wargę – dodaje groźnie.

O rety. Mój przyszły mąż ma ochotę się pobawić. Cofam się jeszcze jeden krok, a potem puszczam się bie-

giem – na próżno. Christian chwyta mnie, a ja piszczę
z radości i zaskoczenia. Przerzuca mnie sobie przez ramię
i niesie korytarzem.

– Christian! – syczę, pamiętając, że na górze jest José,
choć raczej nie ma szans nas słyszeć. Kierowana odważ-
nym impulsem daję mu klapsa w tyłek.

Naturalnie nie pozostaje mi dłużny.

– Ał! – piszczę.

– Pora na prysznic – oświadcza triumfalnie.

– Postaw mnie! – Na próżno silę się na ton pełen
dezaprobaty. Trzyma mnie mocno, a z jakiegoś powodu
nie potrafię się przestać śmiać.

– Przywiązana jesteś do tych butów? – pyta z rozbawieniem, otwierając drzwi do łazienki.

– Wolę, aby dotykały podłogi. – Próbuję warknąć, ale
nie bardzo mi to wychodzi.

– Pani życzenie jest dla mnie rozkazem, panno Steele.

Nie stawiając mnie na ziemi, zsuwa mi buty i pozwala, by spadły z hałasem na podłogę. Zatrzymuje się obok
toaletki i opróżnia kieszenie – BlackBerry, klucze, portfel, breloczek. Wyobrażam sobie, jak wyglądam w lustrze
w tej pozycji. Kiedy kończy, maszeruje prosto do wielkiej
kabiny prysznicowej.

– Christian! – rugam go głośno. Już rozumiem, jakie
ma zamiary.

Odkręca wodę na maksa. Jezu! Lodowaty strumień
oblewa mi tyłek, a ja piszczę – po czym cichnę, przypominając sobie raz jeszcze o śpiącym nad nami José. Zimna woda przesiąka mi sukienkę, majtki i stanik. Jestem
cała przemoczona, a mimo to nie potrafię powstrzymać
chichotu.

– Nie! – piszczę. – Postaw mnie!

Ponownie daję mu klapsa, tym razem mocniejszego,
i Christian mnie puszcza, pozwalając ześlizgnąć się po

jego także już mokrym ciele. Biała koszula przykleja się do klatki piersiowej, a spodnie są całe przemoczone. Ja także jestem mokra, zarumieniona, bez tchu, a on uśmiecha się do mnie szeroko, wyglądając tak... tak niewiarygodnie seksownie.

Ponownie ujmuje moją twarz i składa swoje usta na moich. Jego pocałunek jest delikatny, czuły i mocno rozpraszający. Nie przejmuję się już tym, że stoję pod prysznicem ubrana i kompletnie przemoczona. Christian wrócił, jest bezpieczny, jest mój.

Moje dłonie przesuwają się odruchowo ku jego koszuli, przylegającej do każdego mięśnia i ścięgna, pod mokrą bielą ukazując kręcone włoski. Wyciągam koszulę ze spodni, a on jęczy, nie przestając mnie całować. Gdy zaczynam rozpinać koszulę, sięga do zamka mojej sukienki i powoli pociąga za suwak. Jego usta stają się bardziej zachłanne, bardziej prowokacyjne, a nasze języki tańczą ze sobą. Eksploduje we mnie pożądanie. Mocno pociągam za koszulę i ją rozrywam. Guziki lecą wszędzie, odbijając się od ścian. Gdy ściągam z jego ramion mokry materiał, utrudniam mu pozbawianie mnie sukienki.

– Spinki – mruczy, unosząc ręce.

Niezdarnie wyjmuję pierwszą, a potem drugą spinkę do mankietów, beztrosko pozwalając im upaść na posadzkę. Sekundę później ląduje tam koszula. Jego oczy szukają pośród strumienia wody moich. Oczy mu płoną, zmysłowe, gorące, tak jak i woda. Sięgam do paska spodni, ale kręci głową i chwyta mnie za ramiona. Obraca tak, że stoję tyłem do niego. Kończy rozpinać zamek, odsuwa mi mokre włosy z szyi i przebiega językiem od szyi do linii włosów i z powrotem, całując i ssąc.

Jęczę, a on powoli zsuwa sukienkę z moich ramion. Rozpina stanik, uwalniając mi piersi. Wyciąga ręce i obejmuje je dłońmi, mrucząc mi z uznaniem do ucha:

– Są piękne.

Ręce mam uwięzione przez stanik i sukienkę, które wiszą rozpięte poniżej biustu. Ramiona mam nadal w rękawach, ale dłonie są wolne. Odchylam głowę, zapewniając Christianowi lepszy dostęp do szyi, i wpycham piersi w jego magicznie dłonie. Sięgam do tyłu i słyszę, jak wciąga głośno powietrze, gdy moje badawcze palce natrafiają na wzwód. Napiera kroczem na moje dłonie. Do diaska, czemu mi nie pozwolił zdjąć spodni?

Pociąga za brodawki, a one twardnieją pod jego wprawnym dotykiem. Wylatują mi z głowy myśli o spodniach i zastępuje je rozkoszne pragnienie. Jęczę głośno.

– Tak – dyszy, odwraca mnie raz jeszcze i całuje. Zdziera ze mnie stanik, sukienkę i majtki, które dołączają do przemoczonej, leżącej na posadzce koszuli.

Biorę do ręki żel pod prysznic. Christian nieruchomieje, gdy dociera do niego, co mam zamiar zrobić. Patrząc mu prosto w oczy, wyciskam nieco słodko pachnącego żelu na dłoń i unoszę ją, czekając na odpowiedź na moje niewypowiedziane na głos pytanie. Oczy Christiana stają się wielkie, ale chwilę później ledwie dostrzegalnie kiwa głową.

Delikatnie kładę mu dłoń na mostku i zaczynam rozprowadzać żel. Klatka piersiowa mojego mężczyzny unosi się, gdy oddycha on głęboko, ale stoi w bezruchu. Po chwili kładzie mi dłonie na biodrach, ale mnie nie odpycha. Przygląda mi się czujnie, oddychając coraz szybciej.

– Tak może być? – szepczę.

– Tak. – Jego krótka odpowiedź to niemal westchnienie. Przypomina mi się wiele wspólnych pryszniców, ale najlepiej pamiętam ten w hotelu Olympic. Cóż, teraz mogę go dotykać. Myję go, zataczając niewielkie kółka: pachy, żebra, twardy brzuch.

– Moja kolej – szepcze i sięga po szampon. Odsuwa nas spod strumienia wody i wyciska nieco szamponu na czubek mojej głowy.

To chyba sygnał, abym przestała go myć, więc zaczepiam palce o pasek spodni. Wmasowuje mi szampon we włosy, a jego długie palce masują skórę głowy. Jęcząc z podziwem, zamykam oczy i poddaję się temu niebiańskiemu doznaniu. Po całym dzisiejszym stresie tego mi właśnie trzeba.

Chichocze, a ja otwieram jedno oko.

– Podoba ci się?

– Hmm…

Uśmiecha się szeroko.

– Mnie też – mówi i pochyla się, aby mnie pocałować w czoło. Jego palce kontynuują przyjemny masaż. – Odwróć się – mówi.

Robię, co mi każe. Och, cóż za błogość. Wyciska na rękę jeszcze trochę szamponu i delikatnie myje pasma opadające na plecy. Kiedy kończy, wciąga mnie z powrotem pod strumień wody.

– Odchyl głowę – mówi cicho.

Starannie spłukuje mi włosy. Potem odwracam się przodem do niego i zabieram się od razu za spodnie.

– Chcę cię umyć całego – szepczę.

Uśmiecha się i unosi ręce w geście mówiącym „jestem cały twój, mała". Szybko rozpinam rozporek i chwilę później jego spodnie i bokserki lądują na mokrej stercie naszych rzeczy. Wstaję i sięgam po żel i gąbkę.

– Wygląda na to, że cieszysz się na mój widok – mówię cierpko.

– Zawsze się cieszę na pani widok, panno Steele – uśmiecha się do mnie znacząco.

Wylewam nieco żelu na gąbkę, po czym odtwarzam moją podróż po jego torsie. Jest bardziej rozluźniony –

może dlatego, że tak naprawdę go nie dotykam. Przesuwam gąbkę coraz niżej, po brzuchu, pośród włosów łonowych, aż docieram do sztywnego członka.

Podnoszę wzrok na Christiana i widzę, że przygląda mi się ze zmysłowym pożądaniem. Hmm... podoba mi się to spojrzenie. Upuszczam gąbkę i chwytam go mocno dłońmi. Zamyka oczy, odchyla głowę i jęczy, wypychając biodra ku mym dłoniom.

O tak! To takie rozpalające. Moja wewnętrzna bogini, po wieczorze spędzonym na szlochaniu w kącie, pojawia się z czerwoną szminką na ustach.

Nagle patrzy mi prosto w oczy. Przypomniało mu się coś.

– Jest sobota! – wykrzykuje, a oczy mu płoną zmysłową radością. Obejmuje mnie w talii, przyciąga do siebie i całuje namiętnie.

Jego dłonie prześlizgują się po mokrym ciele, aż docierają do mojej kobiecości. Palce badają, drażnią, a nieustępliwe usta pozbawiają tchu. Po chwili jego palce wsuwają się we mnie.

– Aach – jęczę mu do ust.

– Tak – syczy i unosi mnie, wkładając dłonie pod pośladki. – Opleć mnie nogami, mała. – Spełniam jego polecenie. Opiera mnie o ścianę i na chwilę nieruchomieje. – Oczy otwarte – mruczy. – Chcę cię widzieć.

Unoszę powieki. Serce wali mi jak młotem, a w żyłach krąży gorąca, gęsta krew. To pożądanie przejmuje kontrolę nad moim ciałem. Wtedy Christian wsuwa się we mnie, och, tak powoli, wypełniając mnie sobą, biorąc w posiadanie, skóra przy skórze. Z mojego gardła wydobywa się głośny jęk.

Kiedy zagłębia się we mnie do samego końca, raz jeszcze nieruchomieje.

– Jesteś moja, Anastasio – szepcze.

– Zawsze.

Uśmiecha się triumfalnie.

– A teraz wszyscy już mogą się o tym dowiedzieć, ponieważ powiedziałaś „tak". – Nabożnie pochyla głowę, przykrywając moje usta swoimi, i zaczyna się poruszać... powoli i słodko. Zamykam oczy i odchylam głowę, w niewoli tego upajająco powolnego rytmu.

Jego zęby kąsają moją brodę i szyję, a on przyspiesza, zabierając mnie coraz dalej i wyżej – daleko od rzeczywistości, obmywającego nas strumienia wody, wieczornego przerażenia. Istnieję tylko ja i mój mężczyzna, dwoje osób poruszających się w tym samym tempie, zagubionych w sobie nawzajem. Mieszają się nasze jęki i oddechy.

Mogłam go stracić... a kocham go... Tak bardzo go kocham. I nagle dociera do mnie ogrom mojej miłości i głębia oddania. Przez resztę życia będę kochać tego mężczyznę i z tą najcudowniejszą myślą eksploduję wokół niego – w zbawiennym, katartycznym orgazmie – wołając jego imię. Po policzkach płyną mi łzy.

Chwilę później on także szczytuje, wlewając się do mnie. Z twarzą wtuloną w moją szyję, osuwa się na podłogę, trzymając mnie mocno i scałowując łzy. A ciepła woda rozlewa się wokół nas, obmywając nasze ciała.

– MAM POMARSZCZONE PALCE – mruczę, opierając się o jego klatkę piersiową.

Unosi je do ust i całuje każdy po kolei.

– Powinniśmy już wyjść spod tego prysznica.

– Mnie tu wygodnie. – Siedzę między jego nogami, a on tuli mnie mocno. Nie mam ochoty się stąd ruszać.

Nagle ogarnia mnie przeraźliwa senność. Tak wiele się wydarzyło przez ostatni tydzień – wystarczyłoby na całe życie – a teraz wychodzę za mąż. Z niedowierzaniem śmieję się cicho.

– Coś panią bawi, panno Steele? – pyta czule.

– To był intensywny tydzień.

Uśmiecha się szeroko.

– W rzeczy samej.

– Dziękuję Bogu, że wrócił pan w jednym kawałku, panie Grey – szepczę, otrzeźwiona myślą o tym, co mogło się wydarzyć. Christian cały się spina i natychmiast żałuję, że o tym przypomniałam.

– Byłem przerażony – wyznaje ku memu zdumieniu.

– Dzisiaj?

Kiwa głową. Minę ma poważną.

– Więc rodzina usłyszała okrojoną wersję?

– Tak. Leciałem zbyt nisko, żeby poprawnie wylądować. Ale jakoś mi się udało.

Podnoszę na niego wzrok.

– Mało brakowało? – pytam cicho.

– Mało. – Przez chwilę milczy. – Przez kilka potwornych sekund myślałem, że już cię nigdy nie zobaczę.

Przytulam go mocno.

– Nie wyobrażam sobie życia bez ciebie, Christianie. Kocham cię tak bardzo, że aż mnie to przeraża.

– Ze mną jest tak samo – mówi bez tchu. – Moje życie bez ciebie byłoby puste. Tak bardzo cię kocham. – Muska nosem moje włosy. – Już nigdy nie pozwolę ci odejść.

– Nie chcę odejść, nigdy. – Całuję go w szyję.

Po chwili wyplątuje się z moich objęć.

– Chodź, wysuszymy cię i położymy spać. Jestem wykończony, a ty też nie wyglądasz najlepiej.

Unoszę brew, a on przechyla głowę i uśmiecha się do mnie lekko drwiąco.

– Chce pani coś powiedzieć, panno Steele?

Kręcę głową i niepewnie wstaję z posadzki.

* * *

Siedzę już w łóżku. Mój ukochany uparł się wytrzeć mi włosy – jest w tym całkiem dobry. Zrobiła się druga w nocy i pora spać. Nim Christian kładzie się przy mnie, jeszcze raz ogląda breloczek. Kręci z niedowierzaniem głową.

– To takie fajne. Najlepszy prezent urodzinowy, jaki kiedykolwiek dostałem. – Patrzy na mnie. Spojrzenie ma łagodne i ciepłe. – Lepszy niż plakat z autografem Giuseppe DeNatale.

– Powiedziałabym ci wcześniej, ale skoro zbliżały się twoje urodziny… Co podarować komuś, kto ma wszystko? Uznałam, że dam ci… siebie.

Odkłada breloczek na stolik nocny, wślizguje się pod kołdrę i przyciąga do siebie tak, że leżymy na łyżeczki.

– Jest idealny. Tak jak i ty.

Uśmiecham się drwiąco, mimo że tego nie widzi.

– Daleka jestem od ideału, Christianie.

– Czy pani uśmiecha się drwiąco, panno Steele?

Skąd on wie?

– Może. – Chichoczę. – Mogę cię o coś spytać?

– Oczywiście. – Muska nosem moją szyję.

– Nie zadzwoniłeś w drodze powrotnej z Portland. Czy rzeczywiście z powodu José? Martwiłeś się tym, że będę tu z nim sama?

Christian się nie odzywa. Odwracam się przodem do niego. Oczy ma szeroko otwarte.

– Wiesz, jakie to niedorzeczne? Ile stresu musiała przeżyć twoja rodzina? Wszyscy cię bardzo kochamy.

Mruga kilka razy, po czym uśmiecha się do mnie nieśmiało.

– Nie miałem pojęcia, że tak się będziecie martwić.

Zasznurowuję wargi.

– Kiedy w końcu dotrze do twojej tępej głowy, że jesteś kochany?

– Tępej głowy? – unosi zaskoczony brwi.

Kiwam głową.

– Tak. Tępej głowy.

– Nie uważam, aby moja głowa była bardziej tępa niż wszystkie inne części mego ciała.

– Mówię poważnie! Przestań mnie rozśmieszać. Nadal jestem na ciebie trochę zła, choć częściowo niweluje to fakt, że jesteś w domu, cały i zdrowy, gdy tymczasem myślałam... – Urywam, przypominając sobie tamtych kilka pełnych niepokoju godzin. – No wiesz, co myślałam.

Spojrzenie mu łagodnieje.

– Przepraszam.

– No i twoja biedna mama. To było bardzo wzruszające, widzieć was razem – szepczę.

Uśmiecha się nieśmiało.

– Jeszcze nigdy jej takiej nie widziałem. – Mruga na to wspomnienie. – Zazwyczaj jest taka opanowana. To był spory szok.

– Widzisz? Wszyscy cię kochają – mówię z uśmiechem. – Może wreszcie w to uwierzysz. – Całuję go delikatnie. – Wszystkiego najlepszego z okazji urodzin, Christianie. Cieszę się, że tu jesteś i że możemy razem świętować. I nie widziałeś jeszcze, co mam dla ciebie na jutro... eee... dzisiaj. – Uśmiecham się znacząco.

– To jest coś jeszcze? – pyta zaskoczony, po czym na jego twarzy wykwita szeroki uśmiech.

– O tak, panie Grey, ale na razie musisz się uzbroić w cierpliwość.

BUDZĘ SIĘ NAGLE z mocno bijącym sercem. Odwracam się, spanikowana, i z ulgą stwierdzam, że Christian śpi przy moim boku. Porusza się przez sen i kładzie głowę na moim ramieniu, wzdychając cicho.

W pokoju jest już jasno. Zerkam na budzik – ósma. Christian nigdy nie śpi do takiej godziny. Leżę, pozwala-

jąc, aby bicie serca nieco mi się uspokoiło. Skąd ten niepokój? To skutek wczorajszego wieczoru?

Odwracam się i patrzę na Christiana. Jest tutaj. Bezpieczny. Biorę głęboki, uspokajający oddech i wpatruję się
w jego piękną twarz. Twarz, którą znam tak dobrze, której
szczegóły wyryły się w mojej głowie już na zawsze.

Wygląda znacznie młodziej, gdy śpi, i uśmiecham się,
ponieważ od dzisiaj będzie o rok starszy. Myślę o moim
prezencie. Ooooch… co on zrobi? Być może powinnam
zacząć od zaserwowania mu śniadania do łóżka. Poza tym
możliwe, że José jeszcze nie wyjechał.

Zastaję go w kuchni, jedzącego płatki. Na jego widok oblewam się rumieńcem. Wie, że spędziłam noc
z Christianem. Dlaczego nagle czuję taką nieśmiałość?
Nie jestem przecież naga – mam na sobie długą do ziemi
jedwabną podomkę.

– Dzień dobry, José – uśmiecham się, zachowując się,
jakby nic się nie stało.

– Hej, Ana! – rozpromienia się, wyraźnie uradowany
na mój widok. Nie ma w jego spojrzeniu żadnych podtek-
stów ani pogardy.

– Dobrze ci się spało? – pytam.

– Pewnie. Niezły macie stąd widok.

– Aha. Rzeczywiście jest wyjątkowy. Masz ochotę na
prawdziwe męskie śniadanie? – pytam wesoło.

– I to dużą.

– Dziś są urodziny Christiana; robię mu śniadanie
do łóżka.

– Już nie śpi?

– Śpi. Chyba jest wykończony po wczorajszym.
– Szybko odwracam się w stronę lodówki, żeby nie do-
strzegł mojego rumieńca. Jezu, to tylko José. Kiedy wyjmuję z lodówki jajka i bekon, widzę, że José uśmiecha się
szeroko.

– Naprawdę go lubisz, prawda?

Zasznurowuję wargi.

– Ja go kocham.

Otwiera szeroko oczy, po czym się uśmiecha.

– A czego tu nie kochać? – pyta, pokazując ręką na salon.

Piorunuję go wzrokiem.

– Rany, dzięki!

– Hej, Ana, tylko sobie żartuję.

Hmm… czy zawsze będę się spotykać z takimi opiniami? Że poślubiam Christiana dla jego pieniędzy?

– Poważnie, żartuję. Ty nigdy nie należałaś do tego typu dziewczyn.

– Omlet może być? – pytam, zmieniając temat. Nie chcę się spierać.

– Jasne.

– I dla mnie też – odzywa się Christian, wchodząc do salonu.

A niech mnie, ma na sobie tylko spodnie od piżamy, które zwisają mu z bioder w niesamowicie zmysłowy sposób.

– José – kiwa głową.

– Christian – odpowiada z powagą José.

Mój narzeczony odwraca się do mnie i uśmiecha drwiąco, przyłapując mnie na tym, że się w niego wpatruję. Zrobił to celowo. Mrużę oczy, rozpaczliwie starając się odzyskać równowagę, a wyraz twarzy Christiana ulega subtelnej zmianie. Wie, że ja wiem, co on kombinuje, i w ogóle się tym nie przejmuje.

– Zamierzałam przynieść ci śniadanie do łóżka.

Bierze mnie w ramiona, unosi mi brodę i składa na ustach głośny, mokry pocałunek. Zupełnie jak nie Szary!

– Dzień dobry, Anastasio – mówi.

Mam ochotę popatrzeć na niego gniewnie i przywołać go do porządku – ale ma dziś urodziny. Oblewam się rumieńcem. Dlaczego zawsze zachowuje się tak samczo?

– Dzień dobry, Christianie. Wszystkiego najlepszego z okazji urodzin.

– Już się nie mogę doczekać drugiego prezentu.

To koniec. Moje policzki mają kolor ścian Czerwonego Pokoju Bólu. Zerkam nerwowo na José, który ma minę, jakby połknął coś nieprzyjemnego. Odwracam się i biorę za szykowanie śniadania.

– Jakie masz plany na dzisiaj, José? – pyta Christian, siadając swobodnie na krześle.

– Wybieram się w odwiedziny do mojego taty i Raya, taty Any.

Christian marszczy brwi.

– Oni się znają?

– Tak, służyli razem w wojsku. Stracili ze sobą kontakt, a potem ja i Ana poznaliśmy się na studiach. Fajnie wyszło. Teraz to najlepsi kumple. Wybieramy się razem na ryby.

– Na ryby? – Christian jest autentycznie zainteresowany.

– Aha, podobno nieźle biorą w tej części wybrzeża. Pstrągi tęczowe bywają naprawdę wielkie.

– To prawda. Mój brat, Elliot, i ja złapaliśmy kiedyś piętnastokilowego pstrąga.

Rozmawiają o łowieniu ryb? A co w tym takiego ciekawego? Nigdy nie potrafiłam tego pojąć.

– Piętnaście kilo? Niezły wynik. Jednak rekord należy do ojca Any. Dwadzieścia kilo.

– Żartujesz! Nie chwalił się.

– Tak w ogóle to wszystkiego najlepszego.

– Dzięki. No więc gdzie lubicie łowić?

Wyłączam się. Nie muszę tego wiedzieć. Czuję jednak ulgę. Widzisz, Christianie? José nie jest taki zły.

* * *

GDY JOSÉ ZBIERA się do wyjścia, atmosfera między nimi nie jest już taka napięta. Christian szybko wkłada T-shirt i dżinsy i boso odprowadza go razem ze mną do holu.

– Dzięki, że mogłem tu przekimać – mówi José, wymieniając z Christianem uścisk dłoni.

– Zapraszam ponownie – uśmiecha się tamten.

José ściska mnie na pożegnanie.

– Trzymaj się ciepło, Ana.

– Jasne. Super cię było widzieć. Następnym razem rzeczywiście zabalujemy.

– Trzymam cię za słowo. – Macha nam z windy, a potem znika.

– Widzisz, nie jest taki zły.

– Nadal ma ochotę dobrać ci się do majtek, Ana. Ale wcale mu się nie dziwię.

– Christianie, to nie jest prawda!

– Ty niczego nie dostrzegasz, co? – Uśmiecha się znacząco. – Ma na ciebie ochotę. Dużą.

Marszczę brwi.

– To tylko przyjaciel, dobry przyjaciel. – I nagle dociera do mnie, że zachowuję się dokładnie jak Christian, kiedy mówi o pani Robinson. Ta myśl jest niepokojąca.

Christian unosi ręce w geście poddania.

– Nie chcę się kłócić – mówi łagodnie.

Och! My się nie kłócimy… prawda?

– Ja też nie.

– Nie powiedziałaś mu, że bierzemy ślub.

– Nie. Uznałam, że najpierw powinnam poinformować o tym mamę i Raya. – Cholera. Dopiero teraz o tym pomyślałam. Co powiedzą na to moi rodzice?

Christian kiwa głową.

– Masz rację. A ja… eee, powinienem poprosić Raya o twoją rękę.

Śmieję się.

– Och, Christianie, nie żyjemy w osiemnastym, dziewiętnastym wieku.

O rany. Co powie Ray? Na myśl o tej rozmowie robi mi się niedobrze.

– Tak nakazuje tradycja. – Wzrusza ramionami.

– Później o tym porozmawiamy, dobrze? Teraz chcę ci dać drugi prezent. – Ta myśl wypala dziurę w mojej świadomości. Muszę mu to dać i przekonać się, jak zareaguje.

Posyła mi ten swój nieśmiały uśmiech, a mnie zamiera serce. Nigdy nie będę mieć dość tego uśmiechu.

– Znowu przygryzasz wargę – mówi i pociąga mnie za brodę.

Gdy jego palce stykają się z moją skórą, przebiega mnie dreszcz. Bez słowa, dopóki mam w sobie dość odwagi, biorę go za rękę i prowadzę do sypialni. Puszczam jego dłoń i spod łóżka od mojej strony wyjmuję dwa pudełka.

– Dwa? – pyta zaskoczony.

Biorę głęboki oddech.

– To kupiłam przed... eee... wczorajszym incydentem. Teraz już sama nie wiem. – Szybko wręczam mu jedno z pudełek, dopóki nie zdążę się rozmyślić.

Patrzy na mnie z konsternacją, wyczuwając moją niepewność.

– Na pewno mam to otworzyć?

Kiwam głową.

Christian rozrywa papier i wpatruje się zdumiony w pudełko.

– Charlie Tango – szepczę.

Uśmiecha się szeroko.

W pudełku znajduje się mały drewniany śmigłowiec z dużym śmigłem napędzanym energią słoneczną. Otwiera je.

– Energia słoneczna – mruczy. – *Wow*.

Siada na łóżku i od razu zabiera się za składanie. Chwilę później stawia go sobie na dłoni. Niebieski drewniany śmigłowiec. Christian podnosi na mnie wzrok i obdarza olśniewającym uśmiechem amerykańskiego chłopca, po czym podchodzi do okna, aby mały śmigłowiec mógł się pławić w słońcu. Śmigło zaczyna się obracać.

– Tylko popatrz – mówi, przyglądając mu się uważnie. – Na co pozwala nam rozwój techniki. – Trzyma go na wysokości oczu, obserwując obracające się śmigło. Widać, że jest zafascynowany.

– Podoba ci się?

– Ana, bardzo. Dziękuję ci. – Daje mi szybkiego buziaka, a potem wraca do przyglądania się śmigłu. – Postawię go w pracy obok szybowca – mówi. Odsuwa dłoń ze słońca i śmigło zwalnia, aż w końcu przestaje się obracać.

Mam ochotę skakać z radości. Prezent mu się spodobał. Oczywiście, przecież jest zwolennikiem alternatywnych technologii.

Christian stawia śmigłowiec na komodzie i odwraca się do mnie.

– Będzie mi dotrzymywał towarzystwa podczas akcji ratunkowej Charliego Tango.

– Da się go uratować?

– Nie wiem. Mam nadzieję. W przeciwnym razie będzie mi go brakować. Hej, a co jest w tym drugim pudełku? – pyta z niemal dziecięcym podekscytowaniem.

Jasny gwint.

– Nie jestem pewna, czy to prezent dla ciebie, czy dla mnie.

– Naprawdę? – pyta i już wiem, że rozbudziłam w nim ciekawość. Nerwowo wręczam mu drugie pudełko. Potrząsa nim delikatnie i oboje słyszymy stukot. Patrzy na mnie. – Czemu się tak denerwujesz? – pyta skonsternowany.

Wzruszam ramionami i rumienię się z zakłopotania i ekscytacji. Unosi brew.

– Zaintrygowała mnie pani, panno Steele – szepcze.

Ten szept dociera do wnętrza mego ciała, budząc w nim pożądanie i oczekiwanie.

– Muszę przyznać, że podoba mi się twoja reakcja. Co ty wymyśliłaś? – Mruży oczy.

Milczę, wstrzymując oddech.

Zdejmuje wieko pudełka i wyjmuje małą kartkę. Reszta zawartości zawinięta jest w bibułę. Otwiera kartkę i jego oczy przeskakują szybko do moich – szerokie ze zdumienia lub szoku, tego nie wiem.

– Robić z tobą niegrzeczne rzeczy? – pyta cicho.

Kiwam głową i przełykam ślinę. Przechyla głowę, badając moją reakcję, po czym przenosi uwagę z powrotem na zawartość pudełka. Rozrywa jasnoniebieską bibułę i wyjmuje maskę na oczy, kilka klamerek na sutki, zatyczkę analną, swojego iPoda, srebrno-szary krawat i – ostatni, ale zdecydowanie nie mniej ważny – klucz do pokoju zabaw.

Wpatruje się we mnie z miną trudną do odszyfrowania. O cholera. To było kiepskie posunięcie?

– Chcesz się zabawić? – pyta miękko.

– Tak – odpowiadam bez tchu.

– Z okazji moich urodzin?

– Tak. – Czy jestem w stanie mówić jeszcze ciszej?

Przez jego twarz przemykają miriady uczuć, ale na pierwsze miejsce wysuwa się niepokój. Hmm... Niezupełnie takiej reakcji się spodziewałam.

– Jesteś pewna? – pyta.

– Żadnych pejczy i tym podobnych.

– To zrozumiałe.

– W takim razie tak. Jestem pewna.

Kręci głową i przygląda się zawartości pudełka.

– Nienasycona. Cóż, myślę, że da się z tym wszystkim coś zrobić – mruczy niemal pod nosem, po czym
chowa wszystko do środka. Kiedy podnosi głowę, wyraz
twarzy ma już zupełnie inny. Oczy mu płoną, na ustach
tańczy zmysłowy uśmiech. Wyciąga rękę.

– Teraz – mówi i nie jest to pytanie.

Podaję mu dłoń.

– Chodź – nakazuje, a ja ruszam za nim z sypialni.
Serce podjeżdża mi do gardła. W moim ciele kipi po-
żądanie, a wszystkie mięśnie spinają się w wyczekiwaniu.
Nareszcie!

ROZDZIAŁ DWUDZIESTY PIERWSZY

Christian zatrzymuje się przed drzwiami do pokoju zabaw.

– Jesteś pewna? – pyta. Wzrok ma gorący, ale i pełen niepokoju.

– Tak – odpowiadam, uśmiechając się do niego.

Jego spojrzenie łagodnieje.

– Czegoś nie chcesz robić?

Zaskakuje mnie tym pytaniem. Przychodzi mi coś do głowy.

– Nie chcę, żebyś mi robił zdjęcia.

Nieruchomieje, przechyla głowę i mierzy mnie bacznym wzrokiem. Na szczęście nie pyta mnie dlaczego.

– Dobrze – mówi cicho.

Otwiera drzwi, po czym odsuwa się na bok i wpuszcza mnie pierwszą. Czuję na sobie jego wzrok, gdy wchodzi za mną i zamyka drzwi.

Stawia pudełko na komodzie, wyjmuje iPoda, włącza go, a następnie macha ręką przed wiszącym na ścianie sprzętem grającym. Wykonane z dymnego szkła drzwiczki rozsuwają się bezszelestnie. Wciska kilka guzików i w pokoju rozlega się dźwięk jadącego pociągu. Ścisza, tak że następujący po nim powolny, hipnotyzujący elektroniczny beat staje się nastrojowy. Jakaś kobieta zaczyna śpiewać. Nie znam jej. Głos ma delikatny, ale z chrypką, a rytm jest wyważony, niespieszny... erotyczny. To muzyka stworzona do seksu.

Christian odwraca się w moją stronę. Stoję pośrodku pokoju; serce wali mi jak młotem, w żyłach śpiewa krew, pulsując – takie mam przynajmniej wrażenie – w rytm uwodzicielskiej muzyki. Podchodzi do mnie i pociąga za brodę, tak że nie przygryzam już wargi.

– Na co masz ochotę, Anastasio? – mruczy, składając w kąciku mych ust grzeczny, delikatny pocałunek.

– To twoje urodziny. Ty decyduj – szepczę.

Przesuwa kciukiem po mojej dolnej wardze i raz jeszcze marszczy brwi.

– Jesteśmy tu, ponieważ uważasz, że ja tego pragnę? – Wypowiada te słowa łagodnie, ale bacznie mi się przy tym przygląda.

– Nie. Ja też tego chcę.

Jego spojrzenie ciemnieje i staje się bardziej śmiałe. W końcu, po upływie bez mała wieczności, odzywa się.

– Och, jest tyle możliwości, panno Steele. – Głos ma niski, podekscytowany. – Ale zaczniemy od rozebrania cię do naga. – Pociąga za pasek podomki, tak że poły się rozchylają, ukazując jedwabną koszulę nocną. Następnie robi krok w tył i przysiada nonszalancko na oparciu kanapy. – Rozbierz się. Powoli. – Obdarza mnie zmysłowym, wyzywającym spojrzeniem.

Przełykam ślinę i zaciskam uda. Zdążyłam się już zrobić wilgotna. Moja wewnętrzna bogini naga czeka w kolejce, błagając mnie, żebym się pospieszyła. Zsuwam podomkę z ramion, nie odrywając wzroku od jego twarzy, i pozwalam jej upaść na podłogę. Jego urzekające szare oczy płoną, gdy patrząc na mnie, przesuwa palcem wskazującym po ustach.

Zsuwam ramiączka koszuli nocnej, po czym je puszczam. Koszula opada miękko do mych stóp. Jestem naga i och, taka gotowa.

Christian wstaje, podchodzi do komody i bierze z pudełka srebrno-szary krawat – mój ulubiony. Następnie odwraca się i rusza w moją stronę. Na jego ustach błądzi uśmiech. Kiedy staje przede mną, spodziewam się, że każe mi unieść ręce, tak jednak nie robi.

– Myślę, że jest pani zbyt naga, panno Steele – mruczy. Zawiesza mi krawat na szyi i powoli, ale umiejętnie zawiązuje węzeł windsorski. Pociąga za niego, muskając palcami dolną część mojej szyi, aż przeskakuje między nami prąd. Szeroki koniec krawatu pozostawia na tyle długi, że sięga mi do włosów łonowych. – Teraz wygląda pani doskonale, panno Steele – oświadcza i całuje mnie lekko w usta. To krótki pocałunek, a ja chcę więcej. – I co my teraz z tobą zrobimy? – pyta, po czym ujmuje krawat i pociąga mocno, tak że wpadam w jego ramiona. I wtedy naprawdę mnie całuje, mocno, jego język jest uparty i bezlitosny. Przesuwa dłonią wzdłuż moich pleców, aż dociera do pośladków. Kiedy się odsuwa, też głośno dyszy, a oczy ma niemal czarne. Jestem pewna, że usta mam spuchnięte po tym zmysłowym ataku.

– Odwróć się.

Robię, co mi każe. Wyciąga mi włosy spod krawata i szybko zaplata je w warkocz. Pociąga za niego, tak że unoszę głowę.

– Masz śliczne włosy, Anastasio – mruczy i całuje mnie w szyję. – Musisz jedynie kazać mi przestać. Wiesz o tym, prawda? – szepcze z ustami przy skórze.

Kiwam głową. Oczy mam zamknięte, delektując się dotykiem jego ust. Odwraca mnie raz jeszcze i bierze do ręki koniec krawata.

– Chodź – mówi, pociągając lekko. Prowadzi mnie do komody, gdzie leży pozostała zawartość pudełka. – Anastasio. – Bierze do ręki zatyczkę analną. – To zbyt duży rozmiar. W sensie analnym jesteś dziewicą i nie chcemy zaczynać właśnie od tego. Chcemy zacząć od tego. – Pokazuje mi mały palec, a ja patrzę na niego zaszokowana.

Palce... tam? Uśmiecha się znacząco, a mnie przypomina
się wymieniony w umowie fisting analny. To nie jest przyjemna myśl. – Tylko palec, jeden – mówi łagodnie. Jak on
to robi, że potrafi czytać mi w myślach. – Te klamerki są
ciut brutalne. Użyjemy tych. – Kładzie na komodzie inną
parę. Wyglądają jak wielkie czarne spinki do włosów. – Są
regulowane. – W głosie Christiana słychać troskę.

Przyglądam mu się szeroko otwartymi oczami. Christian, mój seksualny mentor. Wie na ten temat o wiele
więcej niż ja. Nigdy nie będę mogła się z nim równać.
Wie więcej ode mnie w przypadku większości rzeczy...
z wyjątkiem gotowania.

– Jasne? – pyta.

– Tak – szepczę. W ustach mi zaschło. – Powiesz mi,
co zamierzasz zrobić?

– Nie. To się będzie działo spontanicznie. Nie jesteśmy w teatrze, Ana.

– Jak powinnam się zachowywać?

Marszczy brwi.

– Jak tylko masz ochotę.

Och!

– Spodziewałaś się mojego alter ego, Anastasio? –
pyta z drwiącym rozbawieniem.

– Cóż, tak. Lubię go – burczę.

Uśmiecha się i przesuwa kciukiem po moim policzku.

– Lubisz, tak? – pyta bez tchu i przesuwa kciuk na
dolną wargę. – Jestem twoim kochankiem, Anastasio,
nie Panem. Uwielbiam słyszeć twój śmiech i dziewczę-
cy chichot. Lubię, jak jesteś rozluźniona i szczęśliwa, jak
na tych zdjęciach José. To właśnie ta dziewczyna zjawiła
się w moim gabinecie. To właśnie w tej dziewczynie się
zakochałem.

Robi mi się niesamowicie ciepło na sercu. To radość
– czysta radość.

– Ale lubię także robić z panią niegrzeczne rzeczy, panno Steele, a moje alter ego zna sztuczkę czy dwie. Tak więc
rób, co ci każę, i odwróć się. – Oczy mu błyszczą, a moja
radość przemieszcza się z serca znacznie niżej, docierając
do każdego zakończenia nerwowego. Robię, co mi każe.
Słyszę, jak otwiera jedną z szuflad i chwilę później znowu
stoi przede mną. – Chodź – nakazuje i pociąga za krawat.

Prowadzi mnie do stołu. Gdy mijamy kanapę, po raz
pierwszy zwracam uwagę na to, że zniknęły wszystkie laski. Były tu wczoraj? Nie pamiętam. Christian je usunął?
Pani Jones?

– Chcę, żebyś na tym uklękła – mówi Christian.

Och, dobrze. Moja wewnętrzna bogini nie może się
doczekać, kiedy się dowie, na jaki Christian wpadł pomysł. Zdążyła już wskoczyć na stół i przygląda mu się
z uwielbieniem.

On delikatnie pomaga mi wejść na stół. Klękam
przed nim, zaskoczona własną gracją. Teraz oczy mamy
na tym samym poziomie. Przesuwa dłońmi po moich
udach, łapie za kolana i rozsuwa mi nogi. Staje dokładnie
naprzeciwko mnie. Wygląda bardzo poważnie, oczy ma
pociemniałe… pełne pożądania.

– Ręce za plecy. Zamierzam skuć cię kajdankami.

Wyjmuje z kieszeni skórzane kajdanki i sięga za moje
plecy. A więc zaczyna się. Dokąd zabierze mnie tym razem?

Jego bliskość działa na mnie odurzająco. Ten mężczyzna zostanie moim mężem. Nie potrafię mu się oprzeć
i przesuwam ustami po jego brodzie i zaroście, czując pod
językiem odurzające połączenie delikatności i kolców. Nieruchomieje i zamyka oczy. Jego oddech staje się szybszy.

– Przestań. Inaczej to wszystko skończy się znacznie
szybciej, niż chcemy – rzuca ostrzegawczo.

Przez chwilę wydaje mi się, że jest zły, ale wtedy
uśmiecha się.

– Nie można ci się oprzeć. – Wydymam wargi.

– Czyżby? – pyta sucho.

Kiwam głową.

– Cóż, nie rozpraszaj mnie, bo cię zaknebluję.

– Lubię cię rozpraszać – szepczę, patrząc na niego uparcie. Unosi brew.

– Albo dam ci klapsa.

Och. Staram się ukryć uśmiech. Był czas, wcale nie tak dawno temu, kiedy podporządkowywałam się jego wszystkim rozkazom. Nie ośmielałam się pocałować go bez pozwolenia, a przynajmniej dopóki znajdowaliśmy się w tym pokoju. Teraz dociera do mnie, że Christian mnie już nie onieśmiela. Cóż za nowina. Uśmiecham się psotnie na tę myśl.

– Zachowuj się – napomina mnie i odsuwa się. Patrząc mi prosto w oczy, uderza skórzanymi kajdankami o dłoń. To ostrzeżenie, jasne i wyraźne. Staram się przywołać na twarz wyraz skruchy i chyba mi się udaje. Ponownie do mnie podchodzi. – Tak lepiej – mówi i sięga raz jeszcze za moje plecy.

Zwalczam w sobie pokusę dotknięcia go, ale wdycham jego cudowny Christianowy zapach, nadal świeży po nocnym prysznicu. Hmm… powinno się go zamykać we flakonach.

Spodziewałam się, że skuje mi nadgarstki, on jednak przytwierdza kajdanki tuż nad łokciami. Wyginam przez to plecy, wypychając piersi do przodu, mimo że łokcie wcale nie stykają się ze sobą. Kiedy kończy, odsuwa się, aby mnie podziwiać.

– Dobrze się czujesz? – pyta.

Nie jest to najwygodniejsza z pozycji, ale jestem tak przepełniona wyczekiwaniem, że kiwam głową, osłabła z pragnienia.

Z tylnej kieszeni dżinsów wyjmuje maskę.

– Myślę, że już wystarczająco dużo widziałaś – mruczy.

Nasuwa mi ją na głowę, zakrywając oczy. Mój oddech od razu przyspiesza. *Wow*. Czemu niemożność widzenia jest tak erotyczna? Mogę jednak słuchać. W tle rozbrzmiewa miarowy, melodyjny beat tego samego utworu. Rezonuje w moim ciele. Wcześniej nie zwróciłam na to uwagi. Musiał włączyć funkcję powtarzania.

Christian odsuwa się. Co on robi? Otwiera szufladę, po czym ją zamyka. Chwilę później wyczuwam go przed sobą. W powietrzu unosi się ostry, piżmowy zapach. Pachnie tak, że aż mi niemal ślinka leci.

– Nie chcę, żebyś zniszczyła mój ulubiony krawat – mruczy. Powoli mi go rozwiązuje.

Robię głęboki wdech, gdy koniec krawata wędruje w górę mego ciała, łaskocząc mnie i drażniąc. Zniszczyć jego krawat? Słucham uważnie, aby się zorientować, jaki ma plan. Pociera dłonie. Nagle ociera knykciami o mój policzek.

Od jego dotyku przez moje ciało przebiega rozkoszny dreszcz. Kładzie dłoń na mojej szyi – jest śliska od słodko pachnącej oliwki i gładko się przesuwa po obojczyku, aż do ramienia. Och, a więc mam masaż. Nie tego się spodziewałam.

Kładzie drugą dłoń na drugim ramieniu i zaczyna kolejną powolną, kuszącą podróż wzdłuż obojczyka. Jęczę cicho, gdy kieruje się ku coraz bardziej obolałym piersiom, rozpaczliwie spragnionym jego dotyku. To takie podniecające. Wyginam ciało ku jego dłoniom, ale one prześlizgują się w bok, powoli, spokojnie, w rytm muzyki, umyślnie omijając piersi. Jęczę, ale nie wiem, czy z przyjemności, czy frustracji.

– Jesteś taka piękna – szepcze chrapliwie z ustami przy moim uchu. Jego nos przesuwa się po mojej brodzie, gdy tymczasem dalej mnie masuje – pod piersiami, brzuch, niżej... Całuje mnie lekko w usta, aż wraca do szyi. Cała płonę... jego bliskość, jego dłonie, jego słowa.

– A niedługo zostaniesz moją żoną – szepcze.

Och.

– Którą będę kochał i czcił.

Jezu.

– Będę cię czcił swoim ciałem.

Odchylam głowę i jęczę. Jego palce prześlizgują się przez włosy łonowe, a chwilę później pociera wierzchem dłoni o łechtaczkę.

– Pani Grey – szepcze, nie przerywając.

Jęczę.

– Tak – dyszy. – Otwórz usta.

Tak robię, a on wsuwa mi do nich duży, chłodny, metalowy przedmiot. Kształtem przypomina wielki smoczek dla dzieci, ma niewielkie rowki albo wyżłobienia, a na końcu coś, co przypomina łańcuszek.

– Ssij – nakazuje. – Zamierzam włożyć to w ciebie.

We mnie? We mnie gdzie? Serce podchodzi mi do gardła.

– Ssij – powtarza i przestaje pieścić mnie dłonią.

Nie, nie przestawaj! Chcę to zawołać, ale mam pełne usta. Jego naoliwione dłonie przesuwają się w górę mojego ciała i w końcu obejmują zlekceważone wcześniej piersi.

– Nie przestawaj ssać.

Delikatnie roluje brodawki kciukami i palcami wskazującymi, a one twardnieją i wydłużają się, a fale rozkoszy rozchodzą się od nich aż do mych lędźwi.

– Masz takie śliczne piersi, Ana – szepcze, a brodawki twardnieją jeszcze bardziej.

Mruczy z zadowoleniem, a z mojego gardła wydobywa się niski jęk. Jego usta przesuwają się z szyi w stronę jednej piersi, po drodze ssąc i delikatnie przygryzając, i nagle czuję zaciskającą się klamerkę.

– Aaa! – jęczę głośno. Rany koguta, to doznanie jest niesamowite, dziwne, przyjemne, bolesne… och. Delikatnie przesuwa językiem po uwięzionej brodawce, a kiedy to robi, zakłada drugą klamerkę. Uszczypnięcie jest równie intensywne… ale równie przyjemne.

– Czujesz to? – szepcze.

Och, tak, tak, tak.

– Daj mi to. – Pociąga delikatnie za metalowy smoczek a ja otwieram usta. Jego dłonie po raz kolejny przesuwają się gładko w dół, ale tym razem zatrzymują się na pośladkach.

Łapię głośno powietrze. Co on zamierza zrobić? Sztywnieję, kiedy przesuwa palcami między pośladkami.

– Ćśś, spokojnie – szepcze mi do ucha i całuje w szyję. Co on zamierza zrobić? Drugą rękę przesuwa na brzuch, potem jeszcze niżej i zaczyna mnie pieścić. Wsuwa we mnie palce, a ja jęczę głośno.

– Zamierzam włożyć to w ciebie – mruczy. – Nie tutaj. – Jego śliskie palce wędrują między pośladkami. – Ale tutaj. – Wsuwa palce i wysuwa, zataczając kółka, ocierając je o przednią ścianę pochwy.

– Aaach!

– Ćśś. – Christian wysuwa ze mnie palce i wkłada we mnie ten smoczkowy przedmiot.

Całuje mnie w usta i słyszę delikatne kliknięcie. Przedmiot we mnie natychmiast zaczyna wibrować – tam! Wciągam głośno powietrze. To uczucie jest niesamowite, przewyższające wszystko, co czułam do tej pory.

– Aach!

– Spokojnie. – Christian ucisza ustami moje jęki. Pociąga delikatnie za klamerki. Krzyczę głośno.

– Christian, proszę!

– Ćśś, maleńka. Jeszcze trochę.

Tego jest już zbyt wiele – całej tej stymulacji, wszędzie… moje ciało zaczyna się wspinać, a gdy klęczę, nie jestem w stanie tego kontrolować. O rety... Czy mi się to uda?

– Grzeczna dziewczynka – mówi uspokajająco.

– Christian – dyszę. Nawet ja słyszę, jak desperacko to brzmi.

– Ćśś, czuj to, Ana. Nie bój się. – Jego dłonie znajdują się teraz na mojej talii, trzymając mnie, ale ja nie jestem w stanie skoncentrować się na tych dłoniach, z tym czymś we mnie i jeszcze z klamerkami. Moje ciało szykuje się do eksplozji – razem z nieustępliwymi wibracjami i słodką, słodką torturą brodawek. Ooooch, to będzie zbyt intensywne. Jego dłonie, śliskie od oliwki, przesuwają się z bioder na pośladki – dotykając, gładząc, ugniatając.

– Taka piękna – szepcze i nagle delikatnie wsuwa naoliwiony palec we mnie... tam! W pupę. Kurwa. Dziwne uczucie pełni, takie zakazane... ale och... takie... przyjemne. Porusza nim powoli, wsuwając i wysuwając, a zębami chwyta skórę na mojej brodzie.

– Taka piękna.

Wiszę wysoko – wysoko nad szerokim, szerokim wąwozem, szybuję, a chwilę potem zaczynam opadać ku ziemi. Nie jestem już w stanie się kontrolować i krzyczę, gdy moje ciało rozpada się na milion kawałków. A gdy się tak dzieje, jestem jednym wielkim doznaniem – wszędzie. Christian odpina najpierw jedną, potem drugą klamerkę, przez co brodawki doświadczają jednocześnie słodkiej rozkoszy i bólu, a mój orgazm trwa, trwa i trwa. Jego palec pozostaje na miejscu, delikatnie wsuwając się i wysuwając.

– Aaach – wołam, a Christian obejmuje mnie mocno, trzymając, gdy zaczynam cała drżeć. – Nie! – krzyczę znowu, błagając, i tym razem wyjmuje ze mnie wibrator oraz palec.

Odpina kajdanki przy jednej ręce, która opada natychmiast do przodu. Moja głowa leży na jego ramieniu, a ja poddaję się temu przytłaczającemu doznaniu. Oddycham płytko, odpływając w słodką, cudowną błogość.

Ledwie świadoma jestem tego, że Christian mnie podnosi, zanosi do łóżka i kładzie na chłodnej satynowej pościeli. Po chwili jego dłonie, nadal śliskie od oliwki, zaczynają masować mi uda, kolana, łydki i ramiona. Czuję, jak materac ugina się, gdy Christian kładzie się przy mnie.

Ściąga mi maskę, ale nie mam siły otworzyć oczu. Zdejmuje gumkę i rozplata mój warkocz. Nachyla się nade mną i całuje słodko w usta. W pokoju słychać tylko mój urywany oddech, który powoli się uspokaja, gdy w końcu wracam na ziemię. Muzyka już nie gra.

– Taka piękna – szepcze.

Kiedy w końcu udaje mi się otworzyć oczy, widzę, że Christian patrzy na mnie, uśmiechając się łagodnie.

– Cześć – mówi. Z mojego gardła wydobywa się jakiś pomruk. Jego uśmiech staje się jeszcze szerszy. – Wystarczająco niegrzecznie jak dla ciebie?

Kiwam głową i uśmiecham się wstydliwie.

– Uważam, że próbujesz mnie zabić – mamroczę.

– Śmierć przez orgazm. – Uśmiecha się drwiąco. – Może być przecież znacznie gorzej – mówi, ale po chwili marszczy lekko brwi, jakby w jego głowie pojawiła się jakaś nieprzyjemna myśl. Niepokoi mnie to. Unoszę rękę i dotykam jego twarzy.

– Za każdym razem możesz mnie tak zabijać – szepczę.

Zauważam, że jest nagi i gotowy do działania. Kiedy bierze moją dłoń i całuje knykcie, unoszę głowę, ujmuję jego twarz i przyciągam jego usta do moich. Całuje mnie lekko i odsuwa się.

– To właśnie chcę zrobić – mruczy i sięga za poduszkę po pilota. Wciska jakiś guzik i od ścian odbijają się echem łagodne dźwięki gitary. – Chcę się z tobą kochać – mówi, patrząc mi w oczy. Spojrzenie ma szczere i pełne miłości.

W tle znajomy głos zaczyna cicho śpiewać *The First Time Ever I Saw Your Face*. A jego usta odnajdują moje.

GDY ZACISKAM SIĘ wokół niego, raz jeszcze doznając spełnienia, Christian odrzuca głowę i woła moje imię. Tuli mnie mocno do piersi, gdy siedzimy twarzą w twarz na środku wielkiego łoża, ja na nim. I w tej chwili – chwili rozkoszy, dzielonej z tym mężczyzną – intensywność dzisiejszych doznań, w połączeniu ze wszystkim, co miało miejsce w minionym tygodniu, przytłacza mnie od nowa, nie tylko fizycznie, ale i emocjonalnie. Tak silnie jestem w nim zakochana. Po raz pierwszy jestem bliska zrozumienia, dlaczego Christianowi tak bardzo zależy na moim bezpieczeństwie.

Przypominając sobie wczorajszy wieczór, wzdrygam się i w moich oczach wzbierają łzy. Gdyby coś mu się kiedyś stało… Tak bardzo go kocham. Łzy płyną mi po policzkach. Tyle twarzy Christiana – ta słodka i łagodna, ale i ta w stylu „zrobię z tobą, na co tylko będę miał ochotę, a ty będziesz tańczyć, jak ci zagram". Wszystkie spektakularne. Wszystkie moje. Mam świadomość tego, że nie znamy się zbyt dobrze, że musimy pokonać mnóstwo problemów, ale wiem, że będziemy próbować – i że mamy na to całe życie.

– Hej – mówi bez tchu, patrząc mi w oczy. Nadal jest we mnie. – Dlaczego płaczesz? – Głos ma przepełniony troską.

– Ponieważ tak bardzo cię kocham – szepczę.

Przymyka powieki, jakby był odurzony, przyswajając moje słowa. Kiedy je unosi, oczy mu płoną miłością.

– A ja ciebie, Ano. Dzięki tobie jestem… spełniony. – Całuje mnie delikatnie, gdy Roberta Flack kończy swoją piosenkę.

ROZMAWIAMY I ROZMAWIAMY, I ROZMAWIAMY, siedząc razem na łóżku w pokoju zabaw, ja na jego kolanach. Otula nas czerwone satynowe prześcieradło i nie mam pojęcia, ile minęło czasu. Christian śmieje się, gdy udaję, że jestem Kate podczas naszej sesji zdjęciowej w Heathmanie.

– I pomyśleć, że to ona mogła przyjechać, aby przeprowadzić tamten wywiad. Dzięki Bogu za coś takiego jak przeziębienie – burczy i całuje mnie w nos.

– Z tego, co mi wiadomo, to Kate miała grypę – besztam go, przesuwając leniwie palcami po włoskach na jego torsie, ciesząc się, jak dobrze to znosi. – Wszystkie laski zniknęły – mówię cicho, przypominając sobie, co dostrzegłam wcześniej.

Po raz któryś tam zakłada mi za ucho kosmyk włosów.

– Uznałem, że one akurat nigdy nie przestaną stanowić dla ciebie granicy bezwzględnej.

– Chyba nie – odpowiadam cicho, po czym omiatam spojrzeniem wiszące po przeciwnej stronie pejcze, bicze i szpicruty. Christian podąża za moim spojrzeniem.

– Och, też mam się ich pozbyć? – Jest rozbawiony.

– Szpicruty nie… tej brązowej. I tego zamszowego pejcza. – Oblewam się rumieńcem.

Uśmiecha się do mnie.

– Dobrze, szpicruta i pejcz. Ależ panno Steele, jest pani pełna niespodzianek.

– Podobnie jak pan, panie Grey. To jedna z rzeczy, które w panu kocham. – Całuję go delikatnie w kącik ust.

– Co jeszcze we mnie kochasz? – pyta i jego oczy robią się ogromne.

Wiem, że niełatwo mu było zadać to pytanie. Kocham w nim wszystko – nawet jego pięćdziesiąt odcieni. Wiem, że życie z Christianem nigdy nie będzie nudne.

– To. – Dotykam palcem wskazującym jego ust. – Kocham je i to, co z nich wychodzi, i to, co mi nimi robisz. I to, co jest tutaj. – Dotykam skroni. – Jesteś taki inteligentny, bystry i znasz się na tylu rzeczach. Ale przede wszystkim kocham to, co jest tutaj. – Delikatnie przyciskam mu dłoń do piersi, wyczuwając miarowe bicie serca. – Nie znam nikogo, kto jest tak pełen empatii jak ty. Wszystko, co robisz, jest godne podziwu – szepczę.

– Godne podziwu? – Jest skonsternowany, ale po chwili uśmiecha się nieśmiało, a ja mam ochotę rzucić się na niego. Więc to robię.

Drzemię, otulona satyną i Greyem.

– Głodna? – szepcze, budząc mnie.

– Hmm, jak wilk.

– Ja też.

Unoszę głowę i patrzę na niego, wyciągniętego na łóżku.

– To pańskie urodziny, panie Grey. Ugotuję ci coś. Na co miałbyś ochotę?

– Zaskocz mnie. – Przesuwa dłonią po moich plecach, gładząc delikatnie. – Powinienem sprawdzić w BlackBerry wszystkie wczorajsze wiadomości. – Wzdycha i siada, a ja wiem, że ten wyjątkowy czas się skończył... na razie.

– Weźmy prysznic – mówi.

I jak tu odmówić jubilatowi?

Christian rozmawia w gabinecie przez telefon. Jest z nim Taylor, ubrany w dżinsy i obcisły czarny T-shirt. Minę ma poważną. A ja w kuchni szykuję lunch. Znalazłam w lodówce steki z łososia, do tego będzie sałatka i gotowane ziemniaczki. Czuję się niezwykle zrelaksowana i szczęśliwa, jakbym cały świat miała u stóp – dosłownie. Odwracając się w stronę dużego okna, spoglądam na błękitne niebo. Te wszystkie rozmowy... ten cały seks... hmm. Można się łatwo przyzwyczaić.

Z gabinetu wychodzi Taylor. Wyłączam iPoda i wyjmuję z ucha słuchawkę.

– Cześć, Taylor.

– Ana. – Kiwa głową.

– Z twoją córką wszystko w porządku?

– Tak, dzięki. Moja była żona myślała, że to zapalenie wyrostka robaczkowego, ale jak zwykle przesadzała. – Taylor wywraca oczami, zaskakując mnie tym. – Sophie nic nie jest. To znaczy prawie nic, bo dopadła ją jednak grypa żołądkowa.

– Przykro mi.

Uśmiecha się.

– Zlokalizowano Charliego Tango?

– Tak. Ekipa już tam jedzie. Późnym wieczorem powinni go dostarczyć na Boeing Field.

– Och, to super.

– To wszystko, proszę pani?

– Tak, tak, oczywiście. – Oblewam się rumieńcem. Czy ja się kiedyś przyzwyczaję do tego, że Taylor mówi do mnie „proszę pani"? Czuję się przez to taka stara, jakbym miała co najmniej trzydzieści lat.

Kiwa głową i wychodzi. Christian nadal rozmawia przesz telefon. Czekam, aż ziemniaki się ugotują. Wpadam na pewien pomysł. Wyjmuję z torebki BlackBerry. Dostałam esemesa od Kate.

> Do zob. wieczorem. Nie moge sie doczekac
> dluuuuuugiej rozmowy.

Odpisuję jej.

> Ja tez.

Fajnie będzie pogadać z Kate.

Otwieram program pocztowy i wystukuję szybki mejl do Christiana.

Nadawca: Anastasia Steele
Temat: Lunch
Data: 18 czerwca 2011, 13:12
Adresat: Christian Grey

Drogi panie Grey

Piszę do Pana tego mejla, aby poinformować, że lunch prawie gotowy.

I że doświadczyłam dzisiaj fantastycznego perwersyjnego bzykanka.

Urodzinowe perwersyjne bzykanko to jest to.

I jeszcze jedno – kocham Cię.

A x
(Twoja narzeczona)

Nasłuchuję uważnie jakiejś reakcji, ale dalej rozmawia przez telefon. Wzruszam ramionami. Być może jest po prostu zbyt zajęty. Odzywa się BlackBerry.

Nadawca: Christian Grey
Temat: Perwersyjne bzykanko
Data: 18 czerwca 2011, 13:15
Adresat: Anastasia Steele

Który aspekt był najbardziej fantastyczny?

Sporządzam notatki.

Christian Grey
Zgłodniały i wykończony po porannym wysiłku prezes, Grey Enterprises Holdings, Inc.

PS. Uwielbiam Twój podpis.

PPS. Co się stało ze sztuką konwersacji?

Nadawca: Anastasia Steele
Temat: Wygłodniały
Data: 18 czerwca 2011, 13:18
Adresat: Christian Grey

Drogi Panie Grey

Czy wolno mi zwrócić Pańską uwagę na pierwszy akapit mojego poprzedniego mejla, informujący, że Pański lunch jest prawie gotowy... więc proszę mi tu nie pisać o głodzie i wykończeniu. A jeśli chodzi o fantastyczność perwersyjnego bzykanka... szczerze – wszystko. Byłabym zainteresowana poczytaniem pańskich notatek. I mnie się także podoba mój podpis w nawiasie.

A x
(Twoja narzeczona)

PS. Od kiedy jesteś taki rozmowny? A poza
tym rozmawiasz przez telefon!

Wysyłam mejl i podnoszę wzrok. Christian stoi
przede mną, uśmiechając się lekko drwiąco. Nim zdążę
cokolwiek powiedzieć, bierze mnie w ramiona i mocno
całuje.

– To tyle, panno Steele – oświadcza, puszczając mnie,
po czym wraca – w dżinsach, wypuszczonej na nie białej
koszuli i boso – do gabinetu, pozostawiając mnie bez tchu.

Do łososia przygotowałam sałatkę z rzeżuchy i ko-
lendry oraz dip z kwaśnej śmietany. Nakryłam do stołu.
Nie znoszę przeszkadzać mu w pracy, ale chyba jednak
będę musiała. Staję w drzwiach gabinetu. Nadal rozmawia przez telefon, niesamowicie apetyczny z potarganymi
włosami i błyszczącymi szarymi oczami. Podnosi głowę
i kiedy mnie dostrzega, nie spuszcza już ze mnie wzroku.
Marszczy lekko brwi, a ja nie wiem, czy to z mojego powodu, czy z powodu rozmowy.

– Po prostu ich wpuść i zostaw w spokoju. Rozumiesz, Mia? – syczy i przewraca oczami. – Dobrze.

Gestem pokazuję czynność jedzenia, a on uśmiecha
się do mnie i kiwa głową.

– Do zobaczenia później. – Rozłącza się. – Jeszcze
jeden telefon? – pyta.

– Jasne.

– Bardzo krótka ta sukienka – dodaje.

– Podoba ci się?

Obracam się. To jeden z zakupów Caroline Acton.
Turkusowa sukienka na ramiączkach, prawdopodobnie
bardziej się nadająca na plażę, ale dzisiejszy dzień jest taki
śliczny. Christian marszczy brwi, a mnie rzednie mina.

– Wyglądasz w niej fantastycznie, Ana. Nie chcę jedynie, by oglądał cię w niej ktoś inny.

– Och! – Rzucam mu gniewne spojrzenie. – Jesteśmy w domu, Christianie. Sami, nie licząc personelu.

Drgają mu kąciki ust i nie wiem, czy dlatego, że próbuje ukryć rozbawienie, czy też naprawdę nie uważa tego za zabawne. W końcu jednak kiwa głową. Wracam do kuchni.

Pięć minut później staje przede mną, podając mi telefon.

– Ray do ciebie – mówi cicho. W jego oczach czai się niepokój.

Z mojego ciała ucieka całe powietrze. Biorę telefon i zakrywam mikrofon.

– Powiedziałeś mu! – syczę.

Christian kiwa głową i jego oczy robią się wielkie, gdy dostrzega mój stan.

Cholera! Biorę głęboki oddech.

– Cześć, tato.

– Christian właśnie poprosił mnie o twoją rękę – mówi Ray.

Milczę, rozpaczliwie się zastanawiając, co powiedzieć. Ray zwyczajowo milczy, więc nie mam pojęcia, jak zareagował na tę wiadomość.

– Co powiedziałeś? – pytam drżąco.

– Że chcę porozmawiać z tobą. To dość nagłe, nie sądzisz, Annie? Nie znacie się zbyt długo. Chodzi mi o to, że to miły facet, zna się na wędkarstwie... ale tak szybko? – Głos ma spokojny i wyważony.

– Tak. To dość nagłe... chwileczkę. – Szybko opuszczam kuchnię, oddalając się od niespokojnego spojrzenia Christiana, i podchodzę do dużego okna. Wychodzę na skąpany w słońcu balkon. Jakoś nie jestem w stanie podejść do samej barierki. Jest za wysoko. – Wiem, że to nagłe i w ogóle, ale... cóż, kocham go. On kocha mnie. Chce się ze mną ożenić i jestem pewna, że to ten jedyny. – Kończę myśląc, że to najpewniej najbardziej osobista rozmowa, jaką miałam okazję odbyć z moim ojczymem.

Ray milczy przez chwilę.

– Powiedziałaś matce?

– Nie.

– Annie... wiem, że jest bogaty i że to dobra partia, ale ślub? To poważna sprawa. Jesteś pewna?

– Z nim będę żyła długo i szczęśliwie – szepczę.

– Och, Annie – mówi po chwili, nieco już łagodniej.

– Jest dla mnie wszystkim.

– Annie, Annie, Annie. Jesteś taką upartą młodą kobietą. Mam nadzieję, że wiesz, co robisz. Daj mi go teraz, dobrze?

– Jasne, tato, a poprowadzisz mnie do ołtarza? – pytam cicho.

– Och, skarbie. – Łamie mu się głos, a mnie łzy napływają do oczu. – Nic nie sprawi mi większej radości – dodaje.

Och, Ray, tak bardzo cię kocham... Przełykam ślinę, aby powstrzymać łzy.

– Dziękuję, tato. Już ci daję Christiana. Bądź dla niego delikatny. Kocham go – szepczę.

Myślę, że Ray się uśmiecha, ale trudno powiedzieć. Z Rayem jest tak zawsze.

– Jasna sprawa, Annie. Przyjedź do swego staruszka w odwiedziny i przywieź ze sobą tego Christiana.

Wracam do pokoju – wkurzona na Christiana za to, że mnie nie ostrzegł – i podaję mu telefon. Po mojej minie widzi, że jestem zirytowana. Z rozbawieniem bierze ode mnie telefon i udaje się z powrotem do gabinetu.

Dwie minuty później wraca.

– Mam dość niechętne błogosławieństwo twego ojczyma – mówi z dumą tak wielką, że zaczynam chichotać.

Zachowuje się, jakby właśnie wynegocjował nowe przejęcie lub fuzję. Choć, jeśli na to spojrzeć pod odpowiednim kątem, rzeczywiście to zrobił.

– Dobrze gotujesz, kobieto. – Christian przełyka ostatni kęs i unosi kieliszek białego wina.

Bardzo mnie cieszy jego pochwała. Uświadamiam sobie, że będę dla niego gotować tylko w weekendy. Marszczę brwi. Lubię gotować. Może mogłabym mu upiec tort urodzinowy. Zerkam na zegarek. Jest jeszcze sporo czasu.

– Ana? – przerywa mi rozmyślanie. – Dlaczego mnie poprosiłaś, abym nie robił ci zdjęć? – Jego pytanie zaskakuje mnie tym bardziej, że wypowiada je tonem zwodniczo łagodnym.

Cholera. Zdjęcia. Wbijam wzrok w pusty talerz, wykręcając leżące na kolanach palce. Co mogę powiedzieć? Obiecałam sobie, że nie wspomnę ani słowem o znalezieniu jego kolekcji „Penthouse Pets".

– Ana – warczy. – Co się dzieje?

Podskakuję, a jego władczy ton każe mi podnieść wzrok. I ja sądziłam, że ten mężczyzna już mnie nie onieśmiela?

– Znalazłam twoje zdjęcia – szepczę.

Patrzy na mnie zaszokowany.

– Otworzyłaś sejf? – pyta z niedowierzaniem.

– Sejf? Nie. Nie wiedziałam, że masz sejf.

Marszczy brwi.

– Nie rozumiem.

– W twojej garderobie. Pudełko. Szukałam krawatu, a pudełko leżało pod dżinsami… tymi, które zazwyczaj nosisz w pokoju zabaw. No, dzisiaj akurat nie. – Rumienię się.

Patrzy na mnie szeroko otwartymi oczami i nerwowo przeczesuje palcami włosy. Pociera w zamyśleniu brodę, ale nie jest w stanie ukryć pełnej zdumienia irytacji.

Nagle kręci głową i przez jego twarz przemyka także coś na kształt rozbawienia.

– To nie jest tak, jak myślisz – mówi w końcu. – Zupełnie o nich zapomniałem. To pudełko zostało przeniesione. Zdjęcia normalnie leżą w sejfie.

– Kto je przeniósł? – pytam cicho.

Przełyka ślinę.

– Tylko jedna osoba mogła to zrobić.

– Och. Kto? I co chcesz powiedzieć przez „to nie jest tak, jak myślisz"?

Wzdycha i przechyla głowę i wydaje mi się, że jest zakłopotany. „I słusznie" – warczy moja podświadomość.

– Wiem, że zabrzmi to niefajnie, ale to polisy ubezpieczeniowe – mówi cicho, przygotowując się na moją reakcję.

– Polisy ubezpieczeniowe?

– Na wypadek ujawnienia.

W końcu do mnie dociera, o co mu chodzi.

– Och – szepczę, ponieważ nie przychodzi mi do głowy nic innego. Zamykam oczy. To jest dopiero przykład bycia popieprzonym na pięćdziesiąt sposobów. – Tak. Masz rację – mamroczę. – To rzeczywiście brzmi niefajnie. – Wstaję i zbieram talerze. Nie chcę wiedzieć więcej.

– Ana.

– A one wiedzą? Dziewczyny… uległe?

Marszczy brwi.

– Oczywiście, że tak.

Och, cóż, dobre i tyle. Wyciąga rękę i przyciąga mnie do siebie.

– Te zdjęcia miały leżeć w sejfie. Nie są do użytku rekreacyjnego. – Urywa. – Może tak było zaraz po ich zrobieniu. Ale – patrzy na mnie badawczo – one nic nie znaczą.

– Kto je przeniósł do garderoby?

– Mogła to być tylko Leila.

– Zna szyfr do twojego sejfu?

Wzrusza ramionami.

– Nie zdziwiłbym się. To długa kombinacja liczb i używam jej bardzo rzadko. To jedyny numer, który sobie zapisałem i którego nie zmieniłem. – Kręci głową. – Zastanawiam się, co jeszcze wie i czy zabrała z sejfu nie tylko zdjęcia. Ana, słuchaj, zniszczę te zdjęcia. Nawet i teraz, jeśli chcesz.

– To twoje zdjęcia, Christianie. Zrób z nimi, co chcesz – burczę.

– Nie bądź taka – mówi, ujmując moją twarz i patrząc mi prosto w oczy. – Nie chcę takiego życia. Chcę naszego życia, razem.

Skąd on wie, że te zdjęcia stanowią pożywkę dla mojej paranoi?

– Ana, myślałem, że rano przegnaliśmy już wszystkie duchy. Ja tak czuję. A ty nie?

Mrugam, przypominając sobie nasz bardzo, bardzo przyjemny, romantyczny i perwersyjny poranek w pokoju zabaw.

– Tak – uśmiecham się. – Ja też tak czuję.

– To dobrze. – Całuje mnie, tuląc mocno do siebie. – Podrę je – mówi cicho. – A potem muszę wrócić do pracy. Przepraszam, skarbie, ale mam górę spraw do załatwienia.

– W porządku. Muszę zadzwonić do mamy. – Krzywię się. – A potem wyskoczę na zakupy i upiekę ci tort.

Oczy mu błyszczą jak u małego chłopca.

– Tort?

Kiwam głową.

– Czekoladowy?

– A chcesz czekoladowy? – Jego uśmiech jest zaraźliwy.

Kiwa głową.

– Zobaczę, co da się zrobić, panie Grey.

* * *

CARLA ZANIEMÓWIŁA.

– Mamo, powiedz coś.

– Nie jesteś w ciąży, co, Ana? – szepcze przerażona.

– Nie, nie, nic z tych rzeczy. – Czuję rozczarowanie i smutek, że mogła tak o mnie pomyśleć. Ale potem przypominam sobie, że przecież ona była w ciąży, gdy brała ślub z moim ojcem.

– Przepraszam, kochanie. Po prostu to takie nieoczekiwane. Christian to świetna partia, ale jesteś taka młoda i powinnaś zobaczyć trochę świata.

– Mamo, nie możesz się cieszyć razem ze mną? Kocham go.

– Kochanie, muszę się oswoić z tą myślą. Na razie jestem w szoku. Już w Georgii czułam, że łączy was coś wyjątkowego, ale ślub…?

W Georgii chciał, abym była jego uległą, ale tego akurat jej nie powiem.

– Ustaliliście już datę?

– Nie.

– Szkoda, że twój ojciec nie żyje – szepcze. O nie… nie to. Nie teraz.

– Wiem, mamo. Ja też bym chciała go znać.

– Tylko raz cię trzymał w ramionach i był taki dumny. Uważał cię za najpiękniejszą dziewczynę na świecie. – Zaraz zaleje się łzami.

– Wiem, mamo.

– A potem umarł. – Pociąga nosem i wiem, że to ją wzrusza, jak za każdym razem.

– Mamo – mówię cicho, żałując, że nie mogę jej teraz przytulić.

– Niemądra ze mnie staruszka – mruczy i znowu pociąga nosem. – Oczywiście, że cieszę się twoim szczęściem, kochanie. Ray wie? – dodaje i wygląda na to, że chyba już doszła do siebie.

– Christian poprosił go właśnie o moją rękę.

– Och, to takie słodkie. – Słychać, że się stara.

– To prawda.

– Ana, skarbie, tak bardzo cię kocham. Naprawdę się cieszę. Musicie nas oboje odwiedzić.

– Tak, mamo. Ja też cię kocham.

– Bob mnie woła, muszę kończyć. Podaj mi datę, jak tylko ją ustalicie. Musimy wszystko zaplanować... Będziecie mieć duże wesele?

Duże wesele, cholera. Nawet o tym nie myślałam. Duże wesele? Nie. Nie chcę dużego wesela.

– Jeszcze nie wiem. Dam ci znać, jak tylko będę wiedzieć.

– Dobrze. A na razie dbaj o siebie i bądźcie ostrożni. Musicie się wybawić... na dzieci przyjdzie czas później.

Dzieci! Hmm... no i znowu w niezbyt zawoalowany sposób nawiązuje do faktu, że urodziła mnie w tak młodym wieku.

– Mamo, ale ja nie zmarnowałam ci życia, prawda?

Łapie głośno powietrze.

– O nie, Ana, nigdy tak nie myśl. Byłaś najlepszym, co przytrafiło się twojemu ojcu i mnie. Żałuję jedynie, że nie ma go z nami, żeby mógł widzieć, jak wychodzisz za mąż. – Znowu wpada w melancholijny nastrój.

– Ja też tego żałuję. – Kręcę głową, myśląc o moim mitycznym ojcu. – Mamo, niedługo zadzwonię.

– Kocham cię, skarbie.

– Ja ciebie też, mamo. Pa.

KUCHNIA CHRISTIANA JEST po prostu bajeczna. Choć sam nie zna się na gotowaniu, wyposażył ją we wszystko. Podejrzewam, że pani Jones także uwielbia gotować.

Jedyne, co muszę kupić, to dobra czekolada do polewy. Zostawiam ciasto do ostygnięcia, biorę torebkę i wsuwam głowę do gabinetu Christiana. Pracuje nad czymś przy komputerze. Podnosi wzrok i uśmiecha się do mnie.

– Idę do sklepu po kilka produktów.

– W porządku. – Marszczy brwi.

– No co?

– Zamierzasz włożyć jakieś dżinsy czy coś w tym rodzaju?

– Christian, to tylko nogi.

W jego spojrzeniu nie widać rozbawienia. Więc będzie kłótnia. A to jego urodziny. Przewracam oczami, czując się jak krnąbrna nastolatka.

– A gdybyśmy byli na plaży? – Obieram inną taktykę.

– Ale nie jesteśmy.

– Miałbyś obiekcje, gdybyśmy byli na plaży?

Zastanawia się przez chwilę.

– Nie.

Jeszcze raz przewracam oczami i uśmiecham się drwiąco.

– Cóż, no to sobie wyobraźmy, że tam jesteśmy. Na razie.

Odwracam się i puszczam biegiem do holu. Jestem już w windzie, gdy prawie mnie dogania. Gdy drzwi się zamykają, macham mu, uśmiechając się słodko. Przygląda mi się bezradnie, ale na szczęście z uśmiechem. Kręci z irytacją głową, a potem znika mi z oczu.

Och, to było ekscytujące. W moim ciele krąży adrenalina, a serce wali jak młotem. Ale gdy docieram na parter, mój nastrój ulega zmianie. Cholera, co ja narobiłam?

Pociągnęłam tygrysa za ogon. Będzie wściekły, gdy wrócę. Moja podświadomość gromi mnie wzrokiem. Myślę o swoim niewielkim doświadczeniu w kontaktach z mężczyznami. Nigdy dotąd z żadnym nie mieszkałam – no, z wyjątkiem Raya, ale on się akurat nie liczy. To mój tata... to znaczy mężczyzna, którego uważam za ojca.

A teraz mam Christiana. On chyba też nigdy z nikim nie mieszkał. Będę go musiała o to spytać – o ile nadal ze mną rozmawia.

Ale uważam, że powinnam się ubierać tak, jak mam ochotę. Przypominają mi się zasady. Tak, to musi być dla niego trudne, no ale przecież to on zapłacił za tę sukienkę. Powinien był udzielić bardziej szczegółowych instrukcji: nic zbyt krótkiego!

Ta sukienka nie jest aż taka krótka, prawda? Sprawdzam w dużym lustrze w lobby. Cholercia. Jest krótka. Ale jak się powiedziało „A", to trzeba powiedzieć i „B", więc będę musiała stawić czoło konsekwencjom. Ciekawe, co mi zrobi. Później o tym pomyślę. Na razie muszę znaleźć bankomat.

Wpatruję się w stan rachunku: 51 689,16 dolarów. To o pięćdziesiąt tysięcy za dużo! „Anastasio, jeśli się zgodzisz, ty także będziesz musiała się nauczyć być bogata". No i się zaczyna. Wybieram swoje nędzne pięćdziesiąt dolarów i idę do sklepu.

Po powrocie udaję się prosto do kuchni. Przyznam, że trochę się niepokoję. Christian nadal siedzi w gabinecie. Spędził tam prawie całe popołudnie. Uznaję, że najlepiej pójść do niego i się przekonać, jak wiele narobiłam szkody. Zaglądam ostrożnie do gabinetu. Christian wygląda przez okno i rozmawia przez telefon.

– A specjalista od Eurocopterów ma się zjawić w poniedziałek po południu?... Dobrze. Informuj mnie na bieżąco. Przekaż im, że wstępny raport chcę poznać w poniedziałek wieczorem, najpóźniej we wtorek rano. –

Rozłącza się i obraca na fotelu. Nieruchomieje na mój widok. Z jego twarzy trudno cokolwiek wyczytać.

– Cześć – szepczę. Nic nie mówi i serce podchodzi mi do gardła. Ostrożnie wchodzę do gabinetu i staję przed Christianem. Nadal nic nie mówi, ale nie odrywa wzroku od mojej twarzy. – Wróciłam. Jesteś na mnie zły?

Wzdycha, sięga po moją dłoń i pociąga mnie na kolana. Przytula mnie i zanurza nos we włosach.

– Tak – mówi.

– Przepraszam. Nie wiem, co we mnie wstąpiło. – Kulę się na jego kolanach, wdychając boski Christianowy zapach. Czuję się bezpieczna mimo faktu, że jest na mnie zły.

– Ja też przepraszam. Noś to, co ci się podoba – mruczy. Przesuwa dłoń w górę nagiej nogi, aż do uda. – Poza tym ta sukienka ma także zalety. – Nachyla się, aby mnie pocałować, a kiedy nasze usta się łączą, natychmiast rozpala mnie pożądanie. Wczepiam mu palce we włosy i trzymam mocno jego głowę. Jęczy, gdy jego ciało reaguje na moją bliskość, i przygryza mi dolną wargę – szyję, ucho – a jego język wdziera się do mych ust. I nim jestem świadoma tego, co się dzieje, rozpina spodnie. Przesuwa mnie tak, że siedzę na nim okrakiem i sekundę później zanurza się we mnie. Chwytam za oparcie fotela i zaczynamy się poruszać.

– Podoba mi się twoja wersja przeprosin – stwierdza.

– A mnie twoja. – Chichoczę, tuląc się do jego piersi.

– Skończyłeś?

– Chryste, Ana, chcesz więcej?

– Nie! Swoją pracę.

– Jeszcze jakieś pół godziny. Odsłuchałem twoją wiadomość na poczcie głosowej.

– Z wczoraj.

– Wydawałaś się zaniepokojona.

Ściskam go mocno.

– Byłam zaniepokojona. Ty nie masz w zwyczaju nie odbierać telefonów.

Całuje mnie w głowę.

– Twój tort powinien być gotowy za pół godziny. – Uśmiecham się i schodzę z jego kolan.

– Czekam niecierpliwie. Podczas pieczenia zapach był niesamowity.

Uśmiecham się do niego nieśmiało, a on odpowiada mi tym samym. Hej, czy my naprawdę tak bardzo się od siebie różnimy? Być może to te jego wspomnienia z dzieciństwa o pieczeniu ciasta. Składam szybki pocałunek w kąciku jego ust i udaję się z powrotem do kuchni.

Kiedy słyszę, jak wychodzi z gabinetu, ciasto jest już gotowe. Zapalam jedną złotą świeczkę. Christian uśmiecha się od ucha do ucha, gdy idzie w moją stronę, a ja cicho śpiewam *Happy Birthday*. Następnie nachyla się, zamyka oczy i zdmuchuje świeczkę.

– Pomyślałem sobie życzenie – mówi, gdy je otwiera, i z jakiegoś powodu pod jego spojrzeniem oblewam się rumieńcem.

– Polewa jeszcze nie zastygła. Mam nadzieję, że ci będzie smakować.

– Nie mogę się doczekać, Anastasio – mówi seksownie niskim głosem.

Kroję nam po kawałku.

– Mhm – mruczy z uznaniem. – Dlatego właśnie chcę się z tobą ożenić.

A ja śmieję się z ulgą. Smakuje mu.

– Gotowa stawić czoło mojej rodzinie? – Christian gasi silnik R8. Stoimy na podjeździe przed domem jego rodziców.

– Tak. Zamierzasz im powiedzieć?

– Oczywiście. Czekam niecierpliwie, aby zobaczyć ich reakcje. – Uśmiecha się do mnie szelmowsko i wysiada z samochodu.

Jest siódma trzydzieści i choć dzień był ciepły, od zatoki wieje chłodna wieczorna bryza. Mam na sobie szmaragdową sukienkę koktajlową, którą znalazłam rano, gdy buszowałam po garderobie. Talię oplata szeroki pasek. Christian bierze mnie za rękę i kierujemy się ku drzwiom. Właśnie mamy zapukać, gdy otwiera je Carrick.

– Christian, witaj. Wszystkiego najlepszego z okazji urodzin, synu. – I zamyka go w niedźwiedzim uścisku, mocno go tym zaskakując.

– Eee… dzięki, tato.

– Ana, cudownie cię znowu widzieć. – Mnie także ściska, po czym wchodzimy za nim do środka.

Nim udaje nam się dojść do salonu, na korytarzu dopada nas Kate. Wygląda na wściekłą.

O nie!

– Wy! Chcę z wami porozmawiać – warczy tonem w stylu „lepiej ze mną nie zadzierać".

Zerkam nerwowo na Christiana, który wzrusza ramionami i postanawia spełnić jej żądanie. Wchodzimy za nią do pokoju dziennego, zostawiając skonsternowanego Carricka na progu salonu. Kate zatrzaskuje drzwi i odwraca się do mnie.

– Co to, kurwa, jest? – syczy i macha do mnie kartką.

Nie mając zupełnie pojęcia, o co jej chodzi, biorę ją od niej i szybko przebiegam wzrokiem. W ustach mi zasycha. Jasny gwint. To mój mejl do Christiana z uwagami na temat umowy.

ROZDZIAŁ DWUDZIESTY DRUGI

Cała krew odpływa mi z twarzy. Odruchowo staję pomiędzy nią a Christianem.

– Co to jest? – pyta nieufnie Christian.

Ignoruję go. Nie mogę uwierzyć, że Kate to robi.

– Kate! To zupełnie nie twoja sprawa.

Piorunuję ją wzrokiem, a początkowy strach zastępuje gniew. Jak ona śmie? Nie teraz, nie dzisiaj. Nie w urodziny Christiana. Zaskoczona moją reakcją, otwiera szeroko zielone oczy.

– Ana, co to jest? – powtarza Christian, tym razem nieco groźniej.

– Christianie, czy mógłbyś stąd wyjść, proszę?

– Nie. Pokaż mi.

Wyciąga rękę i wiem, że nie ma co się z nim kłócić – wzrok ma twardy jak stal. Niechętnie podaję mu mejl.

– Co on ci zrobił? – pyta Kate, ignorując Christiana. Wygląda na mocno zaniepokojoną. Oblewam się rumieńcem, gdy przez moją głowę przelatują miriady erotycznych obrazów.

– To nie twoja sprawa, Kate – powtarzam z rozdrażnieniem.

– Skąd to masz? – pyta Christian. Głowę ma przechyloną, twarz pozbawioną wyrazu, ale jego głos... jest tak groźnie spokojny.

Kate oblewa się rumieńcem.

– To nieistotne. – Widząc jego kamienny wzrok, pospiesznie kontynuuje: – Było w kieszeni marynarki, zakładam, że twojej. Znalazłam ją w sypialni Any. – Kate odzyskuje rezon i patrzy gniewnie na Christiana.

To uosobienie wrogości w seksownej czerwonej sukience. Wygląda oszałamiająco.

– Powiedziałaś o tym komuś? – Głos Christiana jest niczym jedwab.

– Nie! Oczywiście, że nie – warczy Kate, wyraźnie urażona.

Christian kiwa głową, wyraźnie rozluźniony. Odwraca się i podchodzi do kominka.

Kate i ja bez słowa patrzymy, jak bierze z gzymsu zapalniczkę, podpala kartkę i puszcza ją, a ona powoli opada na palenisko. Chwilę później zostaje po niej tylko odrobina popiołu. Panująca w pokoju cisza jest przytłaczająca.

– Nawet Elliotowi? – pytam Kate.

– Nikomu – odpowiada z emfazą i po raz pierwszy wygląda na skonsternowaną i urażoną. – Chcę jedynie wiedzieć, czy wszystko w porządku, Ana – szepcze.

– Wszystko w porządku, Kate. Jak najlepszym. Nasz związek to coś poważnego, naprawdę. Ten mejl to stare dzieje. Zignoruj go, proszę.

– Zignoruj? – pyta z niedowierzaniem. – Jak mogę go zignorować? Co on ci zrobił? – W jej zielonych oczach maluje się autentyczna troska.

– Niczego mi nie zrobił. Naprawdę. Nic mi nie jest.

Mruga kilka razy.

– Naprawdę? – pyta.

Christian obejmuje mnie ramieniem i przyciąga do siebie, nie spuszczając wzroku z Kate.

– Ana zgodziła się zostać moją żoną, Katherine – mówi cicho.

– Żoną! – piszczy Kate, a w jej oczach widnieje niedowierzanie.

– Bierzemy ślub. Dzisiejszego wieczoru zamierzamy ogłosić nasze zaręczyny – mówi.

– Och! – Kate patrzy na mnie. Jest oszołomiona. – Zostawiam cię samą na szesnaście dni i co się dzieje? To dość niespodziewane. Więc wczoraj, kiedy powiedziałam… Ale gdzie w tym wszystkim miejsce na ten mejl?

– Nigdzie, Kate. Zapomnij o nim. Kocham Christiana, a on kocha mnie. Nie rób tego. Nie rujnuj jego przyjęcia i naszego wieczoru – szepczę.

Mruga i nagle jej oczy wypełniają się łzami.

– Nie. Oczywiście, że tego nie zrobię. Wszystko w porządku? – pyta raz jeszcze.

– Jeszcze nigdy nie byłam taka szczęśliwa – mówię cicho.

Chwyta moją dłoń.

– Naprawdę wszystko w porządku? – pyta z nadzieją.

– Tak. – Uśmiecham się do niej szeroko. Wraca mi radość.

Kate także się do mnie uśmiecha, ciesząc się moim szczęściem. Wyplątuję się z uścisku Christiana i nagle mocno mnie przytula.

– Och, Ana, tak strasznie się martwiłam, kiedy to przeczytałam. Nie wiedziałam, co myśleć. Wyjaśnisz mi to? – szepcze.

– Pewnego dnia. Ale nie teraz.

– To dobrze. Nikomu nie powiem. Tak bardzo cię kocham, Ana, jak własną siostrę. Ja tylko sądziłam… Po prostu nie wiedziałam, co myśleć. Przepraszam. Skoro jesteś szczęśliwa, to ja także. – Przenosi spojrzenie na Christiana i powtarza słowa przeprosin. On kiwa głową, wzrok ma lodowaty, a wyraz jego twarzy nie ulega zmianie. O cholera, nadal jest wściekły. – Naprawdę przepraszam. Masz rację, to nie moja sprawa – szepcze mi do ucha.

Rozlega się pukanie do drzwi. Do pokoju zagląda Grace.

– Wszystko w porządku, kochanie? – pyta Christiana.

– Wszystko dobrze, pani Grey – odpowiada natychmiast Kate.

– OK, mamo – mówi Christian.

– To świetnie. – Wchodzi do pokoju. – W takim razie nie będziecie mieć nic przeciwko, jeśli obdarzę mego syna urodzinowym uściskiem. – Uśmiecha się do nas promiennie. Christian przytula ją mocno. – Wszystkiego najlepszego, kochanie – mówi cicho, zamykając oczy. – Tak się cieszę, że nadal jesteś wśród nas.

– Mamo, nic mi nie jest. – Christian uśmiecha się do niej. Ona odsuwa się, przygląda mu się bacznie i uśmiecha szeroko.

– Tak bardzo się cieszę – mówi i dotyka jego policzka.

Ona wie! Kiedy jej powiedział?

– No cóż, dzieci, skoro już skończyliście to wasze tête-à-tête, jest tu cała masa osób, które chcą sprawdzić, czy naprawdę jesteś cały i zdrowy, Christianie, i złożyć ci urodzinowe życzenia.

– Już idę.

Grace zerka niespokojnie na mnie i Kate, ale nasze uśmiechy ją uspokajają. Mruga do mnie, przytrzymując dla nas otwarte drzwi. Christian wyciąga do mnie rękę.

– Christianie, naprawdę cię przepraszam – mówi pokornie Kate.

Pokorna Kate to coś, co warto zapamiętać. Christian kiwa głową i wychodzimy za nią z pokoju.

W korytarzu zerkam na niego nerwowo.

– Twoja matka wie o nas?

– Tak.

– Och. – I pomyśleć, że nasz wieczór mogła zniszczyć nieustępliwa panna Kavanagh. Wzdrygam się na tę myśl. – Cóż, to był interesujący początek imprezy – uśmiecham się do niego słodko. Rzuca mi rozbawione spojrzenie. Dzięki Bogu.

– Oględnie powiedziane, panno Steele. – Unosi moją dłoń do ust i ją całuje, gdy wchodzimy do salonu.

Nagle rozlegają się brawa i głośne okrzyki. A niech mnie. Ilu tu jest ludzi?

Rozglądam się szybko: wszyscy Greyowie, Ethan z Mią, doktor Flynn zapewne z żoną. Jest też Mac z łodzi, wysoki, przystojny Afroamerykanin – pamiętam, że widziałam go w gabinecie Christiana w dniu, kiedy się poznaliśmy – jędzowata przyjaciółka Mii, Lily, dwie kobiety, których nie znam i... o nie. Serce mi zamiera. Ta kobieta... Pani Robinson.

Podchodzi do nas Gretchen z tacą z kieliszkami szampana. Ma na sobie czarną sukienkę ze sporym dekoltem, zamiast kucyków koka i trzepocze rzęsami na widok Christiana. Brawa cichną, a Christian ściska mi dłoń, gdy wyczekujące spojrzenia wszystkich gości zwracają się na niego.

– Dziękuję wszystkim. Wygląda na to, że szampan mi się przyda.

Bierze od Gretchen dwa kieliszki i uśmiecha się do niej lekko. Ta dziewczyna chyba zaraz zemdleje. Christian podaje mi jeden kieliszek.

Unosi swój i nagle wszyscy ruszają w jego stronę. Na czele jest to wstrętne babsko w czerni. Czy kiedykolwiek wkłada coś w innym kolorze?

– Christianie, tak bardzo się martwiłam. – Elena obdarza go szybkim uściskiem i całuje w oba policzki.

Nie puszcza mojej dłoni, mimo że próbuję mu ją wyrwać.

– Nic mi nie jest, Eleno – odpowiada rzeczowo.

– Czemu do mnie nie zadzwoniłeś? – Rozpaczliwie szuka wzrokiem jego oczu.

– Byłem zajęty.

– Nie dotarły do ciebie moje wiadomości?

Christian przestępuje z zakłopotaniem z nogi na nogę i przyciąga mnie bliżej i obejmuje ramieniem. Przygląda się Elenie z twarzą pozbawioną wyrazu. Nie może mnie już dłużej ignorować, więc kiwa uprzejmie głową.

– Ana – mówi aksamitnym głosem. – Ślicznie wyglądasz, moja droga.

– Elena – odpowiadam takim samym tonem. – Dziękuję ci.

Napotykam spojrzenie Grace. Marszczy brwi, obserwując nas troje.

– Eleno, muszę coś ogłosić – mówi Christian, patrząc na nią obojętnie.

Jej błękitne oczy zasnuwa mgła.

– Oczywiście. – Odsuwa się ze sztucznym uśmiechem.

– Panie i panowie! – woła Christian. Czeka chwilę, aż gwar się uciszy i spojrzenia wszystkich ponownie skierują się na niego. – Dziękuję wam wszystkim za przybycie. Muszę przyznać, że spodziewałem się spokojnej rodzinnej kolacji, więc to dla mnie przyjemna niespodzianka. – Patrzy znacząco na Mię, która uśmiecha się szeroko i posyła mu całusa. Christian kiwa z irytacją głową i kontynuuje: – Ros i ja… – kiwa głową rudowłosej kobiecie, stojącej niedaleko nas w towarzystwie niewysokiej blondynki – … najedliśmy się wczoraj strachu.

Och, a więc to jest ta Ros, która z nim pracuje. Uśmiecha się i unosi kieliszek.

– Tym bardziej więc cieszę się, że jestem tutaj i mogę podzielić się z wami fantastyczną wiadomością. Ta piękna kobieta – zerka na mnie – panna Anastasia Rose Steele, zgodziła się zostać moją żoną, i chciałbym, abyście to wy dowiedzieli się o tym jako pierwsi.

Rozlegają się okrzyki zdumienia, radości, a potem zrywają się gromkie brawa! Jezu, to się dzieje naprawdę. Myślę, że moja twarz ma barwę sukienki Kate. Christian unosi mi brodę i składa na ustach szybki pocałunek.

– Wkrótce będziesz moja.

– Już jestem – szepczę.

– Na mocy prawa. – I uśmiecha się do mnie szelmowsko.

Lily, stojąca obok Mii, wygląda na zdruzgotaną. Gretchen – jakby zjadła coś paskudnego i gorzkiego. Gdy rozglądam się niespokojnie po salonie, wzrokiem zahaczam o Elenę. Usta ma otwarte. Jest oszołomiona – wręcz przerażona, a ja przyglądam się temu nie bez satysfakcji. A tak w ogóle to co ona tu robi?

Carrick i Grace przerywają moje nieżyczliwie myśli. I chwilę później zostaję wyściskana i wycałowana przez Greyów.

– Och, Ana, tak się cieszę, że wejdziesz do rodziny – wyrzuca z siebie Grace. – Ta zmiana w Christianie… On jest… szczęśliwy. Tak bardzo jestem ci wdzięczna.

Rumienię się, ale w duchu ja także bardzo się cieszę.

– Gdzie pierścionek? – wykrzykuje Mia, ściskając mnie mocno.

– Eee… – Pierścionek! O rany. W ogóle o nim nie pomyślałam. Zerkam na Christiana.

– Zamierzamy wybrać go razem. – Christian rzuca jej spojrzenie spode łba.

– Och, nie patrz tak na mnie, Grey! – beszta go, po czym zarzuca mu ręce na szyję. – Tak bardzo się cieszę. –

To jedyna mi znana osoba, której nie onieśmiela gniewne spojrzenie Greya. – Kiedy się pobieracie? Ustaliliście już datę? – Uśmiecha się promiennie do brata.

Kręci głową. Jego irytacja jest wręcz namacalna.

– Nie mam pojęcia i nie, nie ustaliliśmy. Musimy to wszystko omówić – oświadcza.

– Mam nadzieję, że urządzicie wielkie wesele, tutaj. – Mia ignoruje jego irytację.

– Prawdopodobnie jutro polecimy do Vegas – warczy do niej, po czym odwraca się w stronę Elliota, który ściska go po raz drugi w ciągu dwóch dni.

– Dobra robota, bracie. – Klepie Christiana po plecach.

Kilka minut później witamy się z doktorem Flynnem. Elena gdzieś zniknęła, a chmurna Gretchen dolewa gościom szampana.

Obok doktora Flynna stoi śliczna młoda kobieta z długimi, niemal czarnymi włosami, imponującym dekoltem i pięknymi orzechowymi oczami.

– Christian – mówi Flynn i wymieniają uścisk dłoni.

– John. Rhian. – Całuje ciemnowłosą kobietę w policzek. Jest filigranowa i ładna.

– Cieszę się, że nadal jesteś wśród nas, Christianie. Moje życie bez ciebie byłoby nudne i biedne.

Christian parska śmiechem.

– John! – gani męża Rhian, zresztą ku uciesze Christiana.

– Rhian, to Anastasia, moja narzeczona. Ano, to żona Johna.

– Cudownie poznać kobietę, która w końcu podbiła serce Christiana. – Rhian uśmiecha się do mnie miło.

– Dziękuję – mamroczę, po raz kolejny zakłopotana.

– Gratulacje dla was obojga i wszystkiego najlepszego z okazji urodzin, Christianie. Cóż za wspaniały prezent urodzinowy. – Uśmiecha się szeroko.

Nie miałam pojęcia, że będzie tu doktor Flynn. I Elena. Gorączkowo szukam w pamięci, czy jest jeszcze jakieś pytanie, które chciałabym mu zadać, ale przyjęcie urodzinowe to raczej niezbyt odpowiednia okazja do konsultacji psychiatrycznej.

Przez kilka minut rozmawiamy o pierdołach. Rhian nie pracuje zawodowo, lecz wychowuje dwóch małych chłopców. Domyślam się, że to ona jest powodem, dla którego doktor Flynn ma praktykę w Stanach Zjednoczonych.

– Czuje się dobrze, Christianie, dobrze reaguje na leczenie. Jeszcze dwa tygodnie i będziemy się mogli zastanowić nad leczeniem ambulatoryjnym.

Doktor Flynn i Christian mają ściszone głosy, ale nie mogę się powstrzymać, by ich nie podsłuchiwać, dość niegrzecznie ignorując Rhian.

– Więc teraz to tylko piaskownica i pieluchy…

– Poświęcasz im pewnie cały swój czas. – Rumienię się i kieruję uwagę z powrotem na Rhian, która śmieje się słodko. Wiem, że Christian i Flynn rozmawiają o Leili.

– Zapytaj ją o coś w moim imieniu – mówi cicho Christian.

– A ty czym się zajmujesz, Anastasio? – słyszę kolejne pytanie Rhian.

– Ana, proszę. Pracuję w wydawnictwie.

Oni rozmawiają jeszcze ciszej. To takie frustrujące. Ale przerywają rozmowę, kiedy dołączają do nas Ros i energiczna blondynka, którą Christian przedstawia jako jej partnerkę, Gwen.

Ros jest czarująca i wkrótce dowiaduję się, że mieszkają prawie naprzeciwko Escali. Jest pełna uznania dla umiejętności pilotażowych Christiana. Pierwszy raz leciała Charliem Tango i twierdzi, że bez wahania wsiadłaby znowu. To jedna z niewielu mi znanych kobiet, które nie są nim oczarowane… cóż, powód jest oczywisty.

Gwen ma cierpkie poczucie humoru i Christian zachowuje się przy nich niezwykle swobodnie. Dobrze je zna. Nie rozmawiają o pracy, ale wyczuwam, że Ros to wyjątkowo inteligentna kobieta, która potrafi dotrzymać mu kroku. Ma także głośny, gardłowy, zachrypnięty od papierosów śmiech.

Naszą rozmowę przerywa Grace, informując wszystkich, że kolację podano w kuchni Greyów w formie bufetu szwedzkiego. Goście powoli przechodzą na tył domu.

Mia dopada mnie na korytarzu. W jasnoróżowej zwiewnej sukience w stylu baby doll i zabójczych szpilkach góruje nade mną jak bożonarodzeniowa wróżka. Trzyma dwie szklanki.

– Ana – syczy konspiracyjnie. Zerkam na Christiana, który puszcza mnie z miną w stylu „powodzenia". Przemykam z nią do pokoju dziennego. – Proszę – mówi łobuzersko. – To specjalne cytrynowe martini mojego taty, o wiele lepsze od szampana. – Wręcza mi szklankę i przygląda się, jak biorę niepewny łyk.

– Hmm… pyszne. Ale mocne. – Czego ona chce? Próbuje mnie upić?

– Ana, potrzebuję rady. I nie mogę prosić o nią Lily, bo straszna z niej krytykantka. – Mia przewraca oczami. – Jest taka o ciebie zazdrosna. Myślę, że miała nadzieję, iż pewnego dnia ona i Christian staną się parą. – Wybucha śmiechem, a ja truchleję.

To coś, z czym długo będę musiała się zmagać – inne kobiety pragnące mojego mężczyzny. Odsuwam od siebie tę nieprzyjemną myśl. Upijam kolejny łyk martini.

– Postaram się pomóc. Mów.

– Jak wiesz, Ethan i ja poznaliśmy się niedawno, dzięki tobie. – Obdarza mnie promiennym uśmiechem.

– Tak – mówię ostrożnie.

– Ana, on nie chce się ze mną spotykać. – Wydyma wargi.

– Och. – Mrugam zaskoczona i myślę: „Może mu się po prostu nie spodobałaś".

– Źle to zabrzmiało. On nie chce się ze mną spotykać, ponieważ jego siostra spotyka się z moim bratem. No wiesz, uważa, że to swego rodzaju kazirodztwo. Ale wiem, że mu się podobam. Co mogę zrobić?

– Och, rozumiem – mruczę, próbując zyskać na czasie. Co mam powiedzieć? – A nie możecie na razie tylko się przyjaźnić i dać sobie trochę czasu? Przecież dopiero co się poznaliście.

Unosi brew.

– Wiem, że ja i Christian także nie znamy się długo, ale... – Marszczę brwi, nie mając pewności, co powiedzieć. – Mia, to coś, co ty i Ethan musicie razem rozpracować. Ja bym spróbowała zacząć od przyjaźni.

Mia uśmiecha się szeroko.

– Nauczyłaś się tego spojrzenia od Christiana.

Rumienię się.

– Jeśli chcesz rady, zapytaj Kate. Możliwe, że wie coś na temat uczuć swego brata.

– Tak myślisz?

– Tak. – Uśmiecham się krzepiąco.

– Fajnie. Dzięki, Ana.

Obdarza mnie jeszcze jednym uściskiem, po czym biegnie podekscytowana do drzwi, bez wątpienia po to, by poszukać Kate. Pociągam kolejny łyk martini i już mam wychodzić, kiedy zatrzymuję się jak wryta.

Do pokoju wpada Elena. Na jej twarzy maluje się ponura, gniewna determinacja. Zamyka cicho drzwi i obrzuca mnie chmurnym spojrzeniem.

O cholera.

– Ana – rzuca drwiąco.

Przywołuję całe swoje opanowanie. Lekko kręci mi się w głowie od dwóch kieliszków szampana i zabójczego koktajlu, który trzymam w dłoni.

– Elena. – Głos mam cichy, ale spokojny, pomimo suchości w ustach. Czemu ta kobieta tak mnie wkurza? I czego teraz chce?

– Złożyłabym ci serdeczne gratulacje, ale uważam, że byłyby one nie na miejscu. – Jej zimne, błękitne oczy wpatrują się lodowato w moje.

– Ani nie potrzebuję, ani nie chcę twoich gratulacji, Eleno. Jestem zaskoczona i rozczarowana, że się tu zjawiłaś.

Unosi brew. Chyba jest pod wrażeniem.

– Nie myślałam, że się okażesz godnym przeciwnikiem. Ale ty na każdym kroku mnie zaskakujesz.

– Ja o tobie w ogóle nie myślałam – kłamię spokojnie. Christian byłby ze mnie dumny. – A teraz wybacz, ale mam znacznie lepsze rzeczy do roboty niż marnowanie czasu z tobą.

– Nie tak szybko, moja panno – syczy, opierając się o drzwi. – Co ty, u licha, sobie wyobrażasz, przyjmując oświadczyny Christiana? Jeśli choć przez chwilę wydaje ci się, że potrafisz go uszczęśliwić, to jesteś w wielkim błędzie.

– To, co się zgadzam robić z Christianem, to nie twoja sprawa. – Uśmiecham się z sarkastyczną słodyczą.

Ignoruje mnie.

– On ma potrzeby. Potrzeby, których ty w żadnym razie nie zaspokoisz – oświadcza triumfująco.

– A co ty wiesz o jego potrzebach? – warczę. Wzbiera we mnie oburzenie, podsycane przypływem adrenaliny. Jak ta pieprzona dziwka śmie prawić mi tu kazania? – Jesteś nikim innym jak molestującym nieletnich zboczeńcem, i gdyby to zależało ode mnie, cisnęłabym cię do siódmego kręgu piekieł i odeszła z uśmiechem. A teraz zejdź mi z drogi, a może sama cię muszę usunąć?

– Popełniasz wielki błąd, moja damo. Jak śmiesz krytykować nasz styl życia? Nic o nim nie wiesz i nie masz pojęcia, w co się pakujesz. A jeśli sądzisz, że będzie szczęśliwy z myszatą naciągaczką twojego pokroju…

Tego już za wiele! Chluszczę jej resztą mojego martini w twarz.

– Nie waż się mówić mi, w co się pakuję! – krzyczę. – Kiedy to w końcu do ciebie dotrze? To nie twoja cholerna sprawa!

Wpatruje się we mnie zaszokowana, wycierając z twarzy lepki płyn. Mam wrażenie, że zaraz się na mnie rzuci, ale nagle robi gwałtowny krok do przodu, gdy drzwi się otwierają.

Staje w nich Christian. W ciągu ułamka sekundy dokonuje oceny sytuacji – ja pobladła i drżąca, ona mokra i sina z wściekłości. Jego piękną twarz wykrzywia gniew, gdy staje między nami.

– Co ty, do kurwy nędzy, robisz, Elena? – pyta lodowato.

– To nie jest kobieta dla ciebie, Christianie – szepcze.

– Co takiego?! – woła. Obie nas ogarnia przestrach. Nie widzę jego twarzy, ale cały jest spięty i emanuje z niego wrogość. – Skąd ty, do cholery, możesz wiedzieć, co jest dla mnie dobre?

– Masz potrzeby, Christianie – mówi łagodnie.

– Już ci mówiłem, to nie twój zasmarkany interes! – ryczy.

O cholera. Bardzo Wściekły Christian dał głos. Ludzie nas usłyszą.

– O co chodzi? – Obrzuca ją gniewnym spojrzeniem. – Uważasz, że to ty? Ty? Uważasz, że ty jesteś dla mnie odpowiednia?

Głos ma cichszy, ale ociekający pogardą i nagle pragnę stąd uciec. Nie chcę być tego świadkiem. Jestem intruzem. Ale nogi mam jak wrośnięte w ziemię.

Elena przełyka ślinę i prostuje się. Jej postawa ulega subtelnej zmianie, staje się bardziej władcza. Robi krok w jego stronę.

– Nigdy w życiu nie przytrafiło ci się nic lepszego ode mnie – syczy arogancko. – Spójrz teraz na siebie. Jeden z najbogatszych, odnoszących największe sukcesy przedsiębiorców w Stanach Zjednoczonych. Niczego nie potrzebujesz. Jesteś panem swojego wszechświata.

Cofa się i przygląda jej się z pełnym wściekłości oburzeniem.

– Kochałeś to, Christianie, nie próbuj się oszukiwać. Byłeś na najlepszej drodze do autodestrukcji, i uratowałam cię przed tym, uratowałam przed życiem za kratkami. Uwierz mi, skarbie, tam właśnie byś skończył. Nauczyłam cię wszystkiego, co umiesz, wszystkiego, czego potrzebujesz.

Christian blednie, wpatrując się w nią z przerażeniem. Kiedy się odzywa, głos na niski i pełen niedowierzania.

– Nauczyłaś mnie, jak się pieprzyć, Eleno. Ale to puste, takie jak ty. Nic dziwnego, że Linc cię zostawił.

Do gardła podchodzi mi żółć. Nie powinno mnie tutaj być. Ale stoję nieruchomo jak posąg, niezdrowo zafascynowana ich wyznaniami.

– Ani razu mnie nie przytuliłaś – szepcze Christian. – Ani razu nie powiedziałaś, że mnie kochasz.

Mruży oczy.

– Miłość jest dla głupców, Christianie.

– Wynoś się z mojego domu!

Nieustępliwy, wściekły głos Grace zaskakuje nas wszystkich. Trzy głowy odwracają się szybko. Na progu stoi matka Christiana. Patrzy z wściekłością na Elenę, która blednie pod tą swoją śliczną opalenizną.

Mam wrażenie, że czas się zatrzymał. We trójkę łapiemy głośno oddech, gdy Grace wkracza do pokoju. Oczy jej płoną gniewem. Zatrzymuje się przed Eleną i uderza ją mocno w twarz. Odgłos uderzenia odbija się echem od ścian pokoju.

– Zabieraj te swoje brudne łapska od mojego syna, ty dziwko, i wynoś się z mojego domu. Natychmiast! – syczy przez zaciśnięte zęby.

Elena podnosi dłoń do czerwonego policzka i przez chwilę wpatruje się w Grace, przerażona i zaszokowana. Następnie wybiega z pokoju, nawet nie zamykając za sobą drzwi.

Grace odwraca się powoli do Christiana. Przez długą chwilę panuje pełna napięcia cisza.

– Ano, mogłabyś zostawić nas na chwilę samych? – Głos ma cichy, chrapliwy, ale silny.

– Naturalnie – szepczę i wychodzę tak szybko, jak się da, oglądając się nerwowo przez ramię. Ale żadne z nich nie patrzy na mnie. Wpatrują się w siebie, a ich milcząca komunikacja jest ogłuszająco głośna.

Zatrzymuję się na korytarzu. Serce wali mi jak młotem i cała jestem spanikowana. O rany, to się narobiło. I teraz Grace już wie. Nie mam pojęcia, co zamierza powiedzieć Christianowi, i choć wiem, że nie powinnam, opieram się o drzwi i nadstawiam uszu.

– Jak długo, Christianie? – Głos Grace jest cichy. Ledwie ją słyszę.

Nie słyszę jego odpowiedzi.

– Ile miałeś lat? Powiedz mi. Ile miałeś lat, kiedy to się zaczęło?

Ponownie nie słyszę Christiana.

– Wszystko w porządku, Ano? – pyta mnie Ros.

– Tak, dobrze. Dziękuję.

Uśmiecha się.

– Idę tylko po torebkę. Muszę zapalić.

Przez krótką chwilę zastanawiam się, czy do niej nie dołączyć.

– A ja idę do toalety. – Muszę zebrać myśli, aby przetrawić wszystko to, czego byłam świadkiem i co słyszałam. Góra wydaje się najbezpieczniejsza. Patrzę, jak Ros wchodzi do salonu i pędzę na górę, przeskakując po dwa stopnie naraz. Najpierw na pierwsze piętro, potem na drugie.

Otwieram drzwi do dawnego pokoju Christiana i zamykam je za sobą. Biorę głęboki oddech. Kładę się na łóżku i wpatruję w biały sufit.

To bez wątpienia była jedna z najbardziej koszmarnych konfrontacji, jakich byłam świadkiem, i teraz czuję się odrętwiała. Mój narzeczony i jego była kochanka – żadna przyszła panna młoda nie powinna przez coś takiego przechodzić. Ale trochę się cieszę, że Elena pokazała swoje prawdziwe oblicze i że byłam tego świadkiem.

Moje myśli biegną ku Grace. Biedna, że musiała to wszystko usłyszeć. Dowiedziała się, że Christian i Elena mieli romans, ale nie wie, jaki miał on charakter. Dzięki Bogu.

Z mojego gardła wydobywa się jęk. Co ja robię? A może ta wiedźma miała rację.

Nie, ani myślę w to wierzyć. Ona jest taka zimna i okrutna. Kręcę głową. Myli się. Jestem odpowiednią kobietą dla Christiana. To mnie potrzebuje. I w chwili zdumiewającej jasności umysłu nie pytam, jak wcześniej żył, ale dlaczego. „Jak" nie jest złe. Wszyscy byli dorośli. Wszyscy zgadzali się na to, co robią. Ale „dlaczego" – to właśnie ono jest niewłaściwe. To ono pochodziło z jego mrocznego miejsca.

Zamykam oczy i zasłaniam je ramieniem. Ale teraz Christian ruszył do przodu, zostawił je za sobą i oboje jesteśmy w miejscu jasnym. Oboje jesteśmy nim oślepieni.

Potrafimy prowadzić się nawzajem. W mojej głowie pojawia się pewna myśl. Niedająca spokoju, podstępna myśl, a jestem w jedynym miejscu, gdzie mogę sobie z tym poradzić. Siadam. Tak, muszę to zrobić.

Wstaję, zdejmuję buty i podchodzę do biurka Christiana. Przyglądam się uważnie wiszącej nad nim tablicy. Zdjęcia młodego Christiana nadal tu widnieją – jeszcze bardziej przejmujące niż dotąd, zważywszy na dzisiejszy spektakl z nim i panią Robinson w rolach głównych. A w rogu wisi małe, czarno-białe zdjęcie – jego matka, dziwka i narkomanka.

Włączam lampkę na biurku i kieruję ją na zdjęcie. Nawet nie znam jej imienia. Jest bardzo do niego podobna, tyle że młodsza i bardziej smutna. Patrząc na jej twarz, czuję tylko żal. Żal mi jej. Próbuję dostrzec podobieństwa pomiędzy jej twarzą a moją. Mrużę oczy, podchodząc naprawdę blisko, ale ich nie widzę. Może włosy, ale jej są chyba jaśniejsze. W ogóle nie jestem do niej podobna. Co za ulga.

Moja podświadomość cmoka na mnie, patrząc gniewnie znad okularów. „Po co się zadręczasz? Przecież się zgodziłaś". Tak, zgodziłam się. Pragnę spędzić z Christianem resztę życia. Moja wewnętrzna bogini siedzi w pozycji kwiatu lotosu i uśmiecha się do mnie słodko. Tak. Podjęłam właściwą decyzję.

Muszę go znaleźć – Christian będzie się niepokoił. Nie mam pojęcia, ile czasu spędziłam w tym pokoju; jeszcze pomyśli, że uciekłam. Przewracam oczami. Mam nadzieję, że on i Grace już skończyli. Wzdrygam się na myśl, co jeszcze mogła mu powiedzieć.

Spotykam Christiana, gdy wchodzi właśnie na piętro, szukając mnie. Twarz ma pełną napięcia – nie jest to beztroski Szary, z którym tu przyjechałam. Gdy staję na podeście, on zatrzymuje się na ostatnim stopniu, tak że oczy mamy na tym samym poziomie.

– Cześć – mówi ostrożnie.

– Cześć.

– Martwiłem się…

– Wiem – wchodzę mu w słowo. – Przepraszam, ale musiałam uciec. Aby pomyśleć. – Unoszę rękę i dotykam jego policzka. Zamyka oczy i wtula twarz w moją dłoń.

– I uznałaś, że zrobisz to w moim pokoju?

– Tak.

Bierze mnie za rękę i przyciąga do siebie, a ja ochoczo zatapiam się w jego ramionach, moim ulubionym miejscu na całym świecie. Pachnie świeżym praniem, żelem pod prysznic i Christianem – najbardziej uspokajający i podniecający zapach na tej planecie.

– Przykro mi, że musiałaś przez to przechodzić.

– To nie twoja wina, Christianie. Dlaczego ona tu była?

– To przyjaciółka rodziny. – Uśmiecha się przepraszająco.

Staram się nie reagować.

– Już nie. Jak tam twoja mama?

– Mama jest w tej chwili mocno na mnie wkurwiona. Naprawdę się cieszę, że tu jesteś i że trwa właśnie przyjęcie. W przeciwnym razie mógłbym nie dożyć jutra.

– Tak źle?

Kiwa głową. Spojrzenie ma poważne.

– A możesz ją winić? – pytam cicho.

Przytula mnie mocno.

– Nie – mówi w końcu.

Ha! Przełom.

– Możemy usiąść? – pytam.

– Jasne. Tutaj?

Kiwam głową i oboje siadamy na górnym stopniu.

– No więc jak się czujesz? – pytam, biorąc go za rękę i zaglądając w smutne, poważne oczy.

Wzdycha.

– Czuję się wolny. – Wzrusza ramionami, po czym uśmiecha się promiennie i beztrosko.

– Naprawdę? – Także się uśmiecham.

– Koniec z naszym wspólnym biznesem.

Marszczę brwi.

– Zlikwidujesz salony?

Parska.

– Nie jestem aż tak mściwy, Anastasio. Nie. Podaruję je Elenie. W poniedziałek porozmawiam z prawnikiem. Jestem jej to winien.

Unoszę brew.

– Koniec z panią Robinson?

Kiwa głową.

– Koniec.

Uśmiecham się.

– Przykro mi, że straciłeś przyjaciółkę.

Wzrusza ramionami, po czym uśmiecha się drwiąco.

– Czyżby?

– Nie – przyznaję, rumieniąc się.

– Chodź. – Wstaje i wyciąga rękę. – Poudzielajmy się trochę na przyjęciu wydanym na naszą cześć. Może się nawet upiję.

– A to ci się zdarza? – pytam, ujmując jego dłoń.

– Ostatni raz mi się zdarzyło, gdy byłem szalonym nastolatkiem.

Schodzimy po schodach.

– Jadłaś coś?

Jasny gwint.

– Nie.

– A powinnaś. Sądząc po wyglądzie i zapachu Eleny, oblałaś ją jednym z zabójczych koktajli taty. – Patrzy na mnie, bez powodzenia próbując zachować powagę.

– Christianie, ja...

Unosi rękę.

– Bez dyskusji, Anastasio. Jeśli masz zamiar się upić – i oblewać alkoholem moje byłe – musisz jeść. To zasada numer jeden. Wydaje mi się, że już o tym rozmawialiśmy po naszej pierwszej wspólnej nocy.

No tak. W Heathmanie.

W korytarzu zatrzymuje się i dotyka mego policzka.

– Godzinami leżałem i patrzyłem, jak śpisz – mruczy. – Możliwe, że już wtedy cię kochałem.

Och.

Całuje mnie czule, a ja cała się roztapiam. Schodzi ze mnie nieprzyjemne napięcie.

– Jedz – szepcze.

– Dobrze – mówię, ponieważ wiem, że w tej akurat chwili zrobiłabym dla niego prawdopodobnie wszystko.

Bierze mnie za rękę i prowadzi w stronę kuchni, gdzie przyjęcie trwa w najlepsze.

– DOBRANOC, JOHN, RHIAN.

– Jeszcze raz gratuluję, Ana. Wszystko będzie dobrze. – Doktor Flynn uśmiecha się do nas miło, żegnając się z nami.

– Dobranoc.

Christian zamyka drzwi i kręci głową. Spogląda na mnie i w jego oczach błyszczy nagle eksycytacja.

– Została tylko rodzina. Mama chyba trochę za dużo wypiła.

Grace śpiewa właśnie karaoke w salonie. Kate i Mia mają trudnego przeciwnika.

– Dziwisz jej się? – Uśmiecham się drwiąco, starając się utrzymać swobodną atmosferę między nami. Udaje się.

– Drwi sobie pani ze mnie, panno Steele?

– Owszem.

– Ale to był dzień.

– Christianie, ostatnio każdy dzień z tobą taki jest – mówię z ironią.

Kręci głową.

– Celna uwaga, panno Steele. Chodź, chcę ci coś pokazać.

Bierze mnie za rękę i prowadzi do kuchni, gdzie Carrick, Ethan i Elliot omawiają wyniki Marinersów, piją ostatnie koktajle i jedzą to, co zostało.

– Wybieracie się na spacer? – pyta znacząco Elliot, gdy wychodzimy na taras.

Christian go ignoruje.

Gdy wchodzimy po schodach do ogrodu, zdejmuję buty. Księżyc świeci jasno nad zatoką. W oddali migoczą tysiące świateł Seattle. W hangarze pali się światło.

– Christianie, chciałabym pójść jutro do kościoła.

– Och?

– Modliłam się, abyś wrócił cały i zdrowy, i wróciłeś. Tyle chociaż mogę zrobić.

– Dobrze.

Przechadzamy się w milczeniu przez kilka przyjemnych minut. Wtedy coś mi się przypomina.

– Gdzie zamierzasz powiesić zdjęcia José?

– Pomyślałem, że możemy je powiesić w nowym domu.

– Kupiłeś go?

– Tak. – Zatrzymuje się i patrzy na mnie z niepokojem. – Myślałem, że ci się podoba.

– Podoba. Kiedy go kupiłeś?

– Wczoraj rano. Teraz musimy zdecydować, co z nim zrobić. – Widać, że mu ulżyło.

– Nie burzmy go. Proszę. To taki śliczny dom. Trzeba jedynie włożyć w niego trochę pracy.

Christian uśmiecha się.

– Dobrze. Porozmawiam z Elliotem. On zna dobrą architektkę, zajmowała się moim domem w Aspen. Tym też może.

Parskam, przypominając sobie ostatni raz, gdy szliśmy trawnikiem do hangaru na łodzie. Och, być może teraz też tak zrobimy. Uśmiecham się.

– No co?

– Przypomniała mi się nasza ostatnia wizyta w hangarze.

Christian chichocze cicho.

– Och, fajnie było. Prawdę mówiąc… – Nagle się zatrzymuje, przerzuca mnie sobie przez ramię, a ja piszczę.

– Byłeś naprawdę zły, o ile dobrze pamiętam.

– Anastasio, ja zawsze jestem naprawdę zły.

– Wcale nie.

Daje mi klapsa w tyłek, gdy zatrzymuje się przed drewnianymi drzwiami. Stawia mnie na ziemi i ujmuje twarz w dłonie.

– Zgadza się, już nie. – Całuje mnie mocno. Kiedy mnie puszcza, brak mi tchu i w żyłach pulsuje mi pożądanie.

Christian patrzy na mnie i w bladym, dochodzącym z hangaru świetle widzę, że jest niespokojny. Mój niespokojny mężczyzna, nie biały rycerz ani mroczny rycerz, ale mężczyzna – piękny, wcale nie aż tak popieprzony – którego kocham.

– Muszę ci coś pokazać – mruczy i otwiera drzwi.

Ostre światło halogenów oświetla zacumowaną łódź motorową, podskakującą lekko na ciemnej wodzie. Obok niej widać łódź wiosłową.

– Chodź. – Christian bierze mnie za rękę i prowadzi na górę. Tam otwiera drzwi, odsuwa się na bok, aby pozwolić mi pierwszej wejść.

Opada mi szczęka. Poddasze jest nie do poznania. Pomieszczenie wypełniają kwiaty… stoją dosłownie wszędzie. Ktoś utworzył magiczną altankę ze ślicznych polnych kwiatów wymieszanych z lampkami choinkowymi i miniaturowymi lampionami, oświetlającymi delikatnie pokój.

Christian wzrusza ramionami.

– Chciałaś serduszek i kwiatów – mruczy.

Mrugam, nie do końca wierząc własnym oczom.

– Masz moje serce.

– A tu są kwiaty – szepczę, kończąc jego zdanie. – Christianie, są śliczne. – Nie przychodzi mi do głowy nic więcej. Serce mam w gardle, a w oczach wielkie łzy.

Christian bierze mnie za rękę, wciąga do pokoju i nim się orientuję, co się dzieje, pada przede mną na jedno kolano. Rany Julek... tego się nie spodziewałam! Wstrzymuję oddech.

Z wewnętrznej kieszeni marynarki wyjmuje pierścionek i patrzy mi w oczy.

– Anastasio Steele. Kocham cię. Pragnę cię kochać, czcić i chronić do końca swoich dni. Bądź moja. Zawsze. Dziel ze mną życie. Wyjdź za mnie.

Mrugam, gdy z oczu zaczynają mi płynąć łzy. Mój Szary, mój mężczyzna. Tak bardzo go kocham i jedyne, co jestem w stanie wykrztusić, to:

– Tak.

Uśmiecha się szeroko i powoli wsuwa mi na palec pierścionek. Jest piękny: owalny brylant w platynowej oprawie. O rany, ale wielki... Wielki, ale jednak prosty i oszałamiający w swojej prostocie.

– Och, Christianie – szlocham, nagle nie posiadając się z radości, i też padam na kolana.

Wczepiam palce w jego włosy i całuję go, wkładając w to całe swoje serce i duszę. Całuję tego pięknego mężczyznę, który mnie kocha równie mocno, jak ja jego. Obejmuje mnie, nie odrywając ust od moich warg. Wiem, że zawsze będę jego, a on zawsze będzie mój. Tak daleko razem zaszliśmy, tyle nas jeszcze czeka, ale jesteśmy dla siebie stworzeni.

Czubek papierosa migocze w ciemności, gdy mężczyzna się zaciąga. Wydmuchuje dym, kończąc dwoma kółkami, które rozpływają się przed nim, blade w świetle księżyca. Poprawia się na fotelu, znudzony, i pociąga szybki łyk taniego burbona z butelki owiniętej brązowym papierem, po czym stawia ją z powrotem między udami.

Nie może uwierzyć, że dalej jest na tropie. Usta wykrzywia mu sardoniczny uśmiech. Ten śmigłowiec to było mocne posunięcie. Jedna z najbardziej emocjonujących rzeczy, jakie zrobił w życiu. I co? Nadaremnie. Kto by pomyślał, że ten skurwiel rzeczywiście potrafi latać?

Prycha.

Nie docenili go. Jeśli Grey choć przez chwilę sądził, że on ucieknie z podkulonym ogonem na drugi koniec świata, srodze się, kutas, pomylił.

Całe życie tego doświadcza. Ludzie nieustannie go nie doceniają – ot, facet, który czyta książki. Pieprzyć to! Facet z pamięcią fotograficzną, który czyta książki. Och, ileż on się nauczył, ileż on wie. Prycha raz jeszcze. Taa, o tobie, Grey. Ileż ja wiem o tobie.

Nieźle jak na dzieciaka z rynsztoku w Detroit.

Nieźle jak na dzieciaka, który wygrał stypendium w Princeton.

Nieźle jak na dzieciaka, który przez całe studia zapierdalał i zajął się branżą wydawniczą.

A teraz to wszystko się spierdoliło, spierdoliło przez Greya i tę jego małą zdzirę. Patrzy gniewnie na dom, który reprezentuje sobą wszystko, czym on pogardza. Ale nic się nie dzieje. Jedynie jakiś czas temu blond cizia w czarnych ciuchach kuśtykała przez podjazd, cała we łzach, po czym wsiadła do białego CLK i odjechała.

Śmieje się smutno, po czym krzywi. Kurwa, żebra. Nadal go bolą po tych kopniakach, jakie zasunął mu pachołek Greya.

Odgrywa tę scenę w głowie: „Jeszcze raz tkniesz pannę Steele, a cię, kurwa, zabiję".

Ten skurwiel też dostanie za swoje. Taa, już on coś wymyśli.

Rozsiada się wygodniej. Zanosi się na długi wieczór. On będzie obserwował i czekał. Raz jeszcze zaciąga się czerwonym marlboro. Jego szansa nadejdzie. I to całkiem niedługo.

Koniec części drugiej

Fifty
Shades
of Grey™

Pięćdziesiąt
twarzy
Greya

E L James

I tom

Ciemniejsza strona Greya

Fifty Shades Darker™

E L James

II tom

Fifty
Shades
Freed™

Nowe
oblicze
Greya

STOP

E L James

Premiera III tomu – 9 stycznia 2013

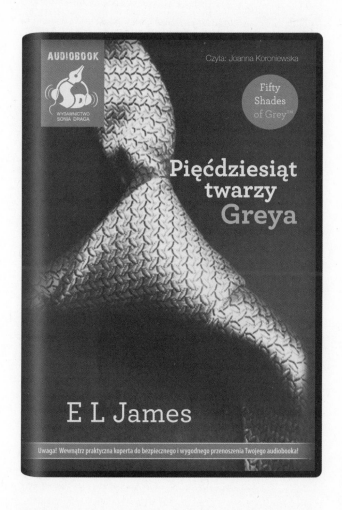

Premiera I tomu w wydaniu audio – 7 listopada 2012